D0874961

KHALIL GIBRAN

« Espaces libres »

JEAN-PIERRE DAHDAH

KHALIL GIBRAN

La vie inspirée
de l'auteur du « Prophète »

ÉDITION REVUE

Albin Michel

Albin Michel
▪ *Spiritualités* ▪

Collection « Espaces libres »
dirigée par Jean Mouttapa et Marc de Smedt

Première édition :
© Editions Albin Michel, 1994
Deuxième édition au format de poche :
© Editions Albin Michel, 2004

A Karimé Bassil Baik d'Antioche, Fawzi Béchara Dahdah de Jérusalem, mes frangines Jannât et Juliana de Beyrouth, Lila Holly Hubert, Marÿke Schurman, Marc de Smedt, Nathalie Barba Martin, Nathalie Karam Hobeica, Laurent et Kheira Assaf, Jean et Kahlil Gibran, au Pr Suheil Bushrui, à Me Boulos Tauk ainsi qu'au Comité national Gibran, je témoigne ma gratitude pour avoir été et la boussole et les voiles mais encore les phares durant mon voyage à la rencontre de Gibran.

AVANT-PROPOS

Des dizaines de millions d'exemplaires vendus à travers le monde, pas moins de dix traductions différentes rien qu'en France, Le Prophète, *livre clé de Khalil Gibran (1883-1931), continue à connaître un succès constant et inégalé depuis sa parution en 1923. Pourquoi ce succès incroyable qui fait de ce livre une des bibles de notre siècle ? Pourquoi cet engouement ?*

Mon idée est que Gibran, en nous donnant ce chef-d'œuvre, nous a offert aussi le livre de morale utile à notre temps : en cela il a comblé un manque criant. Car le message des religions a perdu de sa force du fait du comportement des Eglises, car l'idéologie politique a montré ses vides et aberrations, car le matérialisme athée s'est avéré désespérant de sécheresse polluante. Le besoin d'une éthique de vie simple et tolérante, ouverte sur l'intérieur de soi et sur le monde d'autrui, accueillant la magie de l'existence, les joies et tristesses du temps qui passe, rappelant les grands principes éternels d'un comportement juste et sage, la nécessité d'une telle morale pleine de bon sens et hors institutions, a perduré jusqu'à aujourd'hui.

Gibran a porté son livre vingt-cinq ans durant. Il en a écrit bien d'autres dont certains (je pense à Jésus

Fils de l'Homme) *ont aussi leur génie. Il fut de surcroît un peintre reconnu aux Etats-Unis, sa patrie d'exil, et un grand éditorialiste dans la presse arabe du Moyen-Orient, alors encore sous le joug ottoman.*

Il naquit au Liban, étudia en France, mourut à New York, voyagea beaucoup, rencontra tous les grands écrivains et artistes de son temps, échangea une correspondance volumineuse et fut le témoin lucide d'un univers en mutation. Il aimait l'amitié des femmes, les longues conversations avec les hommes et les ascèses de la création. Il vivait la nuit et le jour et en mourut jeune. Sa trajectoire fulgurante valait plus qu'un livre, une somme.

Et cette biographie a ceci d'unique que son auteur (et traducteur), Jean-Pierre Dahdah, comprend aussi bien l'arabe que l'anglais et le français, tout comme son modèle, Khalil Gibran. Il a donc, au prix d'une quête forcenée, pu avoir accès à des masses de lettres, d'articles de journaux, de textes jamais traduits jusqu'alors : Gibran en effet, s'il a adopté l'anglais, écrivait beaucoup en arabe : Le Prophète *connut ainsi trois moutures arabes et quatre en anglais avant de voir le jour. Nous avons donc, grâce à lui, l'opportunité d'entrer dans l'intimité d'un personnage fascinant, qui s'est essayé à faire reculer les frontières de la conscience et nous enseigne beaucoup sur les ressorts de notre propre âme.*

MARC DE SMEDT

1

La nativité

« Vos enfants ne sont pas vos enfants ; ils sont les fils et les filles de la Vie qui a soif de vivre encore et encore [1]. »

L'aube de l'auteur du *Prophète* « commença à poindre à la rencontre de son propre jour [2] » au pied du sommet le plus élevé de la Terre promise, au nord du mont Liban, le mont Blanc du Levant.

Ce fut à Bcharré, *Bayt Ishtar*, « Demeure d'Astarté », qu'il lança son premier cri durant l'hiver 1883.

Mikhaël Nou'aymé, qui fut son ami à New York, imagina cette naissance ainsi : « Ouin, ouin...

Le visage de la sage-femme s'illumina en regardant Kamila étendue sur le lit d'accouchement, et sa lumière devint paroles joyeuses : "C'est un garçon ! Que Dieu soit remercié pour t'avoir délivrée."

Comme une lueur de lune traverse une nuée, un sourire serein vint se diffuser à travers les rides de douleur qui voilaient le visage de la mère.

La maison se transforma en une caisse de résonance dans laquelle retentit un seul mot : garçon. Tel un

oiseau qui venait d'être libéré de sa cage, ce mot se
mit à voltiger dans toutes les pièces, papillonnant sur
les langues des parentes et des voisines assises autour
du feu, près du lit de la mère, et s'accrochant aux murs
ainsi qu'aux poutres que la fumée avait enduites d'un
noir d'ébène ; puis il finit par traverser le plafond pour
rejoindre le vent de janvier qui hurlait dans la nuit.
Avec les lettres de ce mot le vent se plaisait à saupou-
drer les profondeurs de la Vallée sainte et les chevelu-
res des cèdres de Salomon. Garçon, garçon !

Les femmes félicitèrent la mère et se félicitèrent
entre elles, comme si le nouveau-né était celui de chacune d'elles, en répétant : "Que soit béni ce qui nous
a été offert."

Tandis que l'enfant criait, que la mère soupirait, et
que parentes et voisines ululaient, soudain la porte
s'ouvrit et se figea, laissant une vague de souffle hiver-
nal envahir la maison. A son seuil se trouvait un
homme : de taille moyenne, dans la force de l'âge, une
moustache brune ornait son visage. La sage-femme se
retourna vers lui et s'écria :

– O Khalil, ferme donc la porte, le vent va emporter
l'enfant !

Il claqua la porte et se précipita au chevet de sa
femme puis s'arrêta un instant en retenant son souffle.
Il retroussa sa moustache, son front se dérida puis il
s'enquit :

– C'est un garçon, n'est-ce pas ?

La sage-femme lui lança avec un humour cynique :

– Tu ne le mériterais pas.

– Non, Oum Hanna [Mère de Jean]. Khalil Gibran
mérite davantage. Il est vrai que je suis ivre, mais la
crainte de Dieu est dans mon cœur.

Puis il se retourna vers sa femme et lui dit :

– Par Dieu, Kamila, j'irai jusqu'à laver tes pieds et

à en boire l'eau. Que soit béni ce que le Seigneur nous a offert. Sais-tu comment nous allons l'appeler ? Gibran, comme l'ancêtre de la famille qui vint le premier s'installer à Bcharré. Veux-tu bien, Oum Hanna, enregistrer cet acte de naissance :

Prénom : Gibran [fils de] Khalil.

Patronyme : Gibran.

Né la nuit du samedi 6 janvier 1883,

A Bcharré, Mont-Liban[3].

La mère se recroquevilla ; ses larges et paisibles yeux scintillèrent, et deux larmes vinrent s'agripper à la pointe de ses cils. Sur son fin visage hâlé émergea un brouillard de mélancolie, voilant ainsi ce qui y brillait comme joie après sa délivrance.

– Kamila, Kamila, s'exclama-t-il, tu n'as pas honte ? Tu pleures ! Si en ce grand jour il ne m'est pas permis de boire jusqu'à l'ivresse, quand aurai-je donc le droit de le faire ?

– Heureux celui qui t'a vu sobre ne serait-ce qu'une seule fois, marmonna la sage-femme.

– Oum Hanna, garde tes limites, lui rétorqua-t-il. Ton métier est de tirer les enfants des entrailles de leur mère et non pas de tirer les hommes des entrailles des bonbonnes. Kamila, je te promets de ne plus toucher à l'alcool.

Puis il sortit d'un tiroir de buffet des raisins secs, des amandes et des noix et se mit à en offrir aux femmes pour la circonstance en leur disant : "Prenez-en, c'est en l'honneur de la naissance de Gibran."

Et chacune d'elles en mangea, prodiguant des vœux pour la mère et le nouveau-né : "Que la providence veille sur cet enfant et que Dieu soit remercié d'avoir délivré sa mère."

Par la suite, elles allumèrent leur lanterne et dispa-

rurent dans les ténèbres hivernales, excepté la sage-
femme qui resta au chevet de la mère et du petit enfant.

Ainsi, une vie commença dont on ne connaissait
aucun secret, si ce n'est un garçon, et dont on ne perce-
vait aucune voix, si ce n'est "ouin, ouin...".

La mère s'endormit, et à côté d'elle ce petit être de
chair et de sang qu'elle appela son fils. Elle ne connaissait de lui pas plus de choses que ce que connaît l'œil
de sa larme. [La larme n'est-elle pas la fille de l'œil ?]

D'où est venu ce petit homme et où va-t-il ? Que
cherchera-t-il sur terre et que trouvera la terre en lui ?

Si Kamila avait pu saisir ce qui la reliait entre sa
couche à Bcharré et le lit blanc de l'hôpital Saint-
Vincent à New York où son fils, quarante-huit ans plus
tard, entrera dans son dernier sommeil, la joie de sa
délivrance se serait transformée en frisson d'angoisse.

Si elle avait pu voir cette goutte de vie, qui venait
de jaillir de sa matrice cette nuit-là, pénétrer dans la
matrice du temps pour être reléguée bien plus tard dans
un pays lointain, elle aurait préféré que les douleurs
d'enfantement continuent à jamais de déchiqueter ses
entrailles.

Si elle avait pu toucher les flux de l'esprit invisible
qui allaient relier son fils à une myriade d'hommes, de
femmes et d'enfants de par le monde ainsi que d'autres
esprits à venir, elle se serait électrifiée sous leur intensité, et son cœur aurait cessé de battre.

Toutefois la Vie, la mère de toute mère qui a pitié
de ses filles et de ses fils, ne révèle de Sa lumière aux
yeux d'un être que ce dont il a besoin pour qu'il trouve
son chemin, et Elle n'insuffle de Sa force dans ses pas
que ce qu'il lui faut pour traverser la distance qu'Elle
lui a tracée [4]. »

En Orient, on célébrait en cette nuit du 6 janvier le réveillon de Noël ; en Occident, on célébrait l'Epiphanie, la fête des Rois mages qui furent jadis guidés par une certaine étoile.

Bcharré, la masure d'Astarté mais aussi de Vénus, de l'étoile du Berger, observait cette nuit-là la naissance d'une âme, d'une étoile.

2

Le drame du père

« Mon père éveilla en moi l'esprit de révolte[1]. »

Le grand-père paternel, Mikhaël Gibran, était d'une forte carrure, violent et arrogant, tirant vanité de sa virilité ; son corps ressemblait à un temple oriental construit en pierres mégalithiques, mais au saint des saints reposait un cœur d'enfant rayonnant d'innocence et de tendresse[2].

Un jour, un certain dignitaire ecclésiastique offensa la dignité de Mikhaël ; Gibran nous rapporta la réplique de son grand-père : « Apprenez donc, révérend Monseigneur, que la Syrie est la plus belle région de l'Empire ottoman, que le Liban est le diadème de la Syrie, que Bcharré est la plus belle perle de ce diadème, que les Gibran sont les princes de Bcharré et que moi, Mikhaël Gibran, je suis le chef de cette noble lignée[3]. »

Quant à la grand-mère paternelle, Maddoul, elle était aussi robuste que son mari et vécut longtemps[4].

Leur fils aîné Khalil, le père de notre auteur, naquit en 1852 à Bcharré[5]. Il était de haute stature et avait de beaux traits, le teint clair et la peau parsemée de taches de rousseur ainsi que les yeux d'un bleu pénétrant et la moustache châtain[6]. Il jouissait d'un certain charme et aimait jouer aux dames et au jacquet (*tawlé*). Il avait des prétentions seigneuriales avec pour signe extérieur de richesse son inséparable fume-cigarette d'ambre[7]. Il était beau parleur et bon vivant[8], mais il avait un caractère irascible et un tempérament mercuriel[9].

Gibran disait de son père qu'il avait « un tempérament impétueux et impérieux et n'était pas une personne aimable[10] ». Etant lui-même petit, il le voyait comme quelqu'un « de fier et de hautain[11] » qui ne manquait pas de maltraiter son fils[12]. Toutefois, Gibran respectait profondément son père : « Je l'admirais pour sa puissance, son honnêteté et son intégrité. C'étaient son audace d'être lui-même et son franc-parler ainsi que son refus de céder qui, à la longue, lui ont causé des problèmes. S'il y avait une foule de gens autour de lui, il pouvait les commander en un seul mot, il pouvait les subjuguer par une simple expression, émanant de ses regards[13]. »

La cousine de Gibran, Dal'ouna Barakat Rahmé, décrivit ainsi son oncle maternel : « Robuste, velu, au large front et aux yeux bleus, mon oncle Khalil avait, au centre du village, une boutique [de tissus] où il restait très peu de temps : la grande vie l'attirait à l'extérieur. Aussi était-il toujours tiré à quatre épingles, les cheveux brillants, le costume rehaussé d'une chaîne d'argent.

Il fréquentait les notables, notamment les Dahir. En fait, Khalil espérait avoir une fonction publique qui ne lui prendrait pas beaucoup de temps et qui lui assurerait un gagne-pain, sans compter la considération dans laquelle on le tiendrait. Tout cela, les Dahir, proches du Moutassarrif [gouverneur], pouvaient le lui obtenir, et il l'obtint en effet le jour où on le chargea de compter le bétail et de percevoir les impôts fixés selon le nombre. Khalil travaillait à cette tâche de six à sept mois par an seulement, de début avril jusqu'à fin octobre, saisons pendant lesquelles il y a peu de neige sur les montagnes, et où le bétail qui passe l'automne et l'hiver dans les plaines de la Bekaa [à l'est], d'Akkar ou d'al-Koura [au nord-ouest], se trouve ramené dans la région de Bcharré. Pendant ces six ou sept mois, Khalil n'avait pas trop à faire : il lui suffisait de faire un tour ou deux, durant une ou deux semaines, dans la haute montagne et de faire quelques tours d'inspection supplémentaires pour être au fait des variations de nombre. Il avait donc tout son temps pour boire, manger et converser avec la haute société de Bcharré[14]. »

D'aucuns insistèrent sur les tendances alcooliques du père de Gibran[15], et d'autres infirmèrent ce fait en prétendant qu'au village on dut confondre Khalil avec 'Id (« Fête »), son frère, qui, lui, était bel et bien un ivrogne[16], un « fêtard ». Sa nièce Dal'ouna ajouta : « Il faut dire aussi qu'il ne haïssait pas trop les petits verres qu'il prenait avec ces jeunes Bcharriotes qui savaient si bien pimenter une soirée à coups de voix[17]. »

Khalil n'avait pas seulement des défauts. L'homme était d'agréable compagnie, éclatant de colère rapidement mais calme cinq minutes plus tard, hospitalier et généreux : ses compagnons et ses amis en savent quelque chose, de même que sa sœur Layla, la mère de Dal'ouna, à qui il envoyait régulièrement du fromage de chèvre, des sacs de blé et du raisin sec ainsi que des noix[18].

Par ailleurs, Mikhaël Nou'aymé nous rapporta l'anecdote de ce vendeur d'huile d'olive qui venait probablement du district d'al-Koura, à l'ouest de Bcharré, réputé pour ses oliviers et dont les habitants sont pour la majorité de rite orthodoxe. Le marchand ambulant vint à Bcharré où la voisine des Gibran refusa de lui acheter de l'huile parce qu'il n'était pas maronite. Cependant le père de notre auteur lui en acheta, ne tenant pas compte des préjugés confessionnels en vigueur dans la région. Et le petit Gibran fut alors transporté de bonheur :

« Gibran jouait derrière la maison, quand un homme étranger à dos de mulet, chargé de deux outres se mit à crier : "La bonne huile de primeur !" Une vieille dame sortit alors de chez elle, le chapelet de prière à la main, et demanda à l'homme de lui faire goûter son huile. Après un long marchandage, ils s'entendirent sur le prix. La vieille apporta une bouteille vide et au moment où le vendeur ambulant la lui remplissait, elle l'interrogea sur sa confession. Il lui répondit qu'il était de rite orthodoxe. Elle se précipita chez elle, faisant le signe de la croix et fermant la porte à double tour.

Le petit Gibran, qui avait assisté à toute la scène, courut voir sa mère pour la questionner :

– Maman, quelle est notre religion ?

– Nous sommes des maronites, mon fils.

– Et qui sont donc les orthodoxes ?

– Ce sont des nazaréens comme nous.

– Et pourquoi s'appellent-ils orthodoxes et nous maronites ?

– Il vaut mieux que tu poses cette question au prêtre, mon fils, il saura te répondre mieux que moi.

– Est-ce vrai que le Seigneur nous arracherait à la vie si jamais nous achetions de l'huile à quelqu'un d'orthodoxe ?

– Bien sûr que non, mon fils.

Entre-temps le père rentra à la maison, demandant à sa femme de lui apporter quelques bouteilles vides pour acheter de l'huile. Par la porte entrebâillée,

Gibran aperçut le même marchand d'huile. Après que celui-ci eut rempli les bouteilles, le père lui paya le prix en l'invitant à partager le souper avec eux ; le petit Gibran se mit alors à danser de joie. Le marchand d'huile reprit son chemin en couvrant le père de remerciements pour sa gentillesse et sa générosité ; Gibran fut ému aux larmes [19]. »

Malgré ses multiples défauts, le père de Gibran savait ainsi donner à son fils des leçons de tolérance religieuse.

Outre le fait qu'il était percepteur d'impôts sous les ordres de Raji Bayk al-Dahir, le gouverneur de la région de Bcharré, Khalil possédait une ferme à Marjhin dans le Hirmil, au nord-est du village. Sa récolte annuelle, assurée par un associé, se montait à environ deux cent cinquante kilos de blé sans compter la production en lait et en fromage [20].

Boulos, le frère de Dal'ouna, disait que Khalil « n'était ni riche ni pauvre [21] ». Les Gibran vivaient donc dans un état commun au Levant léthargique de l'époque, qui n'était ni l'aisance ni la misère, jusqu'au jour où il fut chargé de procéder, avec un associé, à la perception de la taxe imposée sur les chèvres dans le Hirmil, au nord de Baalbek.

Aussitôt arrivé, il fut rappelé à Bcharré pour une prétendue maladie de sa femme, Kamila. Ce ne fut que quelques jours plus tard qu'il décida de regagner le Hirmil. Il chercha mais en vain l'associé qui devait collecter la taxe en attendant son retour. Khalil fut alors accusé faussement, à l'instigation d'un prêtre, d'avoir volé le produit de la taxe collectée. Toutefois l'associé en question, qui avait volé la taxe et s'était éclipsé, n'était autre que le frère de ce prêtre [22].

Jadis Gibran Abou Rizq al-Bchi'lani, le trisaïeul de

Khalil, avait été lui aussi victime de la jalousie et des délations, accusé faussement d'avoir détourné une partie des impôts perçus, contraint d'être toujours en fuite puis emprisonné, et tous ses biens furent confisqués ; son destin ressemble étrangement à celui du propre père de notre auteur.

Khalil dut alors répondre de cette malversation et, mis en état d'arrestation, il fut tenu de verser de son propre argent un montant égal à la taxe[23]. Il eut de grandes difficultés matérielles : on le priva de son salaire et confisqua ses biens, dont la maison familiale. Il fallait accuser moins sa cupidité que sa paresse[24] et son excès de confiance.

Khalil n'était pas aimé des villageois du fait de sa charge de percepteur d'impôts. Nous savons par ailleurs que Raji Bayk al-Dahir n'était pas aimé non plus des Bcharriotes, car il était pro-Ottoman. Avant cet incident, un comité s'était formé, et une pétition fut adressée au patriarche à cause des impôts trop élevés que Raji Bayk al-Dahir aurait imposés aux villageois. Le patriarche dut le blâmer pour cela[25].

Il se pourrait que le collègue de Khalil n'ait pas vraiment volé l'argent, mais plutôt qu'il l'ait tout simplement donné à Raji Bayk al-Dahir. Par ce subterfuge, celui-ci cherchait à détourner l'attention de lui-même[26] ; son impopularité s'en trouva ainsi déchargée sur le dos de Khalil. Gibran écrivit plus tard dans *Le Prophète* : « Celui qui a les mains blanches ne les a pas pour autant propres dans une sale affaire... Souvent sur le dos du condamné se décharge celui qu'on ne peut inculper et qui reste non blâmé[27]. »

Cette arrestation eut lieu en 1891. Son fils, Gibran, était là ; ce ne fut pas un moment facile pour un enfant de huit ans. Il se souvint plus tard du matin où les soldats arrêtèrent son père : « La foule grouillait dans la cour de notre grande maison familiale. Ma mère était là debout et avec vaillance elle les regardait, le sourire aux lèvres. » Quoi de plus éloquent et de plus sage que ce sourire pour exprimer l'amertume et la rage ? « Propriétés, vergers et champs, poursuivit-il, ainsi que la maison de famille avec tout ce qu'elle contenait comme objets de valeurs, livres et meubles dont une grande partie était un legs de père en fils sur plusieurs générations, tout cela fut confisqué de telle sorte que nous étions devenus des invités du gouvernement dans notre propre demeure. Mon père fut conduit à Beyrouth où il fut emprisonné ; par la suite il fut mis en liberté partielle dans un rayon d'un kilomètre du tribunal alors que ma mère remuait ciel et terre pour le disculper. Elle sillonna le pays de long en large en exerçant des influences personnelles et familiales... Mon père fut enfin reconnu innocent[28]. »

Trois ans plus tard, libéré, Khalil revint dans son bourg natal et s'occupa uniquement de sa boutique de tissus[29]. Il tenta alors de s'assurer un gagne-pain raisonnable et surtout de rembourser ses dettes. Quelques-unes de ses terres étaient toujours saisies. La grande maison ne l'était plus, mais il fut obligé de l'hypothéquer pour faire taire les créanciers. A la fin, elle ira à Mgr Boulos Gibran[30].

Toutefois, dans les années cinquante, la grande maison des Gibran fut démolie pour élargir la place publique connue sous le nom de Mar Saba. Voilà donc le sort réservé à ce qui aurait pu être un lieu de pèlerinage !

3

Les mariages de la mère

« Longtemps je fus un songe dans le sommeil de ma mère ; puis elle se réveilla pour me donner naissance.

Le germe de l'humanité réside dans le désir d'une mère [1]. »

La mère de notre auteur se prénomme donc Kamila. Elle était la fille d'un prêtre maronite, Istfan Rahmé, fils de 'Abd al-Kader Rahmé.

Si l'on avait à traduire de l'arabe la lignée généalogique de la mère de Gibran, on aurait : *Kamila* « Parfaite » fille de *Istfan* « Stéphane ou Etienne », fils de *Abd al-Kader* « Serviteur du Tout-Puissant », et dont le nom de famille est *Rahmé* « Miséricorde ».

Le prénom 'Abd al-Kader évoque une origine non chrétienne et non bcharriote. En effet, selon le filleul de Gibran, sculpteur vivant à Boston, deux frères de confession musulmane, 'Abd al-Kader et 'Abd al-Salam (« Serviteur de la Paix »), vinrent à cheval demander refuge à Bcharré au début du XIXe siècle. En quête de miséricorde, ils ne rencontrèrent pas de résistance de la part de la population chrétienne ; ils s'installèrent dans le village et embrassèrent le christianisme. Avant les massacres survenus en 1860 entre druzes et maronites, il était encore coutumier d'assister à ce genre de conversion. Chacun d'eux prit comme épouse une femme d'un même clan de confession maronite, et prit le patronyme de son épouse : Rahmé [2]. Ainsi le nom de famille de leurs enfants fut transmis par le régime matriarcal. Par ailleurs, afin de raffermir son alliance avec le christianisme et son intégration sociale à Bcharré, 'Abd al-Kader dut offrir son fils Istfan à l'Eglise maronite pour la servir comme prêtre.

A quel rite musulman appartenait l'arrière-grand-père maternel de Gibran ? Il était soit chiite venu de Baalbek à l'est de Bcharré, alaouite du nord de la Syrie, druze du Sud ou enfin pèlerin soufi. Les chiites sont les plus ésotériques des musulmans ce qui expliquerait le caractère mystique de l'œuvre de Gibran. Les conversions au christianisme chez les alaouites furent très courantes à cause de leur persécution par les Turcs sunnites ; de surcroît les alaouites croient en la Sainte Vierge et en al-Khodr, qui n'est autre que saint Georges et le prophète Elie, ainsi qu'en la réincarnation de l'âme, chère à notre auteur. Quant aux druzes, eux aussi croient en la réincarnation de l'âme et l'un de leurs émirs se convertit au christianisme et devint maronite. L'hypothèse soufie pourrait être appuyée par le recueil de poésies que Gibran écrivit en arabe intitulé *Les Processions* dans lequel prédomine le *nay*, qui n'est autre que la flûte enchantée des soufis. Toutefois dans sa pièce de théâtre intitulée *Iram aux Colonnes*, qui constitue le paroxysme du mysticisme de son œuvre, l'héroïne se nomme Amina al-'Alaouia ; or la mère de Mahomet portait le même prénom Amina, qui signifie « la croyante, la fidèle, la féale », et le patronyme al-'Alaouia signifie l'Alaouite. La mère de

Gibran serait-elle d'origine alaouite ? Par ailleurs son dernier livre publié de son vivant fut *L'Errant*. Son éditeur préféra ce titre à celui que proposait Gibran : *Le Derviche*[3]. Par ce titre, voulait-il dévoiler ses origines maternelles ou tout simplement son ultime aspiration mystique, derviche soufi ?

Istfan, le grand-père maternel de Gibran, était fils unique. Il hérita maintes fermes et vignobles de son père et de son oncle paternel qui moururent jeunes[4].

C'était un prêtre versé dans les mystères théologiques ainsi qu'un mélomane épris de musique liturgique et profane[5]. C'est lui qui aurait révélé les secrets du *nay* à son petit-fils Gibran : « Donne-moi le *nay* et chante, le chant est le secret de l'éternité ; les lamentos du nay persisteront au-delà de l'étiolement de l'existence... Donne-moi le nay et chante ; oublie maux et remèdes, car tout homme n'est qu'un mot écrit avec de l'eau[6]. »

Dans un des ses manuscrits, écrit dans sa jeunesse, Gibran le décrivit ainsi : « Du côté ouest de Bcharré se trouve une maison isolée au milieu des jardins. C'est celle de mon grand-père, le père Istfan Rahmé... C'était un homme juste et un prêtre modèle. Il avait toutes les vertus chevaleresques et les qualités de la sainteté. Le respect des gens était son principe, n'usant point de sa barbe blanche et encore moins de sa soutane noire[7]. »

Gibran attribua à son grand-père une personnalité charmante et une langue éloquente. Il était polyglotte : le grec et le latin, ainsi que l'italien et le français, sans compter le syriaque pour le service liturgique et l'arabe, la langue du pays. De surcroît il avait une magnifique voix lorsqu'il parlait ou chantait. Par ailleurs, il était connu pour son altruisme et son libéra-

lisme. Parmi tous ses petits-enfants, ce fut le petit
Gibran qu'il aima le plus[8].

Quant à la grand-mère maternelle, la *Khouriya*, « la
femme du curé », elle était presque virile ; elle assumait au foyer le rôle d'une mère de famille d'âge mûr,
de caractère grave et d'allure imposante, en somme
d'une matrone dans le sens le plus noble du terme. Elle
était le mentor reconnu de son époux ecclésiastique et
de ses enfants. On la surnommait « le Régiment » à
cause de son caractère autoritaire. Elle avait dépassé
la cinquantaine lorsqu'elle enfanta son dernier enfant,
Kamila, et elle était centenaire quand elle mourut au
début du siècle. Quelques années avant qu'elle ne
s'éteignît, elle dit au fils de la benjamine de ses
enfants, Gibran : « Je lègue toute mon argenterie à un
autre petit-fils que toi, ainsi il ne te haïra pas[9]. »

Le père Istfan et la Khouriya laissèrent une progéni-
ture de sept enfants dont quatre garçons et trois filles[10].
Les prénoms des filles sont Sa'ida (« Heureuse »),
Jamila (« Belle ») et Kamila, la benjamine qui, en
1858, viendra « parfaire » cette trinité féminine. Quant
aux fils, nous en notons deux : Habib (« Aimé »), surnommé *al-'asfour*, « Oiseau chanteur », et Wardane
(« Joues roses »), tous les deux faisaient pleurer hommes et femmes en chantant des romances et des
complaintes levantines[11].

Le père Istfan éprouvait à l'égard de sa fille Kamila
une singulière tendresse ; souvent il en disait : « Je n'ai
d'enfants qu'elle[12] », ou encore : « elle est mon cœur
qui marche devant moi[13] ».

Kamila, la mère de Gibran, était brunette et svelte,
agile et vive, ainsi que pleine d'esprit et de charme[14].
Éprise de musique, *al-tarab*, « l'enchantement que procurent les chansons orientales », elle était souvent

conviée à chanter lors des fêtes et des mariages [15]. Elle jouait du *'oud*, « luth », avec adresse. Sa voix enchanteresse demeura pour longtemps légendaire dans la région de Bcharré [16].

Kamila avait donc hérité à la fois la nature mystique voire orphique de son père et la personnalité de sa mère qui ne manquait pas de caractère.

Vers l'âge de dix-huit ans, Kamila projeta d'entrer au couvent [17]. Toutefois, à la même époque, elle fut choisie comme témoin pour le mariage de Wardane 'Issa al-Khoury avec Jamila Hanna al-Dahir. Le patriarche maronite avait lancé une excommunication contre le père Istfan Rahmé à cause de la célébration de ce mariage. Cette alliance incommodait en effet les notables de Bcharré, car il préexistait un conflit politique entre les deux familles des mariés : les Dahir (« Visible ») et les 'Issa al-Khoury (« Jésus le Prêtre ») ; les premiers étaient alliés aux Ottomans et les seconds aux opposants. Tous les moyens furent bons pour annuler ce mariage. On accusa la mariée d'avoir été ivre, lors du mariage qui fut célébré le jour de *Khamis al-Sakara*, le « Jeudi des Ivres », qui est l'équivalent du carnaval à la veille du carême. Ainsi les deux époux furent séparés, le père Istfan sanctionné et sa fille Kamila scandalisée. Le procès canonique dura douze ans à la suite desquels le mariage fut finalement reconnu valide [18].

Le père Istfan aurait donc interdit à sa fille d'entrer au couvent en riposte à l'attitude de l'Eglise qui s'était ralliée aux arguments des notables contre un sacrement célébré par un prêtre maronite de lignée paternelle non chrétienne, entre deux personnes issues de milieux socio-politiques différents mais qui s'aimaient.

C'est pour cette raison que le nom du père Istfan ne

figure point sur la liste des prêtres de Bcharré ni à la
fin du XIXᵉ siècle ni au début du XXᵉ [19].

A la suite de cet incident, le père Istfan donna sa fille
Kamila en mariage à son propre jeune cousin germain :
Hanna 'Abd al-Salam Rahmé (« Jean » fils de « Servi-
teur de la Paix », nom de famille : « Miséricorde »).
Ce genre de mariage interfamilial était très répandu au
Levant ; il permettait de raffermir les clans insulaires
sur plusieurs générations.

En 1877, Kamila et Hanna eurent un enfant : Boutros (« Pierre »). Comme Hanna rêvait de fortune, il
décida d'ouvrir dans sa vie des perspectives toutes
nouvelles en s'aventurant dans un monde bien loin de
cette montagne. Il partit alors pour l'Amérique latine
en quête de gloire. Toutefois, pareil à de nombreux
émigrants dont l'immunité contre les maladies étrangères fut fragile, il mourut au Brésil.

A l'aube de ses vingt ans, Kamila devint veuve et
Boutros orphelin au berceau, tous deux abandonnés à
Bcharré [20]. Certaines sources confirment que lorsque
Hanna partit au Brésil, il fut accompagné de Kamila et
de Boutros. La mère et son fils durent rentrer seuls à
Bcharré à la suite de la mort du père [21].

Ainsi, deux ans après son mariage, Kamila dut
retourner chez son père. Mais elle ne tarda pas à se
remarier pour faire taire les cancans qui couraient sur
elle et pour ne plus être à la charge de son père.

Le deuxième mariage de Kamila fut donc un
mariage de raison. Youssef Ilyas Gea'gea' (« Joseph »
fils d'« Elie », patronyme : « Crieur »), un parent éloigné de la mère de Kamila, pouvait lui assurer une vie
décente loin des commérages. Leur mariage fut célébré
le 14 août 1880 [22]. Deux mois plus tard, Kamila songea
au divorce ; elle se rendit à al-Dimane, le centre de la

paroisse de Bcharré rattachée au patriarcat maronite, pour engager un procès de divorce. L'impuissance de Youssef, son deuxième époux, serait la seule explication logique de la hâte de Kamila à divorcer[23]. L'affaire ne fut résolue que trois mois plus tard.

Entre-temps, Kamila se rendit un jour chez l'apothicaire, Ishaq (« Isaac ») Gibran, dans le but d'acheter une pommade pour son doigt ; celui-ci était connu dans le village pour ses potions et ses herbes médicinales. Kamila y rencontra le neveu de Ishaq : Khalil Gibran[24].

L'esprit enjoué de Kamila incita le bel homme au fume-cigarette d'ambre qu'était Khalil à lui conter fleurette, et les deux cœurs commencèrent à battre la chamade. En cet instant même, notre auteur naissait en âme embryonnaire à travers les regards de ses futurs parents.

Khalil avait déjà été subjugué par la voix de Kamila lors des fêtes. Mais ce jour-là, il parvint à effleurer sa voix en échangeant avec elle quelques propos amènes. Depuis cette rencontre, le trouble ne cessa de l'habiter jusqu'au moment où il lui demanda sa main[25].

Kamila n'attendit pas la fin du procès pour consentir à la proposition de Khalil, l'homme de son cœur, avec qui elle avait plusieurs points communs : l'amour de la vie et des soirées chantantes. Khalil, comme elle aussi, se moquait des on-dit et n'avait pas honte d'épouser une femme déjà mariée deux fois.

Sans attendre que l'Eglise ne décide d'annuler le deuxième mariage de Kamila, celle-ci se donna à Khalil. Ce ne fut que par la suite qu'elle légalisa sa troisième et dernière union[26]. Ce jour-là fut le 8 janvier 1881[27] ; leur mariage fut enfin béni en cette date dont la suite des chiffres est on ne peut plus originale : 8 1 1881.

Tout le monde à Bcharré se ligua contre elle et la

traita de « polygame et d'amatrice d'hommes » ; les parents de Kamila ainsi que ceux de Khalil en avaient plein les oreilles. On disait aussi qu'elle était enceinte et que le père était Khalil. Nous pensons que cette accusation incita Kamila à attendre quinze mois avant de concevoir un enfant de son nouveau mariage, afin qu'on ne le regardât pas comme un enfant naturel. Devant l'hostilité et la médisance, Kamila et Khalil se sentaient de plus en plus unis[28].

Par conséquent, en l'espace de cinq ans (1876-1881), Kamila enterra un premier époux (Hanna), son jeune oncle paternel, abandonna un deuxième (Youssef), un lointain cousin maternel, et enfin força la main à un troisième (Khalil) qui, lui, n'avait aucun lien de parenté avec elle, si ce n'est celui de l'amour.

A l'aube de 1881, l'année de leurs noces, Kamila avait vingt-deux ans, et Khalil était son aîné de six ans[29].

Toutefois, le bonheur du couple ne dura pas longtemps. Plus tard Gibran s'en fit l'écho : « Mes parents s'aimaient et s'admiraient mutuellement. Mais comme mon père avait un caractère autoritaire, un subtil intervalle de silence ébréchait quelque part leur entente[30]. »

Kamila devint nerveuse et émotive, Khalil coléreux et blessant[31]. La seule consolation de Kamila fut ses enfants. Elle eut Gibran en 1883, Mariana en 1885 et Sultana en 1887. Elle avait appris à vivre avec son mal, évitant d'apporter de l'eau au moulin à calomnies de Bcharré.

4

Les jardins de l'enfance
Bcharré : 1883-1895

« Mon école fut la prison de mon corps et les chaînes de mes pensées. M'asseoir à mi-chemin entre la forêt des Cèdres et la Vallée sainte vaut mille écoles[1]. »

Les souvenirs d'enfance de Gibran mettent en relief ses prédispositions artistiques ou littéraires et son attachement à la nature de Bcharré, si accueillante et pétrie de mystères.

« Vous souvenir de l'aube de votre jeunesse, confiat-il, verse sur votre cœur un baume de bonheur, bien que vous regrettiez la fuite de ces jours heureux...

Vous vous souvenez des champs, des jardins et des places publiques, ainsi que des coins de rues, témoins de vos jeux et de vos innocents chuchotis.

Moi aussi, je me souviens d'un coin merveilleux au nord du Liban. Dès que je ferme les yeux sur ce qui m'entoure, où que je me trouve, je revois ces vallées fleuries, pleines de secrets et de dignité, ces hautes montagnes dont la majesté semble atteindre le ciel. Et dès lors que je me mure dans le silence loin du vacarme des civilisations, j'entends le murmure des ruisseaux et le frémissement des branches.

Toutes ces beautés dont je vous parle, j'aspire à les revoir, tel un nouveau-né qui réclame le sein de sa mère[2]. »

Il n'est rien qui puisse refléter avec autant de clarté et de sincérité le panorama de l'enfance de notre auteur que ses propres souvenirs suspendus comme des oasis au fil de la mémoire.

Son premier souvenir d'enfance remonte au jour où on le repêcha d'un petit bassin : « Je jouais avec un gros ballon dans la cour de la maison. Soudain le ballon tomba dans le bassin, et moi derrière lui. L'on me précisa plus tard qu'à l'époque j'avais deux ans et demi[3] [1885]. »

La plus poignante des images qu'il conserva dans sa mémoire date de l'âge de trois ans (1886) : « Une tempête s'abattit sur le village. Je déchirai mes vêtements et sortis de la maison en courant pour me livrer au gré du vent. Et je dus garder cette habitude pendant un certain temps, à chaque fois que la tempête se levait[4]. » Il expliqua par ailleurs : « Il y avait quelque chose en moi qui se débridait et se libérait glorieusement à la vue d'une tempête[5]. »

Plus tard, à l'âge de huit ans (1891), il fut de nouveau envoûté par cette démangeaison d'ailes. Une autre tempête s'abattit sur le village de Bcharré. Fasciné, le petit Gibran regarda la nature en furie et, trompant la surveillance maternelle, il sortit courir avec les vents. Lorsque sa mère, effrayée, finit par le rattraper et le gronder, il lui répondit avec toute l'ardeur de ses passions naissantes : « Mais, maman, moi j'aime les tempêtes, je les aime[6] ! »

« Je n'étais pas un bon enfant, avoua-t-il, parce que j'étais continuellement agité. Je me sentais étranger, perdu, ne pouvant trouver mon chemin... Je ne sais pas comment on a pu me supporter. Seule ma mère pouvait comprendre cet étrange garçon, ce petit séisme, ce volcan en herbe que j'étais[7]. »

Âgé de quatre ans (1887), il s'amusait à planter des bouts de papier et des crayons dans l'espoir de les voir un jour prendre racine et croître en longs arbres aux grandes feuilles blanches, sur lesquelles il aurait pu écrire et dessiner[8]. Bien plus tard, à l'âge où il maîtrisait la plume, il écrivit : « Les arbres sont des poèmes que la terre dessine dans le ciel. Nous les abattons et les transformons en papier afin d'y tracer l'empreinte de notre vide[9]. »

À l'âge de six ans (1889), Kamila, sa mère, lui offrit un petit ouvrage de reproductions de Léonard de Vinci. Après l'avoir feuilleté, il éclata en sanglots et se précipita dans le jardin pour être seul. Depuis cet instant-là, sa passion pour Léonard le posséda si intensément qu'un jour, alors que son père le grondait pour ses incartades enfantines, le garçon s'enflamma de rage, s'écriant : « Tu n'as rien à voir avec moi, je suis italien[10] ! »

Souvent il se révoltait quand ses parents le réprimandaient et il restait sans manger dans un coin de la maison ou sortait dans la nature, silencieux et angoissé[11].

Kamila ressentait le petit Gibran comme différent des autres : « Mon fils était étranger à toute psychologie. Je ne savais jamais ce qu'il allait faire ou comment il allait réagir ; il pouvait être aussi tendre qu'une fleur ou rugir tel un lionceau, dès qu'une certaine autorité lui était imposée[12]. » Il semblerait que cette autorité émanait du père.

L'intuition maternelle de Kamila découvrit les talents précoces de son fils, artiste en herbe. Elle l'ini-

tia à la musique et à la poésie. Gibran, qui avoua avoir
hérité d'elle son caractère et ses passions[13], en dit à
l'âge mûr : « Je n'éprouvais guère le besoin de lui
exprimer mes désirs parce qu'elle les devinait[14]. »

A chaque fois qu'il parlait de sa mère en évoquant
ses souvenirs d'enfance, Gibran avait les larmes aux
yeux et faisait pleurer son auditoire avec lui ; puis il
riait le premier de sa trop grande sensibilité[15].

Durant des heures le petit Gibran savait aussi rester
parfaitement quiet pendant que sa mère lui chantait de
douces romances levantines, ou encore quand elle lui
racontait des contes de Haroun al-Rachid, le héros des
Mille et Une Nuits, et qu'elle lui récitait des poèmes
d'Abou Nouwas, le poète du vin par excellence. Elle
vécut d'innombrables poèmes et n'en écrivit aucun.
Ainsi lorsque, dans la force de l'âge, notre auteur eut
à vivre ses propres poèmes innombrables, il chantait à
la fois ceux de sa mère et les siens[16].

Les premiers poèmes de Gibran ne furent pas écrits
avec des mots mais modelés avec de la neige. Des figures d'une beauté étrange prenaient forme entre ses
doigts, dans le jardin de son père, tout au long de
l'hiver. Et les passants de s'exclamer : « Regardez la
dernière création de Gibran ! » Et, à l'arrivée du printemps, au merveilleux mois de *nissan* (« avril »), la
neige fondait, et l'anémone teinte par le sang de Tam-
mouz (Adonis) fleurissait au Liban. Le petit Gibran
portait alors des pierres et les taillait afin de construire
des petits temples et des oratoires à l'ombre des grands
arbres[17].

Et lorsqu'il découvrit la magie du charbon de bois[18],
il commença à dessiner partout à la maison ainsi que
sur les murs de l'école. Dans tous ses dessins apparais-

saient, malgré leur flou, une touche rayonnante de vie et de beauté ainsi qu'un brin de génie [19].

Il dessinait et peignait avec une étrange frénésie pour un garçon de son âge. Toutefois, il achevait ses dessins en les détruisant : « Ils n'étaient jamais, expliqua-t-il, comme ce que je voyais quand mes yeux étaient fermés [20]. »

Puis, soudainement, il lui parut qu'il pouvait écrire. Le désir de construire et de modeler s'estompa pour quelque temps. A la place il écrivait furieusement page après page, dans le seul but de les lire puis de les déchirer en mille morceaux : « Ce n'était jamais ce que je voulais dire [21] », se justifiait-il.

« A l'âge de sept ans [1890], raconta-t-il, j'avais ma propre chambre ; j'y amassais des babioles. C'était une véritable boutique de brocante : des vieux cadres, des morceaux de pierres claires, des anneaux, des plantes, des crayons, une centaine de crayons, même les petits que je ne voulais pas jeter, et plus tard des crayons de couleur. Je gribouillais sur des dizaines de morceaux de papiers, et lorsque je n'avais plus de feuilles, j'attaquais les murs de ma chambre en tentant d'écrire des contes. Je m'en souviens d'un qui relatait l'histoire d'un vieil homme qui vivait dans la misère et comment par la suite un autre homme était venu l'aider : un vrai conte d'un bon Samaritain [22]. »

« Quand j'avais environ huit ans [1891], la fonte, le moulage et les ferronneries ainsi que le plus simple et le plus facile des métaux, le plomb, étaient mon plus grand plaisir. J'utilisais des boîtes de conserve et du sable. Ce n'était pas toujours réussi. Mais je parvenais à en faire des semblants de dieux et de déesses, et cela m'enchantait [23]. »

« Il y eut d'autres grands moments de mes premières perceptions du monde. Qui ne se souvient pas de l'instant où il vit pour la première fois la mer ? J'avais huit ans, ce jour-là. Ma mère était sur un cheval, et mon père et moi sur un très bel âne chypriote, large et blanc. Nous gravîmes un sentier de montagne et comme nous parvînmes au sommet, la mer s'étendit alors devant nous. Ce jour-là, la mer et le ciel étaient d'une même couleur. Point d'horizon. Et les flots étaient parsemés de grands vaisseaux orientaux, quatre ou cinq navires aux voiles déployées. Tout au long de la descente de la montagne, j'admirais ce qui ressemblait à des cieux sans limites et les navires qui y voguaient[24]. »

Trente-deux ans plus tard, lors de la publication du *Prophète*, il débuta son livre par : « Scrutant l'horizon, il aperçut son vaisseau voguer avec la brume sur les eaux. Les écluses de son cœur furent grandes ouvertes, et sa joie s'envola par-delà les flots. Puis, les yeux clos, il se recueillit dans les silences de son âme. Comme il descendait la colline, la tristesse le gagnait. Il pensa alors en son cœur : "Comment pourrais-je partir en paix sans être tourmenté[25] ?" »

« Je me souviens qu'à la même époque [1891], ajouta-t-il, je vis également pour la première fois les ruines de Baalbek, une des plus merveilleuses ruines au monde. Mon père enfourchait un cheval, ma mère, un autre et moi, une jument. Nous étions accompagnés de deux hommes sur des mulets. Nous restâmes environ quatre jours à Baalbek. J'avais un petit cahier sur lequel je dessinais quelques croquis. Et le jour de notre retour, j'avais pleuré[26]. »

Le petit Gibran était solitaire, pensif, ses rires étaient rares comparés aux enfants de son âge. Toutefois, ses ressources intérieures étaient multiples, et il savait comment y puiser à même les mains. Il n'était pas satisfait de ses rêves qu'il tentait de concrétiser, mais en vain. Il passait ses journées à imaginer et à construire des jouets qu'il n'eut jamais, des jouets qui devenaient tout autre chose et que l'on ne pouvait plus considérer comme tels pour un petit garçon. Il n'était pas un rêveur insoucieux et oisif mais un garçon actif, et ses travaux étaient réalisés avec passion. Il se le remémora avec une grande nostalgie :

« Je me souviens de ce désir ardent et persistant de me trouver seul, occupé à inventer des choses. Mais celles-ci ne pouvaient pas me procurer le plaisir de jouer [27]. »

« J'étais l'enfant le plus affairé du village, et tout le monde le savait. Quand je finissais de réaliser une chose, je l'exposais dans le salon ; mais je faisais en sorte qu'elle ne fût vue qu'en mon absence. Mon vrai plaisir résidait en ce laps de temps durant lequel la chose naissait entre mes mains, et non pas pendant que les autres la découvraient. Le résultat ne fut jamais celui que je voulais ; ce fut toujours ainsi même au-delà de l'âge de dix ans. C'est pour cette raison que je ne pouvais être heureux...

Un jour, je voulus entreprendre une grande œuvre : un jardin de dieux et de déesses animés [automates]. Je cherchais en vain un mécanisme qui, en tirant une corde, me permettrait de voir chaque personnage exécuter simultanément un geste particulier...

Par ailleurs, j'étais profondément passionné par le vol. Je rassemblais des mètres et des mètres de pièces de tissu épais que j'attachais entre elles ; et j'en faisais une énorme chose qui m'aurait permis de voler par-dessus le toit. On me laissait finir de réaliser la chose mais jamais l'essayer...

Toutefois, les roues étaient ma plus grande joie. Je les fabriquais moi-même ; les roues à eau étaient les

meilleures. Un jour, j'en fis une grande qui devait
entraîner une multitude d'autres petites roues par des
courroies. Mais j'étais toujours insatisfait, car ma
vision était au-delà de mes capacités[28]. »

Le mécanisme des roues, le désir de l'envol, la
manipulation des dieux et des déesses, tout cela témoigne de la créativité naissante chez le jeune Gibran que
nous retrouverons par la suite dans ses « envolées »
picturales ou dans le « mécanisme » de ses paraboles.

Un jour, il advint que le petit Gibran, au désespoir
de sa mère, dut accompagner son père dans sa tournée
en hautes montagnes pour compter le bétail ou pour
visiter sa ferme à Marjhin, au nord de Baalbek. Il voulait faire de son fils un compagnon de route :

Alors que la famille s'attablait pour le souper, entre
mère et père se noua ce dialogue raconté par Mikhaël
Nou'aymé :

– As-tu enfin projeté de partir demain ? demanda
Kamila à son mari.

– Si Dieu le veut.

– As-tu trouvé un cheval pour ce voyage ?

– J'en ai loué deux.

– Et pour qui sera donc la deuxième monture ?

– Pour Gibran.

– Gibran ! Tu veux rire ou tu délires ?

– Je ne suis pas d'humeur même pour sourire.

– Comment un enfant peut-il sillonner les montagnes à cheval pour aller dormir dans la plaine sous des
tentes de bédouins, entouré de chèvres et de moutons,
de poux et de puces ? A moins que tu veuilles dès à
présent l'habituer à prendre le chemin que tu t'es fixé :
percevoir l'impôt sur le bétail, en opprimant son possesseur et son pasteur.

– Je veux qu'il apprenne tôt que la piqûre d'une

puce ou d'un poux n'est rien devant les morsures de
sa mère lorsqu'elle parle, et que les crottes des chèvres
et des moutons sont plus pures que les bijoux des
riches et qu'enfin la tente des bédouins est plus noble
que leurs châteaux. Après tout, si tu connais un autre
moyen pour qu'il gagne mieux sa vie, alors montre-le-
lui !

Puis le ton de la discussion monta jusqu'à la dispute ; même les enfants y prirent part. Boutros s'était ral-
lié à sa propre mère ; quant aux deux fillettes, Mariana
et Sultana, elles s'étaient rangées du côté de leur père
à elles. Gibran ne prit pas parti, car il aimait sa mère
jusqu'à l'adoration et ne voulait pas offusquer son père
par crainte d'être privé de ce voyage avec lui le lendemain.

Le dîner resta tel qu'il était, personne n'eut le cœur
d'y goûter. Le repas fut remis dans la marmite, le pain
dans la huche pour laisser place à la bouteille d'arak
que Khalil sortit de derrière les fagots ; il lui vida les
entrailles en emplissant les siennes. Et le lendemain,
point de voyage [29] !

Au terme de ses huit ans, les soldats turcs brisèrent
le cours de cette vie tranquille et heureuse en arrêtant
son père. Le petit Gibran commença dès lors à connaître les affres de la pauvreté et de l'humiliation : la
grande maison fut confisquée par la Sublime Porte et
la famille hypothéquée par la misère. Le père en prison, notre auteur ne savait que faire pour consoler sa
mère. Il se trouvait aussi plus libre qu'avant ; car personne ne lui demandant désormais d'être plus « viril »,
il pouvait ainsi se promener dans la nature à son aise,
parcourir les collines et la vallée. Parfois, pour réconforter sa mère, il lui exposait ses dessins et ses projets,
essayant, inconsciemment, de jouer le rôle du père en

fertilisant, à coups de crayons, l'imagination de sa mère.

Sa précocité artistique était la projection d'une âme révoltée contre la double féodalité spirituelle et temporelle qui fut à l'origine de l'emprisonnement de son père. Ses premières nouvelles le furent aussi, « Jean, le Fol » dans *Les Nymphes des vallées*, et « Khalil, l'Impie », dans *Les Esprits rebelles*.

Révolte mais aussi tendresse envers la femme qui souffrait tant, sa mère. Révolte et tendresse, père et mère, montagne des Cèdres et Vallée sainte, ces antithèses humaines et naturelles trouvèrent leur synthèse en l'enfant qu'était Gibran [30].

A la suite de la confiscation de la maison, la famille dut s'installer pour un certain temps dans la cave du gouverneur du bourg et de sa région, Raji Bayk al-Dahir, pour lequel travaillait le père de notre auteur et qui aurait été à l'origine de son arrestation. Un jour, le petit Gibran jouait dans la cour spacieuse de Raji Bayk al-Dahir ; importuné par sa présence, celui-ci sortit de chez lui, tenant un bâton à la main, et le chassa [31]. Sur un mur de cette cave le petit Gibran dessina une caricature du gouverneur ; elle représentait un homme sans tête [32]. Si l'on ajoute à cette caricature celle de l'âne qu'il dessina pour représenter son maître d'école, le père Sim'ân [33], nous pourrons déduire que les religieux et les hommes politiques étaient ses deux bêtes noires : « des ânes et des gens sans tête ».

D'autres événements survinrent, laissant des traces indélébiles dans sa mémoire et sur son corps. Le plus significatif fut un incident qui eut lieu peu après la fin du procès de son père :

« Un jour, à l'âge de onze ans [1894], nous étions

trois gamins dont l'un était un parent et l'autre mon cousin Boulos, fils de Layla, ma tante paternelle. Celui-ci était mon aîné et l'autre mon cadet. Nous avions escaladé la montagne qui surplombe le monastère de Mar Licha [Saint-Elisée] ; puis nous étions descendus l'après-midi au monastère et nous nous étions mis à courir, à jouer et à explorer l'autel. Par la suite, nous avions commencé à escalader les rochers près du monastère. Mon cousin montait devant moi, et notre parent derrière. Nous marchions sur un chemin au bord d'un précipice profond de plus de cent mètres. Le sentier avait une rampe mais plutôt fragile. Soudain, je tombai dans le vide, emportant avec moi la rampe et une partie du sentier. Mon cousin tenta de m'arrêter, mais il perdit l'équilibre et glissa avec moi un bon moment. Il eut une fracture au pied, quant à moi, j'eus plusieurs blessures et coupures à la tête et à l'épaule. Notre parent se précipita au village pour chercher du secours. Nous fûmes alors transportés chez ma tante Layla, où nous reçûmes les premiers soins.

Les blessures finirent par se cicatriser. Mais plus tard on remarqua que l'épaule était mal reboutée : trop haute et trop avancée par rapport à sa place initiale. On me la remboîta et la maintint avec une attelle et une kyrielle de mètres de bandage. Je n'étais pas assez fort pour prendre de l'éther, qui aurait pu apaiser mes douleurs lorsqu'on me manipulait l'épaule. Si j'avais eu moins mal, j'aurais probablement pu pleurer ; mais je souffrais trop pour pouvoir verser une larme. Je restai attaché à cette attelle, à cette croix quarante jours durant. Mon père et ma mère étaient souvent là, près de moi, et avec leurs doux propos ils me réconfortaient. Quelle merveilleuse époque de ma vie ! Pour la première fois j'eus conscience des gens. Comme une procession, les visiteurs affluaient à la maison pour demander de mes nouvelles. A la suite de cet incident, je ne pus jamais grandir ne serait-ce que d'un pouce. Le choc dut probablement stopper ma croissance[34]. »

Dans l'esprit de Gibran, cette mésaventure de jeunesse fut donc un événement coloré de notes mystiques. Une simple attelle devint une croix, et la douloureuse période de convalescence s'étendit sur quarante jours, le temps que le Nazaréen a passé dans le désert. Depuis cet incident, l'arrêt ou du moins le ralentissement de croissance corporelle du petit Gibran fut le sacrifice à payer en faveur d'une croissance spirituelle accrue.

L'abécédaire syriaque et arabe

A la fin du siècle dernier, le nombre de lettrés parmi les hommes du mont Liban était infime. Quant aux femmes, une très grande majorité d'entre elles s'avéraient analphabètes. Les écoles publiques étaient quasiment inexistantes. Une salle de l'église ou une maison appartenant à l'Eglise maronite faisait souvent office d'école primaire. La seule éducation qui existait était assurée par des prêtres omniprésents qui, désignés par le patriarcat, enseignaient, outre le calcul élémentaire, l'arabe et le syriaque. Ceci visait à entraîner les enfants à se familiariser avec les Ecritures et la liturgie ainsi qu'à assister le clergé durant les messes et les services religieux. Les élèves étaient choisis parmi ceux dont les parents n'avaient pas besoin pour leurs travaux de la terre.

L'écriture et la lecture en langue arabe étaient enseignées à l'aide d'un abécédaire qui suivait scrupuleusement le livre des Psaumes. Ce manuel fut imprimé pour la première fois en arabe en 1735 au couvent de

Saint-Antoine-de-Qozhaya dans la Vallée sainte. Quant au syriaque, la seule langue sémitique qui persiste à survivre entre l'hébreu et l'arabe dans la région, il était enseigné dans le bréviaire maronite *al-Chahima*, édité pour la première fois à Rome à la fin du XVIe siècle.

Gibran fit ses premières études à l'école primaire de Bcharré alors tenue par le père Sim'an (« Simon »), le supérieur du monastère Mar Licha (« Saint-Elisée »), situé près du bourg. Il dut apprendre le service de la messe selon le rite maronite avec tout ce qu'elle comprenait de prières et chants liturgiques, en arabe et en syriaque, afin d'assister son grand-père maternel. A l'âge de onze ans, il aurait appris par cœur les Psaumes de David que les ecclésiastiques enseignaient obligatoirement dans leurs établissements [35].

Ce livre des Psaumes est constitué de cent cinquante poèmes, qui jouèrent et continuent de jouer un rôle capital dans la prière liturgique de la Synagogue et dans celle des Eglises chrétiennes. Port-Royal avait parfaitement compris que « les Psaumes ont cet avantage particulier d'être un raccourci de tout l'Ancien Testament ». Il demeure chez les chrétiens le lieu d'apprentissage de la prière vocale et de l'oraison [36].

Le style psalmique de ce livre constitua la pierre angulaire de ce même souffle qui échafauda secrètement tout au long de la vie de Gibran la liturgie de son livre-temple, *Le Prophète* [37].

Le petit Gibran grandit donc dans une société profondément marquée par le christianisme. Il découvrit la vie à travers les livres religieux et les chants liturgiques de l'Eglise maronite. Souvent il se promenait dans la forêt de Mar Sarkis (« Saint-Serge »), en emportant ses livres de prière avec lui. Il y cueillait des fleurs et les conservait dans ses livres [38].

Cette formation de base était insuffisante, car elle visait moins la science que le progrès dans la piété. L'école primaire se réduisait à une invite à devenir prêtre.

Par ailleurs, il semblerait que dans sa tendre jeunesse Gibran était fasciné par un homme qui était son aîné de dix-huit ans ; il le considérait comme son grand ami, son guide. Son nom est Salim (fils de) Hanna al-Dahir.

Salim al-Dahir naquit en 1865 à Bcharré. Il fit ses études primaires et secondaires au collège de la Sagesse à Beyrouth, où en 1887, il termina ses études de médecine à l'université américaine de Beyrouth. Dans son entourage, il fut connu non seulement du fait de sa belle naissance et de sa carrière de médecin mais aussi en raison de remarquables poésies [39].

Nombre de villageois n'hésitèrent pas à traiter le petit Gibran d'« enfant attardé », de « petit fou », voire de « possédé » par on ne sait quel démon. Salim al-Dahir fut le seul, hormis Kamila, à deviner les prémices de génie derrière le caractère excentrique du petit Gibran. Il se pencha sur son cas et le couvrit de son affection à tel point que souvent les villageois lui faisaient remarquer : « Pourquoi marchez-vous avec ce gamin, vous qui êtes notre grand médecin [40] ? »

Notre auteur le qualifia plus tard en ces termes : « C'était un médecin doublé d'un poète. Il vivait dans un autre monde. Tout le village l'appréciait, et moi, je l'aimais tant. Il m'apprit à me sentir très libre dans mes conversations avec lui. Je me souviens qu'à l'âge de sept ans, je lui avais demandé ceci : "Si les plus éminents savants du monde se réunissaient, ils ne pourraient jamais parvenir à greffer la tête d'un humain sur un cheval pour en faire un centaure, n'est-ce pas [41] ?" »

Salim al-Dahir sut percevoir la solitude du petit Gibran et étancher sa soif de savoir. Il lui dessilla les yeux face à un monde plus large que celui enseigné à l'école primaire, en le lui faisant découvrir à travers des livres d'histoire et des atlas[42].

« Je lui suis redevable, avoua Gibran, de cet éveil moral qui s'infiltra dans mon adolescence grâce à son amour et sa sympathie[43]. » Cette dette qu'il devait à cet homme fut reconnue lorsqu'à la suite de la mort de Salim al-Dahir survenue en 1910, il publia une élégie en sa mémoire :

« Le fils des cèdres est mort, allons donc, ô jeunesse bcharriote, porter son cercueil de lauriers et de roses, arpentant monts et vallées...

Votre doyen, ô jeunesse bcharriote, est mort. Ne vous lamentez pas sur son sort, point de larmes sur sa dépouille. Haut et fort réitérez les paroles de ses jours et de ses nuits...

Celui qui va vers la mort avec une belle et noble âme, le destin renouvellera ses jours et le relèvera face au soleil[44]. »

Gibran n'aimait pas l'école ; pourtant, il étonnait ses camarades par son intelligence et l'à-propos de ses remarques[45]. Se détournant de la grammaire sèche et ardue, il se serait davantage plu à admirer une collection de dessins que lui avait offert Istfan Rahmé, son grand-père maternel[46]. Et souvent, il passait son temps à voyager à travers le livre de Léonard de Vinci offert par sa mère ou à scruter les perspectives de la nature ou encore à tenter de fixer longuement le soleil[47].

Dès l'âge tendre, nous l'avons vu, Gibran se montra différent de ses camarades. On le trouvait souvent seul dans la forêt, occupé à ses rêves qu'alimentait une vive imagination. Fuyant les querelles entre son père et sa mère, à la suite de l'affaire judiciaire, il cherchait refuge dans la nature bcharriote, le sanctuaire de son

enfance[48], s'essayant à jouer du *nay*, la flûte orientale[49]. Il préférait parler aux bergers et s'adonner aux
rêves auxquels il donnait une forme physique devant
laquelle ses camarades de classe restaient interdits[50].

Toutefois certains de ses camarades ne mâchaient pas
leurs opinions sur les rêveries de ce promeneur solitaire,
et il s'en indignait. Un jour, le petit Gibran rentra de
l'école, la bouche en sang, les oreilles griffées et les vêtements lacérés. Il expliqua en pleurant qu'un camarade
d'école l'avait traité de « rêveur et de pleurnicheur » ;
n'ayant pas accepté cette humiliation, le petit Gibran
donna un coup au camarade. Toutefois, celui-ci, étant
plus fort et plus âgé que notre auteur, il le roua de plusieurs coups. Et Gibran d'ajouter qu'il l'aurait achevé,
si le camarade n'avait pas été plus grand que lui. Sa
mère commença alors à le sermonner, lui parlant de la
bonne conduite et lui conseillant d'éviter le mal ; quant
au père, il traita son fils de lâche et n'hésita pas à ajouter
aux coups qu'il avait reçus une grêle de fessées[51].

Un autre jour, il fut retenu à l'école par son maître,
le père Sim'an. Boutros rentra de l'école à la maison à
midi, mais contrairement à son habitude il n'était pas
accompagné par son demi-frère, Gibran. Sa mère l'interrogea :

– Mais où est donc ton frère ?

– Le curé l'a gardé en retenue parce qu'il n'avait
pas appris sa leçon de syriaque et, en guise de punition,
il lui a imposé de la recopier dix fois.

Par la suite, il retourna pour le voir et contrôlant
son cahier, il constata qu'au lieu d'avoir accompli sa
punition, Gibran avait plutôt ébauché une caricature
représentant un âne endormi avec une calotte noire sur
la tête. A une oreille pendait un livre et à l'autre une
mangeoire[52].

Souvenirs religieux

Comme nous l'avons dit, Bcharré est de tout temps pétri de souvenirs religieux et de symboles spirituels. A chaque pointe du jour, les ermites de la Vallée sainte faisaient brûler de l'encens qui remontait avec la brume jusqu'au village. Il était coutumier d'assister tous les jours et à la messe du matin et à celle du soir. L'éducation familiale se confondait à tel point avec l'enseignement et la pratique religieux que les premiers mots qu'un enfant apprenait à balbutier, hormis *Baba* et *Mama*, étaient *Yasou* et *Maryam*, « Jésus » et « Marie[53] ».

« A la veille de Noël, se remémora Gibran, nous nous rendions tous à l'église [Mar Saba]. Lanternes allumées en main, nous marchions dans la nuit à travers la neige pétrie de silence profond. A minuit, les cloches retentissaient, les voix des vieillards et des enfants s'élevaient en un vieux chant de la Galilée. Le dôme de la petite chapelle me paraissait s'ouvrir à la rencontre du ciel...

Dans cette même chapelle il est un lutrin, sur lequel on pose l'Evangile, ciselé par les mains de mon cousin Nqoula, le père de mon filleul, le petit Khalil. O combien j'aimerais revoir ce lutrin et prêter l'oreille à son silence[54] ! »

Les chrétiens orientaux attachent une importance encore plus grande à la fête de Pâques qu'à celle de Noël ; d'ailleurs la première est souvent désignée par *al-'Id al-kabir*, « la Grande Fête ». C'est par excellence la fête de la montagne.

Le village sort de sa torpeur, tout le monde se pré-

pare moralement à la résurrection du Christ. Le Vendredi saint qui est appelé en arabe *al-Joum'a al-hazina*,
« le Vendredi triste », est un jour de pénitence, de deuil
et de prière. On cesse tous les travaux des champs et
on évite même de s'occuper du ménage. Car, d'après
une croyance populaire, toute occupation, même
domestique, porte malheur. Tous les habitants du village observent rigoureusement le jeûne absolu : ne pas
manger ni boire à partir de jeudi jusqu'à samedi. On
prie toute la journée du Vendredi saint à la maison en
famille ou à l'église en commun ; et après l'office du
matin, tout le monde, jeunes et vieux, hommes et femmes, sort de l'église pour aller à travers champs cueillir
le plus de fleurs possible pour l'ensevelissement du
crucifix. Nombre d'entre eux vont nu-tête et nu-pieds
et s'imposent par pénitence de dures fatigues et souffrances. On fait des bouquets en forme de couronnes
ou de croix. Et quand la cloche sonne le glas, chacun
s'achemine vers l'église en tenant à la main son bouquet, qu'il dépose pieusement devant le crucifix que
l'on enterre, après avoir chanté l'office. A la fin de la
messe du jour de Pâques, on procède à la distribution
des bouquets déposés dans l'église depuis le Vendredi
saint[55]. Tous les villageois se félicitent d'avoir passé
un carême heureux. On dirait qu'ils se félicitent pour
leur propre résurrection.

Le Christ souffrant et enseveli les représente tous.
Ressuscité, il ouvre pour eux un avenir qui les arrache
à la difficulté du présent. Cette fête est venue se super-
poser à une ancienne fête phénicienne que l'on célébrait sur les hauteurs du Liban : la renaissance du
printemps, la résurrection d'Adonis. La résurrection se
fait ici sur tous les plans. Aujourd'hui, le Christ se lève
du tombeau ; la nature se relève avec lui sous un soleil
de printemps qui fait fondre les neiges, pousser les

herbes et les fleurs. Pâques est la période du repos qui se termine et celle des travaux qui recommencent. Il y a là vraiment une coupure nette dans le temps : ce qui suivra ne ressemblera en rien à ce qui précède [56].

A l'aube du Vendredi saint, Mikhaël Nou'aymé nous raconta :

« Gibran, âgé de cinq ans, se réveilla en sursaut, voyant son demi-frère Boutros entouré de ses copains, tous nu-pieds, sur le point de sortir de la maison. Il demanda à son frère : "Où allez-vous ?" Il lui répondit qu'ils allaient gravir la montagne pour "souffrir" avec le Christ et en rapporter des fleurs afin de les poser sur le crucifix, lors de la cérémonie funéraire à l'église.

Le petit Gibran supplia son frère de le prendre avec lui, et Boutros faillit céder ; mais ses copains le tirèrent par le bras jusqu'à l'extérieur, disant : "On n'aura pas le temps de s'attarder avec un gamin."

Le petit Gibran s'effondra en larmes, et sa mère ne put le consoler ni avec des raisins secs ni avec des promesses. Soudain son père se leva et le renvoya se calmer dans le jardin en s'écriant : "Tu ne vas pas me priver du plaisir de mon café et de ma cigarette de bon matin !"

Midi passa, et la cérémonie allait avoir lieu. Quant à Gibran, il avait disparu. Sa mère se rassura en présumant qu'il était déjà parti avec d'autres enfants à l'église ; elle s'y rendit alors, accompagnée de son mari et de ses voisines. Elle rencontra Boutros et ses copains chargés de fleurs, mais aucune trace de Gibran. A la fin de la cérémonie, elle se précipita en direction de la maison, espérant l'y trouver. Et quelle ne fut pas son inquiétude, au moment où elle l'appela sans obtenir de réponse dans toutes les pièces ! Elle rendit alors coupable l'attitude de son mari, qui avait en quelque sorte provoqué la disparition du petit.

La mère, Boutros et les copains s'éparpillèrent tous à la recherche de Gibran. Au coucher du soleil, on le retrouva enfin derrière l'église, au milieu du cimetière, dans ses mains un bouquet de cyclamens. Les reproches et la colère de sa mère se transformèrent en tendresse et amour, lorsqu'elle l'entendit babiller : "J'étais parti seul dans la campagne pour 'souffrir' avec Jésus. Mais quand je suis arrivé à l'église pour y déposer les fleurs que j'avais cueillies, le portail était fermé. C'est à ce moment-là que je me suis rendu au cimetière, cherchant en vain la tombe du Christ[57]." »

Gibran continua à se retirer chaque Vendredi saint, jusqu'au dernier jour de sa vie, qui fut un Vendredi saint selon le calendrier chrétien oriental, pour méditer sur le mystère de la Crucifixion[58].

Le petit Gibran fut également marqué par l'immense crucifix de l'église de Mar Saba qui fut sculpté par son oncle Ishaq Gibran, lequel est en fait le père de Nqoula, l'artisan du lutrin de la même église. Le petit Gibran dut pleurer comme tous les fidèles à la descente de la Croix presque réaliste, le jour du Vendredi saint[59].

Par ailleurs, il fut un certain père Youssef (« Joseph »), un prêtre itinérant qui sillonnait les villages du mont Liban en vue de réconforter les villageois par ses conseils. Le petit Gibran attendait avec impatience les visites de ce prêtre afin de l'écouter décrire le monde de l'esprit : « Ce fut du père Youssef que j'appris à connaître Dieu ainsi que les anges. Il était si proche de Dieu, et souvent je le regardais curieusement. Je me souviens qu'un jour, je lui demandai : "Es-tu toi-même ou es-tu l'ombre de Dieu ?" Il me paraissait si merveilleusement bon et parfait ; je l'aimai avec une passion qui me trouble encore aujourd'hui [plus de trente ans plus tard], quand j'y pense. Il ne me parlait pas de ces commandements que j'apprenais à l'église, mais plutôt de ce monde supérieur, de ces choses que je ne pouvais ni voir ni entendre, mais que je pouvais sentir dans mon cœur. Et parfois, mon cœur aspirait à la rencontre de ce monde invisible, au lieu de rester dans cette solitude mélancolique qui n'était point de mon âge[60]. »

Durant les soirées d'hiver, le petit Gibran se réchauffait à l'écoute des légendes et des superstitions véhiculées par la culture populaire et par les fêtes paraliturgiques, comme les histoires du samedi de Lazare, de la sainte Marine et de la fête de l'Epiphanie. Parmi ses manuscrits en anglais, non publiés de son vivant, se trouve une pièce de théâtre intitulée *Lazare et sa bien-aimée*[61]. Quant à l'histoire de la sainte Marine, elle eut lieu au Ve siècle. Le monastère de Qannoubine, situé près de Bcharré sur le flanc sud de la Vallée sainte, fut le théâtre de ses austérités.

Dans la petite ville de Qalamoun près de Tripoli, « un homme, raconta Gibran, perdit son épouse qu'il aimait tendrement, lui laissant une jeune fille dénommée Marine. Un grand désir spirituel incita le père à entrer dans un monastère loin de son village, dans la Vallée sainte. Et pourtant ni lui ni sa fille ne voulaient se séparer l'un de l'autre. Marine coupa court ses cheveux, et son père lui donna des habits d'homme ; ainsi tous les deux, comme père et "fils" (le mariage chez les prêtres maronites est licite), entrèrent au monastère de Qannoubine, au fond de la Qadicha.

Il était coutumier au monastère d'envoyer des moines, deux par deux, pour recueillir des dons dans les villages voisins. Un jour, le père et son "fils" furent désignés pour remplir cette tâche. Un soir, ils se trouvèrent dans une auberge dont le tenancier avait une fille qui était si lascive et si effrontée que quand elle vit le "fils", elle ne dissimula point son désir pour lui. Mais que pouvait-il lui faire ce "jeune homme", si ce n'est repousser gentiment ses avances. Le lendemain, le père et son "fils" regagnèrent le monastère. Quelques semaines plus tard, la fille du tenancier tomba enceinte d'un autre homme. Elle raconta à son père qu'elle avait été séduite par le "fils"-prêtre. A la naissance de l'enfant, ils se rendirent au monastère et portèrent alors une fausse accusation contre le "fils", prétendant qu'il en était le père.

Marine se tut et dut élever l'enfant de la calomniatrice dans une des grottes de la Vallée sainte. Par une nuit enneigée, les prêtres du monastère furent troublés par un cri d'enfant. Le lendemain matin, ils se précipitèrent dans la grotte et découvrirent l'enfant pleurant sur la poitrine découverte de cette sainte [62]. » La grotte de sainte Marine, connue sous le nom de la « vierge allaitante », n'a jamais cessé d'attirer les pèlerins, surtout les jeunes femmes privées de lait, qui venaient prier la sainte de leur en obtenir.

Dans un manuscrit arabe Gibran parle de la nuit de l'Epiphanie, appelée en arabe *Laylat al-Dayim*, « la Nuit de l'Eternel ». Le mot grec *epiphaneia* signifie « apparition », c'est la manifestation de Jésus-Christ aux Rois mages venus pour l'adorer. Jusqu'au XVIIe siècle, les maronites fêtaient cette nuit-là le réveillon de Noël, sachant que le 25 décembre n'est que la remémoration de la fête païenne de Mithra, le dieu solaire des Romains. L'Epiphanie est fêtée le 6 janvier, date à laquelle Gibran est né.

Selon la légende, cette nuit-là, le Messie passe partout en disant *dayim*, « toujours » : qu'il en soit ainsi toute l'année. C'est pour cette raison qu'en ce réveillon, les villageois du mont Liban distribuent des aumônes et passent leur temps à genoux jusqu'à minuit, en adoration et en prière, de telle sorte que, quand *al-Dayim*, « l'Eternel », passe, il les trouve dans cette attitude que chaque croyant est censé conserver toute l'année. Cette nuit-là, les jarres d'huile, les coffres de farine et de bourghol (blé concassé) et tous les récipients en usage sont laissés découverts, on appose même de la levure sur la porte pour qu'*al-Dayim* les voie sur son passage et les bénisse ; on laisse une lampe allumée et la porte de la maison non verrouillée afin d'éclairer son passage et lui permettre d'entrer[63].

Gibran raconta l'histoire d'une femme pauvre qui fut la seule, en ce réveillon, à accepter d'accueillir *al-Dayim* : « Cette nuit-là, le ciel déclara la guerre à la terre. Une tempête s'éleva du nord pour disperser les éléments dans le ciel, et un vent impétueux accompagna la neige épaisse afin d'anéantir toutes les scories des hommes. Les villageois se rassemblèrent auprès de leurs cheminées. Aucun être vivant ne pouvait marcher dans les rues où l'on n'entendait que les hurlements du vent. Un seul être cependant osa se déplacer avec le sourire aux lèvres. Ce fut *al-Dayim* qui s'avança avec dignité, sans que les éléments déchaînés, la tempête ou la neige pussent l'arrêter.

Au seuil d'une maison se tenait un homme au regard sévère qui aussitôt le vit, il lui dit : "Ma demeure n'est point faite pour les mendiants." Et il fit claquer la porte. Dès lors le vent et la neige scelleront cette porte pour toujours [dit la légende].

Puis *al-Dayim* poursuivit sa marche et arriva chez un homme riche. Il frappa trois fois à la porte, le gardien lui ouvrit et après l'avoir toisé des pieds à la tête, lui dit : "Arrière errant !" Puis il ferma la porte avec force. Le vent et la neige se révoltèrent alors sur cette porte avec une force encore plus grande. Désormais nulle main humaine ne pourra ouvrir cette porte close à jamais.

Al-Dayim se dirigea ensuite vers une petite maison ténébreuse. Dès qu'il s'approcha d'elle, la porte s'ouvrit. La pauvre femme qui habitait là pressentait l'arrivée d'un visiteur. Elle le fit entrer, l'invitant à se mettre près d'un modeste feu. Puis elle lui offrit un morceau de pain. Ses yeux brillèrent comme des étoiles. Elle lui dit : "Cher monsieur, je suis pauvre comme vous le voyez, mais je peux vous préparer une couche à même la terre près du feu. Vous êtes étranger ici comme tous les étrangers du monde." Quand elle eut terminé de prononcer ces mots, elle vit son vrai visage et s'écria alors : "O Christ, quel bonheur ! Pardonnez-moi Seigneur de vous avoir reçu avec peu d'honneur." Il s'approcha d'elle, posa sa main sur sa tête pour la bénir, puis la regarda fixement. Une lumière jaillit de son corps et emplit toute la maison. Il lui fit entendre une douce mélodie céleste qui combla son âme de bonheur, et elle ferma les yeux pour les ouvrir au ciel.

Le lendemain matin, les nuages s'étaient enfuis avec la tempête, et le ciel était tout bleu. La petite maison de cette femme est restée en ruine jusqu'à nos jours. Les gens y viennent chaque année prier et offrir de l'encens à l'endroit où repose en paix le corps de cette pauvre femme [64]. »

Par ailleurs, Gibran aimait plus spécialement le monastère de Mar Sarkis (« Saint-Serge ») qui est situé sur une colline à l'entrée est de Bcharré. A l'époque de Gibran, ce monastère était habité par les frères carmes, un ordre religieux issu des groupes d'ermites latins qui vivaient sur le mont Carmel.

La vicomtesse d'Aviau de Piolent le visita un an avant la naissance de Gibran, en 1882, et le décrivit ainsi : « Le monastère et la chapelle sont entièrement taillés dans le roc : c'est une vaste grotte à deux étages fermée par un mur percé de fenêtres. Le Carme, frère Miguel, est l'unique médecin de la région. Il est respecté pour sa piété et son acharnement au travail[65]. » Le frère Miguel était en fait l'ami du grand-père maternel de Gibran, le père Istfan, avec qui il conversait en latin[66].

Gibran rêva tout au long de sa vie de ce monastère. Lorsque les Carmes le quittèrent en 1911 pour en construire un autre à l'entrée ouest de Bcharré, Gibran entama des négociations pour l'acheter, mais il ne put parvenir à réunir la somme exigée par les Carmes. Ce ne fut qu'après sa mort que ce monastère-ermitage fut acheté par Assaf Rahmé, un proche parent du côté maternel, pour mille deux cents livres or ottomanes[67]. Gibran fut enterré dans ce monastère qui par la suite fut transformé en musée Gibran.

5

L'exil de la famille

« La terre dont les épines étouffent les fleurs est inhabitable[1]. »

Durant la période qui suivit l'arrestation et l'emprisonnement de Khalil (1891-1894), démunie, Kamila devait affronter les calamités du destin : les biens saisis, le salaire suspendu et les gens impitoyables. Durant cette période noire, partagée entre Bcharré et Beyrouth, elle devait s'endetter pour corrompre juges et fonctionnaires mais aussi endurer les cancans du bourg.

Non seulement Kamila eut le sentiment d'avoir perdu son troisième pari avec son troisième mari, mais aussi celui qui l'avait entourée de tant de soins et enveloppée de tant d'affection, son père. A la mort du père Istfan survenue en 1894, la famille Rahmé fut démembrée et la fortune, dilapidée[2].

« La femme faible, écrivit Gibran dans *Les Ailes brisées*, n'est-elle pas le symbole de la nation dominée ? La femme tiraillée par les penchants de son âme et les chaînes de son corps ne ressemble-t-elle pas à la nation accablée par ses gouvernants et son clergé ?... La femme est à la nation ce que la lumière est à la lampe. Celle-ci ne serait-elle pas terne, si l'huile venait à manquer[3] ? »

Kamila Rahmé fut en fait une femme aux « ailes brisées ». Elle fut accablée par les tracasseries religieuses et par une hiérarchie qui blâma son père, le prêtre Istfan. Elle subit la honte, le mensonge et le dépouillement des richesses familiales par une injustice de l'autorité féodale et ottomane. Plus tard Gibran ne manqua pas d'analyser la situation de son pays à travers ces événements vécus dans le milieu familial. Cela le conduisit à critiquer à la fois l'autorité civile et religieuse et à rejeter la double tyrannie exercée par l'une et par l'autre. Il finit par voir dans le visage de sa mère celui de tout le Levant conquis, balafré par la main d'un hybride à trois têtes : l'Empire ottoman, la féodalité et le clergé ; il écrivit alors : « Le visage de ma mère est celui de ma nation[4]. »

Si l'on ajoute à l'emprisonnement de son père sur la dénonciation d'un religieux l'excommunication de son grand-père maternel à cause de sa célébration d'un mariage entre deux familles féodales en conflit, nous comprenons mieux la révolte de Gibran, à l'âge adulte, contre les féodaux civils et religieux. Les plaies qu'il garda de cette période naissante éperonneront son cheval de bataille pour la défense du faible et de l'opprimé.

En 1894, Khalil sortit de prison et rejoignit sa famille. Sa situation pécuniaire ne cessait d'empirer. Jour après jour, il voyait ses dettes s'amonceler et les créanciers le harceler. « La vache une fois tombée, les bouchers viennent en foule », dit un proverbe levantin. « A tout homme qui a, l'on donnera et il aura du surplus ; mais à celui qui n'a pas, on enlèvera même ce qu'il a[5] », prise au pied de la lettre, cette phrase de l'Evangile ne fut jamais plus exacte qu'ici.

Blessé à jamais dans son amour-propre et dans son honneur, Khalil resta une année avec sa famille ; le climat qui régnait dans le foyer conjugal était très probablement tendu. Nous supposons que les fautes du passé furent constamment évoquées ; Kamila dut le mettre en garde contre le fait de confier la perception des impôts à un autre, mais Khalil, obstiné, faisait la sourde oreille. Si auparavant il aimait à boire de temps en temps, à présent il dut multiplier ses verres, tentant de noyer ses malheurs.

Kamila ne succomba pas pour autant. Mais pourquoi rester à Bcharré qui la lapidait de toutes les épithètes ? Elle décida de partir loin du bourg et de sa misère, moins pour fuir Khalil que pour oublier ses agissements qui le firent tomber si bas et qui contribuèrent indirectement au tollé général contre sa personne. Sa fuite était plutôt positive dans la mesure où Kamila visait à édifier l'avenir des siens, comptant sur la maturité de Boutros et confiante dans le génie du petit Gibran.

Après tout ce qu'elle avait fait pour libérer son mari, Kamila se sentit plus libre de prendre la décision qu'elle voulait prendre depuis longtemps : émigrer, partir pour d'autres horizons plus enchanteurs. Pourtant elle attendit encore un an après la libération de son mari, avant de se décider à partir ; peut-être espérait-elle aussi que Khalil changerait. Celui-ci finit par se trouver contraint de consentir au départ des siens, faute d'une autre solution leur assurant à tous une vie décente. Kamila décida donc de partir avec le consentement de son mari moins pour le fuir que pour se fuir elle-même et s'éloigner de la dure société de Bcharré. Son mari lui promit de les rejoindre plus tard[6].

Kamila vendit alors ce qu'elle put sauvegarder de l'héritage de son père, quelques terres que le père de Boutros, son premier mari, avait léguées à son fils, ainsi que ce qui restait comme meubles dans sa maison, afin de pouvoir couvrir les frais de voyage pour le chatoyant Nouveau Monde. Elle avait même sollicité l'intervention rémunérée d'un évêque maronite auprès des autorités américaines compétentes afin d'obtenir le visa d'émigration. Elle finit par avoir une lettre de recommandation de l'université américaine de Beyrouth, connue alors sous le nom de Syrian College[7].

Femme de tête à la voix envoûtante, qui ne savait peut-être pas écrire, mais qui savait prendre le gouvernail, Kamila entreprit ce que peu de femmes orientales osaient faire à l'époque : trois mariages et deux longs voyages, l'un au Brésil, l'autre aux Etats-Unis. D'habitude, c'était l'homme qui voyageait et, une fois établi, envoyait chercher sa famille. Kamila fit exception.

Seul le père resta à Bcharré pour vivre dans l'humiliation mais peut-être aussi dans l'expiation. Il se sacrifia pour que sa famille pût mener une nouvelle vie sur un nouveau continent. Le prix de son sacrifice sera rendu bien après sa mort survenue en 1909 : son nom (Gibran) mais aussi son prénom (Khalil), celui de son fils, décrocheront une célébrité mondiale.

Ce qui encouragea aussi Kamila à partir fut ce grand courant d'émigration qui prit son essor entre 1860 et 1880 au mont Liban, lors des premiers affrontements communautaires entre les druzes appuyés par les Anglais et les maronites par les Français. Le Liban de l'époque, amputé de ses villes côtières et de ses plaines intérieures, ne pouvait survivre qu'en se répandant à

l'étranger. Jusque-là terre de refuge des groupes persécutés – druzes, chiites et maronites fuyant les oppres-
sions ottomanes –, le Liban fut déserté pour la
première fois de son histoire. Ce fut le début de sa
diaspora. Cinq mille départs annuels furent enregistrés
à Beyrouth et à Tripoli pour les quatre autres conti-
nents. A la veille de la Première Guerre mondiale, on
estima à environ cent mille le nombre des émigrants
d'origine syro-libanaise qui s'installèrent aux Etats-
Unis ; le mont Liban ne comptait que cinq cent mille
habitants[8].

Deux autres raisons amplifièrent cette émigration.
La première est l'apparition dans les années 1870 du
phylloxéra dans la vigne ; les viticulteurs du mont
Liban, qui n'avaient aucun moyen de lutter sur place,
furent contraints de délaisser leurs vignobles. La
seconde raison est qu'après l'ouverture du canal de
Suez en 1869, le Liban se trouva menacé économique-
ment car sa production de soie, principale industrie du
pays à l'époque, fut concurrencée par celle du Japon et
de la Chine sur les marchés de Lyon, d'où la nécessité
d'ouvrir d'autres marchés, notamment aux Etats-Unis.
L'émigration devenait une source importante de revenus et une modalité d'ascension sociale pour ceux qui
réussissaient à réaliser une accumulation de biens dans
les terres de l'émigration. L'émigré n'oubliait pas
d'envoyer de l'argent au mont Liban, ce qui contribua
à la survie de la petite et moyenne propriété paysanne[9].

A la force de l'âge, Gibran loua ces émigrés dont il
faisait partie : « Les enfants de mon Liban sont ceux
qui quittent leur pays démunis, ils n'ont que de la fougue dans le cœur et de la force dans les bras. Et quand
ils y reviennent, leurs mains sont inondées des richesses de la terre et leur front ceint de lauriers. Ils sont
vainqueurs où qu'ils s'installent, et charmeurs où qu'ils

se trouvent. Ce sont ceux qui naissent dans des chaumières et qui meurent dans les palais du savoir [10]. »

Quant à Bcharré, les motifs de l'émigration de ses habitants étaient variés : on fuyait la pauvreté, le joug ottoman, la vendetta ou l'incompréhension d'une société qui ne prisait que la richesse, la puissance et la bonne naissance.

L'espoir de sortir de la misère et du déshonneur, la perspective de retrouver des parents déjà installés à Boston et ce malaise général du régime ottoman que le Liban-Nord dut ressentir à la suite de l'insurrection de Youssef Bayk Karam constituèrent autant de stimulants pour que Kamila décidât de lever l'ancre vers la Terre promise des Temps modernes.

A cette époque, la mère avait trente-six ans et les quatre enfants étaient mineurs : Boutros avait dix-huit ans, Gibran douze ans, Mariana dix ans et Sultana huit ans.

Un jour, se trouvant seule, Kamila était en larmes lorsqu'elle fut surprise par l'arrivée de son fils Boutros. Mikhaël Nou'aymé nous raconta cette scène où la décision du départ fut prise :

« Ne t'inquiète pas, mon fils. Parfois le cœur est si serré qu'il fuit la poitrine par les yeux. Et quand il s'agit d'une poitrine de mère, pitié pour son cœur, pitié pour ses yeux !

Mon fils, tu es résolu à partir pour l'Amérique depuis des années, et je t'ai toujours barré la route. Mais aujourd'hui, j'ai pris conscience de la justesse de ta volonté après avoir longuement réfléchi et ardemment prié. Ici, tu n'as pas d'avenir et te voilà bientôt majeur ; alors je te dis : Va et que Dieu te protège. Toutefois, mes pieds franchiront le pont du navire en même temps que les tiens ; ton frère et tes deux sœurs seront aussi en notre compagnie. Quant à Khalil, il restera là. Nous nous ferons fort de lui assurer une vie paisible. Tu sais que rien ne lui importe, si ce n'est sa cigarette, son café et son verre.

— Si la fortune me sourit, je ferai en sorte qu'il n'ait besoin de rien : sa cigarette ne s'éteindra jamais, et sa tasse de café ne sera jamais vide, ni même sa bouteille. Car je l'aime malgré tout le mal qu'il t'a causé. Par ailleurs, Gibran aura sa part d'enseignement ainsi que Mariana et Sultana ; et toi, mère, tu seras respectée et honorée. Avec la volonté de Dieu nous enterrerons enfin la pauvreté.

— Que Dieu te bénisse mon fils, ainsi que nous tous. Mon cœur s'effrite sur le sort de Khalil. Il va rester ici, tel un piquet de tente au cordage coupé, mais que puis-je faire, alors que la patience m'a fui ? J'ai peur, Boutros, de ce voyage. Qui sait quand nous pourrons rentrer ? Peut-être jamais nous ne reverrons notre pays. Qui embarque disparaît et qui débarque renaît. Confie-toi à Dieu, mon fils, ensemble confions-nous à Lui.

— N'aie crainte, ma mère. A Boston, nous retrouverons nombre de compatriotes que nous connaissons fort bien ; ils nous aideront sûrement dans nos débuts.

Les larmes de la mère cessèrent de couler, tandis que les souffrances du passé et les craintes de l'avenir continuèrent à voiler son visage. Quant à Boutros, la fougue de ses dix-huit ans enflait ses veines, et son visage s'épanouissait d'espoir ; il savait que désormais aux yeux de sa mère il était devenu un homme.

Ni lui ni sa mère n'auraient pensé, même s'ils l'avaient voulu, qu'ils ne pouvaient s'écarter ne serait-ce que d'un pouce du chemin qu'ils s'étaient fixé. Ce que l'on appelle destin n'est autre que ce à quoi tout un chacun se destine, selon ses actes dans sa vie présente et dans d'autres auparavant. En traçant leur propre chemin, Kamila et Boutros accomplissaient non seulement leurs volontés mais aussi, et sans le savoir, d'autres qui n'étaient pas les leurs ; tous étaient encore voilés et secrets. Parmi ces chemins se trouvait celui d'une vie dont ils n'avaient vu jusqu'alors que douze ans d'existence aux signes confus, aux lumières blafardes et aux ombres chancelantes, la vie du petit Gibran [11]. »

Juste avant leur départ, une photo fut prise de la famille sur laquelle nous remarquons les vêtements bigarrés des Gibran ainsi que les tarbouches de Khalil, de Boutros et de notre auteur qui dénotaient l'indigence. La vocation du petit Gibran se révélait avec le papier enroulé qu'il tenait dans sa main droite et le crayon dans la main gauche [12].

La mer que Gibran avait vue pour la première fois à l'âge de huit ans, ressemblant à « des cieux sans limites sur lesquels voguaient les navires [13] », il la vit de plus près, le jour où il embarqua avec sa famille pour les Etats-Unis. La mer était la seule échappatoire pour quitter le pays ; elle le fut pour tous les peuples qui se succédèrent au Liban. Le souvenir de ce navire qui le transporta vers le pays du Couchant se reflétera en son chef-d'œuvre, telle une image réfléchie qui n'est autre que ce même vaisseau dans *Le Prophète*, destiné à ramener al-Moustapha au pays du Levant.

En quittant son pays, son village et ses proches, une pensée effleura l'esprit du petit Gibran et se donna chair en cette maxime qu'il écrivit plus tard :

« Ma maison dit : Ne me quitte pas, ton passé est ici. Et la route me dit : Viens, suis-moi, je suis ton avenir.

Alors je leur dis : Je n'ai ni passé ni avenir. Dans sa maison du passé, le moi aspire à l'avenir. Dans son

chemin vers l'avenir, le moi porte avec lui son passé.
Seuls l'amour et la mort peuvent tout changer [14]. »

Ainsi s'acheva son premier cycle de douze ans, pétri
de quiétude et de tempêtes ; trois autres cycles s'ensui-
vront, pavés de mort et d'amour.

6

Les premiers pas au paradis perdu
Boston : 1895-1898

« Il est bien de donner à qui quémande, mais il est mieux de donner sans qu'on vous le demande, par compréhension[1]. »

1895

Nous ne saurions préciser la date du départ, toute tentative en ce sens est vouée à l'échec. Rien n'en fut conservé aux archives du ministère libanais des Affaires étrangères et des Emigrés.

Le navire, dont l'initiale était « M », quitta le port de Beyrouth et s'arrêta, au cours du voyage, à Alexandrie[2], Venise, Brindisi puis Marseille. De là, Kamila et ses quatre enfants prirent le train pour Le Havre d'où ils embarquèrent pour le Nouveau Monde[3].

Le 25 juin 1895, ils débarquèrent à New York[4], sur le quai d'Ellis Island, faisant leurs premiers pas dans le paradis perdu. Ils passèrent leur première nuit à Old Brevoort House, à l'angle de la 5th Avenue et de la 8th Street, dans le quartier de Greenwich Village. Le lendemain ils se promenèrent dans un vieux cabriolet, le long de l'avenue, pour revenir à l'auberge[5]. Celle-ci était située à deux cents mètres de la future maison de Gibran et à cinq cents mètres de l'hôpital où il mourut.

Puis la famille se rendit à Boston où elle fut hébergée par Milhim Gibran et sa femme Msihiya[6]. Le grand-père de Milhim, Nqoula, est en fait le frère de Sa'd, l'arrière-grand-père de notre auteur. Milhim et sa femme ainsi que leurs deux filles, Rose et Zakiyé, avaient quitté Bcharré pour Boston, cinq ans auparavant[7].

Boston est dotée d'un esprit qui la distingue de toutes les autres villes américaines. Si l'on voulait la comparer aux cités du monde antique, à l'instar de Jérusalem, Damas ou Rome, elle ne serait qu'une cité-enfant. Pourtant elle est la plus vieille ville des Etats-Unis et elle en est fière[8].

En 1630, un groupe de pèlerins britanniques et hollandais partirent de Boston, port d'Angleterre, pour aller fonder la ville américaine de Boston en Nouvelle-Angleterre. Les plus grandes familles nobles de tout le pays sont recensées dans cette ville ; elles sont issues de ces pèlerins, fondateurs des Etats-Unis. Boston donna naissance aux plus éminentes figures politiques du pays, comme Franklin et Kennedy, et à d'illustres personnalités du monde littéraire, tels Emerson et Poe. En 1873, elle fut la première université à ouvrir toutes ses sections aux femmes, un an plus tard elle salua la naissance du téléphone. En 1929, on y inventa le premier ordinateur opérationnel et, trente ans plus tard, la première pilule contraceptive. De même que New York est la ville du dollar, Boston est celle du savoir.

Jusqu'en 1920, date de la création étatique du grand Liban, les immigrés syriens et libanais étaient confon-

dus aux Etats-Unis sous l'appellation *Syrians*, et en
Amérique du Sud sous celle de *Turcos*.

A l'époque, la communauté syrienne qui vivait à
Boston était la plus importante des Etats-Unis après
celle établie à New York. Leur fief bostonien était
Oliver Place (« Place de l'Olivier »), une enclave
levantine à forte densité et à caractère populaire.
Actuellement, elle est incluse dans Chinatown[9].

Dans ces quartiers sud de Boston s'évertuait à vivre
un misérable conglomérat humain, au milieu d'exhalai-
sons nauséabondes et de déchets de cuisine ainsi que
d'essaims de mouches, sans oublier les chiens qui y
trouvaient leur pâture. Les progénitures chinoises,
irlandaises et syriennes, s'ébattant dans les ruelles
sombres et infectes, s'invectivaient et se rouaient de
coups. Entre voisins chinois et syriens, on se partageait
la misère en s'échangeant le narguilé levantin et la pipe
d'opium. L'intégration était extrêmement difficile dans
un milieu fier de son sang anglo-saxon[10]. Les Syriens
étaient les immigrés les moins assimilables, après les
Chinois. Ils s'agrippaient tous à leurs us et coutumes
dans un isolement collectif, cherchant à se protéger
d'une démoralisation qui risquerait de rendre le dépay-
sement infernal[11].

Quelques jours plus tard, Milhim leur trouva un
appartement au 9, Oliver Place où se trouvaient nombre de covillageois[12]. Kamila y livra son nouveau et
dernier combat avec la vie.

La famille habitait un dernier étage, auquel donnait
accès un escalier en bois, sombre et circulaire[13]. Leur
nouveau logement était étroit et obscur. Le vacarme du
trafic de la rue y remplaçait la musique des cascades
de la Vallée sainte. Mais tout cela était accessoire ;

il s'agissait surtout de vivre d'abnégation pour faire fortune [14].

A ses débuts, la famille recevait de l'argent de Khalil, le père abandonné à Bcharré. Toutefois cette somme diminuait à chaque envoi [15]. Dans le même temps, elle reçut de l'Associated Charity des médicaments et des vivres ainsi que des vêtements [16].

Pour nourrir ses quatre enfants, Kamila devait porter un ballot lourd de vingt kilos chargé de linge de maison en dentelles et en soie de fabrication syrienne et quelques articles de mercerie, pour faire du porte-à-porte. Elle devint donc colporteuse comme la plupart des immigrés syriens [17].

Ne connaissant ni le plan de la ville ni la langue du pays, Kamila devait tout le temps consulter ses compatriotes pour ne pas se perdre dans les méandres de Boston. Au début de l'automne de cette année-là, on la voyait frapper à toutes les portes, exposant silencieusement sa marchandise. Très souvent, la porte s'ouvrait puis se refermait vite au nez d'une « bohémienne » gênante [18].

L'unique voie que Gibran pouvait prendre pour surmonter ces conditions misérables était le chemin de l'école publique. Celle-ci était la seule qui pouvait l'introduire dans la doctrine du rêve américain. Près d'Oliver Place, dans Tyler Street se trouvait l'école communale du quartier, la Quincy School (« Ecole du Coing »), qui porte aujourd'hui le nom d'Abraham Lincoln School. Cette école de garçons fut connue pour sa mosaïque d'ethnies : un tiers des élèves était américain, un autre irlandais, et le reste était un mélange de Juifs, d'Européens de l'Est et de Chinois. Ce fut dans ce cadre où s'entremêlaient une pluralité linguistique, ethnique et confessionnelle que Gibran connut l'école aux Etats-Unis, un cadre qui n'était pas loin de ressembler à celui de la mosaïque sociale du Liban de tout temps [19].

Lors de son inscription à l'école, il y entra avec le prénom Gibran et en sortit avec un autre prénom : « Kahlil ». En fait, son nom fut écorché, sous prétexte que *Gibran* répété était chose bizarre [20]. Le vrai nom de notre auteur Gibran (fils de) Khalil Gibran devint ainsi : prénom « Kahlil » (en inversant le « h » et le « a »), patronyme « Gibran », alias *Assad* qui signifie an arabe « Lion [21] ». « Kahlil Gibran » était plus compatible à l'œil et à l'oreille bureaucratiques américains. Dès lors il fut connu dans les milieux américains par ce nom qui paraîtra plus tard sur toute son œuvre picturale ainsi que sur ses livres en anglais. Toutefois, son œuvre littéraire en langue arabe sera toujours signée Gibran Khalil Gibran. Ainsi sa famille et ses concitoyens l'appelaient par le prénom Gibran, quant aux Américains, ils le dénommaient « Kahlil ».

Le 30 septembre, à sa première rentrée scolaire aux Etats-Unis, notre garçon avait douze ans et n'avait passé qu'à peine trois mois à Boston. Il fut intégré dans une classe inférieure réservée aux enfants d'immigrés qui devaient apprendre les rudiments de l'anglais [22].

L'institutrice, qui remarqua l'éveil précoce du jeune Gibran [23], crut utile de lui donner à lire *Uncle Tom's Cabin* [24], *La Case de l'Oncle Tom*, roman relatant le problème de l'esclavage. Par ailleurs, un jour, il eut la hardiesse d'interrompre le cour de son institutrice, prenant sa craie pour corriger un dessin qu'elle avait mal réussi [25].

Plus tard, Gibran fut questionné sur cette période, la plus difficile de sa vie ; il répondit : « Mes deux premières années à Boston furent les plus misérables. Mon seul secours résida dans mes enseignants qui étaient d'une grande amabilité avec moi. Après avoir quitté l'école, ils continuaient à demander de mes nouvelles par correspondance[26]. »

Une autre personne respecta intituivement son épanouissement intellectuel et spirituel. A l'âge mûr, il se remémora la sympathique compréhension de sa mère : « Si quelqu'un venait de rentrer à la maison, elle lui disait avec le sourire, tout en me regardant du coin de l'œil et en posant le doigt sur ses lèvres : " Chut, il n'est pas là[27] ! " »

La chance de fréquenter l'école ne fut réservée qu'à Gibran ; ses sœurs, Sultana et Mariana, ne reçurent aucun enseignement scolaire pour des raisons inhérentes à la mentalité levantine de l'époque.

Les activités financières de la famille purent se développer grâce aux grands efforts déployés par Kamila et à sa vaillante persévérance. En un an, elle put économiser juste ce qu'il fallait pour permettre à Boutros d'ouvrir une boutique orientale de nouveautés et d'artisanat, au 61, Beach Street dans un quartier commercial de Boston[28].

Dès lors, Kamila abandonna son lourd ballot pour tirer bénéfice de ses travaux d'aiguille et de ménage chez des particuliers, assistée par ses deux fillettes[29], lesquelles aideront plus tard Boutros dans sa boutique en y travaillant comme vendeuses[30].

Parmi les quatre enfants, Boutros était le moins discret et le plus attrayant. Il jouait du luth et connaissait un important répertoire de chants du pays. Mariana et Sultana l'adoraient et le préféraient à Gibran qui était replié sur lui-même. Celui-ci reconnaissait et respectait la popularité de son demi-frère au sein de sa famille : « Il avait un beau visage et il était si courtois avec les gens[31]. »

Ambitieux, digne et dévoué, Boutros, par son courage et son renoncement, sut sortir la famille de la misère dans laquelle elle s'enlisait. Se dépensant sans répit, il voulait donner à Gibran de l'instruction, à sa mère et à ses sœurs, repos et quiétude [32].

Alors que Boutros s'acharnait et s'exténuait dans son commerce pour assurer le nécessaire à la famille, Gibran s'adonnait exclusivement à ses lectures et à ses dessins. A sa mère qui lui demandait d'aider son demi-frère, Gibran répondait : « Le petit doigt d'un peintre vaut mille commerçants, excepté Boutros, et une page de poésie vaut tous les tissus des magasins du monde [33]. »

De tous les hommes de lettres émigrés de Syrie et du Liban aux Etats-Unis, Gibran deviendra le seul qui se soit consacré entièrement à son art et à sa plume, alors que pour tous les autres, l'art restait accessoire et marginal, une sorte de violon d'Ingres, préoccupés qu'ils étaient par leurs travaux commerciaux et leur gagne-pain [34].

En face de la Quincy School se trouvait une maison du quartier connue sous le nom de Denison House. Les enfants de ce quartier défavorisé y étaient invités à jouer dans sa cour, et leurs mères à y prendre le thé ; de peur que les femmes protestantes qui régissaient cet établissement convertissent leurs paroissiens, les curés catholiques y venaient et engageaient le dialogue.

Gibran ne tarda pas à découvrir cette maison de quartier et se mit à la fréquenter. Lectures de poésie, pièces de théâtre, concerts de musique y furent donnés afin d'attirer les enfants de la rue. Des cours d'art, de dessin et d'artisanat ainsi qu'un club Shakespeare furent introduits par la suite [35].

1896

La bibliothèque de la ville, la Boston Public Library, fut bâtie en 1892. Outre le fait que sa façade est une copie conforme de la bibliothèque Sainte-Geneviève à Paris et que l'extérieur de son imposant édifice rivalisait avec toute autre bibliothèque des Etats-Unis, son intérieur fut décoré par des fresques de Puvis de Chavannes ainsi que de John Singer Sargent. Trois ans plus tard, l'année de l'arrivée à Boston de Gibran, dans sa cour fut élevée la statue de *La Bacchante*, réalisée par Frederick MacMonnies.

Cette statue devint une merveille de controverses. Sur son bras elle portait un enfant plein de vie et elle tendait l'autre bras en tenant en l'air une grappe de raisin. Cette nymphe dansante provoqua une attraction immédiate et sensationnelle. Sa nudité provocante attisa la curiosité. Par milliers les badauds venaient visiter la cour de cette bibliothèque. Son air lascif devint la cible favorite des censeurs des mœurs bostoniennes [36].

Gibran, qui avait visité dans son enfance les vestiges de Baalbek, dont ceux du temple de Bacchus, n'avait pas manqué, en 1896, d'aller admirer cette bacchante et surtout de la dessiner.

Quelques mois plus tard, devant l'insistance des puritains, la statue fut exilée dans l'un des couloirs les plus libertins du Metropolitan Museum à New York [37].

Le croquis représentant *La Bacchante* par la main de Gibran plut à Florence Peirce, son professeur de dessin à la Denison House. Elle y découvrit les germes du talent artistique de ce jeune immigré.

Faisant partie de ces femmes américaines qui commençaient à s'émanciper, Florence Peirce fut le premier guide dans la carrière de Gibran. Elle l'introduisit auprès d'une assistante sociale très influente, Jessie Fremont Beale ; celle-ci supervisait depuis 1887 le projet de *Home Library* qui consistait à distribuer à domicile des livres et des revues aux enfants nécessiteux [38].

Le 25 novembre, l'assistante sociale écrivit à l'une de ses connaissances, Frederick Holland Day, le sollicitant de guider Gibran dans la voie artistique :

« Cher Mister Day,
Je me demande si vous avez un ami peintre qui aimerait prendre soin d'un garçon assyrien [elle voulait dire syrien] appelé Kahlil Gibran. Celui-ci ne fait partie d'aucune association. Ainsi quiconque sera son ami pourra l'orienter comme il l'entend en son âme et conscience.

Depuis un an, il suit des cours de dessin à la maison de quartier située Tyler Street. Il y a fait ses preuves d'une telle façon que Miss Peirce a estimé que si quelqu'un l'aidait à acquérir une culture artistique, il pourrait, un jour, gagner son pain autrement qu'en vendant des journaux ou des boîtes d'allumettes dans la rue. En effet, son avenir risque de se réduire à celui de mendiant itinérant, si nous ne faisons rien immédiatement. Sa famille, qui vit à Oliver Place, est terriblement pauvre ; par conséquent, elle insistera pour obtenir une aide pécuniaire de ce garçon, le jour où il atteindra l'âge requis pour travailler, à moins qu'il puisse trouver une meilleure voie.

L'année prochaine il aura quatorze ans, ce qui signifie qu'il ne pourra plus rester à l'école communale. C'est pourquoi nous souhaiterions vivement qu'il commence ses études picturales cette année même, si c'est possible.

Son dessin représentant la statue de *La Bacchante* est exposé dans notre bibliothèque et suscite une grande admiration.

Je crains que vous considériez ma requête concernant Kahlil comme une intrusion dans vos affaires, mais en fait j'éprouve un intérêt particulier pour ce gamin. Et comme je ne peux l'aider par mes propres moyens, il fallait que je tente de trouver une autre personne qui pourrait lui être réellement utile[39]. »

Frederick, dit Fred, Holland Day était l'un des artistes avant-gardistes les plus singuliers de la ville. Né en 1864, il était le fils d'un propriétaire d'une tannerie prospère située à Norwood, à cinquante kilomètres au sud de Boston[40].

Day et sa compagne Louise Guiney, dont le père était l'un des généraux de Lincoln ayant participé à la guerre civile, partageaient un vif enthousiasme pour John Keats, le grand poète romantique anglais. Tous deux réussirent, en 1891, à édifier un mémorial pour ce poète dans la paroisse d'une église à Hampstead en banlieue londonienne. Cela créa un événement culturel d'une grande envergure[41]. Day put ainsi forger un pont artistique entre les belles-lettres anglaises et américaines.

Par la suite, Day fit partie d'un groupe de personnes qualifiées d'avant-gardistes et connues par leur passion pour les « coussins, cigarettes, narguilés, encens, vins, tapis, collections de jade, nouvelles françaises, Oscar Wilde[42] ».

Il collabora à la *Mohogany Tree*, « *Acajou* » et à la *Knight Errant*, « *Chevalier errant* ». Ces deux revues traitaient de sujets très diversifiés, allant de l'art à la peinture, en passant par le puritanisme et les réformes du protestantisme et en finissant par le rationalisme et l'agnosticisme[43].

En 1893, il finit par mettre sur pied une prestigieuse maison d'édition en s'associant avec Herbert Copeland, sous le nom de Copeland & Day Publishers. Les premières publications furent : *Salomé* d'Oscar Wilde que Sarah Bernhardt venait de produire à Paris et *La Maison de la vie* de Dante Gabriel Rossetti ainsi que *The Decadent* de Ralph Adams Cram. Par la suite Day fit connaître au public américain la littérature anglaise en publiant des ouvrages de Richard Le Gallienne, d'Alice Meynell et de William Butler Yeats. Puis il signa un contrat de coédition avec *Yellow Book*, magazine symboliste voué à l'Art Nouveau, dont le directeur artistique fut Aubrey Beardsley, le plus grand dessinateur de l'époque. Et il finit par éditer des ouvrages de Henry James, de George Moore et d'Anatole France. Dans sa jeunesse, il fut si admiratif d'Oscar Wilde, l'apôtre du lys, qu'il choisit cette fleur comme logo pour sa maison d'édition[44].

Il portait un intérêt particulier à tout ce qui avait trait à l'exotisme et au drame inhabituel, ce qui l'incita à sonder la vie misérable des quartiers sud de Boston, en initiant les enfants des rues à la littérature. En outre, il faisait régulièrement des donations de livres illustrés à l'assistante sociale, Miss Beale, pour son projet de *Home Library*[45].

En 1896, lorsqu'il reçut la lettre de Miss Beale, il avait trente-deux ans ; il était au zénith de sa carrière d'homme de lettres et d'éditeur[46].

Florence Peirce envoya une deuxième lettre accompagnée de quelques dessins de Gibran à Fred Holland Day. Celui-ci fut intrigué par les dons artistiques du jeune immigré et fixa la première rencontre au

9 décembre 1896. Depuis cette date-là, Gibran se vit enfin pousser en lui des « ailes pour voler ».

La rencontre était indéniablement stimulante pour les deux parties. Le sens du pittoresque et la sensibilité de Day furent satisfaits par ce jeune garçon serein, au teint olivâtre et aux yeux marron. Quant à Gibran, il fut émerveillé par ce dandy élégamment vêtu, aux yeux larges et songeurs [47].

A cette époque, outre ses préoccupations dans l'édition, Day s'intéressait de très près à la photographie. Il voyait dans l'appareil photo non seulement un instrument qui permettait de représenter fidèlement le sujet, mais aussi le véhicule d'une nouvelle forme d'art.

Il récoltait dans les quartiers des immigrés de Boston des modèles pour son salon de photographie où il exposait des essais représentant des individus de toutes les couleurs et de toutes les nationalités.

Lorsque le jeune Gibran se rendit pour la première fois chez Day, il fut étonné de constater que cet Américain lettré cultivait dans sa demeure des objets symboliques d'origine orientale [48].

Désirant plus que tout échapper à sa misère et au cadre humiliant de sa vie quotidienne, Gibran trouva refuge dans le cercle de Day, riche, cultivé et surtout accueillant.

Pour lui assurer un gagne-pain, Day lui proposa de poser pour lui. Il avait besoin d'un modèle oriental pour ses photographies. Gibran se vit habillé en Levantin, en Arabe ou en Indien. Son exemple fut suivi par ses deux sœurs Mariana et Sultana, à qui Day donnait un peu d'argent, gagnant ainsi leur sympathie et soulageant leurs maux [49].

Day fit poser Gibran habillé en burnous, comme il fit vêtir des Arméniens en turban, des Noirs en négus éthiopiens, des Japonais en kimono et des Chinois en habit traditionnel. Une transformation magique prenait place, à travers les objectifs de Day ; les enfants des ghettos devenaient des « princes arméniens », des « rois éthiopiens » ou des « jeunes cheikhs [50] ».

Plus tard, Gibran se remémora : « Day possède une série de photos de moi ; il était très affectueux à mon égard... Une fois, la mère de Day dit à son fils : "J'aime beaucoup ce garçon, mais je ne veux pas être avec lui : il ne sourit jamais" ; et c'est vrai, je ne souriais guère [51]. »

Day ne tarda pas à devenir le mécène du jeune immigré. Son zèle ne s'arrêta pas là : il acheta à Gibran de nouveaux vêtements et l'invita à plusieurs soirées et banquets [52].

Day ne lui imposait aucune conception artistique, car il croyait moins à l'acquisition qu'au caractère inné du talent et l'incitait, par conséquent, à n'obéir qu'à son seul instinct et à ne répondre qu'à l'appel de son premier souffle [53]. Le jeune adolescent ne devait ainsi répondre à aucun autre appel que celui de son talent et de son tempérament ; les conceptions des autres ne pouvaient qu'altérer le génie premier.

1897

Au bout de sa deuxième année à l'école communale, Gibran pouvait déjà parler et écrire l'anglais [54]. Par la suite, il aurait fréquenté pendant un an des cours du soir afin de poursuivre ses études secondaires [55].

Sachant que Day cultivait la bibliophilie, Gibran n'hésitait pas à se rendre régulièrement chez lui afin de consulter sa bibliothèque qui devint sa seconde école, son école libre. En automne, il y découvrit *Le Trésor des humbles*, le nouveau livre de Maurice Maeterlinck, l'un des auteurs préférés de Day, qui venait d'être publié en version anglaise. Day en lisait certains chapitres à haute voix devant Gibran, lequel ne se lassait point d'écouter, envoûté par la voix de son lecteur et la sagesse du livre. Puis il le sollicita de bien vouloir le lui prêter.

Dans cette dernière décennie du XIXe siècle, les méditations intuitives de Maeterlinck étaient si populaires qu'il était souvent surnommé « le Shakespeare belge [56] ». Plus tard, en 1912, alors que Maeterlinck venait de recevoir le prix Nobel de littérature, Gibran se remémora l'intensité de cette expérience : « Maeterlinck est l'un des plus grands de la fin du siècle dernier qui a su toucher à des sujets illimités. Il a bien perçu le courant. Entre quatorze et dix-huit ans, il était mon idole. *Le Trésor des humbles* est son chef-d'œuvre [57]. »

Par la suite, Day réussit à avoir une séance de photos de Maeterlinck. Sur l'une des photos apparaît à l'arrière-plan de l'auteur une énorme boule de cristal [58]. Nous retrouverons la représentation de cette boule dans plusieurs toiles de Gibran, notamment dans un de ses autoportraits.

Un jour, Gibran dut demander à Day de lui prêter un autre livre traitant de la mythologie ; après l'avoir lu, Gibran retourna chez Day et lui confia : « Je ne suis plus maronite, dorénavant je suis un païen [59]. » Ce livre de Lemprière, publié en 1788, qui lui fit renier sa confession de chrétien maronite, fut reconnu comme un ouvrage de référence au XIXe siècle, rassemblant toute l'histoire de la mythologie classique sous la forme d'un dictionnaire [60].

Gibran prit goût également à fréquenter les bibliothèques et les musées pour assouvir ses yeux avides de savoir et enrichir ses mains d'agilité et de créativité.

Stimulé par son nouveau milieu, il passa la plupart de son temps libre à la Copley Square Library, pour reproduire les dessins muraux qui firent l'objet des discussions des Bostoniens de l'époque. Il fréquenta également la Public Library de Boston, où il esquissa nombre de croquis inspirés des figures dansantes de Blake et des têtes de gnomes de Beardsley [61]. Ces deux artistes anglais étaient à la fois peintre et écrivain. Le double don artistique et littéraire va constituer chez Gibran les deux rails de sa voie naissante.

Début 1898

Gibran participa au programme des éditions Copeland & Day. Il fut chargé d'illustrer des livres. L'une de ses premières illustrations était consacrée au recueil de poésies du poète canadien Duncan Campbell Scott, intitulé *Labor and the Angel*, « *Le Labeur et l'Ange* ». Gibran dut mettre en relief tous les détails de la scène pastorale décrite dans ce recueil : « L'ange qui veille sur le labeur... Là-bas dans le champ détrempé, un aveugle rassemble ses racines, guidé par une jeune fille [62]. » La fille qui le tient par le bras figure bien sur le dessin ainsi que l'ange, sous forme de femme ailée qui enlace les deux paysans [63]. Dans la même année, il illustra la couverture d'un livre sur Omar al-Khayam, l'astronome et poète persan, dont l'auteur fut l'un des plus célèbres écrivains américains de l'époque, Nathan Haskell Dole. Ses dessins étaient influencés par la tendance préraphaélite [64].

Day ne cherchait point à dissimuler son protégé ; convaincu du talent de ce garçon, il le partageait avec d'autres artistes qui avaient besoin d'un modèle et qui pourraient en retour lui dispenser quelques conseils artistiques. Grâce aux connaissances de Day, Gibran put être introduit dans le quartier des grands notables bostoniens, Back Bay, où il connut Lilla Cabot Perry[65].

Cette femme versée dans la peinture reçut une formation auprès de Pissarro et Monet. En parallèle, elle aimait à cultiver son violon d'Ingres : la poésie ; son recueil de poèmes intitulé *Impressions* allait être publié chez Day. Son mari, Thomas Sergeant Perry, descendant du grand marin Oliver Perry, était parent du côté maternel avec Benjamin Franklin. Il était professeur de littérature à Harvard et éditeur de la *North American Review.*

Lilla eut beaucoup d'affection pour le jeune modèle et porta un grand intérêt à sa carrière naissante dès la première séance de poses. Par la suite elle lui offrit l'habit dans lequel il posa pour elle ainsi qu'une boîte de peinture, probablement la première qu'il eut de sa vie. Un an plus tard, son mari fut amené à se rendre au Japon afin de diriger un département universitaire en littérature anglaise ; Lilla dut partir avec lui et ne manqua pas de demander des nouvelles du jeune Gibran par l'intermédiaire de son éditeur, Day[66].

Au début de l'année, Day organisa une exposition de photos au Camera Club de New York suivie d'une autre, en mars, au même club mais à Boston. Ces deux expositions élargirent la renommée de Day, en tant que photographe cette fois-ci. Il fut surnommé « le Rembrandt de la photo[67] ». Les portraits de Gibran, notamment celui du *Jeune Cheikh,* soulevèrent une admiration unanime[68]. Dès lors la vie de Gibran brilla d'un nouvel éclat, loin du quartier sombre des immigrés.

Gibran se souvint plus tard de l'exposition de Day

au Camera Club de Boston : « J'y ai rencontré une foule de personnes raffinées ; c'était un grand événement. Ma mère m'avait taillé un habit pour l'occasion. Elle avait un goût merveilleux et choisissait toujours les meilleures choses. J'étais tout en velours, en knickerbocker [pantalons de golf] avec des chaussettes en soie. Mes cheveux étaient longs. Day m'a présenté à Mme Sarah Choate Sears avec laquelle j'ai été pris en photo ; par la suite, elle m'a invité à lui rendre visite, un jour, chez elle. J'ai rencontré également Miss Josephine Peabody qui m'a dit : "Je te vois partout" ; car à ma grande surprise, parmi les portraits de moi pris par Day, celui-ci avait monté et encadré une dizaine de mes dessins et les avait accrochés aux murs. "Mais je te trouve si triste. Pourquoi es-tu triste ?" me demandait-t-elle [69]. »

Ces beaux vêtements durent représenter un sacrifice de la part de toute la famille de Gibran. Toutefois Kamila voyait en cette exposition le premier exploit de son fils aux Etats-Unis.

L'idée de marier les propres dessins de Gibran à des portraits de lui fut on ne peut plus ingénieuse de la part de Day. Non seulement il avait anobli son jeune protégé en le révélant en « petit prince », mais il dévoila aussi ses qualités artistiques au grand public, faisant ainsi de cette journée la première exposition picturale de Gibran, alors âgé d'à peine quinze ans.

Sarah Choate Sears, la veuve de Joshua Mongomery Sears, l'un des hommes les plus fortunés de la cité, aima les portraits de Gibran, en acheta certains et se proposa d'investir en son art, le temps qu'il grandît.

Josephine Peabody, l'autre « personne raffinée » à laquelle Gibran se référa, allait devenir une amie dont la loyauté et les conseils affecteront la vie de notre auteur durant de longues années.

Josephine Preston Peabody, surnommée Posy, était reconnue comme l'une des disciples de la beauté ; et ce fut la beauté qui la fortifia dans sa jeunesse contre les revers de fortune auxquels son enfance ne l'avait point préparée. Sa jeunesse baigna dans un cadre familial privilégié. Ses parents, d'origine bostonienne et installés à New York City, partagèrent avec leurs trois filles toute leur dévotion pour les belles-lettres, le théâtre et la peinture. Les contes de Hawthorne et de Dickens furent leur pain quotidien, et les citations de Shakespeare, leur vin de table [70].

Ce bonheur ne tarda pas à se rompre. En 1882, à l'âge de huit ans, elle perdit sa plus jeune sœur. Deux ans plus tard, son père la suivit. Le restant de la famille fut acculé à entamer une descente vers une pauvreté décente. Tentant d'adapter leur gracieux style de vie à la réalité de leurs maigres finances, la mère de Josephine et ses deux filles déménagèrent de New York pour aller vivre dans un quartier triste de Boston appelé Dorchester. Ce fut dans cette « ténébreuse banlieue » que la famille finit par s'installer, privée de musique, de peinture et de théâtre [71].

Vers l'âge de quatorze ans, elle envoya des sonnets à des éditeurs new-yorkais et bostoniens. Nombre d'entre eux furent publiés alors qu'elle suivait un cycle scolaire aussi rigoureux que classique à la Boston Girl's Latine School où elle apprit le grec et le latin ainsi que le français et l'italien [72].

Entre 1888 et 1893, elle dut lire avec voracité près de six cents livres. En mai 1894, à l'âge de vingt ans, elle révélait dans son journal intime ses amères langueurs en ces termes : « Je m'étais rendue en ville, elle était pétrie de sentiments printaniers. J'étais en quête de personnes avec lesquelles j'aurais aimé partager mots et rires. Mais nul ne voulait ni parler ni se distraire. Alors je me suis assise et j'ai lu toute seule. Au retour, j'ai pleuré sur cette jeunesse encagée. Le ciel était bleu et les arbres en bourgeons. Ah, si j'avais pu trouver quelqu'un avec qui jouer[73] ! »

La même année, Horace E. Scudder, le directeur de la très sérieuse revue *Atlantic Monthly*, accepta de publier l'un de ses poèmes au style arcadien, *The Shepherd Girl*, « *La Bergère* » ; de surcroît il fut si impressionné par sa brillante effervescence qu'il se porta garant pour ses études universitaires au Radcliffe College de Cambridge, non loin de Boston.

Son rêve de rentrer à l'université s'en trouva ainsi réalisé. Outre ses études sur les œuvres d'Homère, Whitman, Rossetti, Leopardi, Musset et Verlaine, en leurs versions originales, elle s'intéressa à la musique classique.

A la fin de l'année 1896, elle quitta l'université. Après avoir été abreuvée de savoir, elle chercha à toucher à la vie. Intraitablement émotionnelle et impardonnablement belle, elle se fit connaître par elle-même. En un an, elle put fréquenter les plus prestigieux clubs de poétesses bostoniennes. Ce fut là qu'elle put être introduite aux éditions Copeland & Day[74].

Lorsque Gibran rencontra pour la première fois Josephine, le 8 mars 1898, lors de l'inauguration de l'exposition de Day, elle était si pétillante qu'elle ne portait guère son âge de vingt-quatre ans[75].

Boston apparaissait ainsi à Gibran comme le lieu d'expansion immédiate de sa personnalité, contrairement au Liban où le cheikh de Bcharré suggérait au père de Gibran d'envoyer son fils dans les collines pour faire paître chèvres et brebis au lieu de lui faire suivre de hautes études[76].

A partir de cette exposition, la question « Pourquoi

es-tu triste ? » se mit à retentir dans sa tête. Elle le poursuivit durant ce printemps-là jusqu'à son retour au Liban vers la fin de l'été. Et durant son séjour dans son pays natal cette question ne cessera de visiter ses pensées. Gibran travaillera et attendra d'être un homme, un homme cultivé, afin d'être à la hauteur de celle qui le questionnait ; dès lors il lui répondra non pas en tant qu'enfant misérable mais comme un artiste à son image[77].

L'une des causes de sa tristesse pourrait provenir de l'absence de frivolité propre à tout enfant de son âge et du succès précoce qu'il dut connaître, alors qu'il était encore un artiste immature. D'ailleurs, il se remémora plus tard : « La plupart des gens trouvent du plaisir à évoquer leur jeunesse durant laquelle ils avaient passé un agréable moment à batifoler et à gambader. J'ai dû réaliser cela pour la première fois quand j'écoutais ces gens parler de leur propre jeunesse. A cet âge, il y avait déjà des articles de journaux sur mon travail, mes dessins et mes illustrations[78]. »

Entre-temps, Day avait trouvé un autre petit emploi pour Gibran en le mettant en contact avec Marvin, un éditeur new-yorkais. Gibran se trouva, par conséquent, chargé d'illustrer la couverture des livres édités par Marvin contre un salaire infime qui couvrait à peine ses dépenses personnelles[79]. Mais le salaire comptait moins que la réputation gagnée.

Josephine Peabody écrivit dans son journal intime : « Mr Day me raconta une histoire très plaisante : A New York, le jeune Kahlil essaya de vendre certains de ses dessins pour des couvertures de livres. Il finit par en vendre un grand nombre, ignorant pour quels genres de collections ils pourraient être utilisés ou adaptés. Quelques semaines plus tard Day reçut une traduction anglaise du roman *La Sagesse de la destinée* de Maeterlinck avec l'une des illustrations de Gibran sur la couverture. Et Day de s'exclamer de joie : "Oh, combien j'aurais voulu, ce jour-là, le serrer fort contre moi ; c'est l'un des événements parmi les plus plaisants qui me soient jamais arrivés [80]." »

Le 2 avril, la revue hebdomadaire new-yorkaise *The Critic*, sur la littérature et l'art, publia une anecdote illustrant l'histoire de la vente des dessins de Gibran à New York, dont voici le récit raconté par l'un des chroniqueurs de cette revue :

« Un jour, un jeune Syrien âgé de moins de seize ans entra voir Mr S. W. Marvin dans son bureau à la société des Scribner's. Il tenait une lettre de recommandation [probablement de Day] dans une main et sous l'autre bras un carton entoilé contenant des croquis. En bon anglais, il demanda à Marvin de bien vouloir lire la première et de jeter un coup d'œil sur le contenu de l'autre. Marvin répondit à sa requête, après avoir été attiré par le charme de ce garçon dont les yeux larges et sombres ainsi que le teint vert olive le distinguaient des Américains qui l'entouraient.

Le garçon s'assit modestement pendant que son carton à dessins était examiné. Il contenait une collection saisissante de motifs orientaux pour des couvertures de livres. Lorsque Marvin finit de parcourir ces dessins de son œil critique, le garçon lui demanda si certains d'entre eux pouvaient convenir à une quelconque publication. "En as-tu d'autres ?" s'enquit Marvin. Le garçon lui répondit : "Tout ce que je possède est entre vos mains." "Je les prendrai tous, rétorqua Marvin, et lorsque tu en auras d'autres, apporte-les-moi et je te les achèterai également."

Quelque temps plus tard, on me raconta cette histoire et me montra les dessins. Ils sont on ne peut plus

saisissants avec leurs motifs orientaux, excepté un :
celui qui était américanisé ; c'était le moins réussi. A
présent, je m'interroge : pourquoi d'autres Syriens,
Turcs ou Orientaux, dont regorge New York, n'avaient
pas essayé avec leurs mains de faire ce genre de travail
auparavant ? Cet exceptionnel Syrien disait qu'il
n'avait jamais étudié l'art du dessin, mais qu'il l'avait
simplement découvert[81]. »

Plus de vingt-quatre ans plus tard, Gibran confia à
une amie : « Savez-vous que ce livre relié que vous
tenez a été illustré de mes propres mains lorsque
j'avais quatorze ans ? Tous les livres reliés de Maeterlinck ont été illustrés par mes soins. Ces illustrations
ont été certainement reproduites dans d'autres livres ;
le temps a passé sur eux, et elles ont été oubliées[82]. »

Il faut le dire, le bienfaiteur de Gibran n'était pas
tout à fait innocent. Hédoniste, Day s'extasiait devant
ce bel adolescent au teint oriental, aux yeux rêveurs.
Gibran, quant à lui, se sentait de plus en plus dépendant de celui qui lui permit de réaliser ses rêves de
richesse et de célébrité. Qu'il illustre des livres, qu'on
en parle partout, même dans les journaux, qu'il rencontre des femmes poètes, des personnages connus, dans
le studio de son maître ou en d'autres lieux visités en
sa compagnie : Gibran était comblé. En ce qui
concerne les éventuels rapports charnels entre le bienfaiteur et son protégé, nous nous contentons de réitérer
cette maxime de notre auteur : « Tu ne peux juger un
homme d'après ce que tu sais de lui, et combien est
infime ce que tu sais[83]. »

Toutefois ses menus succès lui causèrent quelques
problèmes. Kamila et Boutros n'étaient pas vraiment
contents de voir Gibran graviter si vite dans le monde

extérieur, échappant ainsi à leur contrôle. A leurs yeux, le vieux spectre des influences mondaines, qui grandissait de jour en jour, pouvait le souiller par l'hérésie et le protestantisme. De surcroît, Gibran nourrissait une certaine nostalgie pour son village natal, Bcharré, et même pour la présence de son père autoritaire. La famille décida donc de l'envoyer au Liban pour y finir ses études [84].

A Bcharré, Khalil, le père de Gibran, toujours endetté, continuait à être l'obligé des Dahir. Il essayait d'avoir des nouvelles de sa famille sans en donner l'air, et Kamila ainsi que ses enfants étaient avares de lettres. Ayant la vue affaiblie, il allait chez le Dr Salim al-Dahir, le poète-médecin du bourg, pour lui demander de leur écrire à sa place, et n'obtenait pour réponse que de courtes lettres où ils lui recommandaient de faire attention à sa santé. En réalité, Gibran, qui écrivait les lettres, savait que celles-ci seraient lues par d'autres et se contentait de noter quelques nouvelles qui n'assouvissaient pas vraiment un père de famille esseulé : quand on a du linge sale, on ne l'étend pas sur le toit [85]. Toutefois, de Boston, son beau-fils Boutros réussissait à envoyer un peu d'argent pour subvenir à ses besoins [86].

Il y eut une autre raison majeure, qui poussa Kamila à envoyer son fils se ressourcer en son pays natal. Les premiers dessins de notre auteur auraient éveillé la curiosité d'un certain Mr Major versé dans l'art de la peinture et à qui Gibran fut présenté par son institutrice [87]. Et c'est au mois de février 1897, à l'âge de quatorze ans, qu'on situe la première aventure amoureuse de Gibran, qui aurait duré un peu plus d'un an avec la femme d'un commerçant fortuné, qui frisait la trentaine [88] ; il l'avait rencontrée pour la première fois chez ledit artiste peintre, Mr Major.

Les absences nocturnes de l'adolescent éveillèrent les inquiétudes de Kamila. Cette relation douteuse, dont Gibran avait maladroitement entretenu la famille un soir, aurait été la principale cause qui incita Boutros et sa mère à décider résolument le retour de Gibran au Liban. Mais ce retour à Beyrouth, sous le prétexte d'études, répondait en fait à l'ardent souhait de Gibran. Il ne connaissait du Liban que son village, et de sa langue que les rudiments. Le désir de ses parents trouvait donc écho dans son cœur [89].

D'autres sources nous affirment que ce fut sur l'insistance de l'adolescent, voire devant son intransigeance, que sa mère céda et accepta de l'envoyer au Liban [90]. Il semblerait en effet que Gibran n'était pas très à l'aise dans sa situation de protégé, tiraillé qu'il était entre le désir de fuir la pauvreté et l'anonymat d'une part, et la nostalgie de la pureté perdue d'autre part. Plus tard il révéla la raison essentielle de son retour au Liban : « Ce fut ma soif de sagesse qui m'incita à franchir les mers [91]. »

Par ailleurs, il est utile de noter que Gibran fut l'un des rares hommes de lettres du Levant à regagner son pays pour finir ses études, alors que d'habitude les jeunes Levantins quittaient leur pays pour l'Europe ou l'Amérique afin de se spécialiser.

En juillet, Gibran fut invité par une amie de Day, Louise Guiney, dans sa maison d'été située à Five Islands sur la côte du Maine, au nord de Boston. Ce furent ses premières vacances aux Etats-Unis durant lesquelles il put respirer de l'air frais et contempler cette mer [92] qu'il allait devoir traverser très prochainement.

Dans sa lettre à Day datée du 4 août, Louise Guiney le rassura sur Gibran et lui fit remarquer que celui-ci l'avait informée que son départ pour le Liban était imminent. « Partira-t-il pour de bon ? J'espère que non[93] », écrivit-elle.

Louise Guiney n'était pas la seule à être perturbée par la décision imprévisible de la famille de Gibran. Voyant celui-ci courtiser les muses, Day finit par en être convaincu ; il estimait que le retour de Gibran dans son pays pour un certain temps pourrait raffermir sa jeunesse grâce à une meilleure connaissance de sa propre civilisation et de sa langue maternelle. Aussi demanda-t-il à Florence Peirce de s'associer avec lui afin d'aider financièrement son protégé pour ses frais de voyage et de séjour au Liban. Le 8 août, Florence Peirce écrivit à Day : « Veuillez bien recevoir ce chèque en contribution aux frais de Kahlil. Pourriez-vous nous rencontrer demain soir à six heures afin de dîner ensemble ? J'ai déjà demandé à Kahlil d'être là, Miss Beale y sera également[94]. »

Ainsi, Gibran put se réjouir d'un souper d'adieu offert par ses premiers parrains. Il embarqua de New York au début d'août pour accoster à la fin du mois à Beyrouth.

Le 4 septembre, Louise Guiney envoya à Day un message lui demandant de remercier Gibran pour son dessin d'adieu qu'il lui avait offert en le confiant à Day[95]. Une semaine plus tard, Florence Peirce écrivit à Day : « Je suppose que Kahlil est déjà en Syrie. J'ai peur que son départ ne soit une erreur, mais peut-être, maintenant qu'il a découvert ses tendances artistiques, pourra-t-il se ressourcer aux couleurs locales pour retourner plus tard auprès de nous, revivifié par sa visite en son pays natal[96]. »

Le 15 septembre, Josephine Peabody, qui brûlait de

voir son livre édité chez Copeland & Day, nota ce jour-
là dans son journal intime : « Réjouie d'avoir reçu l'en-
veloppe qui contenait la première épreuve de mon livre
The Wayfarers, "Les Voyageurs", et d'une lettre de
Fred Holland Day avec un délicat portrait de moi réalisé par le jeune Syrien : Kahlil Gibran. Day m'a dit :
"Kahlil est maintenant au Liban où il étudiera la littérature et la philosophie arabes. Il garde toujours un merveilleux souvenir de vous et espère que vous ne
l'oublierez pas." Cette pensée m'a tellement émue ! En
fait, je n'ai point oublié ce garçon. Mais ce jour-là
comme il y avait une foule de gens, je n'ai pu parler
avec lui que peu de temps : je l'ai trouvé timide. Puis
nous avons échangé quelques sourires à chaque fois
que nos regards se croisaient[97]. » Plus tard Gibran écrivit cette maxime : « Ecoutez la femme quand elle vous
regarde, non quand elle vous parle[98]. »

Le même jour, en signe de reconnaissance pour ce
portrait au crayon, portant le message *au revoir*[99] en
français, elle écrivit à son éditeur : « Cher Mister Day,
ce portrait fait avec finesse constitue un heureux événement. En vérité, je n'ai pas oublié Kahlil. Mais je
suis si surprise de savoir qu'il se souvient encore de
moi. Etes-vous certain que c'était moi ? Toutefois, je
ne puis contester un présent si plaisant[100]. »

Josephine Peabody fut la première muse de Gibran.
Lorsqu'il la rencontra pour la première fois, il avait
quinze ans, elle neuf ans de plus. Séduit par sa beauté
radieuse, juste avant son départ Gibran tenta de saisir
de mémoire son visage pour le coucher sous la forme
d'un portrait aux cheveux foncés encadrant un visage
en cœur, aux yeux brillants et aux lèvres séduisantes.
Il montra son essai à Day qui, en bon provocateur qu'il
était, incita le jeune Gibran à le dédier à Josephine. Il
accepta l'idée et ajouta au dessin une note mysté-

rieuse : il écrivit la dédicace en arabe. Josephine dut consulter un professeur de langues orientales à Harvard pour réussir à la déchiffrer : « A la chère inconnue, Josephine Peabody [101]. »

Gibran, semble-t-il, ne parla à personne de l'argent collecté par Day. A leur tour, Kamila et Boutros lui remirent une petite somme d'argent, heureux de le voir partir continuer ses études au Liban. Pour Kamila les études de son fils et la boutique de son aîné étaient de bon augure. C'était un coup doublement réussi, matériellement pour Boutros, intellectuellement pour Gibran.

Kamila emballa les affaires de son fils et lui donna une petite jarre de miel pour le garder en forme, une jarre que Gibran conservera et qu'il rendra quelques années plus tard remplie de vin dans laquelle il boira en l'honneur du miel maternel [102].

7

Le retour de l'enfant prodigue
Beyrouth-Bcharré : 1898-1902

« Arrière ! sagesse qui ne pleure pas, philosophie qui ne rit pas et grandeur qui ne s'incline pas devant les enfants [1]. »

Fin 1898

Sage fut la décision du retour au pays où il pourra retrouver ses sources et se nourrir de ses premières visions.

Ainsi à l'âge de quinze ans, Gibran prit tout seul le bateau, non pas tel un jeune partant pour s'aventurer dans une nouvelle vie estudiantine, mais en tant que jeune âme ayant toujours été adulte, en vue d'explorer ses pouvoirs intérieurs [2].

Il qualifia ce voyage en ces termes : « J'étais dans un rêve ; ce n'était pas un rêve clair ou plaisant, mais confus et incertain. Ma mère, mon frère et mes deux sœurs étaient derrière moi, à Boston, et devant au lointain mon père perché au mont Liban, près des cèdres. Et moi, cette jeune chose qui ose confronter sa propre volonté à celle de tous les autres, je savais que je ne pourrais être ce que je devais être, si je ne rentrais pas au pays[3]. » La veille de son débarquement, il rêva pour la première fois de Jésus[4].

Arrivé à Beyrouth, il n'avait plus la plume et le papier enroulé qu'il tenait à la main sur la photo de famille prise trois ans auparavant, à la veille de son départ de Bcharré. A la main, il tenait, ce jour-là, sept livres dont un intitulé *The Age of the Fable or Beauties of Mythology,* sous-titré *Stories of Gods and Heroes*[5]. Il dut le lire durant son voyage. A la dernière page de ce livre, Gibran écrivit en arabe : « Je suis arrivé à Beyrouth le 30 août[6] 1898. »

Ce livre offert à Gibran par Day fut parsemé de phrases rédigées avec des vocables dialectaux, laissant ainsi apparaître d'élémentaires erreurs d'orthographe[7].

Sur la première page il écrivit : « Ce livre appartient à Gibran Khalil Gibran de Bcharré. L'avide qui le vole aura contre lui Mar Saba et tous les saints, Amen[8]. » Il ajouta une autre inscription toujours en arabe : « J'ai étudié ce livre entre New York et Beyrouth, et ce fut avec une grande ferveur », ainsi que l'hémistiche d'un vers en arabe : « Qui affronterait un maître en étant son esclave », puis çà et là, quelques esquisses de dessins, dont le corps d'une femme voilé par une longue chevelure légère[9].

Faisons état de quelques thèmes traités dans cet ouvrage sur la mythologie : le drame de Prométhée, qui marqua Gibran toute sa vie durant, et celui d'Orphée que l'on retrouve dans le premier livre qu'il publia, *La Musique*, ainsi que par la suite dans *Le Prophète* sous forme de « peuple d'Orphalèse ». Les autres thèmes essentiels de cet ouvrage, qui constituèrent les traits dominants de l'œuvre littéraire et picturale de notre auteur, sont : la philosophie de Pythagore concernant les nombres et la métempsycose, Zoroastre, le prophète iranien, et la mythologie indienne ainsi que l'être mythique, le Centaure.

Parmi les six autres livres que Gibran emporta avec lui au Liban figure *Lyrics of Earth,* édité et dédicacé par Day [10]. Sur la reliure il dessina un taciturne visage de femme et sur une page il esquissa au crayon un coucher de soleil [11]. A l'intérieur du livre, sur un bout de papier, on tombe sur un autre dessin, celui de saint Jean le Baptiste, et sur une autre feuille Gibran avait noté l'une des litanies de la Passion du Christ [12]. Le troisième ouvrage porte le titre de *A Boy's Book of Rhyme,* édité par Day [13], et comprend également une esquisse de coucher de soleil complétée par une illusion de rivages et des maisons éparses ; en bas du dessin, Gibran s'était essayé à la signature en caractères latins. Le quatrième ouvrage est intitulé *A Handbook of Legendary and Mythological Art* [14]. Parmi cette liste se trouvent également deux dictionnaires, dont l'un de langue et l'autre de noms propres : *Comprehensive Dictionnary of the English Language* [15] et *A Classical Dictionary of Biography, Mythology and Geography* [16]. Le seul livre en arabe, ce sont les Evangiles [17] traduits du grec et publiés à Beyrouth en 1873.

Ce bagage livresque révélait le frappant intérêt que cet adolescent éprouvait pour la poésie lyrique, la mythologie, les légendes illustrées et l'histoire. Parmi ses premières lectures en langue arabe, les Evangiles formeront désormais le point de départ musical de sa stylistique en cette langue. Bien que sa plume dénote une certaine carence dans la structure syntaxique, elle s'évertuait à tendre vers l'élégance. L'hémistiche du vers tiré de la poésie classique annonçait chez lui un germe idéologique de caractère social. Quant à ses esquisses, elles avaient pour source d'inspiration soit la femme soit la nature [18].

L'équation culturelle de Gibran à cette époque fut difficile à définir. Pour un autodidacte, les programmes de l'école primaire à Boston ne pouvaient suffire. Mais il fut cependant indubitable que les lectures de cet adolescent n'étaient guère d'ordre scolaire et que ses lectures extra-curricula étaient essentiellement en langue anglaise [19].

A la fin de son séjour au Liban, Gibran confia ces livres à son cousin maternel Boulos al-Bitar Kayrouz [20], en compagnie duquel il avait fait une chute dans son enfance. Peut-être espérait-il, un jour, les récupérer à son prochain retour au Liban, mais ce vœu restera inassouvi.

A son arrivée, Gibran se rendit à Bcharré. La rentrée scolaire était prévue pour octobre. Dans son bourg natal, le jeune « Américain » était l'objet de toutes sortes de sollicitations : on voulait en savoir plus long sur sa famille et sur tel ou tel autre parent qui se trouvait aux Etats-Unis. A ces questions, Gibran répondait en représentant tout en rose, ne faisant aucune allusion aux difficultés rencontrées par sa mère et ne racontant que ce qui suscitait l'admiration et la curiosité. Du reste, il était fort bien accueilli par ses parents et sans cesse invité à partager leurs repas [21].

Quant à son père, il découvrit qu'après que sa famille l'eut quitté, il s'était complètement adonné à l'alcool [22] ; seul et esseulé, il n'avait que le verre comme consolateur. Toutefois il reçut son fils comme un enfant prodigue. Il se faisait un devoir de s'occuper de lui et de le protéger, l'interrogeant inlassablement sur le reste de la famille [23].

A nouveau Gibran se lia d'amitié avec le médecin et poète de Bcharré, Salim Hanna al-Dahir ; il avait une grande admiration et un grand respect pour ce guide de son enfance[24]. La rentrée scolaire approcha. Salim al-Dahir qui, dans sa jeunesse, fit ses études scolaires à Madrasat al-Hikma, conseilla Gibran de s'y inscrire. « C'est une école nationale, lui expliqua-t-il, dirigée par des Libanais et non pas par des missionnaires[25]. »

Les écoles libanaises au XIXe siècle furent dirigées par des ecclésiastiques qui, comme nous l'avons mentionné, visaient essentiellement un but religieux. Madrasat al-Hikma, le collège de la Sagesse, fut fondé en 1875 par l'un des derniers grands réformateurs de l'Eglise maronite, Mgr Youssef al-Dibs. Il fut également cofondateur de l'Imprimerie catholique, et à lui revint aussi la construction de la cathédrale Saint-Georges à Beyrouth, qu'on exécuta suivant le plan de Sainte-Marie-des-Anges à Rome[26]. Un quart de siècle après sa fondation, le nombre des élèves n'était guère inférieur à trois cents[27]. Boulos, le frère de Mgr Youssef al-Dibs, fut le supérieur du collège. Il fut formé à la Compagnie des prêtres de Saint-Sulpice en France[28].

Ce collège déclarait officiellement qu'il était religieux, maronite et national et qu'il y avait une place à prendre entre les collèges des missionnaires jésuites et ceux des protestants américains[29]. Il eut le mérite d'avoir formé nombre de grands poètes et romanciers libanais ainsi que la plupart des pionniers nationalistes, chrétiens et musulmans[30].

Quant à la vie menée par les élèves au temps de Gibran et au programme d'enseignement, une description détaillée en fut effectuée par un ancien de ce collège :

« Les élèves, observant méticuleusement les prescriptions religieuses, menaient une vie de séminaristes : messes quotidiennes, sermons, processions, bénédictions et prières. Les élèves maronites étaient d'office membres de la congrégation de l'Immaculée Conception, ce qui supposait encore des réunions hebdomadaires.

L'arabe et le français étaient considérés comme langues obligatoires, l'anglais et le turc, langues facultatives. En langue française, des instituteurs spécialisés enseignaient, en matinée, les mathématiques, sciences, géologie, géographie et littérature française. En langue arabe, des professeurs libanais y donnaient des cours de grammaire, de littérature et de métrique aux classes du second cycle.

Tout élève devait savoir prononcer des allocutions, composer des poèmes et, à défaut, il était déclaré incapable de suivre. Afin d'encourager ces activités, le club *Zahrat al-Adab*, "La Fleur des Belles-Lettres", fut institué. Grâce à ce club, les élèves furent initiés au théâtre, et présentaient deux pièces par an : l'une à l'occasion du carnaval, et l'autre en fin d'année. Parents et notables y assistaient, et l'on procédait à la distribution des prix chaque année en juillet[31]. »

Soucieuse du choix de son corps enseignant, l'administration avait souvent recours aux anciens de Saint-Sulpice ou de Rouen pour les matières en langue française ; et pour l'arabe, elle faisait appel à des professeurs de grande renommée dont l'œuvre ne cesse d'être des ouvrages de références en littérature, philologie, grammaire et métrique, tels que 'Abdallah al-Boustani, Sa'id al-Chartouni, Youssef al-'Asir et Youssef al-Haddad. Toutefois, les prêtres étaient divisés en deux camps : montagnards et citadins[32].

Le jour où Gibran dut quitter le bourg pour commencer sa vie estudiantine à Beyrouth, son père lui donna tout ce qu'il avait en poche augmenté d'une petite somme qu'il emprunta à son intention[33].

Le 20 octobre 1898, Gibran franchit le portail de la
« Sagesse ». Au secrétariat, on ne voulut l'inscrire
qu'en classe primaire [34]. Il chercha alors à parler à un
professeur pour le convaincre de le faire admettre dans
une classe supérieure. Dans la cour, il fut attiré par un
prêtre ; il se renseigna sur lui auprès d'un élève, Youssef al-Houayik, un futur ami. Lorsque Gibran sut que
c'était le directeur des études arabes, il se rendit à son
bureau. Ce prêtre était le père Youssef al-Haddad
(« Joseph le Forgeron », Hadad étant le dieu sémitique
de l'orage).

Le père Youssef rapporta par la suite la conversation
qu'il eut avec Gibran : « Vers la fin du mois d'octobre,
on frappa à ma porte. C'était un jeune homme de taille
moyenne, le visage blanc imprégné d'une nuance
rouge, les yeux somnolents aux paupières indolentes et
le regard méditatif ainsi que les cheveux longs tombant
sur les oreilles.

– Que puis-je faire pour vous ? lui demandai-je.

– Je suis Gibran Khalil Gibran de Bcharré, me
répondit-il. J'ai terminé mes études en anglais à Boston
et possède un certificat en philosophie. Et me voilà de
retour au Liban pour étudier la littérature de mon pays
afin d'exprimer mes idées en ma langue. Ici, on m'envoie dans une classe du cycle primaire.

– Quel est donc votre niveau en langue arabe ?

– Je peux seulement lire.

– Ne savez-vous pas qu'on monte sur l'échelle marche après marche ?

– Monsieur le professeur ignore-t-il que pour voler
l'oiseau ne tient pas compte de l'échelle ni de ses marches ?

– Je ne vous ai jamais vu auparavant. Qui vous a
envoyé chez moi ?

– Mon œil vous a deviné, et mon cœur m'y a guidé.

– Bon, que voulez-vous à présent ?

– Permettez-moi d'assister à vos cours. Et si vous voulez bien, je ne chercherai pas à vous demander des explications comme vous ne chercherez pas à me faire subir des interrogations. Quant aux droits de scolarité, je vous les verse sur-le-champ et dans leur totalité. Ni mon père ni ma mère ne seront responsables de moi, j'assumerai moi-même ma propre responsabilité. Et si je n'obtiens pas ce que je recherche, si votre école s'attache à la stricte conformité au règlement et ne tente pas de comprendre ses élèves, j'irai alors dans un autre établissement.

– Un instant, je reviens.

Je partis voir le supérieur, lequel me céda en répondant : "Que cela soit. Toutefois, c'est vous, mon cher, qui êtes, en définitive, responsable. Où sont donc les frais de scolarité ?"

Puis je revins auprès du jeune Gibran ; dès que celui-ci me vit, son visage s'épanouit et il se hâta de dire :

– C'est bon, professeur !

– Et comment l'avez-vous su ?

– A votre visage souriant, à vos yeux !

Le lendemain, en entrant dans ma classe je trouvai Gibran parmi mes élèves et sur mon bureau ce mot : "Veuillez ne pas m'interroger avant trois mois ; après ce délai j'aurai le plaisir de répondre à toutes vos questions [35]". »

Cet autre établissement scolaire auquel fit allusion Gibran serait l'université américaine de Beyrouth, le Syrian College ; or, le collège de la Sagesse était en concurrence avec cette université à tendance protestante [36].

Ainsi il demanda à être responsable de lui-même et exigea de suivre une classe supérieure en dépit de ses

handicaps en arabe classique. Si ses exigences obtin-
rent satisfaction, cela signifiait aussi qu'il devait travailler d'arrache-pied : « J'ai fait l'équivalent de huit
années d'études en quatre ans [1898-1902] », avoua-
t-il [37].

Le père Youssef se remémora l'insatiable soif de
Gibran pour le savoir ainsi que sa vigilance : « Il écoutait, mais ne prenait jamais de notes ni n'ouvrait de
livre. » Il le consultait pour le choix de ses lectures, et
le père Youssef lui aurait conseillé : *Kitab al-Aghani,*
« *Livre des Chansons* », d'Abou al-Faraj al-Isfahani,
sur la vie et les coutumes des Arabes avant l'islam ;
Kalila wa Dimna, la traduction des « Fables » de
Bidpaï par Ibn al-Mouqaffa' ; l'*Introduction* d'Ibn
Khaldoun, l'un des précurseurs de la sociologie ; *Nahj
al-Balagha*, « *La Méthode de l'éloquence* », d'Ali le
quatrième calife ; *Rasa'il*, « *Les Missives* », du poète
Badi'al-Zaman al-Hamadani sur l'art épistolaire ; *al-
Dourar*, « *Les Perles* », du dramaturge Adib Ishaq ;
Diwan, « *Recueil* », poésies d'al-Moutanabi dont le
nom signifie « celui qui prétend à la prophétie » ;
Diwan, poésie courtoise d'al-Baha' Zouhayr ; et enfin
la Bible en arabe [38].
Avant de rentrer au Liban, Gibran avait aimé, entre
autres, l'esprit de Maurice Maeterlinck dans son *Trésor
des humbles.* Il avait donc acquis le goût du silence, de
la vie intérieure et du réveil de l'âme par des écrivains
occidentaux avant de connaître la mystique arabe. En
découvrant durant ses études au collège de la Sagesse
le grand héritage de la poésie, de la philologie et de
la spiritualité arabo-musulmanes de l'époque classique,
Gibran recherchait, cette fois-ci dans son propre héritage culturel, des thèmes semblables à ceux développés
par Maeterlinck. Il tenta une nouvelle synthèse person-

nelle entre la spiritualité de l'Orient et celle de l'Occident.

Quelques mois plus tard, le père Youssef était de plus en plus impressionné par le sérieux de ce jeune homme et par son inhabituelle confiance en lui-même[39] : « Il était très vif, lucide et critique[40]. »

Gibran ne tarda pas à coucher sur le papier ses rêves et ses visions en langue arabe, essayant de concrétiser par le mot ce qu'il avait l'habitude de représenter par l'image.

Il soumit ses premiers essais en prose arabe au père Youssef, lequel les décrivit en ces termes : « J'y voyais un ensemble beau et harmonieux, et une forme qui n'épousait pas le sens. Gibran poussait comme un peuplier. Il débordait de vie, se résorbait comme une source, et avec lui son âme bondissante, badine, révoltée à la fois, prenait vigueur. Pensez beaucoup, lui disais-je, et écrivez peu[41]. »

Au fur et à mesure que les jours passaient et que les écrits de Gibran s'amoncelaient, le père Youssef finissait par voir en cet adolescent « un élève plus grand qu'un élève[42] ». En retour, Gibran trouvait dans le père Youssef son vrai maître : « C'est le seul homme qui ait jamais pu m'apprendre quelque chose[43]. »

Reconnaître la stricte discipline de l'école était chose difficile au début : « Les deux premières années à l'école, avoua Gibran, furent dures à cause du poids de l'autorité. L'école fut stricte ; les enseignants avaient la main bien plus leste qu'en Amérique. Je ne croyais pas en leur discipline et ne leur obéissais point. Et pourtant j'étais moins puni que d'autres élèves, car je compensais autrement : je travaillais rudement[44]. »

Il était en quelque sorte un auditeur libre, et la direction fermait les yeux sur les manières de Gibran parce qu'il venait des Etats-Unis[45].

Gibran ne cherchait pas à acquérir une certaine gloriole par l'obtention d'un quelconque diplôme. Toutefois, il centra ses études sur l'arabe et le français et raffermit ses capacités en vue d'être un écrivain[46].

Il se pourrait que, par le fait même qu'il eût choisi de suivre les cours qui lui semblaient intéressants, échappant ainsi à la soumission au régime académique du collège, Gibran était déjà convaincu que la culture réglementaire assassine l'authenticité et entrave le talent infus[47].

Lorsque le cours ne l'intéressait pas, Gibran procédait à la construction d'une phrase en langue anglaise[48] ou remplissait ses cahiers de classe de dessins et des portraits satiriques de ses professeurs[49]. Il était doué d'un esprit badin qui prenait plaisir à caricaturer les irrégularités des visages[50].

C'était un élève solitaire, obstiné et élégant[51]. Il prenait soin de son apparence et s'habillait avec distinction[52]. Day lui envoyait de l'argent de temps à autre[53], ce qui expliquait son élégance et son dandysme constant[54]. Malgré les observations du supérieur, il avait toujours les cheveux longs et refusait de les couper court à la manière des élèves[55] ; ils les aurait gardés ainsi depuis que Day lui avait demandé de les laisser pousser pour sa collection de portraits.

Les professeurs se souviendront de lui comme d'un garçon étrange, marqué par ses extravagances dans son style et son attitude[56]. Ses conversations étaient souvent abreuvées de références à des écrivains américains ou anglais, à des pièces de théâtre auxquelles il avait dû assister. Ses camarades de classe et ses enseignants avaient du mal à croire que parmi ses connaissances personnelles figuraient des éditeurs ainsi que des poètes américains et que ses dessins ornaient la couverture de certains livres new-yorkais [57].

Ainsi, dès l'âge tendre, dans son village natal on le qualifiait d'enfant étrange. Aux yeux des Américains, il était naturellement un étranger. Et, de retour au pays, tout le collège le regardait comme un élève « étrange ».

A la fin de l'année 1898, Josephine Peabody, qui avait déjà publié plusieurs poèmes dans des revues, vit enfin naître la publication de son premier recueil de poésies, *The Wayfarers*, « *Les Voyageurs* [58] » ; ce fut un livre à reliure verte et gravé d'ailes dorées, dessinées par sa sœur Marion, étudiante en art. Day lança Josephine à l'aide de cette accroche : « Une nouvelle poétesse est née à Boston [59]. »

Josephine se rendit chez Day pour parler de la promotion du livre. Le nom de Gibran finit par être évoqué. Day lui montra tous les dessins qu'avait réalisés Gibran, puis lui parla de ses réactions au sujet du livre de Maeterlinck et du dictionnaire de mythologie de Lemprière [60].

Après que Day lui eut raconté avec passion la vie de son protégé, Josephine lui demanda si Gibran avait vraiment déjà gardé des moutons. Day lui saisit alors la main et la fixa du regard. « Je le regardai les yeux grands ouverts, commenta-t-elle dans son journal intime, et je vis ce à quoi il pensait : ce garçon était fait pour être un prophète. C'est vrai. Ses dessins le révèlent clairement, cela saute aux yeux. On ne peut qu'en être extasié, voire spirituellement subjugué. Dans chaque croquis se manifeste une sagesse naissante. Je bénis le jour où pour la première fois j'ai vu tout cela, car il n'est rien qui puisse réchauffer le cœur et égayer les pensées noires que de rencontrer l'une de ces créatures chères à Dieu [61]. »

Dès son retour chez elle, Josephine se mit à écrire une lettre à Maeterlinck en lui joignant une copie de son nouveau livre [62], puis une autre adressée à Gibran en guise de remerciement pour le dessin qu'il lui avait offert comme cadeau d'adieu :

« Mon cher jeune ami,

Ce fut une agréable surprise le jour où je reçus mon portrait dessiné de tes mains avant que tu ne prennes le large en direction de l'Orient. Au début, j'avais du mal à croire que ce dessin m'était réellement destiné. Comment as-tu pu garder en mémoire mon visage ? Depuis qu'il est entre mes mains, sois certain que j'en prends grand soin. Il est là devant mes yeux alors que je t'écris. Je parviens à percevoir la douce voix qui en émane à chaque fois que je lui tends l'oreille.

Dernièrement, j'ai vu ton ami Day et nous avons parlé de toi. Il m'a montré un grand nombre des dessins que tu lui as confiés. J'aimerais te dire qu'ils étaient un baume sur le cœur. A travers eux il me semble que je te comprends mieux et je sens que tu as toujours en ton for intérieur une riche joie à partager. Tu as des yeux pour voir et des oreilles pour entendre.

Après que tu as pointé le doigt sur la sublime intimité des choses, d'autres personnes moins privilégiées pourront un jour avoir cette vision et s'en réjouir.

Toute personne qui sait faire des petits gestes sous forme de dessins, de poterie, de musique ou de tout autre chose, a confiance en ce pain quotidien qui n'est autre que le Pain de la Vie.

Je suppose que ton esprit se plaît dans ton joli pays et j'espère que tu as pu lui trouver un coin serein à l'ombre duquel tu pourras croître. Parfois, je suis si troublée à cause du vacarme de la cité que je me sens comme une enfant égarée à la recherche de ma propre vérité.

Combien de prophètes ont grandi dans la solitude même en gardant des brebis. Apollon n'a-t-il pas gardé les troupeaux du roi Admète ? Toute personne qui se doit de s'isoler pour un certain temps saura comment trouver les bienheureux au cœur de la solitude, comme un printemps caché au sein d'un désert.

As-tu déjà vu un désert ? J'ai toujours rêvé de m'y trouver. Comme tu sais ce que Maeterlinck dit du silence dans *Le Trésor des humbles*, alors je pense que tu écoutes les silences et je souhaite qu'à ton retour tu nous racontes ce que tu as entendu.

Si tu voulais me raconter ta vie dans ce pays qui m'est si loin et si étrange, c'est avec joie que je l'écouterais [*sic*] ! Et si tu désires des nouvelles d'ici, tu peux compter sur moi pour te les communiquer.

Ce n'est là qu'une parcelle de mes remerciements pour ton dessin[63]. »

Le « Pain de la Vie » évoqué dans la lettre de Josephine devint deux ans plus tard le titre d'un de ses poèmes publié dans son recueil intitulé *Fortune and Men's Eyes*, « *La Chance et le mauvais œil* ».

Gibran reçut en même temps cette lettre accompagnée d'une photo ainsi qu'un colis de Day contenant le livre de Josephine, *The Wayfarers*, « *Les Voyageurs* ». Ce fut une manne pour lui.

1899

Anxieux de se montrer digne des espoirs de Josephine tout en ignorant les prédictions qui avaient été faites à son égard, Gibran tenta de maîtriser sa pauvre

plume anglaise pour en faire couler une réponse du
fond du cœur. Sa prononciation incertaine et sa ponctuation non conventionnelle étaient assez naïves et
fraîches pour réjouir Josephine : il l'appela « Miss Beabody », car la lettre P est inexistante en arabe. Sa
confusion dans son apprentissage simultané de l'écriture des deux langues était évidente. Toutefois, son
besoin et sa détermination de s'exprimer par de simples images transcendaient ses faibles capacités [64].

Après avoir déménagé une fois de plus pour des raisons financières, en mars 1899, Josephine réussit à
obtenir un travail à l'université de Harvard [65].

Le même mois, elle reçut une réponse à sa lettre à
Gibran et fut extasiée par sa pure ardeur. Cette femme
qui mémorisait des dizaines de sonnets shakespeariens
et une kyrielle d'écrits latins et italiens pour éviter
d'être seule, et qui lisait Dante pour se relaxer et Héro-
dote, « le père de l'Histoire », dans son bain, jubila des
tentatives semi-littéraires de son jeune admirateur. Elle
recopia soigneusement dans son journal intime la lettre
de Gibran, « cette merveille, pour mieux la préserver »,
expliqua-t-elle. Elle la transcrivit mot à mot tout en
restant fidèle à ses fautes d'orthographe [66]. La traduction que voici ne permet pas d'en faire autant :

« Ma chère Josephine,
Il semble que j'aie enfin gagné votre amitié, n'est-
ce pas ? Mon espoir était à deux pas de sa tombe.
C'est avec grand plaisir que j'ai reçu votre photo ;
quant à votre lettre, elle a ouvert la porte de l'amitié
entre nous. Chacun de ses mots en dit long. J'en suis
si heureux que la langue de cette pauvre plume est
incapable de contenir ma joie en des mots. Comme
vous le remarquez, je suis déconcerté, en écrivant en
anglais ; car je ne sais pas comment traduire mes pen-

sées comme je le veux ; mais peut-être que cela vous importe peu. Je pense que je connais assez cette langue pour vous dire que je garderai votre amitié au fond de mon cœur, bien que mille lieues nous séparent. J'éprouverai toujours un certain amour envers vous et conserverai votre souvenir proche de mon cœur, et il n'y aura pas de séparation entre vous et mon esprit.

Ah ! Si je pouvais mieux parler l'anglais ou si vous saviez parler l'arabe, notre joie serait encore plus grande. Malgré cela, je vous promets de vous écrire tout ce que j'apprends et tout ce que je fais, espérant que de temps en temps vous me donnerez de vos nouvelles, et sachez que tout ce que vous m'écrirez me réjouira.

Oui, j'ai gardé en mémoire votre visage si longtemps, comme vous le dites dans votre lettre ; c'est souvent le cas pour toutes choses et pour certaines je suis comme un appareil photo et mon cœur en est le cliché. J'ai gardé en mémoire votre visage, car il semble me dire des choses à chaque fois que j'y pense. Et jamais je n'oublierai ce soir où vous êtes venue de vous-même me parler, lors de notre première rencontre à l'inauguration de l'exposition de Day. Par la suite, j'avais demandé à Day qui était cette jeune fille habillée en noir, il m'avait répondu : "C'est Miss Beabody [*sic*], une jeune poétesse, et sa sœur est artiste peintre." "Quelle heureuse famille, lui dis-je, j'aimerais mieux la connaître."

Et les jours se sont écoulés si rapidement que je n'ai pas pu vous revoir pour mieux vous connaître, jusqu'à ce que ma soif de sagesse m'incite à franchir les mers pour me déposer à Beyrouth dans un collège, étudiant entre autres l'arabe et le français.

La Syrie est un beau pays ; partout on trouve des vestiges historiques. C'est si différent de l'Amérique ;

le silence règne surtout dans l'arrière-pays, dans les villages comme le mien où les gens forment un seul cœur. Tout un chacun aime son prochain et travaille bien moins que les Américains. La terre est leur unique labeur ; riches et pauvres semblent vivre en harmonie.

Je me demande comment vous avez su que j'aimais le silence et les coins sereins. En effet, j'adore le silence et je peux réellement entendre sa musique. Je me demande également si vous vous êtes déjà retrouvée dans une chambre noire et silencieuse en écoutant la douce mélodie de la pluie.

M'écririez-vous ? Je vous raconterai une foule de choses dans ma prochaine lettre.

Votre ami de si loin, Kahlil Gibran [67]. »

Miss Peabody fut si heureuse de cette aventure spirituelle dans le monde des correspondances, de cet esprit libre de toutes les lois grammaticales, des normes de l'orthographe et des conventions stylistiques, qu'elle écrivit à Day : « La semaine dernière, j'ai reçu une lettre de Kahlil Gibran : l'anglais est cassé mais le sens est parfait. Je n'ai jamais rien vu de pareil. Quelle ne fut pas ma joie en la lisant et la relisant.

J'ose espérer que vous accepterez de montrer les dessins de Kahlil à mon amie le professeur Prescott, qui m'accompagnera lors de ma prochaine visite après la fête de Pâques [68]. »

Ainsi, bien avant qu'il ne devînt capable d'exprimer avec lucidité ses pensées en une langue quelconque, déjà on s'apprêtait à écouter son message. Ces derniers temps, Josephine s'intéressait au modelage de la glaise auprès d'une femme professeur d'art, Kate Prescott. Ses efforts prématurés, déployés en vue d'informer son professeur du travail de Gibran, furent prophétiques. Lorsque Gibran retourna à Boston trois ans plus tard, les recherches persistantes de Josephine en expression esthétique seront plutôt raffermies ; elle pourra ainsi lui assurer une place au soleil dans la créativité artistique[69].

En juillet 1899, à la fin de sa première année au collège, Gibran obtint le premier prix en langue française. On lui offrit en cadeau le livre de saint Louis de Gonzague[70], jésuite italien du XVIe siècle.

Il aurait étudié dans ses cours en langue française *Atala* de Chateaubriand, *Les Misérables* de Victor Hugo et quelques ouvrages de Rousseau[71].

A partir de sa deuxième rentrée scolaire, il décida d'écrire un livre dont le titre était *Pour que l'univers soit bon*[72]. Il s'agissait de la première mouture du *Prophète*. Puis il le mit de côté en le qualifiant de « fruit vert ». Il avait l'intime conviction que le héros de ce futur livre était un « compagnon de tout temps[73] » ; il s'avéra qu'il l'accompagnera tout au long de sa rédaction, vingt-cinq ans durant.

1900

Au collège, Gibran avait un excellent ami, Youssef al-Houayik (« Joseph le Tisserand »), qui deviendra l'un des plus grands sculpteurs du Liban. Etant à cette époque le neveu du patriarche maronite, il jouissait de tous les privilèges accordés à un parent d'un ecclésiastique de haut rang.

Youssef était ouvert à l'intensité et à l'anxiété de l'esprit de Gibran. Et aux yeux de ce dernier, « Youssef était le genre d'enfant spirituel qui me plaisait. J'étais le premier à l'introduire dans le monde de la peinture. Il voyait en moi un être merveilleux, car je savais dessiner un chat ou un arbre [74]. »

A l'aube de l'année 1900, ils mirent ensemble sur pied une revue intitulée *al-Haqiqa* [75], « *La Vérité* », toutefois d'autres sources disent que ce serait plutôt *al-Manara* [76], qui signifie « *Le Phare* », ou encore *al-Nahda* [77], « *La Renaissance* ». Gibran se remémorera cette initiative : « Youssef al-Houayik et moi publiâmes une revue : lui en était le directeur et moi, le rédacteur en chef. Au début nous l'imprimâmes sur du papier de mauvaise qualité ; puis l'année suivante [1901], le supérieur nous permit d'utiliser l'imprimerie du collège [78]. »

L'expérience de Gibran, acquise dans la maison d'édition de Copeland & Day, lui permit de se lancer dans cette aventure littéraire qui fut une source de satisfactions : « La dernière année scolaire [1900-1901] a été la plus agréable ; mes poèmes publiés dans la revue m'ont élevé jusqu'au rang de "Poète du Collège [79]". »

Le père Youssef al-Haddad avouera : « Dès son premier article, je sentis que Gibran serait un poète inné et un écrivain d'imagination [80]. » Cette revue ne cessera d'exister que bien après le retour de Gibran à Boston. Bechara al-Khoury, élève du même collège, prendra la relève et sera en 1943 président de la République libanaise [81].

Gibran s'affirmait à travers cette revue comme poète et peintre, se faisant ainsi connaître de ses pairs et se mettant sur la voie de la célébrité dans son pays.

Il l'illustrait par ses propres dessins qui étaient des portraits de certains personnages historiques comme la reine Victoria et Abd el-Kader [82]. A partir de ses lectures en littérature arabe, il imaginait de grandes figures orientales et faisait leur portrait : Abou Nouwas, Dik al-Jin al-Houmsi, Abou al-Tayib al-Moutanabbi, Abou al-'Ala' al-Ma'arri, al-Mu'tamid bin 'Abbad, Ibn Sina alias Avicenne, al-Ghazali, Ibn al-Farid, Ibn Khaldoun, Francis al-Marrach[83] et enfin al-Khansa', l'une des plus grandes poétesses arabes[84].

Nombre de manuels en langue arabe reproduiront, sans en connaître la source, les portraits de ces poètes, philosophes et historiens dessinés pour la première fois par notre auteur[85].

Charles Corm, poète libanais d'expression française, relatera qu'à cette époque le jeune Gibran se rendait régulièrement à l'atelier de son père, Daoud al-Corm. Celui-ci fit ses études d'art à Rome, où il obtint la faveur du pape Pie IX dont il fit le portrait[86]. A la suite de ses rencontres avec le jeune Gibran, Daoud al-Corm fut frappé par ses dons naturels et lui aurait offert une collection illustrée de livres sur la Renaissance italienne[87].

On pourrait compléter les faits de cette période par des souvenirs épars de Youssef al-Houayik. Celui-ci rapportera que tous deux étaient voisins de table. Ils gravaient sur le bois du pupitre leurs noms. La promenade surveillée des élèves se terminait à la colline de Mar Mitr (« Saint-Mitre »), quartier d'habitation dense aujourd'hui, et où se trouvaient jadis des arbres et un assez vaste terrain. Lorsque les élèves se rangeaient pour se rendre en promenade, Gibran, à cause de sa petite taille, était désigné pour se placer en tête, et al-Houayik à cause de sa haute taille se plaçait derrière. A Mar Mitr ils quittaient très souvent le groupe d'élèves pour esquisser quelques croquis. Il leur arrivait de collaborer à la composition d'un même dessin[88].

Youssef al-Houayik poursuivra ses souvenirs : « Gibran m'entretenait souvent de Shakespeare et surtout de Hamlet, et je n'en avais pas entendu parler avant lui. Nous causions aussi de la vie austère que nous menions au collège, cloîtrés comme des séminaristes ; et, pour nous consoler, nous parlions de la beauté de l'art.

Un soir, alors que les élèves dormaient, nous regagnâmes la terrasse, et Gibran se mit à m'entretenir du firmament, des sphères célestes et de l'incommensurable univers. Il me disait que la terre n'était qu'un atome de poussière sur le cratère d'un immense volcan, et que les hommes qui s'imaginent connaître Dieu n'en savent absolument rien. L'homme est semblable à une échelle infinie qui de ses pieds touche la terre, et de sa tête les cieux [89]. »

Al-Houayik et Gibran furent forcés de s'affilier à la congrégation du collège : le premier, neveu du patriarche maronite, en fut élu président, et le second en fut obligatoirement nommé membre, comme tout autre élève maronite. « Gibran et moi, confiera al-Houayik, étions conscients que nous accomplissions cet acte sans en être convaincus. Il nous arrivait, pour sauver la face, de communier parfois, sans nous confesser [90]. » Malgré cela, le père Youssef al-Haddad reconnaissait en notre auteur un garçon ambitieux bien plus qu'un élève rebelle [91].

Les satisfactions que Gibran reçut à la fin de sa deuxième année scolaire furent en total contraste avec son accueil à Bcharré. En juillet 1900, il retourna à la masure paternelle pour passer les vacances d'été. Bien que courbé par l'âge, l'autorité de son père ne s'était guère fléchie. Khalil était toujours arrogant en dépit du ternissement de sa réputation et toujours indifférent aux talents de son fils.

« Mon père me blessait souvent, avouera Gibran. Un

jour d'été, à l'occasion de mon retour au village, il convia parents et amis à un dîner. Parmi les invités se trouvait Salim al-Dahir, le poète médecin du bourg ; il me tardait de le revoir et de me révéler devant lui à la hauteur de ce qu'il attendait de moi.

Durant le dîner on fit l'éloge de mes poèmes publiés. Puis une dame dans la cinquantaine me demanda :

– En as-tu écrit d'autres depuis ?

– Oui, bien sûr, lui répondis-je. Pas plus tard qu'hier soir j'en ai écrit un nouveau.

– C'est intéressant, dit-elle, j'aimerais bien que tu nous le lises après le souper.

Les autres convives se joignirent à sa demande. Je regardai alors mon père et vis sur son visage se dessiner des rides de mépris. Après le repas, lorsque nous passâmes dans une autre pièce où le café était servi, un homme me demanda de réciter mon poème et la dame d'ajouter "précisément celui d'hier soir". Mon père rétorqua : "Je ne crois pas que nos amis puissent y trouver un intérêt particulier." Puis ils insistèrent, et je me dis que je devais m'assumer ; je pris alors le poème et le lus.

Ce fut ma première lecture devant une audience sélectionnée. Tout le monde était attentif, et je ne l'oublierai jamais. Ils l'aimèrent et ils en furent émus. Tous me caressèrent du regard, et mon père d'objecter : "J'espère que nous n'aurons plus à entendre un tel délire."

Cela me blessa au tréfonds de mon être [92]. »

Khalil considérait que l'art, ou la littérature, n'était pas un gagne-pain sérieux. Il voulait faire de son fils un avocat [93] probablement à cause de tout ce qu'il avait souffert lors de son affaire judiciaire. Entre le père et le fils recommençait l'éternel conflit des générations.

Le schisme entre eux s'élargit. Gibran dut quitter la maison paternelle. Il partit vivre dans la cave de la bastide de Raji Bayk al-Dahir. Nqoula, un cousin, qui était l'apprenti du charpentier du village, venait souvent partager la solitude de Gibran dans son gîte infecté par une horde de punaises [94].

Cette étape de sa vie resta sombre dans la mémoire de Gibran ; il n'en parla jamais dans ses souvenirs bcharriotes [95].

Contrairement au cadre misérable où il passait ses nuits, l'extérieur baignait dans la splendeur de la nature. Comme au temps de son enfance, Gibran trouvait consolation sur les falaises, dans les gorges et à l'ombre des cèdres [96]. Souvent il s'en allait s'asseoir près de la source de Mar Sarkis où il passait une longue partie de ses journées à lire [97]. Son cousin Boulos allait souvent le chercher pour venir manger et parfois dormir chez sa tante Layla [98].

Par ailleurs il se rendait régulièrement chez son père spirituel, le Dr Salim al-Dahir. Son amitié avec lui le sustentait bien plus qu'auparavant. Gibran recopiait dans des cahiers, qu'il emporta avec lui à son retour à Boston, les poèmes et les contes que Salim al-Dahir lui racontait, et le Cantique des Cantiques ainsi que d'autres passages de la Bible qu'il lui dictait [99]. Les profondes connaissances de ce sage sur les traditions et les histoires locales ainsi que sur les grandes figures du pays permirent à Gibran d'enrichir la compréhension de son passé culturel [100].

Par l'intermédiaire de ce père spirituel, Gibran fut introduit dans une famille influente qui était parente du médecin-poète ainsi que du premier notable du bourg Raji Bayk al-Dahir. Dans la maison de Tannous al-Dahir, la chaleur et le confort matériel lui offrirent un agréable refuge ; en retour Gibran aidait les jeunes filles des Dahir dans leurs travaux ménagers[101].

La fille aînée, Hala (« Beauté »), se montra particulièrement avenante envers Gibran. Elle se promenait avec lui et écoutait ses rêveries. Souvent ils se rendaient secrètement aux vignobles ou dans le bois au-dessus du monastère de Mar Sarkis[102]. L'amitié bourgeonna et se grava entre eux. Des commères commencèrent à spéculer sur leurs éventuelles fiançailles, qui étaient certes impossibles. Non seulement Hala était son aînée de deux ans[103], mais encore son frère Iskandar (« Alexandre ») Bayk al-Dahir était le notaire du village ; celui-ci ne manqua pas de décourager farouchement Gibran. Il lui fit comprendre que Hala mériterait un fiancé beaucoup mieux que lui[104], lui qui était le fils d'un ex-prisonnier.

Le romantique bcharriote ne pouvait vivre sans amour. En effet, ces étés passés à Bcharré ne manquaient pas d'être adoucis par une petite « flamme ». Gibran l'abeille voulait s'affirmer devant une fleur appartenant à une noble famille. Hala al-Dahir, une fleur enfermée dans un pot, se vit éprise de ce jeune « Américain » aux manières libres, qui avait vu l'autre bout du monde[105].

Dix ans après les escapades de Gibran avec Hala, il publia *Al-'Ajniha al-Moutakassira, « Les Ailes brisées »*. Ce roman entraîna des spéculations parmi ses lecteurs sur l'existence réelle de l'héroïne de ce livre, Salma Karamé. En cherchant qui pourrait être Salma Karamé, certains sont tombés sur Hala al-Dahir ; les confrontations entre le personnage et la personne, les événements du roman et ceux de la vie de Gibran allaient bon train. Il est certain que notre auteur s'inspirait largement de la réalité et de son entourage pour créer ses personnages[106]. Il se pourrait que cet interlude de Bcharré l'ait réellement affecté et qu'en créant l'histoire de Salma, il ait voulut se remémorer Hala [107].

A Bcharré, les Dahir n'hésitèrent pas à mettre en évidence que Salma Karamé n'était autre que Hala al Dahir ; les Kayrouz, famille issue de la branche maternelle de Gibran, réfutèrent de fond en comble cette aventure : « Il n'en fut rien ; les Dahir ont voulu en faire un sujet de vantardise [108]. »

Sa'idé, la sœur de Hala, prétendit qu'avant son départ pour Boston Gibran demanda officiellement sa sœur en mariage et qu'il lui aurait offert une bague précieuse, un bocal contenant quelques larmes et une mèche de ses cheveux. Il aurait laissé chez eux une canne et écrivit à Hala longtemps après son retour aux Etats-Unis ; elle jeta ses lettres au feu, évitant par là le courroux d'un frère austère et conservateur [109].

En vérité, Gibran qui rentrait de Boston, le cœur plein de Josephine Peabody, élégamment habillé par les soins de Day, n'était pas prêt à se marier avec une *chaykha*, fille d'un notable, qui admirait son air américain, oubliant qu'il était le fils de Khalil, l'obligé des Dahir. Gibran voulait se faire aimer d'une *chaykha*, et Hala souhaitait gagner la faveur d'un « Américain » poli, galant, élégant, romantique, qui, de plus, connaissait tant de monde là-bas, aux Etats-Unis. Que d'aventures il avait eues à Boston ! Et qu'il savait de choses ! La *chaykha* était conquise. Gibran était occupé par le voyage de Day en Orient et préoccupé de voir sa relation avec Hala tourner en une affaire sérieuse : elle viendrait à Boston, verrait le piteux quartier où il vivait, la chambre humide où il dormait, elle serait certes déçue, et lui ne le supporterait pas [110] !

Toutefois, si nous tenons pour suspects les détails reproduits par Sa'idé al-Dahir et qu'elle prétend avoir vécus, il est hors de doute que Gibran gardera le souvenir de Hala et fera son portrait, de mémoire, qui figure encore de nos jours au musée Gibran à Bcharré ; ce portrait fut réalisé bien après son retour à Boston.

L'histoire de Gibran et de Hala était une amourette d'été qui n'avait pas eu de suite, si ce n'est dans la pensée, par-delà les mers, nourrie par les vagues de la nostalgie.

Par ailleurs, d'autres prétendent que le personnage de Salma Karamé pourrait être identifié à la nièce de l'évêque al-Dibs, fondateur du collège de la Sagesse [111].

1901

Dans son roman Gibran avoua : « A l'âge de dix-huit ans [1901], je renaissais à la vie à travers les prunelles d'une bien-aimée à la beauté accomplie. Et à travers les yeux de cette sublime femme les anges me regardaient, et en même temps je voyais les démons grouillant et vociférant dans le cœur d'un homme criminel [112]. » Ce dernier serait-il le frère de Hala ?

Toujours dans *Les Ailes brisées*, il décrivit un temple phénicien à Beyrouth qui fut le lieu de rencontre avec Salma [113]. Or, près du monastère de Mar Sarkis à Bcharré, où se rencontraient Gibran et Hala, se trouve toujours une sépulture phénicienne. Aurait-il transposé ce lieu à Beyrouth pour des raisons romanesques ? Ou aurait-il connu une autre fille à la même époque, mais à Beyrouth ?

Parmi les amis de Gibran au collège figurait également Ayoub Tabit (« Job l'Immuable »), qui, en 1943, sera nommé par la France chef du gouvernement provisoire au Liban. Il avait un beau caractère et était une excellente fréquentation pour Gibran. Il lui présenta sa sœur Sultana Tabit qui venait de perdre son époux[114].

L'existence de Sultana dans la vie de Gibran est attestée non seulement par un portrait d'elle[115], mais aussi par ses propres aveux : « Quand j'étais au collège de la Sagesse, on me présenta une dame veuve dans les vingt-deux ans, dénommée Sultana Tabit. Elle était belle, avait des talents et aimait la poésie. On se fréquenta quatre mois durant. Nous nous échangions des livres comportant nos remarques ; les siennes étaient laconiques et cyniques. Puis elle mourut. On m'envoya d'elle un mouchoir en soie, quelques bijoux et un paquet de dix-sept lettres. C'étaient des lettres d'amour. Nul ne peut imaginer la douleur que j'ai ressentie. Pourquoi ne me les avait-elle pas envoyées plus tôt[116] ? »

En tout cas, Gibran était surpris par l'ardeur des lettres qui contrastait avec la réserve qu'elle lui témoignait de son vivant. Salma Karamé dans *Les Ailes brisées* serait-elle Sultana Tabit affublée de la situation sociale de Hala al-Dahir ? Ce qui était latent et non exprimé dans leur relation devenait manifeste et réalité vécue dans le roman comme dans les lettres[117].

Hala et Sultana occupaient presque le même rang social, les Tabit étant l'une des familles les plus anciennes et les plus connues au Liban. Mais Sultana, qui vivait dans le milieu urbain de la haute société beyrouthine, était plus cultivée. Comme Sultana, Salma meurt jeune alors que Hala survécut longtemps à Gibran[118]. En outre, dans son roman, il prie ses amis d'aller visiter la tombe de Salma dans la forêt des Pins à Beyrouth, là où se trouve également celle de Sultana.

Un jour d'été de l'année 1900, en compagnie de Nqoula, Gibran se reposait au bord de la rivière ar-

Rouayisse, près de Bcharré. Il dessina un ange somnolent étendu dans un champ de fleurs.

– Que représentent ces fleurs ? lui demanda Nqoula.

– Ce sont des fleurs qui te font t'assoupir, lui répondit Gibran [119].

Celui-ci se serait inspiré d'une figure mythologique grecque en dessinant cet être ailé dans un champ de pavots. Ce qui pourrait appuyer cette supposition est une photo réalisée par Day en juillet 1898, quelques semaines avant que Gibran ne parte pour Beyrouth ; cette photo fut l'objet d'un article dans la revue *Camera Notes* : « *Hypnose* est la photo la plus réussie de Day. Elle représente un éphèbe ailé, aux yeux clos, inhalant l'odeur soporifique du pavot [120]. » Gibran dut se remémorer ce symbolisme en dessinant sa propre vision d'un ange somnolent dans un berceau de pavots [121]. Il se pourrait que cet ange soit Hala étendue dans un champ ou bien la représentation de Gibran lui-même lorsqu'il se délecta pour la première fois de la griserie ailée du pavot.

Il garda ce dessin dans un dictionnaire. A l'âge adulte, il l'y retrouva en cherchant le sens du mot *fledgling*, « oisillon [122] ».

Gibran conserva avec soin tous les dessins réalisés à Bcharré ainsi qu'à Beyrouth et les rassembla dans un colis qu'il envoya à Day.

Son cousin Nqoula était quelque peu sceptique concernant les histoires que racontait Gibran à propos d'un grand ami américain qui le prenait comme modèle pour ses expositions de photos, l'invitait à des concerts et lui donnait des livres. Cependant, tout le village finit par y croire lorsque Day répondit par une lettre, confirmant la réception du colis envoyé par Gibran, accompagnée d'un chèque de cinquante dollars en signe d'encouragement. Cet argent converti en monnaie locale constituait une somme incroyable à Bcharré ; nul au village ne pouvait lui payer ce chèque. Ainsi Gibran dut-il descendre jusqu'à Tripoli pour procéder à une opération de change. Par la même occasion, il s'acheta un costume marron clair aux boutons de nacre ainsi que des bottes cavalières en cuir. Lorsqu'il retourna au village, tous l'envièrent pour son opulence, son succès et son mystérieux ami américain [123].

La reconnaissance que Gibran sculptait de jour en jour finit par se révéler : en juillet 1901, son poème fut sélectionné pour le prix du Mérite. Plus tard, il décrivit combien important était ce prix pour lui :

« Je déployai de grands efforts pour remporter le concours de poésie. C'était quelque chose de capital dans la vie estudiantine. Pour le collège de la Sagesse, l'excellent élève était le plus doué en poésie. J'aspirais fort à remporter ce prix.

Vers dix heures du soir, alors que j'étais dans ma chambre, un de mes professeurs vint taper à ma porte.

– Gibran, es-tu toujours réveillé ? s'enquit-il.

– Oui, je ne veux pas dormir, lui répondis-je.

– A présent, dit-il, va dormir et fais de beaux rêves.

Je savais qu'une réunion avait eu lieu dans la salle des professeurs probablement pour délibérer sur le nom du futur gagnant. Je me disais que le professeur était peut-être venu taper à ma porte et me dire ces quelques mots à dessein de raffermir mes espoirs. Ainsi rassuré, je me résolus à dormir et à rêver.

Dans mon rêve, j'étais dans un petit jardin, près d'un mur de marbre légèrement rouge et aux rayures bleues. Au lieu de contempler les fleurs comme j'avais l'habitude de le faire, je me suis trouvé les yeux fixés au mur. Soudain je vis le Christ. Il lui était impossible de venir jusqu'à ce mur et pourtant il était là, disant les mêmes mots que ceux du professeur : "Va dormir et fais de beaux rêves." Cela ne me réveilla pas. Le matin, je compris que j'avais réussi et j'étais extrêmement content. C'était l'extase. Je crois que de toute ma vie je n'ai jamais connu un tel sentiment d'élévation spirituelle [124]. »

Ainsi Gibran poursuivit ses études à la Sagesse pendant trois années scolaires depuis octobre 1898 jusqu'en juillet 1901.

Entre-temps, Day devint de plus en plus absorbé par le monde de la photographie. Un mois après le départ de Gibran, il écrivit à son amie Louise Guiney qu'il envisageait de dissoudre sa maison d'édition. Elle lui répondit : « Tu préférerais aller en Palestine avec Kahlil comme interprète [125]. » La réputation de la maison Copeland & Day n'était plus à démontrer. Day était toujours inassouvi devant une réussite accomplie, il décida alors de se retirer du monde de l'édition. En juin 1899, les livres de Copeland & Day n'existaient plus qu'en tant qu'invendus soldés [126].

Day rassembla à présent tout son goût et son énergie pour composer des photos et rédiger des articles sur la photographie. En 1899, l'*American Annual of Photography* publia son essai sur l'art du portrait ; sur la couverture de son livre figurait la photo du *Jeune Cheikh*, le portrait du jeune Gibran [127].

A la suite de cette publication, Day se trouva entraîné dans une virulente polémique concernant une collection de photos « sacrées » qu'il avait réalisée en y incluant plusieurs scènes à sensation de la Crucifixion et de l'Ensevelissement. Ces photos intriguèrent et choquèrent l'opinion publique. Les critiques d'art furent nettement divisés sur les mérites de cette collection. Certaines rumeurs laissèrent entendre que Day commettait un sacrilège en simulant le Christ sur la Croix et dans la tombe [128].

Sachant que le meilleur modèle que Day pouvait maîtriser n'était autre que lui-même et que le plus auguste personnage de l'histoire qu'il pouvait représenter par une photo en le simulant était naturellement le Christ, alors il se serait dit : pourquoi ne pas offusquer certains esprits encore victoriens pour conquérir la curiosité et le charme d'autres esprits assoiffés de modernité en cette fin de siècle ?

Ainsi Day fut emporté par son succès et il conquit bientôt l'Angleterre grâce à ses collections de photos d'art. En adhérant à la Royal Photographic Society, il put organiser deux expositions à Londres dans lesquelles figuraient non seulement ses scènes du Calvaire mais aussi les portraits de ces jeunes immigrés qu'il avait repêchés dans les quartiers défavorisés de Boston [129].

Nombre de portraits de Gibran y furent exposés, notamment ceux intitulés *Kahlil* et *Syrian Boy* ainsi que *Portrait of Master G. K. G.* [130]. Dans la même collection figuraient *Portrait of Miss S. G.*, l'une des tentatives de Day pour capturer la beauté solennelle de Sultana Gibran, auquel il faudrait ajouter ceux de Kamila, de Mariana et de Boutros. Day n'avait pas négligé la famille de Gibran lors du séjour de celui-ci à Beyrouth [131].

Après son succès londonien, Day se rendit à Paris où il vécut à Montparnasse durant quelques mois. En lui attribuant l'épithète de « raffiné », Paris répondit favorablement à sa mission de prouver qu'une photographie était une œuvre d'art [132].

Day se résolut alors à réaliser son rêve : un voyage en Orient. Le 23 avril 1901, il écrivit à Louise Guiney d'Alger : « Me voici dans l'antichambre de l'Orient, enchanté, hypnotisé par l'étrange beauté de l'architecture ; partout et à tout instant du jour et de la nuit, j'affronte les couleurs kaléidoscopiques des vêtements des gens et l'atmosphère de ce pays [133]. »

A Bcharré, Khalil écrivit à son fils, Gibran, en lui demandant pourquoi il n'était pas encore retourné à Boston. Gibran lui répondit : « Je reste à Beyrouth pour le moment ; il se peut que je reporte mon voyage afin d'effectuer une tournée en Syrie et en Palestine ainsi qu'au pays du Nil, en compagnie d'une famille américaine à laquelle je porte un grand respect. En tout cas, j'y suis pour mes intérêts personnels le temps qu'il faut afin de donner satisfaction à ceux qui s'intéressent à mon avenir. Veuillez ne point douter que je sais ce qui est bon pour moi et ce qu'il faut faire pour m'assurer un avenir radieux. Que le Seigneur prolonge votre vie, en demeurant mon maître [134]. »

Cette lettre datée du 5 avril 1901 [135] nous laisserait supposer que Gibran se préparait à retrouver Day pour l'accompagner dans sa tournée orientale. Toutefois nous n'avons trouvé aucune trace d'une éventuelle rencontre entre Gibran et Day quelque part au Levant. Mais il semble qu'il ait entrepris dans la période allant de mai 1901 à mars 1902 des voyages dans les pays arabes [136], notamment en Egypte, en Syrie et en Palestine [137] puisqu'il en parla plus tard dans ses missives ou ses confidences. En évoquant Jésus, il confia à une amie américaine : « J'ai visité tout son pays, de la Syrie jusqu'au sud de la Palestine [138]. » Et dans une lettre envoyée à une amie libanaise habitant Le Caire, il écrivit : « Quand j'étais en Egypte, j'allais deux fois par semaine passer de longues heures assis sur le sable doré, les yeux rivés sur les pyramides et sur le Sphinx.

A cette époque, j'avais dix-huit ans [1901] ; mon âme
frémissait devant ces phénomènes artistiques comme
l'herbe frissonne face à la tempête. Quant au Sphinx,
il me souriait et remplissait mon cœur de douce mélancolie et d'aimables lamentations [139]. » Il ajouta dans
une autre lettre à la même amie : « Alors que j'écoutais
la mélodie de la mer, sur le sable d'Alexandrie, j'entendis la causerie des siècles [140]. »

Entre-temps, aux Etats-Unis, on s'aperçut que Sultana, la sœur cadette de Gibran, était atteinte d'une
tumeur et commençait sa tragique marche vers la mort.
Sa mère, pourtant, n'en disait rien dans ses lettres à
Gibran, de peur que la nouvelle ne troublât son esprit,
mettant fin à ses études [141].

Toutefois, le 1er avril 1901, Khalil, le père de notre
auteur, reçut une lettre de sa femme, l'informant de la
sinistre nouvelle de la longue maladie de sa fille. Il
écrivit alors à son fils à Beyrouth, lui demandant ce
qu'il en était. Dans sa réponse, Gibran démentit l'information : « Il s'agit d'un poisson d'avril pour annoncer
que Boutros n'est plus en mesure d'envoyer nos pen-
sions respectives. Ils inventent tous les mensonges et
nous surprennent par les maladies et les malheurs
dévastateurs afin de nous prouver leur mauvaise situation financière, me contraignant ainsi à retourner le
plus tôt possible auprès d'eux. »

Puis il tenta de rassurer son père en ajoutant : « Au
cours des sept derniers mois, je reçus cinq lettres de
Mr Day, le plus honnête homme que j'aie connu, qui
m'assura que mes deux sœurs Mariana et Sultana
étaient en excellente santé. Il exprima son admiration
pour elles, en insistant sur les manières raffinées de
Sultana. Et il parla de la ressemblance qu'il y a entre

elle et moi, tant sur le plan physique que sur celui du caractère[142]. »

1902

A l'aube de l'année 1902, avec son camarade de classe Youssef al-Houayik, Gibran rendit une dernière visite à la forêt des Cèdres avant de quitter définitivement le Liban. La brume basse et épaisse engloutissait tout en elle, et de ces hautes altitudes ensoleillées, Gibran regardait son village natal et méditait en disant : « A Bcharré, les hommes ne voient que cette brume, mon ami Youssef. Mais nous, nous voyons la clarté, le soleil et l'au-delà illuminé. Nous sommes au sommet, aux Cèdres. Force nous est de réformer l'univers[143]. »

8

La descente aux enfers
Boston : avril 1902-juin 1903

« Les funérailles chez l'homme ne seraient-elles pas fiançailles chez les anges[1] ? »

1902

Sur son chemin pour les Etats-Unis, Gibran fit halte en France. A Paris, il déambula dans les rues ; puis il s'assit sur un banc près de Notre-Dame et se mit à s'interroger : « Gibran, qu'as-tu fait jusqu'à ce jour ? Vingt ans se sont écoulés, tel un long prélude à on ne sait quoi. Il est grand temps que tu quittes le rôle de spectateur pour celui d'acteur. Rembrandt n'était point un spectateur, ni Botticelli, ni Titien et encore moins Léonard et Michel-Ange. O Michel-Ange ! Ah, si tu étais né en son temps, tu aurais cherché à être son élève ! A cette époque, sublime était l'art et il était moins difficile d'aborder ses maîtres, alors que de notre temps se multiplient les obstacles pour celui qui aspire aux sphères du grand art.

Et si tu cessais de rêver ? A présent, où pourras-tu trouver l'argent pour étudier l'art, alors que tu es encore à la charge de tes parents ? Ta mère, ton frère et tes deux sœurs travaillent pour subvenir à leurs besoins certes, mais aussi aux tiens et à ceux de ton père. Pauvre père ! T'en souviens-tu de tes balades avec lui dans le nord du Liban ? Sans lui tu n'aurais pas connu la beauté et la magie de ton pays.

Le sommet de la montagne des Cèdres et la tour Eiffel, Notre-Dame et le monastère de Mar Sarkis, les rues de Paris et la Vallée sainte, le Louvre et la caverne de Kadicha, les Cèdres et la forêt de Boulogne, Beyrouth et Paris, le collège de la Sagesse et la Sorbonne : qu'elles sont étranges ces correspondances !

Tu as passé quatre ans au Liban, qu'as-tu appris ? Estime-toi heureux de ne plus avoir affaire à la grammaire arabe et aux prières du matin et du soir. Tu as assez prié pour le restant de ta vie. Désormais tu ne rentreras plus à l'église, car le Nazaréen que tu aimes tu ne l'y trouveras jamais. Nombreux sont les temples et les dévots, rares les vrais croyants.

Quelques jours encore et tu retrouveras ta mère, ton demi-frère et tes deux sœurs. Vont-ils te reconnaître après cette absence de quatre ans déjà ? Vas-tu reconnaître ta petite sœur Sultana qui est devenue à présent une grande fille ?

O combien tu te languis de les serrer tous dans tes bras ! Tes mains sont vides, et si tu les remplis de quelques menus présents, que le plus beau soit pour Sultana ! »

Dès lors Gibran déambula à nouveau dans les rues de Paris, à ses côtés marchait un esprit qui venait d'être offert par la main de la vie à la mort. Il ne voyait point le visage de cet esprit ni n'entendait ses pas, il marchait en songeant à ce qu'il pourrait offrir à Sultana[2]. Le lendemain il apprit sa mort par le consul[3].

Mariana raconta plus tard la tragédie de sa sœur Sultana en ces termes : « A partir de l'année 1900, Sultana eut des enflements glandulaires des deux côtés du cou. Le médecin lui prescrivit des médicaments et confia à Boutros qu'elle ne pourrait pas vivre très longtemps et qu'il ne pourrait pas l'opérer, car elle risquait de ne pas supporter l'opération. En septembre 1901, elle fut atteinte d'une phtisie galopante.

Un jour de janvier 1902, à mon retour à la maison, Sultana me montra ses jambes enflées jusqu'aux genoux et me dit avec des larmes amères : "A présent, plus jamais je ne pourrai me relever." Effectivement, depuis cette date-là, elle ne put plus jamais marcher. Souvent elle disait : "Ah, combien me manquent Gibran et mon père. Ah, si je pouvais les revoir ne serait-ce qu'un instant et que par la suite Dieu m'emporte pour toujours !"

La nuit qui précéda sa disparition, elle était extrêmement souffrante. Personne n'avait fermé l'œil ; Boutros, ma mère et une tante ainsi que moi étions tous à son chevet. Le lendemain matin, Boutros alla se reposer, ma mère se mit à laver le linge pour une femme chez qui elle travaillait, et moi, j'allai voir Mme Tahan, chez qui je travaillais comme couturière, pour lui demander la permission de prendre congé ce jour-là, vu l'état de ma sœur. Quant à ma tante, elle resta aux côtés de Sultana. A mon retour, dès que je franchis la porte de la maison, Sultana m'interrogea de la pièce où elle était étendue :

– Pourquoi es-tu rentrée si tôt de ton travail ?

– Tu sais, nous avons veillé toute la nuit, je pensais qu'il valait mieux que je me repose ce matin, lui répondis-je.

– Veux-tu bien dire à Boutros de venir près de moi, me supplia-t-elle.

Boutros se leva, lui chauffa un peu de bouillon de bœuf et vint auprès d'elle. Après quelques câlineries, il finit par lui en faire boire quelques cuillerées. Par la suite, elle réclama notre mère. Je partis alors la prévenir ; celle-ci me demanda d'étendre le linge à sa place, le temps qu'elle allât voir Sultana. Quelques instants plus tard, j'entendis un cri. Je courus vers la chambre : c'était ma tante qui criait, ma sœur gisait dans ses bras. Sultana n'était plus.

Inconsciemment, je me vis en train de pousser des hurlements comme ma tante le faisait. "Chut, ce n'est pas une bonne chose à faire pour la délivrance de son âme", dit ma mère. Silencieusement je pleurai avec elle. Boutros se retira dans sa petite pièce ; durant trois jours et trois nuits il ne cessa de pleurer, sans manger ni dormir [4]. »

Sultana rendit l'âme à l'âge de quatorze ans, le vendredi 4 avril 1902 vers neuf heures du matin [5].

Au soir du dimanche 13 avril 1902, Boutros reçut un télégramme de Gibran lui annonçant son arrivée ; il s'écria : « mère ! » ; et il se mit à pleurer puis il poursuivit avec une voix chevrotante : « Gibran est en route. » Sa joie était mêlée de larmes, comme si son cœur allait se briser. Et Kamila ne dit mot pendant toute la soirée.

A quatre heures du matin, Gibran frappa à la porte des siens à Boston. Boutros, ne pouvant se contrôler, fondit en pleurs ; quant à Kamila, elle l'accueillit mi-sourire, mi-larmes : elle pleurait de joie pour le retour de son fils et de tristesse pour la perte de sa fille ; elle se demandait si cet événement tragique n'était pas le sinistre présage de sa défaite dans son dernier combat avec la vie. L'hostilité des jours avait cette fois durement frappé. Gibran serait-il l'oiseau de bon augure ?

La description que Mariana fit du retour de Gibran au sein de sa famille endeuillée montra notre auteur abasourdi et complètement amorphe :

« Gibran parlait de tout autre chose sans jamais mentionner Sultana. Car s'il avait commencé à pleurer, il ne se serait jamais arrêté. Deux ou trois semaines plus tard, je lui demandai : "Gibran, je pense que c'était terriblement dur, tu n'as même pas évoqué le nom de ta défunte sœur ce jour-là." Il me répondit : "Pourquoi l'aurais-je fait ? Je savais qu'elle était morte, je savais que ma mère, mon frère et toi, vous l'aimiez, et que vos cœurs en souffraient. Et vous saviez qu'il en était de même pour ma part. Je ne voulais surtout pas endurcir davantage la situation devant ma mère." »

Gibran respecta la tradition vestimentaire du deuil. Mariana se le remémora ce jour-là « avec des moustaches, portant un costume et un chapeau ainsi que des chaussures, tout en noir[6] ».

A cette date-là, Gibran réalisa un autoportrait, grâce auquel nous remarquons qu'il avait effectivement des moustaches et qu'il dut couper ses cheveux en signe de deuil[7].

Peut-être qu'en changeant de domicile, on change de chance. Kamila, après avoir fui Bcharré, chercha à fuir sa maison. Elle tenait peut-être le quartier avec ses odeurs infectes pour responsable de la maladie de Sultana. La famille dut ainsi déménager du 9, Oliver Place pour aller s'installer à quelques dizaines de pas, au 7, Tyler Street[8], juste à côté de l'église maronite de Notre-Dame-des-Cèdres. Mgr Istfan al-Douayhi, le curé de cette paroisse, habitait le même immeuble, il passait souvent les voir pour les consoler et pour discuter religion avec Gibran[9]. Toutefois, comme ce nou-

veau domicile était très proche du premier, le spectre
de la mort était loin d'être fourvoyé.

La longue maladie de Sultana avait épuisé les finances de la famille. De nouveau, sous la coupe de la
pauvreté et menacée des pires malheurs, Kamila ne flé-
chit point ; elle continua à faire des ménages, ruinant
sa santé, alors que Cronos n'avait pas fini de dévorer
ses enfants.

Un jour, tentant de consoler sa mère, Gibran lui
confia qu'il projetait d'écrire un livre « qui changerait
la face du monde » ; il s'agissait de son projet baptisé
au Liban sous le titre *Pour que l'univers soit bon*, l'embryon de son futur livre *Le Prophète*.

Elle lui répondit alors avec des propos poignants et
visionnaires : « Certes tu finiras par écrire ce livre ;
toutefois ce n'est qu'à l'âge de trente-cinq ans [1918]
que tu commenceras à l'écrire. » Gibran se sentit
blessé dans son amour-propre. Et sa mère de poursuivre : « Non, je n'ai pas voulu dire ce que tu crois. Le
monde aimera toujours tes écrits et moi aussi, j'aime
tout ce que tu écris. C'est vrai qu'aujourd'hui tu t'es
trouvé toi-même, mais il faut que tu vives plus longtemps pour trouver l'Autre. C'est alors seulement que
tu écriras ce qu'Il te dictera [10]. »

Quelques semaines plus tard, il lui lut certains passages de son manuscrit ; bien qu'ayant confiance en son
fils et en son génie, elle lui dit : « C'est du bon travail,
mon fils. Mais son heure n'a pas encore sonné, laisse-
le fermenter avec le temps. » Et Gibran de lui obéir à
la lettre [11].

Le 6 novembre 1902, Josephine Peabody reçut une
lettre de celui « qui a maintenant grandi, Kahlil Gibran,
le jeune Syrien. Il est de retour en Amérique [12] ».

Durant ces quatre ans que Gibran avait passés au Liban, Josephine, elle aussi, avait mûri. Elle avait publié deux livres : *The Singing Leaves*, « *Les Feuilles chantantes* », un recueil de poésies ainsi que *Fortune and Men's Eyes*, « *La Fortune et le mauvais œil* », une pièce de théâtre d'un seul acte centré sur une scène d'une taverne de l'ère élisabéthaine à tendance shakes-pearienne. En 1901, parut *Marlowe*, sa vraie pièce de théâtre[13].

Jamais Josephine ne s'était séparée, durant cette période, de son portrait réalisé par notre auteur : « Je contemple souvent le dessin de Kahlil sur mon bureau. Et, avant de m'endormir, je le pose sur le chevet afin qu'à mon réveil mes yeux s'ouvrent en premier sur lui. Peut-être m'aidera-t-il à comprendre mon identité, à répondre à cette question : quel fut le message de Dieu, en mettant au monde Posy Peabody[14] ? »

Après avoir travaillé à l'université de Harvard et donné des cours à Wellesley College sur les poètes du temps des rois George I à IV et de la reine Victoria, ainsi que sur les chefs-d'œuvre contemporains, elle partit pour l'Angleterre grâce à la générosité d'une poétesse, Lillian Shuman Dreyfus. Elle y séjourna du début de l'année 1901 jusqu'à la fin de l'été 1902. A Londres, elle rencontra nombre de personnalités litté-raires et artistiques tels la poétesse Alice Meynell et le Sade britannique, Swinburne, ainsi que le peintre John Singer Sargent qui réalisa les décorations murales de la bibliothèque de Boston. A Oxford, elle retrouva Louise Guiney, l'amie de Day, et toutes les deux fréquentèrent avec vénération l'université de cette ville.

Ainsi Gibran attendit plus de six mois, après son retour à Boston, pour contacter Josephine. Sans doute était-il préoccupé par le deuil familial. Il se pourrait également qu'il savait qu'elle était en Angleterre et que lui-même avait besoin de temps pour renouveler son courage et sa familiarité avec la culture du pays adoptif[15].

Dès le lendemain du jour où elle reçut la lettre de Gibran, Josephine lui répondit par écrit en l'invitant chez elle le dimanche 16 novembre à une rencontre avec des amis de différentes nationalités. Ce soir-là, Josephine réussit à faire parler Gibran et celui-ci l'impressionna par ses réponses et son apparence. Elle écrivit en détail leur conversation dans son journal intime :

« Vous souvenez-vous de moi ? me demanda-t-il.

— Mais bien sûr, lui répondis-je ; cinq ans déjà se sont écoulés depuis notre première et unique rencontre à l'exposition de Day. Je n'avais jamais été certaine que votre dessin m'était réellement destiné. Comme j'étais entourée de plusieurs amies ce soir-là, je croyais que vous aviez confondu mon nom avec quelqu'un d'autre.

Il me sourit et dit :

— Comment osez-vous croire que j'aurais pu vous confondre avec quelqu'un d'autre ? En vérité, je vous ai vue encore deux fois depuis cette date-là : une fois dans la rue et une autre à la bibliothèque municipale ; mais vous ne m'aviez pas remarqué. Par ailleurs je tiens à vous signaler que j'ai bien reçu deux lettres de vous et que je vous en ai envoyé trois dont deux ont été apparemment égarées. Et je dois vous avouer que dès lors que je vous ai vue pour la première fois, je savais que nous nous connaissions depuis de longues, très longues années.

A cette déclaration, je me sentis tout illuminée de fierté.

— Je tiens à m'excuser, ajouta-t-il, pour mon anglais

hésitant dans la lettre que vous avez reçue ; j'ai l'impression de vous y avoir envoyé une fausse copie de mon être.

— Mais non, le rassurai-je, votre anglais m'était très familier, je l'ai parfaitement compris. Lorsque deux étrangers se parlent, ils utilisent des mots frais et respectueux de telle sorte qu'ils vont droit à la vérité des choses. Toutefois, si vous ne connaissiez de ma langue que deux mots et que j'en connaissais autant de votre langue, cela suffirait pour nous comprendre. »

Par la suite Josephine conduisit Gibran au salon où se trouvaient déjà son cercle d'amis : « Voici Mr Gordon qui est écossais et qui organise des fouilles archéologiques en Amérique centrale. Mr Deughausen qui connaît tout sur la musique et qui chante comme un ange. Le rabbin Fleischer qui est suisse [16]. Mr Michaelis qui peut se renseigner sur tout ce que vous aimeriez savoir ; et voilà ma sœur Marion qui est peintre. »

En retour elle présenta notre auteur : « Kahlil Gibran qui est syrien et qui écrit et dessine tout le temps. » Gibran retourna l'attention sur elle, en s'enquérant : « Et vous, que pouvons-nous dire de vous ? » Cette allusion à ses talents « me plut énormément », précisa Josephine dans son journal.

Elle fut également ravie de le voir capable de tenir la conversation avec son cercle d'intellectuels. De surcroît, elle remarqua qu'il avait lu « mes livres, même *Marlowe*, en dépit de son style classique, car auparavant il avait lu du Shakespeare ».

Gibran fit ainsi son entrée dans le monde de Josephine Peabody, et ce fut une soirée mémorable pour lui. Quant à Josephine, elle fut enthousiasmée par sa présence qui lui remonta le moral et raviva sa jeunesse : « Il s'est tant nourri de Maeterlinck. A présent il écrit des poèmes en arabe. Je vais bientôt voir ses nouveaux dessins. Je suis sûre qu'ils ébranleront le monde un jour ou l'autre. Durant ces cinq ans, le fait que j'aie été consciente du doux cœur de ce jeune prophète m'était une consolation. Et maintenant qu'il est agréable d'être de nouveau consciente de vouloir à mon tour réconforter cette âme étrangère [17]. »

Gibran retourna la voir cinq jours plus tard. « Le Syrien est de retour, celui-là même que j'attendais ma vie durant », précisa-t-elle dans son journal intime. Il tenait à la main une chemise contenant ses derniers dessins : « Une source d'étranges réapparitions », ainsi les qualifia-t-elle. Cette fois-ci il n'eut plus à défier de brillants parleurs, car ils étaient seuls : « J'ai regardé les dessins et nous avons parlé avec beaucoup de sérénité. » Marion, sa sœur, était malade ce jour-là. Josephine monta la voir dans sa chambre pour lui montrer les dessins de Gibran. Marion lui avoua : « Sais-tu que tu as affaire à un ange [18] ? »

Choyé par cette chaleureuse attention, Gibran se sentit grandir plus vigoureusement. Josephine tentait de lui faire dire « quelque chose sur ce qu'évoque mon visage pour lui » ; il lui proposa alors de faire son portrait, expliquant que « son anglais n'est pas à la hauteur de ces choses », et il lui promit d'en dessiner cette fois-ci l'esprit. Puis il ajouta : « toutefois, le plus beau portrait de vous n'est autre que vos livres ». Avant même qu'il partît, tous deux avaient compris que désormais ils se reverraient régulièrement [19].

Le soir même elle commenta dans son journal intime l'ampleur de leur mutuelle attraction : « Ce jeune mystique m'invita à m'enquérir sur le fait que les femmes continueront à être à jamais des symboles ! Je sais fort bien, à présent, que ces beaux moments que je viens de vivre ne sont guère pour moi. Je sais que je suis un symbole pour quelqu'un, je suis un prisme qui saisit la lumière pour un laps de temps ; c'est la lumière qui se réjouit et non point le prisme. Désormais ce prisme, ce symbole grandira pour être un ange de la manière la plus humble. Et si jamais je cessais de l'être, ce serait pour savoir comment, pourquoi ou pour combien de temps, j'aurais à choisir entre la modestie angélique et l'amère fierté de l'amour-propre qui pourrait blesser tôt ou tard[20]. »

Toutefois, si elle se considérait comme une muse pour Gibran, celui-ci était également une source d'inspiration pour elle. *Return*, un poème qu'elle écrivit une semaine plus tard[21], résulte évidemment du « retour » de Gibran.

A partir de ce jour-là le nombre de leurs lettres ne cessa d'augmenter, et le temps qui séparait leurs rendez-vous diminua.

Depuis fort longtemps, Josephine n'avait pas eu l'occasion de revoir Day ; le 6 décembre 1902, en compagnie de Gibran, elle se rendit à son atelier[22]. Deux jours plus tard elle ébaucha un poème de onze strophes, initialement intitulé *His Boyhood*, « *Son enfance* », et rebaptisé plus tard *The Prophet*. Dans ce poème elle décrivit la vie de Gibran comme elle l'imaginait à Bcharré. Il ne fut publié qu'en 1911 dans son recueil intitulé *The Singing Man*[23], « *Le Chantre* ». Douze ans plus tard, en 1923, bien loin de son enfance, Gibran chanta son propre *Prophète*.

Les conditions de vie dans le South End Boston ne s'étaient guère améliorées depuis l'arrivée de la famille de Gibran, huit ans auparavant. Selon les associations de charité de l'époque, près de la moitié de la population de ce quartier souffrait de maladies et un tiers des malades étaient tuberculeux. Tentant de fuir l'épidémie rampante, la famille de Gibran dut déménager une fois de plus ; ils habitèrent au 35, Edinboro Street, toujours dans le quartier syrien. Boutros s'évertuait à tenir sa boutique, et Kamila, si ambitieuse à son arrivée, se sentait faiblir de jour en jour[24].

Lorsqu'au début de l'année 1902, Day avait photographié Sultana et Mariana, il avait photographié également leur mère Kamila[25]. Elle y paraissait vieille, alors qu'elle n'avait que quarante-quatre ans. Encadré de noir, son visage exprimait la tension et la peine. Ses yeux aux paupières lourdes étaient à présent ombragés par la résignation alors que jadis ils rayonnaient de détermination. Bien qu'elle donnât l'impression d'avoir les yeux fermés, elle avait la tête haute. Elle ne sillonnait plus les rues avec son ballot, mais faisait le ménage chez des particuliers[26]. Gibran écrivit plus tard dans son *Prophète* : « Vous travaillez pour vous maintenir au diapason de la terre et de l'âme de la terre. Car être oisif, c'est devenir étranger aux saisons et s'écarter de la procession de la vie qui, avec majesté et fière soumission, marche vers l'infini[27]. »

Un jour de décembre 1902, alors que le ciel versait ses larmes blanches sur Boston, Gibran cherchait consolation dans les Ecritures saintes. Son attention fut retenue par un verset de l'Evangile selon Jean : « En vérité je vous dis : Si le grain de blé tombé en terre ne meurt pas, seul restera-t-il ; mais s'il meurt, il portera beaucoup de fruit[28]. » Bien qu'auparavant il ait dû lire et entendre à maintes reprises ce verset, Gibran sentit qu'à ce moment-là il le lisait pour la première fois. Comme si un voile venait d'être levé devant ses yeux, il quitta du regard l'Evangile et sombra dans une mer de contemplation :

Toute chose meurt pour vivre. Le rocher meurt pour renaître en pierres de construction pour un temple. La bougie meurt pour se transformer en lumière. La bûche meurt pour diffuser son feu. Le fruit meurt pour engendrer un arbre. Et l'arbre de mourir pour porter des fruits. Toute chose meurt pour rejoindre sa source. La vie est un voyage et la mort en est le retour. La vie est vêture et la mort est la nudité pure. La vie est une pensée visible et la mort, une pensée secrète. Et Dieu est à la fois la mort et la vie.

Puis il se précipita sur son cahier de dessin et son crayon et se mit à esquisser un portrait. Ses doigts se sentaient guidés par une main invisible. Il fit émerger une tête avec quelques vagues en cheveux, et d'autres plus petites en sourcils, puis une bouche et un nez. Tantôt l'index et tantôt le majeur venaient éperonner le crayon dans ses galops, ajoutant par-ci par-là peu ou prou d'ombre. Après chaque mouvement, il reculait pour regarder de loin son dessin puis s'en rapprochait avec la même ardeur qu'un soupirant. Et lorsque les yeux commencèrent à prendre forme, il hésita à les dessiner ouverts ou fermés.

Alors que sa sœur Sultana était sur le point de renaître en portrait, Boutros entra soudain dans sa chambre comme s'il était porté par les ailes de la mort, et s'écria : « Va vite appeler le médecin et ne reviens pas. Sauve ton âme, mon frère ; car la mienne est en passe de me fuir[29]. » Les tentacules de la tuberculose n'avaient pas tardé à s'infiltrer dans leur nouvelle demeure.

Boutros, le jeune homme dynamique, ambitieux, qui rêvait de métamorphoser son petit magasin du quartier sud de Boston en un centre commercial dans un endroit très chic, commença à tousser. Il avait respiré l'air empesté du quartier des émigrés. Le médecin lui

recommanda de retourner chez lui, au Liban, pour respirer de l'air frais. Mais Boutros considérait son retour
comme un dur revers matériel et moral. Ne s'attendait-
on pas à Bcharré à le voir revenir les poches pleines,
couronné de fortune et de gloire ?

Boutros se conforma à la recommandation du médecin, en changeant de climat sans nécessairement rentrer
au pays. Le 13 décembre, il alla à Cuba vendre ses
marchandises pour couvrir les frais du traitement.

Il informa la famille par écrit que de jour en jour il
recouvrait la santé, alors que dans ses lettres envoyées
à un compatriote qui venait les aider dans la boutique,
il décrivait l'invasion de nuit en nuit de l'épidémie en
son corps.

Deux jours après le départ de Boutros, le lundi
15 décembre, Kamila fut hospitalisée à cause d'une
tumeur[30].

Début 1903

A l'occasion de la fête de Noël, Josephine reçut de
notre auteur un *nay*, une flûte orientale. Le jour de l'an
1903, il lui offrit son portrait au pastel, celui de son
esprit comme il le lui avait promis ; il le baptisa : « Inspiration ». La dédicace de Gibran fut encore une fois
en arabe : « Prenez garde, ô âme, car l'amour vous
parle ; alors écoutez : "Ouvrez les écluses de votre
cœur et accueillez l'amour, vous en serez glorifiée." »
Josephine qualifia ses couleurs de « flammes » et ses
traits de « mélodies[31] ».

Le monogramme sous forme d'arabesque avec
lequel Gibran signa ce portrait, جخج, formé des trois
initiales de son nom en arabe, soit *J Kh J* ou G K
G, devint le leitmotiv ornemental du journal intime de

Josephine à chaque fois qu'elle écrivait le nom de notre auteur [32].

Durant cette période, il ne cessait de s'absenter de la maison, fuyant l'hideuse réalité de la mort pour aller se réfugier chez Josephine, ce doux mélange de poésie, de jeunesse et de beauté. Il se voyait de plus en plus engagé dans son amitié avec elle.

Il réussit à bâtir un pont entre le gouffre séparant la chambre de Josephine qui respirait les couleurs et la culture et la maison des Gibran qui suffoquait de maladies et d'épidémies. Ce furent ses propres dessins qui lui permirent de traverser ces deux extrémités, lui procurant ainsi le laissez-passer de sa survie.

Pour lui faire oublier les calamités du destin, Josephine lui annonça à la veille de son vingtième anniversaire, le 5 janvier 1903, qu'elle mettait sur pied une exposition de ses tableaux pour le printemps prochain au Wellesley College [33].

Le jour de son anniversaire il reçut un cadeau de Day : « A ton jeune esprit, frère, ce présent du fond du cœur. Joyeux anniversaire. Ton grand frère Day [34]. » Cette prévenance dont ses amis l'entouraient distrayait quelque peu Gibran de toutes les pressions qu'il subissait dans son foyer.

Quelques jours après que Kamila eut été hospitalisée, la variole fut déclarée au Massachusetts General Hospital : les visites furent interdites jusqu'à fin janvier 1903. Elle dut ainsi passer la fête de Noël, du jour de l'an et de l'anniversaire de son fils Gibran seule avec sa tumeur et la variole.

Par la suite, les visites furent à nouveau permises mais à raison d'un seul visiteur par malade et par jour. Ce fut un dimanche, ne travaillant pas ce jour-là, que

Mariana put aller la voir : « Quand ma mère me vit, elle s'écria : "Oh Mariana ! Ma langue s'est endurcie dans ma bouche, il n'y a pas moyen de parler avec quiconque ici." Car elle connaissait mal l'anglais. "Comment va Boutros ?", me demanda-t-elle. "Boutros va mieux", lui répondis-je, car je le croyais. Par la suite, ma mère fut opérée. A sa sortie du bloc opératoire, le chirurgien confia à une amie de la famille que ma mère avait un cancer. Je demandai à Gibran de me dire en arabe ce qu'était un cancer. Au fur et à mesure qu'il m'expliquait nos larmes ruisselaient. Peu de temps après, Gibran réussit à la ramener au foyer, lui permettant de vivre tranquillement ses derniers jours auprès de nous [35]. »

Durant tout le mois de janvier, Gibran ne révéla point à Josephine les malheurs qui accablaient sa mère et son demi-frère. Leurs relations étaient fondées sur une amitié sincère. En se faisant recevoir dans la maison de Josephine, Gibran cherchait à oublier ses soucis et sa pauvreté ; il voulait s'étourdir auprès de cette femme agréable, cultivée et causeuse éblouissante qui lui cachait elle aussi qu'elle avait des problèmes pécuniaires et qu'elle devait trimer pour nourrir sa famille ; elle vivait dans la hantise de ne plus pouvoir subvenir aux besoins des siens.

Quant au projet de l'exposition des dessins de Gibran, il avançait grâce aux efforts de Josephine. Le 25 janvier 1903, celle-ci invita chez elle Margarethe Müller, une amie influente au Wellesley College, qui dirigeait le club artistique universitaire Tau Zeta Epsilon, lequel organisait l'exposition d'art à laquelle devait participer Gibran. Dans le petit atelier de Marion, la sœur de Josephine, en voyant pour la première fois les dessins de Gibran, Mrs Müller s'empressa de faire remarquer que tous les visages étaient inspirés du propre visage de Josephine. « Et dire que certains de ces dessins datent d'avant mon retour d'Europe, à cette époque il ne m'avait pas vue depuis quatre ans [36] ! » s'exclama Josephine dans son journal intime.

Le soir même, elle écrivit une lettre à son amie Mary Mason : « J'ai une merveilleuse histoire à te raconter à propos d'une créature de génie que je me dévoue à parrainer : c'est un jeune Syrien qui compose de la poésie arabe, la nuit et dessine, le jour, mieux encore que William Blake [37]. »

Durant la première quinzaine du mois de février, Josephine demanda à Gibran de lui apprendre l'alphabet arabe ; par ailleurs ils effectuèrent maintes sorties en public, notamment à des concerts. Cet étrange couple devenait inséparable [38].

Complètement rongé par la tuberculose, Boutros revint de Cuba le 17 février, une semaine après la sortie de Kamila de l'hôpital. Il était incapable de monter les escaliers. Mariana qui était descendue pour l'accueillir ne l'avait pas reconnu tant il était exténué et maigre :

« A six heures du matin, raconta Mariana, la sonnerie retentit. Je descendis voir à l'entrée de l'immeuble. J'ouvris la porte et je vis un cocher. "Que voulez-vous ?" lui demandai-je. "Cet homme dans le fiacre veut entrer", me répondit-il. N'ayant pas reconnu l'homme qui me semblait avoir piteuse mine, je lui rétorquai tout en fermant la porte : "Nous n'avons pas de chambre meublée à louer." Puis le cocher ressonna et lorsque je rouvris la porte, j'entendis l'homme dans le fiacre crier : "Je suis ton frère, ma chère, ne m'as-tu pas reconnu ? Dis à Gibran de venir m'aider à me déplacer." Je courus alors tirer Gibran du lit, qui descendit aussitôt en pyjama et en pantoufles aider le cocher à porter Boutros jusqu'à la maison. Arrivé à la chambre de ma mère, Boutros lui dit : "Mère, veux-tu bien me prêter ton lit, le temps que Mariana me prépare le mien ?" Dès lors je lui expliquai que notre mère ne pouvait pas se lever et qu'elle était aussi souffrante que lui. »

Leur nouvelle habitation était formée de deux chambres séparées par un couloir, l'une occupée par la mère cancéreuse, l'autre par le frère tuberculeux. La nuit, Mariana étendit un matelas au milieu, dans le couloir, et veilla au moindre mouvement de l'un et de l'autre [39], comme une crucifiée souffrant de ses deux mains, telle l'illustration du chapitre de la « Douleur » dans *Le Prophète* [40]. Quant à Gibran, en silence il souffrait leurs plaintes et se lamentait sur ses rêves brisés.

Cette nuit même, il prit sa plume et se mit à écrire ces mots en arabe, reflétant son désespoir envers la santé de Boutros et sa tentative de comprendre ses propres pensées : « Me voici tentant de capturer par écrit quelques pensées qui passent telles des nuées d'oiseaux. Qu'est ma vie, qui voudrait bien l'acheter ? A quoi bon ces grands espoirs, ces nombreux livres et ces étranges dessins, à quoi sert ce savoir qui me tient compagnie ? Quelle est cette terre à mâchoires béantes et à poitrine dénudée qui cherche à dévorer encore et encore ? » Plus loin, il ajouta une prédiction concernant son demi-frère : « La nuit du mercredi, entre le 17 et le 18 du mois de février de l'année 1903, j'entendis surgir une voix incorporelle ; la vérité que je pus saisir m'informait que – dans cinq jours – l'âme de mon frère Boutros serait emmenée par son Créateur dans l'éternité [41]. »

Cinq jours après sa vision nocturne, Gibran finit par

divulguer à Josephine que sa mère et son demi-frère étaient gravement malades[42]. Puis il partit à Gloucester, à 100 km au nord de Boston, chez des parents, comme s'il appréhendait de voir la révélation qu'il reçut se concrétiser. Toutefois il n'y resta pas longtemps. Il rentra le 25 février et rendit visite à Josephine. Celle-ci lui permit de lire tous ses journaux intimes[43].

Le lendemain il résolut de se consacrer à la boutique de Boutros. Evidemment la décision n'était pas facile. Josephine décrivit l'état et la décision de Gibran en ces termes : « Hier, ﻦﻴﻠﻴﺧ était chez moi, envahi de tristesse. Toutefois il fit une bonne chose : contrairement à ses plus puissants penchants, il accepta de sauvegarder l'honneur de son frère, qui est désespérément malade, en prenant en charge les affaires de sa boutique. Il pensa que ce serait malhonnête et à la rigueur trop facile de déclarer la faillite de cette boutique dont les dettes ne cessaient de s'amonceler. Ainsi il décida d'y travailler jusqu'à ce qu'au moins les créanciers fussent remboursés ; d'ailleurs il réussit à persuader le plus grand créancier de s'associer avec lui. Comment imaginer ﻦﻴﻠﻴﺧ en homme d'affaires loin des fers de la misère ? Je sais dans mon for intérieur que cela l'angoisserait ; toutefois, je suis fière que son génie ait été assez fort pour aborder de front la situation. Il se doit de gagner et sans trop tarder. »

Le jour même Josephine reçut un chèque de cent dollars pour six poèmes qui venaient d'être publiés ; elle commenta dans son journal : « Ainsi je me sens réellement rafraîchie et j'espère que le ciel ne tardera pas à bénir également le prophète[44]. »

Le 9 mars, Josephine écrivit à sa confidente Mary Mason : « Mon pauvre prophète que je surveille avec anxiété traverse une période si tragique que les mots sont trop pauvres pour en témoigner[45]. »

Les derniers jours de Boutros, que relata Mariana, furent aussi pénibles pour lui que pour son entourage : « A chaque fois que je lui apportais le repas, Boutros me demandait : "Mariana, as-tu mangé ? Tu dois prendre soin de toi-même, car tu es la seule à pouvoir t'occuper de nous. Que nous arriverait-il si jamais tu tombais malade ?"

Durant sa dernière nuit d'agonie, j'étais anxieuse et apeurée. Sultana n'avait pas changé d'apparence juste avant sa mort, mais Boutros semblait transfiguré. Ses yeux s'étaient élargis et son visage était devenu livide. A un certain moment, il me regarda d'un air différent qu'à l'habitude. Et je lui dis : "Que se passe-t-il ?" Et il me répondit : "Une petite douleur, ma chère, mais cela va passer. N'aie pas peur, va te reposer un peu." Une tante était là ; elle me dit vers trois heures du matin : "Va chercher son costume noir." Etonnée et n'ayant pas encore réalisé que mon frère était en passe de rendre l'âme, je lui répondis que c'était absurde de l'habiller alors qu'il ne pouvait se lever. D'elle-même la tante prit alors son costume de la penderie et l'habilla. Gibran en compagnie de nombreux amis était là dans sa chambre. »

Après sept ans de labeur assidu et fervent, vers trois heures du matin, le jeudi 12 mars 1903, Boutros rendit le dernier soupir, enlaidi par la maladie[46]. Il avait à peine vingt-six ans.

Plus tard dans la journée, Gibran fit part de sa peine à ses deux amis américains. Il envoya un mot à Josephine qui se trouvait à Wellesley. A Day il écrivit : « Mon cher frère a franchi la demeure de l'au-delà à trois heures du matin, en nous laissant dans une profonde tristesse et le cœur brisé. Je ne peux que consoler ma mère souffrante ; elle, Mariana et moi, nous scrutons les ténèbres de l'avenir[47]. »

Le lendemain, Josephine écrivit dans son journal intime : « Mon génie a perdu son frère et je suppose qu'à présent la pauvre mère aura du mal à vivre plus longtemps. Que puis-je faire pour lui ? Je suis désespérée de savoir que je n'y peux rien ; tout ce qu'il m'est possible est de continuer à exister pour lui[48]. »

Le 16 mars, quatre jours après la mort de son demi-frère, Gibran se rendit chez Josephine, brisant ainsi la tradition orientale qui consistait à observer au moins une semaine de deuil sans sortir de la maison. Ce jour-là, un éditeur se trouvait chez Josephine. Alors elle conduisit Gibran dans sa chambre et le laissa se reposer[49].

Une semaine plus tard, il lui rendit visite une fois de plus. Josephine le décrivit ainsi : « Portant une cravate noire, il paraissait plus vieux et encore plus étrange que d'habitude ; ses yeux traduisaient une triste gaieté. » Cette fois-ci ils purent discuter tout au long de la soirée. Tendrement, Josephine tint la main de Gibran « avec mes deux mains et lorsqu'on s'était assis, tout avait changé. Je ne sais pas comment, lui non plus ». Elle avoua plus loin dans son journal qu'elle avait senti « toute mon âme s'adoucir comme des flocons de neige, comme une pluie de pétales de cerisiers ». Il lui avoua qu'il ne manquerait pas de la récompenser pour la compassion qu'elle lui accordait : « Car vous me donnez tout le temps, tout le temps. » Elle lui répondit : « Je suis déjà récompensée et encore plus, car j'ai l'intime conviction que tous mes vœux pour vous sont transformés en des cadeaux pour moi que l'esprit concrétise. »

Chaque peine dont Gibran lui parlait était un pincement de cœur pour Josephine, et ses interprétations émoussaient la souffrance de celui-ci. « Je ressens son aliénation, écrivit-elle, car je suis la seule, excepté Day peut-être, à bien connaître son génie ; toutefois contrairement à Day, je sais ce qui a été séparé de l'âme de ج۳۶ج et envoyé aux galères. Mon cœur saigne pour lui[50]. »

Même si Day ne pouvait pas lui offrir une compréhension aussi grande que celle de Josephine, il assurait la nourriture à sa famille : « Ma mère vous bénit pour vos présents rafraîchissants, mon cher grand frère[51] », lui écrivit Gibran le 13 avril.

Day fit aussi un effort pour divertir Gibran en le conviant à assister à des événements musicaux et théâtraux. Il l'invita à un concert classique et par la suite à voir une représentation de *Hamlet*. Bien que le spectre de la mort effrayât sa sœur et attirât de jour en jour sa mère, Gibran ne sacrifiait pas complètement sa vie à cette époque. Il était aussi soucieux de sa famille et du magasin que de la préservation de ses intérêts sociaux et culturels.

Invitée à tenir des conférences, le 18 avril, Josephine dut partir pour Chicago afin d'exposer ses poèmes dans des clubs littéraires. « Ma mère avait de la peine de me voir partir ainsi que ج۳۶ج », nota-t-elle dans son journal intime. Le jour de son départ, sur le quai de la gare, Gibran lui offrit un livre intitulé *Towards Democracy*, « *Vers la démocratie* », d'Edouard Carpenter. Cette recommandation des écrits du penseur, qui conduisit les socialistes de Sheffield en Angleterre à « retourner à la nature », était le résultat direct de l'admiration de Day portée aux réformes sociales anglaises. La prose poétique de Carpenter est apparentée à celle de Walt Whitman dans son style et son message, alors qu'elle est plus spirituelle que politique. Les exhortations de Carpenter à abandonner la moralité victorienne qui était à cette époque à son paroxysme, et sa vision d'un monde libéré de l'hypocrisie des restrictions faites par l'homme jouèrent un rôle important dans le parcours philosophique personnel de Gibran[52].

Josephine revint de son voyage, exténuée ; ce fut au tour de Gibran de la réconforter. Aussitôt arrivée à la maison, elle apprit de sa mère qu'il faudrait une fois de plus déménager, pour un autre logement moins coûteux. Elle tenta de réagir comme Gibran le faisait : « Je dois apprendre de ﻗﻠﺐ comment accepter le malheur en toute confiance[53]. »

Le 8 mai, Gibran passa la soirée auprès d'elle en tentant cette fois-ci d'alléger les soucis de celle qui jadis était sa consolatrice. A un certain moment « dans une ambiance on ne peut plus amène », ils se tinrent la main. Puis lorsque Gibran se leva pour partir, Josephine lui offrit une rose[54]. Le lendemain Gibran écrivit dans un cahier : « Je viens de dire bonjour à la rose que vous m'aviez donnée hier soir ; j'ai embrassé ses lèvres et je vous ai imaginée les embrasser, vous aussi[55]. »

Le 21 mai eut lieu l'exposition artistique organisée par l'association Tau Zeta Epsilon à l'université de Wellesley où Josephine enseignait. Les dessins de Gibran y furent exposés. Dans la revue *The Iris*, publiée par l'association, parut cette critique : « L'œuvre de Gibran montre une extraordinaire originalité dans la conception et une exquise finesse dans l'exécution[56]. » Ce fut le premier article sur l'œuvre picturale de notre auteur dans sa vie américaine.

Le 30 mai, ce fut le vingt-neuvième anniversaire de Josephine. Ce soir-là, elle invita sa mère et son amie Marion ainsi que Gibran à l'université de Wellesley où l'on jouait une pièce de théâtre en plein air. Ils prirent place auprès de Mrs Müller entourés « de bâtons d'encens ainsi que de lucioles et d'étoiles ». La pièce était intitulée *The Sad Shepherd*[57], « *Le Triste Berger* ».

Nous rappelons que la première fois que Josephine parla de Gibran à Day, elle lui avait demandé s'il avait été berger dans sa jeunesse au Liban. Cette pièce de théâtre que Josephine choisit pour célébrer l'anniversaire du crépuscule de ses vingt-neuf ans correspondait parfaitement à son jeune « berger » qui à cette époque était justement « triste ».

Les circonstances heureuses de l'exposition ainsi que le divertissement au théâtre marquèrent la fin de leurs jours heureux. Les événements de juin touchèrent simultanément Josephine et Gibran. Toujours impliqué dans les affaires commerciales de la boutique, Gibran se préparait pour la dernière étape de sa veillée d'âme. Quant à Josephine, elle était si déprimée qu'elle décida hâtivement d'abandonner la sécurité que lui procurait son métier d'enseignante à l'université de Wellesley, alors que sa famille s'apprêtait à emménager en banlieue[58].

Le soir du 24 juin Gibran lui rendit visite : « après une longue période de misères de part et d'autre. Nous avons brûlé une bûche dans la cheminée, car il faisait un froid glacial ce jour-là. Et nous avons conversé comme nous avions l'habitude de le faire ». Elle lui offrit un vieux mémento auquel elle tenait beaucoup[59]. Trois jours plus tard, le 27 juin, ils se promenèrent aux environs de la maison pour la dernière fois[60].

Le soir même, Kamila, lassée de compter ses jours, raconta à son fils Gibran une histoire qui eut lieu dans sa propre jeunesse. Comme elle sentait le crépuscule de sa vie, elle cherchait à s'en remémorer l'aube.

Vers l'âge de dix-huit ans, Kamila pensa entrer au couvent, mais il semblerait que son père l'en empêcha.

Kamila avoua à son fils qu'elle regrettait finalement de n'être pas entrée au couvent :

— C'eût été préférable pour moi et pour les autres, si j'y étais entrée.

— Si tu l'avais fait, lui répondit Gibran, je ne serais pas né.

— Tu es prédestiné, mon fils.

— Certes, répondit Gibran, mais je t'avais choisie pour mère longtemps avant ma naissance.

— Si tu n'étais pas né, tu serais resté un ange dans le ciel.

— Mais je suis toujours un ange !

Alors elle sourit et dit :

— Où sont donc tes ailes ?

Gibran posa la main de sa mère sur son épaule et répondit :

— Les voilà.

— Oui, mon fils, des ailes brisées.

Ces mots furent lancinants pour notre auteur jusqu'à ce qu'il décide, dix ans plus tard, d'en tirer un titre pour un ouvrage : *Les Ailes brisées* [61].

En dépit de l'incident de l'excommunication de son père lui refusant son entrée au couvent, Kamila ne perdit cependant point son amour spirituel. Dans la nuit qui fut sa dernière, elle parla à Gibran de la mystique de saint Thomas d'Aquin et de celle de sainte Thérèse d'Avila [62].

Le lendemain, le mardi 28 juin, d'horribles souffrances réveillèrent Kamila. Elle ne cessait de demander à Mariana de l'aider à soulever la tête, à se retourner dans un sens ou dans l'autre, à redresser la jambe ou le bras. Depuis une semaine, elle n'avait ni mangé ni bu. Ce jour-là, elle demanda à sa fille de lui donner à manger. « Je lui préparai un bouillon de poulet, raconta

Mariana, et le lui apportai. Mais quand je mis la cuillère dans sa bouche, elle me fit signe de la retirer ; car elle ne pouvait plus avaler. Effrayée, je courus appeler le médecin. Il savait que c'était la fin. Il me donna un remède que je lui administrai puis elle se calma et s'endormit. »

Gibran, qui devait ouvrir la boutique, interrogea sa sœur : « Mariana, penses-tu que je peux partir ? » Elle lui répondit : « Mais oui, rien ne lui arrivera. Regarde, elle dort. Vas-y, mais ne t'y attarde pas et tâche de rentrer vers dix-huit heures. »

« Aucun de nous deux, commenta Mariana, n'avait songé un seul instant que ce jour allait être son dernier. Ainsi Gibran partit. Ma tante était là. Plus tard dans l'après-midi, deux autres amies vinrent demander des nouvelles de ma mère. Elles furent contentes de savoir qu'elle dormait à poings fermés. Cela m'apaisa, et je me mis à leur raconter comment elle était ce matin et comment elle s'était calmée à la suite du remède du médecin. Ma tante me coupa, disant : "Je ne crois pas qu'il faille que tu continues à raconter tout cela maintenant. Va voir ta mère." Et ma mère n'était plus de ce monde. »

En racontant cette scène, Mariana poussa un soupir comme si c'était le dernier d'une mourante. Puis elle poursuivit, disant : « A ce moment-là je sus que je n'avais plus personne au monde. Cinq minutes plus tard, à dix-huit heures sonnantes, Gibran était là. Lorsqu'il vit sa mère morte, il s'évanouit et commença à saigner du nez et de la bouche [63]. »

Elle avait succombé des suites d'un cancer de l'estomac. Mais son esprit était demeuré clair et elle avait accepté ses souffrances et s'était préparée dignement à affronter la mort.

Gibran raconta plus tard qu'après avoir retrouvé ses

esprits il s'était approché de la dépouille de sa mère et l'avait contemplée pour la dernière fois : « Les traits de son visage devenaient de plus en plus fins et ses grands yeux de plus en plus larges. Elle avait repris toutes ses couleurs naturelles. De toute ma vie, je n'ai jamais rien vu de si divin que cette expression de gloire qui l'auréolait [64] ! ».

Plus tard, il se remémora son visage et le dessina. Il fut publié dans la revue *Al-Founoun*, « *Les Arts* », puis en frontispice dans son livre *Twenty Drawings*, « *Vingt Dessins* ». Ce portrait représentant « ses derniers instants ici-bas et son entrée dans l'au-delà [65] » fut justement intitulé *Vers l'infini* [66].

Ainsi, au coucher du soleil du mardi 28 juin 1903, à l'âge de quarante-cinq ans, Kamila suivit son fils Boutros et sa fille Sultana dans la mort. Son combat avec la vie était terminé. Le flambeau passait à présent aux mains de Gibran.

Le malheur avait frappé la famille de sa main de fer trois fois en moins de quinze mois. Tous les trois moururent sans réaliser leurs rêves : Sultana avant de revoir Gibran et son père, Boutros avant de faire fructifier son commerce, Kamila avant de voir le bout du tunnel. Toutefois l'esprit de Kamila chercha dès lors à survivre en son fils Gibran ; car comme celui-ci l'écrivit plus tard : « La mélodie qui repose en silence au fond du cœur de la mère sera chantée sur les lèvres de son enfant [67]. »

Le lendemain Gibran écrivit à Day : « Ma mère ne souffrira plus jamais ; quant à Mariana et moi, ses pauvres enfants, nous continuons à souffrir et nous mourons d'envie de la revoir. Ecrivez-moi et bénissez-moi, cher frère [68]. »

Après les funérailles, il se rendit chez Day et lui

laissa un mot sous la porte : « Malheureusement vous n'êtes pas là, cher frère ! Les funérailles eurent lieu hier à quatorze heures. Dites-moi quand je pourrai vous voir, car ma pauvre âme est exténuée[69]. »

Gibran aimait sa mère à tel point qu'il voulut garder tout ce qu'elle avait touché, ses vêtements, ses objets de toilette, toutes ces choses avec lesquelles elle avait été en contact quotidien : « Quant aux vêtements que tu as trouvés dans le coffre de feu ma mère, écrivit-il à son parent Nakhlé à Bcharré, bien qu'ils soient sans grande valeur et qu'ils ne comportent rien de précieux, je voudrais, du fond du cœur, avoir la plus grande partie de ce qu'a laissé ma mère dont je sanctifie la mémoire et respecte les reliques[70]. »

A Bcharré, Khalil fut foudroyé, lorsqu'il sut que sa fille et sa femme ainsi que Boutros, qu'il préférait à son propre fils, avaient été tous les trois emportés par la main du destin. Il vivait maintenant comme en prison, oublieux de tout, vivant au jour le jour, négligeant de réparer sa maison près de s'effondrer. Les créanciers mirent la main sur ses biens et il logea de nouveau dans la cave de Raji Bayk al-Dahir, pourrissant dans la misère et dans l'humidité[71]. Ce fut dans cette même cave que Gibran avait passé une partie de ses étés à Bcharré.

Ce triple malheur mûrit notre auteur. Alors que, par le passé, il accusait silencieusement son père d'être à l'origine de tous leurs problèmes, Gibran paraissait plus compréhensif envers lui maintenant qu'il était seul avec sa sœur, sans ressources, privé de l'amour maternel. Aussi, en réponse à une lettre de son père, en écrivit-il une à Salim al-Dahir lequel la lut à Khalil qui était à l'époque presque aveugle :

« Demandez-lui de pardonner mes torts et d'oublier

le jeune étourdi qu'il voyait en moi [phrase barrée].
Qu'il se rappelle aussi que je ne suis pas né commerçant ou banquier, mais je suis un élève dans l'école du
Temps, où j'apprends ce qui peut remplir ma vie de
joie et me contente d'une bouchée de vie qui garde
l'âme avec le corps. Que mon père sache que je suis
en Amérique malgré moi, je souhaite à tout moment
être un berger faisant transhumer mon troupeau dans
les collines, soufflant dans ma flûte à l'ombre des
arbres, couchant à la belle étoile près des rochers.
Hélas ! J'ai été condamné à être une plante étrangère
vivant dans une terre mêlée d'un produit de tyrannie
sous un ciel éclatant de tyrannie, à l'aube d'un air
infecté par l'hydrogène du despotisme [72]. »

L'on se demande si cette lettre exprimait sincère-
ment les sentiments de Gibran ou une autre forme d'accusation sous couverture de pardon ? En parlant de
tyrannie, Gibran faisait-il allusion à celle des féodaux
et du clergé de Bcharré ou à celle de son père qui
voulait à tout prix faire de lui un commerçant ou n'importe quoi pourvu qu'il s'éloignât de l'art et de la poésie, synonymes de pauvreté et de mélancolie [73] ?

Gibran sentait que quelque chose d'irrésistible s'op-
posait à son bonheur et à ses aspirations. Frustré, il
voulait se décharger sur quelqu'un, ce fut son père.

Quelques semaines plus tard, Gibran reçut de son
guide à Bcharré, Salim al-Dahir, une lettre de condo-
léances dont voici un extrait :

« Nous pouvons rencontrer deux sortes d'hommes,
l'homme de la poésie et celui de la philosophie. Alors,
choisis parmi eux celui que tu voudrais être.

Si tu choisis la philosophie et veux être matérialiste,
tu devras croire à la dissolution générale de la matière
et au retour du corps aux éléments dont il est composé.
Mais si tu es un philosophe croyant, tu devras croire

que la mort est une limite imposée par la volonté de Dieu et que personne n'échappe à la mort. Et si tu n'es ni matérialiste ni croyant, tu devras comprendre ce que tu vois, lorsque les hommes disparaissent devant tes yeux.

Nous sommes de Dieu et nous reviendrons à lui. Alors calme-toi, bien-aimé, et accueille la Croix de ton cœur avec patience. Ecoute la voix de la raison et soumets-toi à la volonté divine [74]. »

Les efforts déployés par la mère, la tendresse dont elle entourait Gibran, les espoirs qu'elle mettait en lui, la critique intuitive et spontanée par laquelle elle jugeait ses prémices nous aideront à comprendre le vide dans lequel s'enlisa le jeune artiste, son amère souffrance, et l'angoisse qui ne le quitta plus après la mort de sa mère. N'avait-il pas avoué à la suite de cet événement tragique : « Kamila n'était pas seulement ma mère, elle était une amie. Ma vie est à présent ensevelie [75]. »

9

Les anges de Boston
Boston : juillet 1903-juin 1908

« Le cœur, avec ce qui s'en ramifie comme sentiments divers, ressemble à un cèdre. S'il vient à perdre une forte branche, certes il souffrira mais n'en
mourra pas. Il insufflera plutôt toute sa vitalité à la
branche voisine pour lui permettre de grandir et de
remplir de ses nouvelles pousses la place de la branche coupée[1]. »

Fin 1903

Gibran fut doublement privé de son bain quotidien
de sympathie : sa mère disparue à jamais et Josephine
pour plus d'un mois, car elle dut partir pour le New
Hampshire[2].
Tout le mois de juillet, Gibran et Josephine ne cessèrent de correspondre. Le 6 août, au lendemain de son
retour, bien qu'il eût été malade pendant un certain
temps, il lui rendit visite sous une pluie torrentielle. Il
arriva chez elle, le visage pâle et les habits trempés.
Josephine le couva d'une douceur maternelle[3].

Fred Holland Day, qui avait acheté à son amie Louise Guiney sa maison située à Five Islands dans le Maine, invita Gibran à venir s'y ressourcer au bord de la mer[4]. Cinq ans auparavant, à la veille de son départ pour le Liban, notre auteur s'y était rendu pour ses premières vacances.

A son retour à Boston, il écrivit une lettre de remerciements à Day dont le style en anglais témoignait d'un net progrès :

« Me voici de retour à la maison, cher frère, me voilà dans les ténèbres, loin des pins et de la mer, de la verdure et de l'azur. On aurait dit que j'étais dans un rêve.

Durant mon voyage de retour, j'avais veillé toute la nuit. J'étais resté sur le pont, contemplant les étoiles.

Vous ne pouvez pas imaginer le choc que j'ai ressenti en arrivant dans ma chambre habitée par le vacarme du chemin de fer, après m'être habitué au calme de Five Islands.

Je crois avoir pris quelques kilos, malgré tout ; et sans aucun doute je me sens bien plus vigoureux qu'auparavant.

Cher frère, pensez à moi lorsque les vagues caressent les rochers alors que les pins leur tendent les bras[5]. »

Les soins que la famille dut payer pour Sultana et Kamila épuisèrent toutes leurs économies et déstabilisèrent les affaires de la boutique de Boutros. Après la mort de son demi-frère, Gibran tenta d'en reculer la faillite. Il continua à s'en occuper dans le seul but de rembourser ses créances, sans toutefois songer à se lancer réellement dans le commerce.

Mais après la mort de sa mère, surgirent d'autres problèmes financiers encore plus graves qui vinrent

accabler notre auteur : « Nombre de familles d'immigrés d'origine syrienne vivant dans le quartier
confiaient leurs économies à ma mère, raconta Gibran.
Ils avaient peur des banques et considéraient ma mère
comme une église pour leurs biens. Ils lui conseillèrent
de faire fructifier cet argent dans un commerce.
Comme ma mère avait tout à fait confiance en mon
frère, elle lui prêta cette somme pour qu'il l'exploitât
dans son affaire. Après sa mort, elle laissa une liste de
ces personnes. Toutefois, l'argent n'y était plus. Les
quelques dollars qu'on avait pu récupérer en vendant
certaines choses, on les avait utilisés pour des funérailles dignes d'une mère. Certaines parmi ces personnes
étaient terriblement inquiètes à propos de leur
argent[6]. »

La mère et le frère étaient ainsi mis au ban des accu-
sés, du moins inconsciemment. Cependant, notre
auteur put s'en sortir grâce à « un vieux berger d'origine syrienne qui portait une barbe blanche » et habitait
près de la maison des Gibran :

« Par une certaine nuit, je ne pouvais fermer l'œil,
poursuivit-il. Au petit matin je finis par somnoler. A
ce moment-là, vint un vieil homme ; il ouvrit la porte
tout doucement, s'approcha de mon lit et m'interpella
par deux fois. Cependant, je ne lui répondis pas, car il
me sembla que je rêvais. Plus tard dans la matinée,
après m'être levé, alors que ma sœur arrangeait mon
lit afin de lui donner la forme d'un sofa pour la journée, elle y découvrit un rouleau de billets : sept cent
cinquante dollars en tout. Dès lors, je compris que ce
n'était pas un rêve. Je sortis de la maison à la recherche
de cet homme pour lui rendre son argent. Il était assis
au bout d'une longue allée, près de là où il habitait.
Lorsqu'il me vit de loin, il se leva et se mit à marcher
dans la direction opposée. Je courus alors après lui. Et

quand il entendit mes pas se rapprocher de plus en plus de lui, il s'arrêta brusquement et se retourna en disant : "J'espère que tu ne cherches pas à me vexer." Et il se mit à me raconter combien grande était son estime pour notre famille. Je finis par accepter l'argent. »

Grâce à cet argent, Gibran put convaincre les deux plus importants créanciers de s'associer avec lui dans les affaires de la boutique. En moins d'un an il remboursa le vieil homme et réussit à éteindre toutes les dettes du magasin ainsi que celles des compatriotes qui voyaient en Kamila une « banque syrienne[7] ».

Josephine voyait en son jeune « prophète » une source orientale d'inspiration. Elle lui lisait ses poèmes et ses essais et lui fit découvrir la littérature des Américains, tels Emerson et Whitman. Sous l'égide d'un tel maître, Gibran ne put que s'enrichir culturellement ; il fit la connaissance de la société lettrée de Boston, fut admis dans des cercles d'intellectuels et dans les milieux des transcendantalistes américains épris de bouddhisme.

Boston a toujours été un des centres intellectuels les plus florissants aux Etats-Unis, c'est là que prenaient corps les rêves les plus fantaisistes, c'est là aussi que s'épanouissaient les idées les plus folles.

Gibran eut beaucoup de chance d'avoir immigré à Boston qui fut à cette époque marquée par un foisonnement d'idées orientales. Ses premiers admirateurs, telle Josephine, ne le virent pas comme un enfant immigré mais comme un « Ravi Yogi-né ».

Alors que les fils et les filles spirituels d'Emerson et de Thoreau étaient fascinés par la « psychophysique » et la « chimie mentale », qu'il était à la mode pour les brahmanes de Boston de pénétrer « l'atmosphère mystique du Cercle oriental » en suivant en foule des

conférences privées données par Siddi Mohammed
Tabier sur le *Livre des morts* ou par Swami Viveka-
nanda sur le *Karma Yoga*, le jeune Syrien se sentit à
son aise dans cette atmosphère transcendantale. La
ville, qui venait récemment de voir naître les mouvements spirituels de *Christian Science*, de *Society of
Psychical Research* et de *Theosophical Society*, encourageait gracieusement les jeunes prophètes. Quand
Josephine proclama qu'elle allait devenir un Bouddha
si elle passait beaucoup de temps avec ce garçon silencieux qu'était Gibran, lequel était captivé par le charme
de Joséphine et semblait méditer en sa présence, elle
reflétait naturellement la tendance de son époque.
« Aller dans le silence », occupation très populaire et
phrase très employée, était censé représenter une réelle
et vitale expérience spirituelle [8].

Les visites de Gibran chez Josephine reprirent, mais
plus espacées. Les soirées d'été de moins en moins
nombreuses qu'ils passèrent à l'ombre des arbres
étaient les derniers épisodes notés de leurs « moments
beaux et enfantins [9] ». Leurs rencontres mêlées de doux
mots et sourires entre l'hiver et le printemps derniers
n'allaient plus se verser comme du baume sur leurs
cœurs meurtris.

Au printemps, elle écrivait avec extase sur son prophète : « Je dois toute ma gratitude à cet enfant de
Dieu parce qu'il est devenu le familier de mon âme.
Tout ce qu'offre mon âme lui est porté avec tristesse
et sans paroles. Quant à lui, il l'accueille avec joie et
le transforme en matière, en richesse, en véritables
cadeaux. Chaque fois que je lui tend mes mains
emplies d'espoir, il en puise des idées, du bonheur et
de la plénitude. Puis j'écoute ses remerciements et le
regarde partir avec de la liberté et de la gloire en son

cœur. Que Dieu bénisse celui qui reçoit de moi les présents que je donne de bon cœur [10]. »

A la fin de l'été, Josephine n'avait plus à offrir de présents spirituels et encore moins matériels. La situation financière de sa famille ne cessait de s'aggraver, et l'anxiété pour son avenir prenait de plus en plus d'empire sur son cœur. Gibran tomba malade devant son impuissance à l'aider. De son lit, il lui écrivit : « Je me sens si petit [11]. »

Par la suite ses visites chez Josephine redevinrent fréquentes et s'avérèrent même contraignantes ; mais elle était si bienveillante avec lui qu'elle ne pouvait le lui montrer.

Cependant, devant ses amis intimes, Josephine ou plutôt Posy, comme ils l'appelaient, était gênée des assiduités d'un garçon beaucoup plus jeune qu'elle, et c'est avec réticence qu'elle le présentait à ceux dont elle recherchait l'estime et le respect.

Un jour, Mary Mason, l'amie de Josephine, et son époux Daniel Gregory, compositeur et professeur de musique, vinrent la voir et découvrirent qu'elle n'était pas seule ; cela l'embarrassa. Elle leur écrivit plus tard en témoignant son regret : « Quel dommage que ma charge syrienne ait été là. Je lui aurais demandé de partir chez lui, s'il n'était pas une brebis blessé du troupeau du Seigneur que j'ai la chance de nourrir en quelque sorte [12]. »

A la suite de cet incident, leur amitié se trouva davantage émoussée. Toutefois, ce fâcheux événement préludait à un tournant on ne peut plus important dans la vie de Gibran. Une main invisible, appelée le hasard, tramait discrètement de nouveaux liens dans leur entourage.

Grâce à une vieille amie, Agnès Irwin, la doyenne de la faculté de Radcliffe, Josephine commença en septembre à donner des cours particuliers de littérature. Son élève fut une jeune fille, Frances Gibbs, dont le professeur à l'école se dénommait Mary Haskell, qui allait être à jamais la mécène, voire l'« ange gardien » de Gibran.

Mary Haskell et sa sœur Louise étaient originaires de Columbia en Caroline du Sud. Toutes les deux étaient venues en Nouvelle-Angleterre pour poursuivre des études universitaires, Mary à Wellesley et Louise à Radcliffe, afin de retourner par la suite enseigner dans le sud du pays. Toutefois, comme elles furent attirées par le milieu intellectuel de Boston, elles décidèrent d'y rester. Au début du siècle, elles fondèrent une école de filles, la Haskell's School au 314, Marlborough Street. En 1903, se mariant avec Reginald Daly, un brillant géologue, Louise partit s'installer à Ottawa, laissant Mary à Boston diriger seule l'établissement scolaire [13].

Au début du mois d'octobre, Gibran tenta à nouveau de renouer avec Josephine. Il se rendit chez elle avec un nouveau dessin et un petit cadeau oriental : des babouches. Ce soir-là, Josephine réussit à le faire rire. Il dessina alors une caricature hilarante [14] qui fut la première après celles du collège de la Sagesse.

Une semaine plus tard, Josephine reçut de lui une lettre qui l'incita cette fois-ci à provoquer la rupture. Elle commenta cette lettre dans son journal en ces termes laconiques : « une suggestion plus ou moins exaspérante ». Le lendemain, il vint la voir dans l'intention de recueillir la réponse de vive voix : « Nous étions tous les deux déprimés », nota-t-elle dans son journal. Une fois parti, elle prit toutes ses vieilles lettres ; elle se mit à les caresser du regard puis soudain elle les déchira, tout en pleurant [15].

Manifestement, Gibran dut la blesser. Cependant, nous ignorons le contenu exact de sa lettre dans laquelle il lui aurait fait cette « suggestion », puisqu'elle fut malheureusement détruite. Il ne resta que le journal intime de Josephine comme source de références.

Jusqu'alors Gibran assumait un rôle plutôt passif dans leurs relations. Aurait-il voulu à présent afficher son amour pour elle ? La manière dont il avait procédé pour ce faire aurait-elle été aux yeux de Josephine « plus ou moins » hâtive et ostentatoire ?

D'une part Gibran se sentit appauvri par cette rupture avec Josephine et d'autre part enrichi par le remboursement des dettes de sa mère et de son demi-frère. Il finit par se débarrasser de la boutique de Boutros en la vendant sans avoir réalisé de gain ni de perte : « Cette boutique était en passe de me tuer, avoua-t-il. Toute ma vie se consumait en elle [16]. »

Dès lors Gibran chercha refuge en sa plume et son crayon. Il dessina un portrait, probablement celui de Josephine, et l'accompagna de ces menus mots en anglais, témoins des éclats de son cœur : « Je vous ai aimée avec confiance, à présent je vous aime avec appréhension. Je vous ai aimée comme je n'ai jamais aimé, mais j'ai peur de vous [17]. »

Et en arabe il écrivit un poème en prose intitulé « Pitié, ô âme, pitié [18] » :

« Jusqu'à quand continueras-tu à te lamenter, ô mon âme, alors que tu connais ma faiblesse ? Jusqu'à quand continueras-tu à crier, alors que je n'ai que des mots humains pour décrire tes rêves ?

Vois, ô mon âme, j'ai passé toute ma vie à écouter

tes enseignements. Admire, ô ma tortionnaire, j'ai épuisé mon corps à suivre tes pas. [...]

Pitié, ô mon âme ! Tu m'as fait porter un amour plus grand que ce que mon cœur peut contenir. Toi et l'amour, vous êtes une force unifiée. Quant à la matière et moi, nous ne sommes que miettes de faiblesse. Le combat entre forts et faibles pourrait-il s'attarder ? [...]

O âme, tu es riche grâce à ta sagesse, et ce corps est pauvre à cause de son instinct. Ni toi, tu ne te montres complaisante, ni lui ne cherche à s'accommoder. C'est là le supplice.

Toi, dans la quiétude de la nuit tu vas rejoindre l'être aimé et tu te réjouis de l'étreindre. Quant à ce corps, il restera à jamais victime de la soif d'aimer et d'être différencié. Pitié, ô âme, pitié [19] ! »

A Bcharré, son amour fut brisé à cause de la « différence » entre sa classe sociale et celle de Hala. A Boston, il était une fois de plus victime de son rang social « différent » de celui de Josephine et, surtout, de son âge, de la couleur de sa peau, de son statut d'émigré.

The Singing Leaves, « Les Feuilles chantantes », le dernier livre de Josephine, fit l'objet d'un article dans la presse des émigrés arabophones aux Etats-Unis. L'un des poèmes de ce recueil fut intitulé *The Cedars, « Les Cèdres »*. La revue à la main, Gibran vint la revoir et lui traduisit l'article.

Voyant son engagement avec Josephine s'affaiblir de jour en jour, Gibran chercha à retourner aux sources, à son antécédent ethnique. Il dut voir en cet article une occasion pour lui de s'exprimer à travers la presse américaine de langue arabe. Pour ce faire, il fallait qu'il réintègre la communauté syrienne.

Noël approcha. Josephine invita alors Gibran à passer le réveillon avec sa famille. Il déclina l'invitation, car selon la tradition levantine il devait dîner chez des amis la nuit du réveillon, et le lendemain, le jour de la fête, en signe de sympathie, ces derniers devaient rendre une visite de consolation à Gibran qui était triplement endeuillé.

Toutefois le jour même de Noël, il lui envoya un pot de cyclamens blancs[20]. Ces fleurs de montagne nous rappellent le Vendredi saint à Bcharré lorsque le petit Gibran disparut dans un cimetière cherchant la tombe du Christ pour y déposer un bouquet de cyclamens. Dans le langage des fleurs, ce cadeau exhalerait-il un sens symbolique, celui de la mort de l'amour de Gibran pour Josephine ?

Le même jour, celle-ci reçut d'un ami également des fleurs, bien plus romantiques ; ce fut un bouquet d'edelweiss, les immortelles des neiges.

Cet ami était Lionel Marks. D'origine anglaise et diplômé à l'université de Londres et de Cornell, il était professeur en mécanique à l'université de Harvard. Non seulement il connaissait Josephine mais aussi Mary Haskell. A cette époque, son cœur balançait entre ces deux femmes.

Par ailleurs il était également l'ami de Reginald Daly, avant même que celui-ci n'épousât Louise Haskell. Tous les trois en compagnie de Mary Haskell passèrent le réveillon du jour de l'an à Ottawa[21].

Le soir même à Boston, Gibran offrit à Josephine une vieille bague en argent, chargée d'histoire et de mystères. Le jour du baptême de notre auteur à Bcharré, son grand-père maternel, le père Istfan, prit une bague, vieille de deux siècles, de la main d'une statue de la Vierge et la rattacha avec un fil au doigt de l'enfant Gibran[22]. Ce fut celle-là même qu'il offrit, en cette aube de l'année 1904, à son amour qui resta vierge.

1904

Le 6 janvier, le jour du vingt et unième anniversaire de Gibran, Day lui proposa de se préparer pour une exposition de ses dessins pour le printemps prochain [23].

L'influence de Day fut certaine dans le double don de notre auteur. Il posa les premiers jalons de son goût de la beauté pure, et d'un idéal de paganisme rencontré dans les différentes mythologies. Avec lui Gibran apprit à apprécier Keats pour son amour de la beauté grecque, et Coleridge pour la puissance de l'imagination. Il subit l'influence des préraphaélites de Swinburne en ce qui concerne les idées esthétiques et celle de Ruskin. A ces noms, nous pouvons ajouter Marlowe, Chatterton et Poe [24].

A cette époque, Day venait de terminer une exposition de photos au musée des Beaux-Arts de Boston qui fut sponsorisée par sa disciple, la richissime Sarah Choate Sears. Etant en concurrence directe avec Alfred Stieglitz, le plus célèbre photographe de New York, Day proposa à celui-ci de s'affilier à l'American Association of Artistic Photography qu'il venait de fonder. Dès lors, Stieglitz mit sur pied une autre association artistique formée de photographes plutôt new-yorkais, et proposa à Day de les rejoindre. A son tour, Day refusa de s'y rallier. Ce fut là le début de son déclin artistique [25].

Gibran n'avait que trois mois pour retoucher certaines de ses toiles et en dessiner de nouvelles. Il épuisa son âme de sublime et son corps de labeur afin de se faire connaître dans un art dont il pourrait enfin tirer bénéfice et qui lui permettrait surtout d'alléger les tâches de sa sœur.

En mars, fragilisé moralement par son cœur meurtri et physiquement par les séquelles épidémiques et par son travail acharné, il tomba malade. D'ailleurs, depuis la mort des siens, il attrapait fréquemment la grippe.

Du 30 avril jusqu'au 10 mai eut lieu l'exposition des tableaux de Gibran aux Harcourt Studios, où se trouvait l'atelier de Day. Avant même le vernissage, Mrs Sears en réserva un. Josephine assista Gibran et Day dans les préparatifs de cette exposition. En outre, elle envoya des cartes d'invitation à ses nombreux amis. Parmi ceux-ci figurait Lionel Marks, qui était là le 2 mai. Josephine lui demanda d'insister auprès de Mary Haskell, leur amie commune, pour venir à cette exposition. Le soir même il lui transmit le message[26].

Dans le même temps, apparut un article sur cette exposition dans une revue d'art bostonienne, *Evening Transcript*. Cette critique on ne peut plus élogieuse fut inespérée pour un artiste à son vingt et unième printemps :

« Gibran est un jeune Syrien qui, dans ses dessins, manifeste le tempérament poétique et imaginatif de son peuple ainsi qu'un remarquable esprit d'invention qui est le sien. Certaines de ses œuvres dénotent une beauté et une noblesse solennelles, et d'autres un sens tragique terrifiant. En somme, ses dessins donnent une impression profonde, et considérant son âge, les qualités qu'ils dégagent sont extraordinaires en leur originalité et en la profondeur de leur sens symbolique.

Le tableau intitulé *Vers Dieu* est probablement le plus remarquable de tous, malgré son caractère rudimentaire. Le dessin intitulé *La Terre ne prend qu'elle-même* est magnifique dans sa signification et son expression ; il nous rappelle l'un des chefs-d'œuvre mystiques de William Blake. Nous trouvons des qualités similaires dans ces trois dessins : *Passé, présent et futur, Mémoire* et *Un des mondes*, qui sont réservés respectivement à Mrs Sears, Mr Day et Miss Josephine Peabody et dans d'autres encore tels *La Raison perdue, Le Rêve de la vie* et *La Descente de la sagesse sur l'Inde*, ainsi que *Lumière* et enfin *Ténèbres*.

Tous ses dessins sont, comme l'indiquent leurs titres, des allégories spirituelles à caractère grave. Le plus ardent désir de donner une expression aux idées métaphysiques l'a triomphalement emporté sur les limitations techniques, à tel point que l'imagination a été vivement stimulée par la beauté abstraite ou morale de la pensée. Certains visages hantent la mémoire avec un charme pétri de fantasmes et de visions du pays des rêves. Certaines réalisations sont incomplètes, conceptions de l'artiste dans lesquelles la main n'a pas été capable de répondre aux idées. Il y a là toute une galerie de figures nouvelles et gracieuses qui expriment les aspirations les plus pures et les ombres les plus subtiles de l'esprit[27]. »

Mary Haskell, directrice d'école, était tellement occupée qu'elle ne put pas s'y rendre dans les premiers jours. Lionel Marks n'en démordit pas et revint dire à Mary : « Demain c'est le dernier jour de l'exposition. Vous devez y aller[28]. »

En ce dernier jour, Gibran était assis dans un coin de la salle d'exposition. Il tenait à la main une revue ouverte dont il ne lisait mot. Il pensait à ses toiles, pareil à une mère qui regarde avec regret ses jolies filles auxquelles ne se sont présentés que de rares prétendants. Soudain, il remarqua une femme habillée en noir avec une ceinture argentée[29] qui regardait avec un intérêt particulier l'une de ses toiles comme si elle cherchait à en percer le secret. Il se leva, passa en arrière ses mains sur ses longs cheveux, et avec un sourire de sympathie et de pudeur sur son visage, s'approcha d'elle, et lui dit :

– Madame, il me semble que cette toile vous intrigue. Puis-je vous éclairer ?

– J'en serais reconnaissante, monsieur. J'avoue que cela mériterait qu'on m'explique cette toile, car elle n'est pas familière dans le monde de l'art. Il est vrai que j'admire l'art, mais je ne suis pas une artiste. Et vous donc ?

– J'ai l'honneur de l'être.

– Connaîtriez-vous l'artiste de cette exposition ?

– Votre serviteur, madame.

– Ah ! Je suis heureuse de vous connaître, Mister Gibran. Je me présente : Miss Mary Haskell, directrice d'une école [la Haskell's School]. Permettez-moi de vous demander de quel pays vous êtes originaire. Seriez-vous par hasard français, je dirais plutôt italien ?

– Je viens du Liban.

– Le Liban des cèdres bibliques, le Liban du Cantique des Cantiques !

– Et je suis né au pied des cèdres du Seigneur et au-dessus de la Vallée sainte, dans un village appelé Bcharré.

– Vous avez certainement étudié l'art à Paris.

– Je l'ai étudié par moi-même et avec l'assistance de certains artistes à Boston.

– En vérité, votre expérience artistique dépasse votre jeune âge.

Gibran inclina la tête en signe de remerciement et enchaîna en voilant sa pudeur :

– Puis-je vous offrir un siège, madame ?

– Non, non. Je ne suis pas venue m'asseoir, mais m'enrichir de savoir. Auriez-vous l'amabilité de m'expliquer le symbolisme des corps nus omniprésents dans votre œuvre.

— La vie est nue. Et un corps nu représente le symbole le plus proche et le plus beau de la vie. Si je dessine une montagne comme un entassement de formes humaines ou que je peins une cascade sous forme de corps nus en chute, c'est parce que je vois dans une montagne un amas de choses vivantes et dans une cascade un courant de vie qui se précipite.

— C'est beau ! J'ai l'impression par ailleurs que les symboles de la mort et de la douleur se manifestent assez souvent dans vos toiles. Est-ce vrai ?

— La mort et la douleur ont été mon lot jusqu'à présent. Je viens de perdre les trois plus chers êtres de ma vie, dont ma mère.

— Je comprends votre tristesse, Mister Gibran. Moi aussi, je viens de perdre ma mère. Je crois que nous sommes non seulement parents par l'art mais aussi par la douleur.

— La parenté par la douleur est plus forte que celle du sang.

— Je ne saurais comment vous remercier pour votre amabilité. Et si vous me rendiez visite à l'école, nous pourrions parler davantage de cette parenté. Je suis ravie d'avoir fait votre connaissance et d'être venue découvrir la beauté de votre œuvre. Je dois reconnaître que sans l'insistance d'un ami, Lionel Marks, je ne serais pas là, bien que ce soit le dernier jour. Quel a été le succès de cette exposition ?

— Nombreux étaient les visiteurs et rares ceux qui exprimaient la volonté d'acheter. Toutefois, j'ai des promesses, j'espère qu'elles porteront leurs fruits.

— Elles seront fructueuses, si Dieu le veut. J'espère vous revoir à mon école et je réitère mes remerciements, car vous m'avez fait boire d'une coupe qui déborde du vin de l'art.

– La coupe de l'art déborde toujours, mais ceux qui veulent y boire sont rares [30].

En ce mardi 10 mai, cette rencontre, qui n'aurait jamais eu lieu sans qu'à l'origine Josephine eût invité Lionel, allait insuffler en notre auteur une nouvelle vie.

Gibran commenta plus tard à Mary cette rencontre : « Les gens présents à cette exposition aimaient à me faire parler, car ils voyaient en moi quelque chose de bizarre. En somme, ils se plaisaient à regarder le singe. Quant à vous, vous étiez différente des autres ; vous cherchiez à entendre ce qui était en moi, à me faire parler en me faisant creuser au plus profond de moi. Et cela me réjouissait [31]. »

Gibran, qui était à moitié parrainé par Day et nourri par le romantisme spécial de Josephine, s'était peut-être lassé de son rôle de « singe » qu'on exhibait. Il avait besoin d'un esprit critique et d'une âme pragmatique. Mary Haskell, femme de raison, était tout indiquée.

A cette époque, Mary était l'amie de Lionel. Durant les deux années à venir, les rapports des deux femmes, Josephine et Mary, avec les deux hommes respectifs, Gibran et Lionel, allaient être inversés.

L'intérêt de Mary pour le jeune artiste originaire du « Liban des cèdres bibliques et du Cantique des Cantiques » allait s'amplifier d'année en année. En parallèle Lionel, l'ami intellectuel, s'éloignait de Mary en faveur de Josephine, la femme émotive, laquelle prenait de larges distances avec son « prophète » en herbe. Ces échanges étranges, de sensibilité contre raison, progressèrent au fil du temps, avec d'une part le projet d'un mariage entre Josephine et Lionel, et d'autre part une grande amitié qui liera Gibran et Mary pour le restant de leur vie [32].

La première impression que Gibran eut de Mary, en la qualifiant de « différente des autres », était totalement judicieuse. Car pour la première fois, il rencontra une personne américaine qui n'était pas une authentique Yankee. Elle était quelque part considérée comme étrangère par les Bostoniens.

Son père, Alexander Cheves Haskell, fut surnommé le « maréchal Ney » de l'armée des Confédérés durant la guerre de Sécession. Au lendemain de la guerre, il put obtenir un certain succès politique avant que sa carrière ne fût écourté à cause des ravages des nordistes, les *carpetbaggers*.

Entre-temps, il enseigna le droit à l'université de Caroline du Sud ; puis il se maria à Alice Alexander, la sœur d'un général, qui lui donna quatre garçons et six filles.

L'admiration qu'avait Mary pour son père grandissait au fur et à mesure que celui-ci s'employait avec sagesse et un esprit méthodique à renouer les liens coupés par la guerre et l'occupation.

A l'époque où elle rencontra Gibran, son père était un officier retraité et vice-président de la Columbia Bank. De lui elle hérita un sens intellectuel de la réalité et une passion pour la justice envers les opprimés, quelles que soient leurs origines [33].

Née le 11 décembre 1873, Mary Elisabeth Haskell avait donc presque trente ans quand elle rencontra Gibran qui, lui, n'en avait que vingt.

De haute stature, elle avait une forte carrure, des yeux bleus et des cheveux châtain clair qu'elle coiffait en arrière. Son allure n'était guère féminine, mais ses idées socio-politiques étaient plutôt féministes. Mary estimait que la femme américaine avait un rôle à jouer dans la transformation de la nouvelle société. De caractère dynamique et libéral, elle se faisait le héraut de toutes les causes sociales et politiques. Grand cœur, Mary n'hésitait pas à faire le bien autour d'elle ; généreuse, elle aidait les étudiants dont le talent était naissant et la bourse plate. Par ailleurs, elle se révélait assez économe pour elle-même, comme pour les autres, quand il s'agissait de futilités. Mary vivait simplement. En outre, elle aimait faire de la randonnée pédestre ainsi que de l'escalade, et prenait son bain à l'eau froide [34].

Revenue de l'école, Mary raconta avec enthousiasme à son professeur de dessin, Miss Frances Keyes, qu'elle venait de faire la connaissance d'un artiste peintre « jeune, brun et de petite taille ». Comme Mary, cette femme d'action était constamment à l'affût de toutes les initiatives artistiques qui pourraient éclairer ses jeunes étudiantes. Frances Keyes encouragea sa directrice à organiser une exposition des tableaux de Gibran à l'école même : « Ce serait une bonne chose pour les filles de voir ce jeune artiste à ses débuts, avant qu'il ne soit emporté par la célébrité [35]. »

Quatre jours plus tard, Gibran fut invité à prendre le thé à la Haskell's School. Mary lui proposa de prolonger son exposition dans les locaux de son école [36]. Gibran ne pouvait qu'accepter.

Le 17 mai eut lieu l'exposition des tableaux de Gibran à la Haskell's School, qui dura deux semaines. Chaque après-midi, Gibran expliquait aux visiteurs ses points de vue artistiques et ses visées métaphysiques [37]. Au moins une centaine de personnes s'y étaient rendues, dont les étudiantes et leurs professeurs ainsi que des invités extérieurs à l'établissement. Margarethe Müller, qui l'année précédente avait organisé une exposition des tableaux de Gibran au Wellesley College, y était également invitée. Mary la connaissait fort bien. Le seul tableau qu'il réussit à vendre était un pastel intitulé *Le Rêve de la vie.* Ce fut Mrs Müller qui se proposa de l'acheter au prix de cent cinquante dollars [38].

A la suite de cette exposition, Gibran fut invité à maintes reprises à dîner chez Mary [39]. A la fin du mois de juin, ils se promenèrent dans un jardin public à proximité de l'école [40]. Par la suite, elle dut partir en vacances dans l'ouest des Etats-Unis, à Saint Louis où avait lieu l'Exposition universelle. Quant à Gibran, il alla rejoindre Day dans sa masure estivale à Five Islands, où il passa quelques jours de sérénité, tout en assistant Day dans ses travaux de photos [41].

A son retour à Boston, Gibran savait fort bien qu'il ne pouvait plus continuer à espérer vivre de son art. Il fallait absolument trouver un emploi qui pourrait suppléer au maigre revenu de sa sœur, Mariana, laquelle continuait à travailler comme couturière dans un atelier détenu par une compatriote, Mme Tahan, pour la modique somme de soixante dollars par mois [42].

Les travaux d'aiguille de Mariana furent leur seule ressource pour assurer les divers frais de la maison. Elle ne cessa d'accompagner Gibran en l'entourant de tendresse tout en stimulant ses travaux. Outre la sœur, Mariana devint la mère, l'amie et la confidente. « Ton aiguille me pique les yeux, et ton fil me serre le cou », lui disait-il. Conscient de cet ardent effort déployé par sa sœur, Gibran se penchait, avide, sur son art, s'intoxiquait de tabac et de café et prolongeait ses veillées jusqu'au matin [43].

Un jour, il entendit parler d'un émigré libanais qui venait de fonder un journal arabe à New York. Celui-ci était à cette époque en tournée à Boston afin de s'informer sur la communauté syrienne[44].

Cet éditeur se dénommait Amin al-Ghrayib. De deux ans plus âgé que Gibran, il avait fait ses études à l'université jésuite de Saint-Joseph à Beyrouth[45]. Son journal bihebdomadaire fut baptisé *al-Mouhajir*, qui signifie « L'Emigrant », dont la racine donna le mot *Hégire* du calendrier musulman. Tous les arabophones vivant aux Etats-Unis se sentaient concernés par ce titre et plus particulièrement ceux de New York, La Mecque du Nouveau Monde. Et à juste titre, le nom même d'Amin al-Ghrayib signifie en arabe « Fidèle Etranger ».

Gibran l'invita chez lui et lui montra ses dessins ainsi que les articles des critiques d'art écrits à son sujet. Amin al-Ghrayib en fut stupéfait, et le fut davantage encore lorsque Gibran lui montra son cahier émaillé d'écrits en arabe, des poèmes en prose[46].

Quelques mois plus tard parut le premier article de Gibran dans le journal *al-Mouhajir*. Gibran l'intitula *Rou'ya*[47], « *Vision* ». Dans cet article, notre auteur mit en relief à travers le symbolisme de la désillusion ce qu'il venait de vivre comme mort familiale et sentimentale, en s'attaquant aux lois humaines à défaut de s'en prendre à la main du destin[48].

En octobre, Gibran rendit visite à Josephine avec quelques essais de ses écrits en arabe. Il les lui lisait à haute voix, puis les traduisait et attendait, tout ouïe, qu'elle lui livrât ses critiques[49]. Il fut indéniable que Josephine apportat quelques remaniements dans les idées, mais point dans le style.

Alors que Gibran cherchait à s'affirmer envers Josephine, il continuait à dépendre de Day, son premier guide. Celui-ci ne cessait de l'inviter à des concerts. Et Gibran fut à même de formuler quelques idées sur la musique classique, comme en témoigne cette lettre datée du 29 octobre qu'il adressa à Day :

« Le prélude de *Tannhäuser*, cher frère, est sans aucun doute une musique sublime. Sa fin fait vibrer chaque fragment du meilleur en moi. Pour analyser une œuvre de ce genre il faudrait être aussi grand que le poète symphonique lui-même, et encore, car Wagner lui-même ne connut pas toute la gloire de ses œuvres, comme ce fut le cas de tout grand homme.

La quatrième symphonie de Beethoven est merveilleuse, et même je croyais que je pouvais comprendre l'œuvre du "miracle de l'homme" jusqu'à ce samedi dernier, lorsque chacune de ses notes chercha son écho au plus profond de mon être[50]. »

A la même époque, par l'intermédiaire de Day, Gibran connut Béatrice Baxter Rüyel et son époux Louis, qui tous les deux travaillaient comme caricaturistes au journal *Herald* de Boston. Il se lia d'amitié avec eux durant longtemps.

Entre-temps, Mary, de retour, se prépara pour la rentrée scolaire. En outre, elle fut submergée par de multiples réunions à la Women's Trade Union League, syndicat de femmes, et au Sierra Club, un club d'escalade, ainsi qu'à l'Agora, une association universitaire à Wellesley. Le nom de Gibran était, à cette période, purement et simplement absent de son journal intime.

Le 12 novembre, Josephine partit pour Ottawa, où elle allait retrouver Louise, la sœur de Mary, afin d'assister à un concert en l'honneur du gouverneur général du Canada. Pour ce concert, l'un de ses poèmes sur

Pan fut mis en musique. Toutefois, elle dut quitter si tôt Boston ce matin-là qu'elle ne put lire le journal[51].

« Incendie aux Harcourt Studios, 200 000 $ en feu[52] », fut le grand titre du jour de la presse bostonienne. Cet immeuble était constitué d'une quarantaine d'ateliers appartenant aux artistes peintres et photographes les plus célèbres de la ville, dont celui de Day où étaient conservés les dessins de notre auteur. Le feu se déclara la veille et ne put être maîtrisé qu'à l'aube. Gibran dut certainement être là, terrassé par cette nouvelle calamité, pleurant une fois de plus, mais cette foici sur toute son œuvre picturale réduite en cendres.

« Ce fut pratiquement vingt-cinq ans de travail », déclara Day au *Boston Sunday Globe*. « Hélas, ajouta-t-il, mes collègues et moi, nous n'étions pas assurés[53]. » Dès lors la carrière de Day connut le nadir de son déclin.

Ce nouveau désastre vint s'ajouter aux deuils subis par Gibran l'année précédente. Ainsi un supplément d'amertume vint accentuer la douleur d'une âme déjà endolorie par la misère, l'émigration et la mort. Tant et si bien qu'il serait difficile de trouver l'éclat d'un seul rire dans tous ses écrits en langue arabe durant les quatre années à venir.

A son retour d'Ottawa, Josephine commenta dans son journal intime cette tragédie après avoir vu les Harcourt Studios en ruine : « Je ne voulais pas noter cet événement tellement c'était horrible, et pourtant. L'immeuble était à même la terre. La plus poignante des pertes fut celles des dessins de جبران, et plus particulièrement celui intitulé *Consolation* [qui correspond à la traduction du mot *Gibran* en arabe]. Ce dessin fut celui du cœur divin de la Jeunesse. En dépit de tout cela, جبران me révéla : "Après tout, la chose la plus glorieuse que l'on puisse avoir est certes de savoir que l'on est toujours en vie". Et j'en restai coite[54]. »

Quelques années plus tard, il ajouta : « Cet incendie fut un don du ciel. On qualifiait mes travaux de bons, mais ce n'était qu'un vin encore vert[55]. »

Mary ne manqua pas de lui écrire une lettre de consolation, laquelle dut être la première de leur correspondance qui allait s'enrichir jusqu'à dépasser les six cents lettres[56].

Il lui répondit : « Ma chère Miss Haskell, c'est la sympathie des amis qui transforme le malheur en une douce tristesse. Après tout, le labeur de l'amour à la fleur de ma jeunesse doit pour une bonne raison rester inconnu de nous.

Il y a quelques jours, je pensais venir vous voir, mais je n'avais pas la force. Toutefois je n'y manquerai pas à la prochaine occasion. A présent, je ne sais que faire de mes crayons de couleur ; peut-être je les laisserai dans les oubliettes. Toutefois je continue à écrire[57]. »

Sa visite promise à Mary n'eut pas lieu cet hiver-là ; il continua fidèlement à rendre hommage à Josephine avec laquelle il passa le réveillon de Noël ainsi que son vingt-deuxième anniversaire[58].

Ses articles envoyés au journal new-yorkais d'Amin al-Ghrayib lui procuraient deux dollars par semaine[59]. En souvenir de l'incendie et par reconnaissance de ses dettes envers Day qui lui fit connaître John Keats, Gibran écrivit un article intitulé « Des lettres de feu[60] » et mit en exergue l'épitaphe de ce poète anglais : « Ici repose un homme dont le nom était écrit sur de l'eau » (John Keats).

En filigrane, Gibran voulut témoigner dans cet article de sa résistance à ce nouveau malheur. Et, à un degré moins implicite, il encourageait les lecteurs, qui étaient la plupart des émigrés levantins vivant aux Etats-Unis, à affronter le désespoir de l'exil tout en leur jetant un pont qui les relierait aux vastes terres de la littérature anglaise.

1905

A partir du printemps de l'année 1905, ses articles furent publiés sous forme d'une colonne intitulée *Pensées*. A travers ces articles, Gibran exaltait l'amour avec un style subtil et des images sensuelles[61]. Le 1er avril parut un poème en prose, décrivant les quatre saisons de l'amour, « La Vie de l'amour[62] ».

Bien que son amour pour Josephine vécût son hiver, Gibran continuait à rivaliser avec Lionel auprès d'elle. Par un jour printanier de cette année, il se rendit chez elle pour lui montrer ses nouveaux dessins ; et quelle ne fut pas sa peine lorsqu'il vit Lionel venir les rejoindre[63].

Plusieurs contributions de Gibran dans sa rubrique *Pensées* contenaient des références à une muse qui le conseillait et le consolait. Dans « La Reine de l'imagination », elle lui confia au sein des ruines de Palmyre : « Celui qui ne passe pas ses jours dans le royaume des rêves est l'esclave de ses jours[64]. » Et à la fin de « Devant le trône de la Beauté », il retint de ses paroles cette maxime : « Dès lors que tu vois une chose et que tu désires non pas la prendre mais te donner à elle, dis-toi que cette chose est la Beauté[65]. » Quant à « La Sagesse me rendit visite », elle lui dit : « Avance et ne t'arrête point. Aller de l'avant, c'est aller vers la perfection. Marche et n'aie pas peur des épines sur le chemin car elles ne rejettent que le sang impur[66]. »

Cet esprit aux regards maternels, qui lui confia que tout ce qu'il produisait par écrit ou sous forme de dessins n'était autre que le prolongement des désirs non encore assouvis de ceux qui le précédèrent, nous laisse suggérer qu'il s'agirait d'une voix venant de l'au-delà, la voix de sa mère, la sage, qui l'encourageait à aller de l'avant, à se parfaire. La signification du prénom Kamila n'est-elle pas « Parfaite » ? N'était-ce pas elle qui lui disait à la veille de sa mort d'attendre de « trouver l'Autre, c'est alors seulement que tu écriras ce qu'Il te dictera [67] » ?

Dans « La sagesse me rendit visite », en s'identifiant à « cet homme qui ne demande qu'à aimer le bonheur alors que des abîmes l'en séparent, et qui quémande un baiser de la vie alors que la mort le gifle », Gibran nous dévoile en toile de fond son amour chaste envers Josephine qui se mourait.

Et pourtant notre auteur était loin d'y renoncer. Le 30 mai, pour le trente et unième anniversaire de Josephine, il lui offrit un tableau sur lequel il calligraphia en arabe un conte inspiré des *Mille et Une Nuits*. Ce conte relate l'histoire d'un roi qui recevait des princes des quatre coins du monde, tous le félicitant pour son retour sain et sauf de ses multiples conquêtes. Chacun d'eux était chargé de présents de grande valeur. En plein festin, un homme pauvre sollicita de voir le roi. Celui-ci accepta de le recevoir. L'homme pauvre se prosterna devant le roi et lui dit qu'il était venu d'un pays lointain pour lui exprimer un sentiment qui émanait de son cœur, en guise de cadeau. Puis il baisa la main du roi les larmes aux yeux. Le roi lui aussi se mit à pleurer, en disant que ce cadeau était le plus sublime qu'il eût reçu de toute sa vie. A la fin du conte, Gibran s'identifia au pauvre et identifia Josephine au roi : « A celle qui conquiert les années, j'élève tout ce que ma main droite possède, un baiser sur ta puissante main[68]. »

Entre-temps, Gibran remit le manuscrit d'un livre en langue arabe à Amin al-Ghrayib. Celui-ci le publia aux éditions d'al-Mouhajir situées au 21, Washington Street à New York. Ce fut là le premier livre de notre auteur ; il le baptisa *La Musique*. Sur la couverture, il ajouta de sa propre main en lettres arabes son monogramme چچچ et celui de Josephine, *J P B*[69].

Le 1er juillet, Gibran se rendit chez Josephine et lui dédicaça un exemplaire. Puis il se mit à en lire des passages à haute voix en arabe tout en le traduisant en anglais[70] :

« Je m'assis auprès de celle que mon âme aima et j'écoutai ses propos. Alors que j'étais tout ouïe et ne disais mot, je sentis dans sa voix une force qui électrifiait mon cœur et me séparait de mon être. Mon âme se mit alors à voguer dans un espace qui ne connaît ni mesure ni limite. L'univers serait-il un songe et le corps, une cage ? Une étrange magie se mêla à la voix de ma bien-aimée, et mes sentiments en furent épris. Je devins peu soucieux de ses paroles en faveur de ce qui y suppléa. Ce fut de la musique[71] [...]. »

Durant cet été, Mary Haskell était en Californie, faisant de l'escalade en compagnie de quelques membres du Sierra Club. A son retour à Boston, elle prépara une exposition sur la Révolution russe de 1905 et la constitution d'une nouvelle Douma[72].

En novembre, Gibran fut invité à dîner chez elle et lui révéla ses livres préférés[73]. Pendant les vacances de fin d'année, Mary dut rejoindre sa famille en Caroline du Sud. Quant à Gibran, il ne passa pas le réveillon de Noël avec Josephine, il se contenta de lui envoyer un mot : « Ma chère marraine, que tous vos jours soient des nativités chantantes et que toutes vos années se renouvellent comme une harpe aux cordes nouvellement tendues[74]. »

Au réveillon de la Saint-Sylvestre, Josephine était en compagnie de Lionel avec Margarethe Müller comme chaperon ; ils portèrent un toast à la nouvelle année et burent secrètement à leurs fiançailles[75].

1906

Le 11 janvier, Gibran se rendit chez Josephine. Leurs propos décousus portèrent sur des « choses occultes », car Josephine avait l'habitude de consulter des voyantes et des astrologues[76].

Un mois plus tard, le secret de Josephine et de Lionel se révéla à Mary : « Que c'est merveilleux ! » s'exclama-t-elle dans son journal. Puis elle écrivit une lettre à Josephine en la félicitant pour son choix : « Je ne connais d'homme si proche de la vie intérieure et du cœur humain que Lionel[77]. »

Ce ne fut que trois jours avant l'envoi des faire-part que Josephine se résolut à informer Gibran de son prochain mariage. Celui-ci lui écrivit :

« Que la félicité vous porte dans ses tendres bras, marraine.

Que le ciel emplisse votre cœur de désirs, marraine.

Je me réjouis avec vous et vous bénis pour toujours, marraine, pour toujours[78]. »

Durant le mois de mars, Mary fut invitée à plusieurs dîners donnés en l'honneur des deux fiancés, Gibran n'y figura point. En avril, tout continua à bourgeonner dans la vie de Josephine ; son livre intitulé *Wings*, « *Ailes* », qui était une pièce de théâtre, fut joué au Colonial Theater à Boston[79]. Le 2 mai, Gibran rendit visite à Josephine[80] ; pour la dernière fois il essaya de se délecter en écoutant celle dont la voix avait tant inspiré ses propres rêves de jeunesse.

Le 21 juin, Josephine et Lionel se marièrent à l'église de Harvard's Appleton. Marion, la sœur de Josephine, et Mary furent les demoiselles d'honneur. La cérémonie se déroula normalement, sans aucune objection dans les rangs des invités. Parmi ceux-ci, qui étaient au nombre de trois cents personnes, se trouvaient Charles Eliot, le président de l'université de Harvard et le philosophe William James ainsi que d'autres personnalités du monde littéraire et artistique. Seul Gibran ne répondit pas à l'invitation et, de surcroît, il n'envoya aucune carte de vœux.

Pendant les vacances d'été, Mary partit pour l'Europe, où les jeunes mariés passèrent toute une année sabbatique. Pour la première fois de sa vie, Gibran était singulièrement seul[81]. Il écrivit un article intitulé « Conversation secrète », dans lequel il tenta d'établir un contact spirituel avec une bien-aimée éloignée :

« Où es-tu ma bien-aimée ? Entends-tu par-delà les mers mon appel et mes lamentations ? Vois-tu ma faiblesse et mon humiliation ? Connais-tu ma patience et mon endurance ? N'est-il pas dans le vent des esprits qui transportent les soupirs d'un agonisant ? N'est-il pas entre les âmes des fils invisibles qui transmettent les plaintes d'un amoureux langoureux ?

Où es-tu ma bien-aimée ? Les ténèbres m'envahissent et la tristesse me terrasse. Souris dans l'air, et j'en serai ranimé. Soupire dans l'éther, et j'en serai ressuscité.

Où es-tu ma bien-aimée, où es-tu ? O, combien grand est l'amour, et combien je suis petit[82] ! »

A l'âge de vingt-trois ans Gibran se trouva abandonné par ses tuteurs bostoniens : Josephine pour toujours, Mary pour un certain temps et Day de plus en
plus à cause de son laisser-aller croissant. Il se retourna
dès lors vers son entourage direct, à savoir sa sœur et
la communauté syrienne.

A cette époque, Mariana avait vingt et un ans ; ses
compatriotes faisaient l'éloge de la propreté de son
foyer et de ses dons culinaires. En outre, elle maniait
l'aiguille avec adresse. Dans la journée, elle continua
à travailler dans la boutique de Mme Tahan, fabriquant
entre autres des chapeaux et, dans la soirée, elle taillait
des robes pour elle et des chemises pour son frère.
En retour, Gibran l'aidait à apprendre à lire l'anglais.
Toutefois elle refusa d'aller plus loin que l'alphabet [83].

Nqoula, le cousin avec qui Gibran partagea sa jeunesse à Bcharré, décida de venir s'installer à Boston.
Notre auteur lui répondit par écrit en le mettant en
garde : « Si tu viens, tu ne devras en aucun cas abandonner. Avant toute chose il te faudra travailler rudement afin que tu puisses apprendre la langue. Par la
suite, tu commenceras à apprécier le pays [84]. »

Son rôle social se trouva ainsi inversé. Ce fut à son
tour de chercher à aider autrui à se forger une personnalité respectable parmi ses compatriotes.

Désormais sa rubrique « Pensées » dans le journal
al-Mouhajir fut rebaptisée « Larme et Sourire [85] ». Son
premier article dans cette nouvelle colonne portait également le même titre.

Le début de cet article reflétait son état à cette époque qui fut marqué par le « changement » de l'attitude
de Josephine envers lui.

Le narrateur, qui n'était autre que Gibran, se décrivit

assis au pied d'un arbre, contemplant le « changement » des couleurs de la nature au coucher du soleil.

Derrière l'arbre il vit s'approcher deux amoureux
qui y prirent place. Et le jeune homme de soupirer à la
fille : « Souris-moi, car ton sourire est le symbole de
notre avenir. Mon âme m'a parlé du doute qui envahit
ton cœur. Mais le doute dans l'amour est un péché, ma
bien-aimée. Bientôt tu m'associeras dans toutes mes
richesses... Devant nous un an de lune de miel que
nous passerons en visitant les lacs suisses et en sillon-
nant l'Italie... Qu'en penses-tu ? Ah, qu'il est beau ton
sourire ! Grâce à lui le destin me sourit. » Après quelques instants ils se levèrent et se mirent à marcher en
foulant les fleurs comme un riche qui piétine le cœur
d'un pauvre.

Puis le narrateur sombra dans des réflexions sur la
place de l'argent dans l'amour. Soudain, il aperçut
deux fantômes qui vinrent s'asseoir près de lui.
C'étaient deux pauvres paysans qui s'aimaient. La
jeune fille pleurait sur leur pauvreté, et le jeune homme
la consolait. A la fin de l'article, le narrateur fit l'éloge
de l'amour qui ne peut être monnayé[86].

La ressemblance entre le premier jeune homme et
Lionel Marks est manifeste, sachant que la lune de
miel dura un an passé en Europe. Et les deux jeunes
filles personnifient Josephine qui pleurait sur ses malheurs financiers devant Gibran et qui trouva une consolation matérielle auprès de Lionel.

Par la suite, dans la même colonne, il publia un article intitulé *Vision*[87] qu'il dédia à la vicomtesse Sicilia
de Lutenburg qui était l'une des plus célèbres orienta-
listes en Europe.

En automne parut aux éditions al-Mouhajir *Les
Nymphes des vallées*. Dans cet ouvrage Gibran s'enga-

gea dans le genre littéraire de la nouvelle. Le livre est constitué de trois nouvelles dont l'événement se déroule au Liban : « Les Cendres des générations et le feu immortel », « Martha la Banaise » et « Jean le Fol ».

Le premier personnage qui fait appel à Jésus dans l'œuvre de Gibran est *Youhanna al-Majnoun*, « Jean le Fol », dans *Les Nymphes des vallées*. Jean le Fol porte en lui les germes du *Fou*, qui sera le premier livre anglais de notre auteur, ainsi que les germes du livre suivant, *Le Précurseur*, qui nous rappelle le surnom de Jean le Baptiste et annonce *Le Prophète*.

Face au supérieur, Jean le Fol tire de sa poche la Bible et en menace les ecclésiastiques : « Malheur à vous, leur dit-il, quand reviendra une seconde fois le Fils de l'homme, il détruira votre monastère et en jettera, au fond de la vallée, les pierres [88]. » Puis, à la suite de la visite de l'évêque, venu célébrer la messe dans une église nouvellement inaugurée à Bcharré, Jean est poussé, malgré lui, par une force invisible, à faire part de ce que lui dicte sa conscience. Il poursuit sa longue plainte, sans qu'il y ait unanimité autour de lui ; certains témoins approuvent et d'autres considèrent ses paroles comme émanant d'un esprit dérangé, jusqu'au moment où l'anti-héros est saisi par l'un des prêtres et jeté en prison. Les parents de Jean sont obligés de plaider la démence de leur fils, afin de pouvoir lui obtenir les circonstances atténuantes [89].

A la suite de la publication des *Nymphes des vallées*, Gibran se rendit de Boston à New York, afin d'être introduit dans la plus grande communauté syrienne des Etats-Unis. Il fut hébergé chez Amin al-Ghrayib. A cette époque une sanglante querelle divisait cette communauté en deux groupes confessionnels : les maronites et les orthodoxes, soutenus par le journal *al-Houda*, « La Guidance » et *Mir'at al-Gharb*, « Le Miroir de l'Occident ». Le journal *al-Mouhajir* garda une position neutre. Durant son séjour new-yorkais, une famille orthodoxe lui demanda d'être le parrain de leur nouveau-né. Gibran accepta et publia dans l'éditorial d'*al-Mouhajir* un dessin allégorique représentant un ange tendant vers les deux adversaires ses mains, suivi d'un article qui incitait les deux factions à conclure un pacte de paix[90]. N'allait-il pas écrire plus tard :

« Tous les cent ans, sur les collines du Liban,
Jésus de Nazareth rencontre Jésus des chrétiens.
Après de longs entretiens dans l'un des jardins,
Chacun reprend son chemin.
Et à chaque fois, Jésus de Nazareth dit à Jésus des chrétiens :
"Mon ami, je crains que nous ne puissions jamais, jamais nous entendre[91]." »

A cette époque, Gibran correspondait avec *al-Mouhajir* exclusivement. Le propriétaire du journal *al-Houda* voulait attirer Gibran avec des promesses de rémunération. La tentation était forte. Notre auteur écrivit alors à son ami Amin al-Ghrayib qu'il ne le ferait pas par cupidité ou par esprit mercantile, mais par « le besoin que j'éprouve de me nourrir et de m'habiller et, ajouta-t-il, qui m'évite la faim et m'épargne d'être touché par les éléments. Tout ceci est pour une âme que j'aime et une vie que je veux vivre ».

Amin al-Ghrayib envoya alors à Gibran la somme de cent dollars à titre de reconnaissance pour sa valeur littéraire et son talent et le pria d'en laisser au *Mouhajir* l'exclusivité. Gibran remercia Amin de son beau geste et demeura attaché à son journal.

A la même époque un autre écrivain, Amin al-

Rihani, prononçait à Beyrouth un discours nerveux, s'attaquant à la presse arabe des Etats-Unis, en la traitant de journalisme confessionnel ; et il niait la virginité de Marie et l'existence de la Sainte Trinité. Ce discours fut reproduit par le journal *al-Houda* à New York, et ses adversaires en exploitèrent la publication, taxant son propriétaire d'hérésie[92].

En Amin al-Rihani (« Fidèle Myrte »), son aîné de sept ans, Gibran trouva un allié. Notre auteur répliqua alors dans *al-Mouhajir* par un article intitulé « Les Poètes de l'émigration[93] ». Il s'attaqua, sur un ton narquois, aux prétentieux poètes qui s'efforçaient de composer une poésie dont ils ignoraient la vérité : « Pareils à la grenouille qui veut se faire aussi grosse que le bœuf. » Il essaya de définir la poésie et lança des invectives contre la production mesquine et matérielle des émigrés. Cet article suscita une émulation parmi les poètes de l'émigration et se termina par un autre article de Gibran intitulé « Les Mots et le Langage » :

« Il est dans l'obligation du poète d'étudier la philosophie des vocables et leurs vibrations musicales. Il faut que son âme ressente la densité sonore de chaque mot avant de la juxtaposer à ses voisins.

Il est dans la poésie arabe des poèmes où l'on retrouve une sonorité, une élégance et une expression descriptive harmonieuse et légère... Les mots qui laissent exhaler des senteurs de cuisine et, en particulier, la soupe mêlée aux parfums dégageant les secrets des fleurs ne sont guère tolérés en poésie. Dans ces mélanges, la musique des mots poétiques serait, sans cela, semblable au grincement des clefs, au bruissement des roues. Il est malheureux, et pour la poésie et pour les poètes, que nombreux soient les mots qui mêlent le mauvais au bon, et le vil au précieux, et que rares soient ceux qui façonnent les pierreries du discours et sa portée avec une puissance d'invention et une grande âme [94]. »

Durant sa lune de miel européenne, Josephine séjourna en Allemagne où elle put écrire une pièce de théâtre inspirée du *Joueur de flûte de Hamelin*. Elle ne cessa de correspondre avec tous ses amis aux Etats-Unis. Toutefois Gibran ne répondit à aucune de ses lettres [95].

Durant son séjour new-yorkais, Gibran fit la connaissance d'un autre émigré levantin, Salim Sarkis, qui, recherché par les autorités ottomanes pour ses idées révolutionnaires, travaillait au journal à tendance orthodoxe *Mir'at al-Gharb*. Celui-ci le mit en contact avec Gertrude Barrie, une jeune femme versée dans l'art de la musique. Après avoir poursuivi ses études au Conservatoire à Boston et obtenu le diplôme de pianoforte en soliste, elle vivait de ses cours particuliers. Féministe et séductrice, elle « ressemblait à une femme libérée de nos jours », selon sa nièce, ancienne universitaire vivant à Boston. Par ailleurs, elle avait un penchant pour le culte de Diane, déesse de la Lune. Sa mère était protestante et son père, catholique de Dublin, dont l'ascendance remontait à une famille du même nom Barri d'origine levantine et de confession musulmane chiite.

Elle avait vingt-six ans, lorsqu'elle rencontra notre auteur, lequel n'en avait que vingt-trois. Elle habitait tout près de la maison des Gibran à Boston. Il s'avéra qu'à cette époque ils eurent une aventure amoureuse [96].

Quant à Mary, il n'y eut aucune rencontre entre elle et Gibran pendant toute l'année 1906. Au retour de sa tournée européenne, elle ramena une amie dénommée Sarah Dean qui s'associa avec elle dans son école.

Ainsi elle put se procurer un peu plus de temps pour innover certaines réformes éducatives. Elle réussit à obtenir des mères des élèves la permission d'introduire dans le programme scolaire une éducation sexuelle révolutionnaire. Par ailleurs, elle se consacra à préparer des discours moralisants sur l'honnêteté, la charité et la tolérance dans la vie quotidienne, qu'elle prononçait régulièrement devant les élèves et le corps enseignant.

Dans ses initiatives dénotant un esprit de modernité édifiante, elle fut assistée par un couple d'amis, le Dr Richard Cabot et son épouse Ella Lyman Cabot. Richard avait introduit un programme de service social au Massachusetts General Hospital, et Ella était membre d'une commission auprès de l'Education nationale et avait à son actif plusieurs ouvrages sur l'éthique[97].

Il est utile de noter la présence d'une autre personne qui joua le rôle de guide dans la vie de Mary. Ce fut Sarah Armstrong, ancienne directrice d'école, qui passait sa retraite dans le New Hampshire. Mary correspondait régulièrement avec elle. Parmi ses dernières lettres elle lui décrivit sa quête de retour à la spiritualité[98].

En octobre, Sarah s'éteignit. La perte de cette grande amie provoqua chez Mary une dépression. Pendant longtemps elle continua à écrire des lettres, tentant d'établir un contact avec l'esprit de la défunte.

Deux mois plus tard, Mary allait avoir trente-trois ans. La plupart de ses amis étaient à présent mariés. Elle se retira progressivement de ses activités à l'université de Wellesley et au syndicat féministe, pour renouveler ses centres d'intérêts[99].

Dès lors, elle se dévoua à parrainer trois personnes : une jeune femme divorcée tentant de se forger une carrière d'auteur dramatique, une jeune enseignante française aspirant à être une actrice et enfin un jeune artiste peintre qui n'était autre que notre auteur.

Depuis 1904, Mary connaissait la séduisante Charlotte Teller qui était à l'époque une journaliste indépendante travaillant pour le *Tribune* de Chicago et le *Journal* de New York. Comme Mary était engagée intellectuellement dans le socialisme et dans le mouvement des droits des femmes, Charlotte, récemment séparée de son mari, se réjouissait de l'émancipation d'une suffragette active. Elle était issue d'une famille influente : son père était procureur général du Colorado et son oncle sénateur au Congrès américain. Elle était convaincue que le théâtre avait besoin d'une femme dramaturge émancipée pour interpréter la nouvelle société. A partir de 1906, elle trouva auprès de Mary un écho de plus en plus favorable à ses aspirations. Elle se laissa prendre en charge par Mary et se mit à écrire la grande tragédie américaine [100].

Durant ses vacances en Europe où elle visita entre autres la France, Mary sélectionna une jeune Française dénommée Emilie Michel et la ramena avec elle à Boston afin de lui confier la responsabilité des cours de français dans son école. Emilie, qui devint l'enseignante la plus choyée de l'école, ne tarda pas à confier à sa directrice son désir d'être actrice [101].

1907

Le 6 janvier, le jour du vingt-quatrième anniversaire de Gibran, Mary l'invita à prendre le thé dans son école. Il s'y rendit avec un exemplaire de son livre en langue arabe *Les Nymphes des vallées* qu'il eut le plaisir de lui dédicacer. Puis il se mit dans un coin de son

bureau et dessina deux croquis qu'elle-même baptisa
La Semence bénie et *L'Amour, le géant*[102].

Sa seconde visite en cette année à la Haskell's
School n'eut lieu que onze mois plus tard. Le 7 décembre, Mary l'invita à dîner. A la fin du repas, elle lui
exprima son désir d'avoir un dessin de son visage à
lui. Gibran posa alors un miroir à côté de lui et se mit
à ébaucher son propre portrait[103]. Quelques semaines
plus tard il finit de le réaliser et le lui dédia : à MEH
(Mary Elisabeth Haskell) daté de 1908 et signé par ce
monogramme Ⓚ en lettres latines cette fois-ci avec
trois points qui nous rappellent les trois points diacriti-
ques de *GKhG*, ses initiales en arabe. En toile de fond,
on devine un visage féminin à la tête inclinée[104].

1908

Au retour de Lionel et Josephine Marks de leur lune
de miel, Mary écrivit à Gibran une lettre l'invitant à
dîner chez elle en présence de ce couple. Il lui répondit : « C'est avec plaisir que je viendrai rencontrer les
Marks. Je dis bien "rencontrer", car je ne les ai jamais
vus auparavant mari et femme. Toutefois je ne resterai
pas à dîner, car ce soir-là j'aurai un engagement[105]. »

La rencontre entre Gibran et les Marks fut plutôt
froide. Plus jamais Mary ne tenta de les réunir tous
les trois ni même d'inviter les Marks seuls chez elle.
Toutefois elle continua à entretenir des relations occa-
sionnelles avec Marion, la sœur de Josephine.

Jusqu'alors Mary cultivait individuellement son
amitié envers ces trois figures romantiques : Charlotte,
Emilie et Gibran. Et chacun de ces trois artistes en
herbe trouvait en elle stabilité et réceptivité[106].

Estimant que les circonstances étaient à présent propices pour présenter l'un à l'autre ses trois protégés, Mary les invita à dîner chez elle. Elle présenta Emilie comme « l'ange de l'école », et Emilie lui retourna le compliment en disant : « Mme Haskell mesure les gens à l'aune de ses qualités, c'est pour cette raison qu'elle me qualifie d'ange. Quant à mes collègues et moi à la Haskell's School, nous la surnommons "le chêne", enraciné dans la terre et la tête levée au ciel. Et nous sommes les oiseaux qui viennent s'y abriter[107]. »

A table ils burent du *porter*, de la bière brune assez amère, et tous se découvrirent des « atomes crochus », comme le nota Mary dans son journal intime. Au cours de cette soirée Gibran esquissa un portrait de Charlotte ; toutes les trois en furent charmées[108]. Par la suite, elles l'interrogèrent sur sa conception de Dieu et de l'art. Il répondit avec des regards qui tentaient de charmer tantôt l'esprit de Mary et tantôt le cœur d'Emilie :

« La plupart des religions parlent de Dieu au masculin. A mes yeux, il est autant une mère qu'un père. Il est à la fois père et mère. Et la femme est l'exemple du Dieu maternel. Nous pouvons saisir le Dieu paternel par la raison ou l'imagination, mais pour aller à la rencontre du Dieu maternel nous devons passer par le cœur, par l'amour...

Certains croient que l'art est l'imitation de la nature ; or, la nature est si sublime qu'elle ne peut être imitée. Si noble soit-il, l'art ne peut accomplir ne serait-ce qu'un des miracles de la nature. Et d'ailleurs à quoi bon imiter la nature alors qu'elle peut-être ressentie par tous ceux qui sont dotés de sens ?

L'art consiste plutôt à comprendre la nature et à transmettre notre compréhension d'elle à ceux qui l'ignorent. La mission de l'art est de faire communiquer l'esprit de l'arbre et non pas de dessiner un tronc, des branches et des feuilles qui ressemblent à un arbre.

Le but de l'art est de révéler la conscience de la mer et non pas de peindre des vagues écumeuses ou des eaux azurées.

L'art est un pas effectué du connu visible vers l'inconnu secret, de la nature vers l'Infini[109]. »

Vingt-cinq ans de sa vie s'étaient écoulés durant lesquels notre auteur n'avait jamais cessé de dessiner, et pourtant jusqu'alors il n'avait toujours pas appris l'art de la peinture d'une manière académique. Son talent inné pouvait difficilement atteindre la maturité. Etant encore timide dans l'utilisation de la peinture à l'huile, il commença à prendre conscience de la nécessité d'une meilleure compréhension de l'anatomie et sentit grandir en lui un besoin de travailler avec des modèles vivants[110].

Au début du mois de février, Mary écrivit à Gibran une lettre, lui suggérant de venir à son école au moins une fois par semaine afin de dessiner l'un des aspects de la vie scolaire[111]. Séduit par cette initiative, Gibran choisit comme première scène la classe du cours de français. Toutefois il n'en dessina que le portrait de l'enseignante qui n'était autre que la charmante brunette Emilie Michel, laquelle déclamait un poème dans la langue de Molière[112]. « Que c'était magnifique de les voir se réjouir tous les deux de cette expérience[113] », commenta Mary avec un certain plaisir de voyeuse dans son journal.

Une semaine plus tard Mary invita Gibran à dîner chez elle. Elle le questionna sur son avenir. Il admit que son progrès artistique était dans une impasse. Et comme elle sentait sa solitude et s'éprenait de sa sensibilité raffinée et de son secret oriental, elle laissa sa générosité flamber pour lui. Elle lui suggéra alors d'aller à Paris. Elle prendrait en charge tous les frais de son voyage et de son séjour à condition qu'il y étudiât pour au moins un an l'art de la peinture[114] :

« Nous nous attablâmes sans la présence d'un tiers. Nous mangeâmes et discutâmes pour ne pas priver nos oreilles de ce dont les regards et le palais se délectaient. Lorsque nous arrivâmes à la fin du repas, j'allumai une cigarette et me mis tantôt à siroter mon café tantôt à téter ma cigarette. Elle me contempla avec admiration, et sur son visage vint se dessiner un sourire printanier. Plus tard je rallumai une autre cigarette et me resservis une autre tasse, car l'ambiance et la discussion donnèrent au tabac et au café un goût magique.

Après un temps de silence chargé de paroles invisibles, elle leva les yeux et dit avec douceur : "Savez-vous que c'est la première fois que j'aimerais être un homme ? Car les hommes se réjouissent de la vie sans l'ombre d'une crainte, quant à nous les femmes, nous ne cessons de nous contrôler et de nous critiquer avec une servilité blessante pour avoir fait une action, qu'elle soit bonne ou mauvaise. Si j'étais un homme à présent, j'aurais savouré en votre compagnie le plaisir de fumer. Car l'odeur de ces cigarettes turques et la façon dont vous les fumez ont fait naître en moi une envie profonde d'en faire autant."

Dès lors je me levai, ouvris ma boîte de cigarettes et la posai devant elle. Puis je lui dis : "Nous sommes nés afin de nous réjouir et nous délecter de toutes choses dans la vie, autant que la sagesse intérieure nous le permet. Si l'être humain s'interdit d'extirper le plaisir de tout ce qui existe, il se viole lui-même. Et si l'on fumait ensemble en se faisant pareils aux jours qui prennent de notre vie des cigarettes et les fument en silence ?"

Elle prit alors une cigarette, l'alluma et se mit à la fumer avec ardeur tout en contemplant les volutes argentées qu'elle créait. Toutefois avant qu'elle ne la finît, son visage devint quelque peu jaune. Elle tint la tête dans ses mains et garda le sourire aux lèvres. Je m'enquis : "Qu'avez-vous donc ?" Elle me répondit d'un calme féerique : "J'ai la tête un peu lourde, cependant mon âme est emplie de belles visions orientales".

Nous quittâmes la table pour nous installer dans le salon-bibliothèque [115] et nous entamâmes une discussion sur les coïncidences. Je lui dis : "La vie ignore le hasard. Dans l'univers il y a d'innombrables fils qui composent la toile de l'univers premier. Votre vie et la mienne ne sont que deux fils dans cette toile éternelle. Ils divergent puis convergent et s'entrelacent pour diverger et converger à nouveau, jusqu'à ce que la trame soit accomplie. Le tisserand qui est assis derrière son métier connaît le but de chaque fil. Toutefois chaque fil ne connaît pas le but du tisserand. Ma mère, ma sœur et mon frère sont morts, car ils devaient mourir de cette manière et à cet instant. Mes dessins ont été brûlés, car ce devait être inévitable. Et il se pourrait que cela soit bien ainsi.

Toute chose a une mission, elle l'a remplie puis s'en va. Il semble que mes dessins avaient rempli la leur. Il leur suffit d'avoir réussi à renouer nos relations.

En la réincarnation j'ai trouvé la clef de la vie et de la mort ainsi qu'une lanterne pour éclairer les souterrains des relations entre les gens.

Imaginez combien de pas nous avons franchis avant de nous rencontrer. Et chaque pas était la conséquence du pas d'avant et la cause du pas d'après.

Le cycle de la vie ne se termine pas par une seule vie ni plusieurs. Nous aspirons à la perfection. Nous sommes en quête de Dieu. Et qui peut trouver Dieu en vingt ans, en un siècle ou en un millénaire ? 'Vous étiez morts, et Il vous rendit la vie. Puis à nouveau vous mourrez, et Il vous relèvera, jusqu'à ce que vous soyez ramenés à Lui', tels sont les propos du prophète des Arabes. D'autres prophètes en Orient ont tenu les mêmes propos. En Inde et en Chine ainsi qu'au Japon, il est des centaines de millions de personnes qui croient au renouvellement de la vie individuelle durant des siècles et des siècles. Au Liban se trouve une confession religieuse du nom des druzes qui adhèrent également à cette croyance.

La vie humaine n'est autre que règlements de comptes. Nous mourons et nous léguons des dettes à rembourser et d'autres à récupérer, en mal et en bien, en haine et en amour, en inimitié et en amitié. Ainsi nous retournerions pour régler les unes et les autres jusqu'à ce qu'il ne nous reste plus en compte que Dieu."

Elle me coupa avec le sourire, disant : "J'espère que ma dette à votre égard ne sera pas énorme et que je serai à même de l'honorer." Je lui répondis : "Qu'il me suffise de ne pas ressentir la solitude de l'âme auprès de vous."

– Mais pourquoi donc n'écririez-vous pas en anglais ?

– Je ne suis pas encore certain de mon anglais.

– Durant ces quatre dernières années vous avez fait un net progrès.

– Certes, et je vous en suis reconnaissant.

– Et je vous promets de continuer à vous rectifier si besoin est.

– A présent je dois exploiter mon don de peintre qui pourrait davantage me permettre de subvenir à mes besoins.

– Dites-moi, voudriez-vous aller à Paris pour poursuivre des études artistiques ?

– De tout mon cœur, mais...

– Mais vous n'en avez pas les moyens ! Je vous

paierai les frais du voyage et vous promets de vous envoyer chaque mois soixante-quinze dollars jusqu'à la fin de vos études. Accepteriez-vous cela en signe de mon admiration pour votre énergique talent ?

– Mon cœur déborde. Que mes larmes en soient la réponse [116].

Après un temps de silence pétri d'émotions, elle appuya sur un bouton électrique, interpellant ainsi l'une des servantes pour lui demander de nous préparer une autre cafetière. Puis elle me dit avec le sourire : "Pourriez-vous me donner une autre cigarette ?" Je lui répondis : "Comme c'est le début, l'excès pourrait vous nuire." Elle me souffla alors ces mots merveilleux : "Le vrai plaisir dans cette vie ne peut nous atteindre que par le chemin de la douleur." Et nous passâmes le reste de la soirée à lire des poèmes, entourés de café et de cigarettes.

Le lendemain elle m'écrivit : "Et si vous m'offriez une boîte de vos cigarettes !" Je courus lui en acheter une et me rendis aussitôt chez elle. En retour elle m'offrit un beau poème en volutes de cigarettes turques [117]. »

Quelle ne fut pas la joie de Gibran en voyant ce don du ciel s'offrir à lui à travers les lèvres de Mary ! Le soir même du 12 février 1908, Gibran s'empressa d'écrire à son éditeur Amin al-Ghrayib à New York qui s'apprêtait à partir pour le Liban, l'informant de son projet de voyage parisien sans pour autant mentionner le nom de sa promotrice :

« Secret, lui dit-il, que seule Mariana connaît... Ces anges qui se trouvent à Boston me font voir l'avenir illuminé et ouvrent devant moi la voie du succès moral et matériel. » Et comme si l'irréalisable venait à se réaliser : « C'est le ciel, cher Amin, qui organisa tout cela. » Il lui exposa par ailleurs l'importance qu'il attachait à ce voyage : « Ce sera, si Dieu le veut, le commencement d'un *nouveau chapitre* dans l'histoire de ma vie... Cela me donnera l'occasion d'écrire sur des choses que je ne puis imaginer ici dans ce pays mécanique et commercial et sous ce ciel empli de vacarme. Je pourrai entreprendre des études sociales dans la mère des capitales où vécurent Rousseau, Lamartine et Hugo, et où les gens aiment l'art autant que les Américains adorent le tout-puissant dollar [118]. »

Gibran était hanté par l'aspect intellectuel et artistique de la capitale française. Toutes ses lettres en arabe de cette période étaient pétries d'images virtuelles de ce beau mirage où Gibran espérait trouver une nourriture spirituelle et artistique, et un élan de délivrance et de perfection.

Lors de sa visite à New York, Gibran se lia d'amitié avec un autre compatriote dénommé Jamil al-Ma'louf, son aîné de quatre ans. Celui-ci assistait son oncle dans la direction d'un journal new-yorkais d'expression arabe, *Al-'Ayam*, « *Les Jours* ». Notre auteur lui écrivit :

« J'ai ouï dire que vous projetez de vous rendre à Paris, et je souhaite le faire également. Nous serait-il donné de nous rencontrer dans la cité de l'art, au cœur du monde ?

Ensemble nous irons à l'Opéra, à la Comédie-Française, et rentrerons pour discuter les pièces de Racine, de Corneille et de Molière, ainsi que de Hugo et de [Victorien] Sardou.

Nous nous rencontrerons place de la Bastille, où viendraient nous frôler l'esprit de Rousseau et de Voltaire. Et nous écrirons, écrirons. Nous écrirons sur la liberté et le despotisme afin que nous soyons de ceux qui collaborent à la destruction de la Bastille qui se dresse dans chacune des villes d'Orient. [Faisant allusion à l'intolérable despotisme de 'Abdül-Hamid II.]

Au Louvre nous resterons devant les tableaux de Raphaël, de Léonard de Vinci et de Corot. Puis nous rentrerons chez nous et nous écrirons, écrirons. Nous écrirons sur l'amour et la beauté ainsi que sur leurs influences respectives sur les intimités du cœur humain.

Je ressens une faim profonde pour les grandes œuvres d'art, et une massacrante nostalgie pour les grandes paroles immortelles. Et je sens que cette faim et cette nostalgie sont le produit d'une force latente de mon for intérieur, qui voudrait hâtivement s'extérioriser, mais qui en demeure incapable car le moment n'est pas encore venu [119]. »

Une semaine plus tard, Gibran écrivit à Mary une lettre dans laquelle il lui exprima sa reconnaissance : « Devrais-je recevoir tout ce bonheur ? Un sujet qui mérite d'être étudié, un peu de café et quelques cigarettes ainsi qu'un feu qui crépite en douce mélodie, devrais-je me réjouir de tout cela sous votre large aile ? Cela est bien plus que le bonheur. En vérité, je suis un enfant de Lumière [120]. »

Ainsi Gibran devint l'artiste permanent de l'école ; il relatait des contes levantins, tout en dessinant. Mary supervisa à plusieurs reprises les séances de travail que tenait Gibran avec Emilie comme modèle. Par la suite, elle lui offrit cent dollars pour deux toiles : *La Danse des pensées* et *La Fontaine de la douleur* [121].

Par ailleurs, Charlotte dut partir pour New York un certain temps. A la question posée par Mary à Gibran sur ce qu'il pensait de Charlotte, il lui répondit : « En vérité, c'est une femme étrangement belle. Elle est l'une des rares personnes dont le charme réside dans sa faculté d'examiner les yeux des choses [122]. »

Comme elle avait des penchants pour les sciences occultes, Charlotte témoignait de la sympathie envers Gibran et envers ses théories sur la réincarnation. Elle écrivit à Mary : « Toute seule, j'ai pris l'initiative d'envoyer une lettre à Kahlil en même temps que celle-ci. Je le vois comme un petit frère. Si je pouvais être plus souvent auprès de lui, je pourrais me souvenir davantage des scènes de ma vie antérieure en Egypte. Je ne peux retrouver une perception aussi réelle de leur existence dans mes souvenirs grecs ou romains et encore moins teutons ou anglo-saxons. Par ailleurs je crois avoir une certaine souvenance hongroise, celte et française. Un jour nous comprendrons ces choses, ce sera après la mort. Qu'en penses-tu [123] ? »

L'image la plus expressive sur la vie intime de Gibran pendant cette période est reflétée dans cette lettre adressée à Jamil al-Ma'louf :

« Ma santé est pareille à une cithare dans la main d'un mortel qui ne sait la manier. C'est pour cette raison qu'elle lui fait entendre des mélodies qui lui déplaisent.

Mes sentiments sont semblables à la mer dans ses flux et ses reflux. Mon âme est comme un merle qui, l'aile brisée, se blottit parmi les rameaux et, sitôt qu'il aperçoit les nuées d'oiseaux voltigeants, il est saisi d'une douleur parce qu'il est incapable de les suivre. Mais comme tous les oiseaux, il se réjouit du silence de la nuit, de la venue de l'aube et du rayon solaire ainsi que de la beauté de la vallée.

Tantôt je dessine et tantôt j'écris. Et au milieu de mes écrits et de mes dessins, je suis pareil à un petit navire entre une mer d'une profondeur infinie et un ciel d'un bleu sans limites. Rêves étranges et sublimes désirs, grandes expectatives, pensées discontinues, et au milieu de tout cela il est une chose qu'on appelle désespoir et que j'appelle l'Enfer [124]. »

A côté de ses douleurs et de ses vagues attentes, Gibran ramenait à fleur de mémoire, de temps à autre, les tableaux bibliques du Liban et les scènes de son enfance, dans le ciel de sa chambre où souvent ses cigarettes turques étendaient leurs brumes et son café bédouin répandait son parfum à la cardamome [125]. Ses souvenirs étaient de l'éther pour ses blessures. Le 15 mars, il écrivit à son cousin Nakhlé (« Palmier ») Gibran, son compagnon d'enfance, qui était alors en Amérique latine :

« Où sont donc passées ces soirées quand Boutros était encore vivant ? Où sont donc passées ces heures qu'il remplissait avec la douceur de sa voix et la beauté de sa présence ?...

Entre les lignes de ta lettre, j'aperçus les ombres de tes émotions, comme si, du Brésil, elles renvoyaient en mon cœur les échos des vallées, des vestiges et des ruisseaux qui enlacent Bcharré. La vie est pareille aux saisons de l'année... Puisse le printemps de notre vie revenir afin que nous nous égayions avec les arbres, souriions avec les fleurs, couriions avec les ruisseaux et enfin fredonnions avec les oiseaux, comme nous en avions l'habitude à Bcharré, lorsque Boutros était encore en vie.

La tempête qui nous dispersa saurait-elle retourner et nous rassembler ? Reviendrons-nous nous asseoir à nouveau près de Mar Girgis [l'église Saint-Georges] ? Je l'ignore, mais j'ai le sentiment que la vie est faite de créances et de dettes. Elle nous donne aujourd'hui pour réclamer demain, puis elle redonne et réclame jusqu'à ce que cette marée d'échanges nous épuise, et nous finirons par nous livrer au sublime sommeil...

La vie demeure pourtant merveilleuse en laissant nos souvenirs continuer à voltiger autour de ces lieux où nous avons connu un peu de joie. Quelques lointaines et minuscules que soient les choses, je suis de ceux qui en chérissent le souvenir et veillent sur chacune de ses ombres, de peur qu'il s'étiole. Conserver en moi-même les esprits des jours passés constitue parfois la cause de ma tristesse et du serrement de mon cœur. Si j'avais cependant à choisir, je n'accepterais de changer les chagrins de mon cœur contre toutes les joies du monde.

Je passe ma vie à écrire et à dessiner, et le plaisir que me procurent ces deux arts dépasse tout autre plaisir. Ce feu qui nourrit mes sentiments voudrait se parer d'encre et de papier. Mais je ne sais pas si le monde arabe m'accordera toujours son amitié comme ce fut le cas au cours de ces trois dernières années, ou s'il se retournera contre moi en un terrible ennemi. Car l'aube de l'hostilité a commencé à poindre.

En Syrie, le peuple me qualifie d'impie, et en Egypte les hommes de lettres me dénigrent en disant : "Il est l'ennemi des lois justes, des liens familiaux et des traditions ancestrales." Et ils ont raison, car après réflexion, je sais que mon âme hait les lois faites par l'homme pour l'homme et j'abhorre les traditions léguées aux générations futures. Cette haine est le fruit de mon amour pour le sentiment spirituel sacré et qui devrait être le fondement de toute loi ici-bas, car il est le reflet de Dieu en l'homme. Et je sais que les principes sur lesquels je bâtis mes écrits ne sont autres que l'écho de la plupart des esprits de ce monde. Car la tendance vers l'indépendance spirituelle est à notre vie ce que le cœur est au corps.

Mes enseignements pourront-ils un jour être compris

dans le monde arabe ou disparaîtront-ils comme une ombre ?... Toutefois je sens qu'il est une force dans mes pensées et dans mon cœur qui veut se révéler, et elle se manifestera avec le temps si telle est la volonté du ciel [126]. »

L'enseignement tendancieux et destructeur souleva contre lui les milieux conservateurs. La presse égyptienne livra une vaste campagne vis-à-vis de cette littérature désinvolte, libérale et rebelle, qui sort de la tradition morale et détruit la table des valeurs orientales.

Après trois ans de succès dans le monde arabe, il commença à douter de pouvoir le maintenir ; il était conscient que les nouveaux principes qu'il préconisait allaient engendrer des réactions sociales et religieuses. Mais ceci ne l'empêchait pas de s'affirmer davantage encore dans ses croyances et ses conceptions.

Dès lors Mary commença à introduire Gibran auprès d'autres personnes de son cercle amical afin qu'il en fît le portrait. Parmi ces personnes figurait Margarethe Müller. Il dessina son portrait alors que Mary corrigeait un manuscrit que Mrs Müller avait écrit [127].

En signe de gratitude pour les attentions grandissantes qu'avait Mary pour lui, Gibran lui offrit une statuette de bronze représentant Osiris qu'il put avoir par l'intermédiaire d'un ami en Egypte [128] qui serait Salim Sarkis.

En outre, le jour du printemps qui fut le nouvel an dans les anciens temps et qui est le jour de la fête des Mères en Orient, il lui offrit un exemplaire de ses trois livres. Le premier fut *La Musique* qu'il avait publié trois ans auparavant ; il le lui dédicaça en ces termes : « A Mary Elisabeth Haskell, qui inspira les muses afin d'emplir mon âme de chants. » Le deuxième fut *Les*

Nymphes des vallées qu'il lui avait déjà offert, mais cet exemplaire était d'une nouvelle édition avec une jaquette décorée à la main : « A Mary Elisabeth Haskell, qui veut me rapprocher du monde présent à travers son amour et sa générosité, et qui veut que je puise au plus profond de mon être et que je le révèle au public. » Enfin le troisième fut *Les Esprits rebelles* qui venait de paraître : « Très affectueusement à Mary Elisabeth Haskell, qui a insufflé et qui insufflera la vie en moi, la force dans mes ailes et la beauté des gestes dans mes doigts [129]. »

Le lendemain, Mary se confia dans son journal intime qu'elle se sentait frustrée devant ces livres en arabe qu'elle feuilletait avec amour sans jamais parvenir à les lire. Puis elle se consola en relisant son livre préféré, *Le Trésor des humbles* de Maurice Maeterlinck [130].

Sa frustration s'estompa lorsqu'elle reçut une lettre extatique de Gibran, datée du 25 mars, qui l'affecta profondément :

« Mon âme est grisée en ce jour. Car la veille j'avais rêvé de Lui, celui-là même qui donna le royaume céleste à l'homme. Ah ! Si je pouvais vous Le décrire. Si je pouvais seulement vous parler de cette triste joie dans Ses yeux, de cette amère douceur dans Ses lèvres, de la beauté de Ses larges mains et de Son vêtement en laine rugueuse ainsi que de ses pieds nus délicatement voilés de poussière blanche. Tout fut si naturel et si clair. La brume qui rend nébuleux les autres rêves n'était point là. Je m'étais assis près de Lui et j'avais parlé avec Lui comme si depuis longtemps j'avais vécu avec Lui. Je ne me souviens pas de Ses propos et pourtant je les ressens maintenant comme on ressent au matin l'impression d'une musique qu'on a écoutée avant de s'endormir. Je ne saurais fixer le lieu et ne me souviens pas de l'avoir vu auparavant ; toutefois ce fut quelque part en Syrie.

Aujourd'hui la soif de mon cœur est plus grande et plus profonde que celle de tous les jours. Je suis grisé de cette soif. Mon âme est affamée de ce qui est haut et beau. Cependant il m'est impossible d'écrire, de dessiner ou de lire. Je ne peux que m'asseoir seul en silence et contempler l'Invisible [131]. »

Le lendemain de la réception de cette lettre, Mary fit sortir Gibran de chez lui pour rendre une visite inopinée à Emilie. Dans son journal intime, elle s'extasia sur son professeur de français qui dut les recevoir en « peignoir couleur ocre à rayures en velours rouge » et sur « l'exquis vin blanc » qu'ils burent ensemble [132].

Le soir suivant, Mary invita Gibran à dîner seul chez elle. Elle voulait l'entendre parler de cet esprit qui le motivait, qui grandissait en crescendo sans jamais parvenir à son point d'orgue. Elle réussit à savoir qu'il était « l'incarnation d'un certain être », mais il s'abstint de lui révéler des détails en lui disant que c'était « le secret de son âme ». Elle ajouta dans son journal : « Kahlil prend sereinement de plus en plus de place dans mes pensées et mes rêves, et parfois d'une manière encore plus vivace que Charlotte [133]. »

Le soir même, Gibran écrivit à son ami Amin al-Ghrayib, qui venait d'arriver au Liban, une longue lettre dans laquelle il parla de ce secret qui animait son cœur, de son rêve parisien et de ses ambitions littéraires ainsi que de sa nostalgie pour le Liban :

« Je sens une force enfouie dans mon for intérieur qui veut se révéler sous une radieuse parure par de grandioses actions. Cela me donne l'impression d'être venu au monde pour inscrire mon nom en grandes lettres sur la face de la vie. Une telle sensation m'accompagne jour et nuit. C'est elle qui me fait voir l'avenir enlacé par la lumière et entouré par la félicité et la gloire dont je rêve depuis l'âge de quinze ans. Et, depuis cette date-là, je n'ai fait que rêver, rêver des valeurs spirituelles, et voilà qu'à présent mes rêves commencent à peine à se réaliser. Mon voyage à Paris sera la première marche de l'échelle [de Jacob] qui relie la terre au ciel...

Je suis ces jours-ci pareil à celui qui observe le jeûne en attendant l'aube du festin... Car mon voyage à Paris forgera une chaîne d'or qui reliera le triste passé de Gibran à son avenir élevé sur les piliers du succès...

Je suis sûr que tu passeras par Paris à ton retour de Syrie. A Paris, nous étancherons la soif de notre âme pour les chefs-d'œuvre. A Paris, nous visiterons le Panthéon et nous nous arrêterons devant les tombes de Victor Hugo et de Rousseau, ainsi que celles de Chateaubriand et de Renan. A Paris, nous errerons dans les couloirs du palais du Louvre parmi les tableaux de Raphaël, de Michel-Ange et de Léonard de Vinci. A Paris, nous irons à l'Opéra et nous écouterons les chants et les hymnes que les dieux révélèrent à Beethoven et à Wagner ainsi qu'à Mozart et à Rossini. Tous ces noms ont certes contribué à ériger la civilisation de l'Europe. Bien que la terre les ait engloutis, leurs œuvres resteront à jamais vivantes à sa surface. La tempête peut dévaster les fleurs, mais ne peut anéantir les graines. C'est là que réside la consolation que le ciel verse dans les cœurs de ceux qui aiment les chefs-d'œuvre, c'est là également que se trouve ce flux de lumière qui permet aux enfants du savoir que nous sommes de marcher sur le chemin de la vie avec fierté et ravissement...

Mais dis-moi, Amin, as-tu mentionné mon nom parmi l'élite du Liban et d'Egypte ? J'espère que Salim Effendi Sarkis t'a parlé de l'article que M. Moustapha al-Manfalouti a écrit dans le journal *al-Mou'ayid*, dans lequel il a critiqué "Warda al-Hani" [héroïne des *Esprits rebelles*]. Cela m'a énormément réjoui, car la critique est une nourriture pour les nouveaux principes, surtout lorsqu'elle vient d'un homme érudit comme al-Manfalouti...

J'ai l'intention de publier mon livre *Les Ailes brisées*, l'été prochain. C'est le meilleur ouvrage que j'aie écrit jusqu'à ce jour. Quant au livre qui déclenchera un grand mouvement réactionnaire dans le monde arabe, c'est un livre de philosophie intitulé *Religion et Religiosité* que j'ai commencé à écrire depuis un an et dont la place dans mes pensées est aussi importante que celle du centre dans un cercle. Je finirai ce livre à Paris...

Lorsque tu te trouves près d'un lieu de vestiges ou au sommet d'une montagne, murmure mon nom, pour que mon âme vole vers le Liban et se délecte de la vie et de ses sens invisibles.

Souviens-toi de moi, ô Amin, lorsque tu verras le soleil se lever derrière le mont Sannin ou derrière le Fam al-Mizab [le mont Sannin s'élève par-dessus Beyrouth, et Fam al-Mizab est le sommet qui surplombe Bcharré].

Pense à moi, lorsque tu verras le soleil ployer ses ailes vers son couchant, étendant son voile rouge sur les montagnes et les vallées, comme s'il répandait du sang au lieu des larmes, lorsqu'il fait son adieu au Liban.

Rappelle mon nom, quand tu verras les bergers s'asseoir à l'ombre des arbres, soufflant dans leurs flûtes de roseau et emplissant les champs silencieux de mélodies apaisantes, comme le faisait Apollon lorsqu'il fut exilé dans ce monde...

Souviens-toi de moi, lorsque tu entendras les chants

et les hymnes que la nature a tissés avec les fils du
clair de la lune, mêlés aux senteurs de la Vallée sainte
et à la brise des Cèdres pour être versés dans les cœurs
des Libanais [134]. »

A la même période, Gibran mettait en lumière dans
une autre correspondance les raisons pour lesquelles il
écrivit *Les Esprits rebelles* :

« Je crois que la corruption de la société humaine
s'est produite depuis que l'homme a rencontré la moitié qui lui est dissemblable et que la femme est restée
avec la moitié qui lui est divergente. Et je crois qu'un
mariage corrompu engendre souvent un fruit pourri.
Les criminels, les malfaiteurs et les misérables ainsi
que les paresseux sont les fils du dégoût spirituel qui
se trouve entre les mariés.

J'ai démontré certains de ces principes dans mon
livre *Les Esprits rebelles*. Les gens en Syrie et en
Egypte ainsi qu'en Amérique ont qualifié ces enseignements d'immoraux et de destructeurs de la famille. Or,
détruire la famille qui vit dans la misère, la haine et le
malheur, telle est ma volonté. Si je pouvais détruire
tous les foyers bâtis sur la tartuferie, le mensonge et la
tromperie, je n'hésiterais pas une seule minute.
Connaissez-vous parmi vos amis un mari ou une
femme qui debout face au soleil peut vous dire : à
présent je vis avec ma véritable moitié, celle-là même
qui est sortie la main dans la mienne en une seule étincelle du sein de Dieu ?

Les sociologues en Europe tentent aujourd'hui de
trouver des moyens pour augmenter le taux de natalité,
en négligeant le foyer où germe ce noyau de la natalité.
Il leur importe peu si l'enfant vient de la lumière de
l'amour ou des ténèbres de la répugnance, l'important
pour eux est l'existence de l'enfant. A mes yeux ce

n'est là que pure ignorance. Car mieux vaut une nation qui compte un million d'âmes belles et évoluées qu'une autre, cent millions d'âmes dépravées et fainéantes [135]. »

Le 2 avril, Gibran écrivit à Mary une lettre dans laquelle il lui révéla son perfectionnisme dans tout ce qu'il écrivait en arabe à cette époque et sa quête des « perles rares » ; puis il poursuivit, disant : « N'avez-vous pas entendu parler de cette tribu d'Arabie qui adora une immense perle comme symbole de l'âme ? A présent, je suis en attente de ce mot comme Sakyamuni avait attendu la descente de la sagesse sur l'Inde [136]. »

Bien que Mary admît que Gibran ne cessait d'envahir ses pensées, elle l'encouragea à rencontrer régulièrement Emilie. Il réussit à avoir la permission d'utiliser l'atelier d'une jeune artiste, dénommée Leslie Thompson ; Emilie venait l'y retrouver pour des séances de pose. Ils furent manifestement amoureux l'un de l'autre [137].

Emilie, la Française, se sentait attirée par le jeune homme aux traits méditerranéens. Qui se ressemble s'assemble : les deux émigrés Gibran et Emilie trouvaient consolation l'un chez l'autre.

En cette période où Gibran épanchait ses sentiments dans la rubrique « Larme et Sourire » du journal *Al-Mouhajir*, il montra un jour à Emilie son dernier article et ils eurent cette conversation :

– Que m'apportes-tu aujourd'hui, est-ce une larme ou un sourire ?

– Plutôt un sourire qui mérite un beau sourire de ta part. Ah, si tu comprenais l'arabe ! Sais-tu que ma colonne *Larme et Sourire* est reprise dans la plupart des journaux du monde arabe ?

– Je crains qu'un jour si je voulais revoir mon visage dans tes yeux indolents il me faille l'échelle de Jacob pour t'atteindre. Lis-moi donc ton nouveau sourire [138].

Il s'agissait d'un article qui traitait du premier regard, du premier baiser et du mariage [139].

A présent Gibran connaissait tous les amis de Mary. Toutefois les portraits qu'il réalisa d'eux à sa demande ne la transportaient pas de joie autant que de voir Emilie et Gibran ensemble. Le 17 avril, après que ce couple eut dîné chez elle, Mary décida de rebaptiser Emilie Michel du surnom Micheline qu'elle trouvait chantant et en harmonie avec son charme [140]. Désormais tous les habitués de la Haskell's School l'appelèrent ainsi.

Le dimanche 26 avril, le jour où il finit par dessiner le portrait de Mary dans l'atelier de Thompson, Gibran lui présenta sa sœur, Mariana. Par la suite tous trois se rendirent à l'école et y soupèrent ensemble [141].

Ce fut la première fois que Gibran partagea avec Mary la présence d'un membre de sa famille. Comment considérait-il sa relation avec cette femme qui était son aînée de dix ans ? Se basant sur la philanthropie et la grandeur d'âme de Mary, et la noblesse spirituelle de Gibran, leur relation aurait été d'ordre maternel pur. Plusieurs de ses lettres témoignent que Gibran la vénérait comme un enfant à la charge de sa mère. Dans l'une d'elles, il lui révéla : « Savez-vous ce qu'est se sentir tel un enfant retrouvé ?... Peut-être un jour je serai à même de cueillir pour vous les fleurs et les fruits de votre amour maternel [142]. » Dans une autre lettre il écrivit : « Je travaille avec un désir qui ressemble à celui d'un enfant perdu qui recherche sa mère. Je crois à présent que le désir de révéler le Soi est plus fort que toutes les faims et plus profond que toute soif[143]. » En retour Mary continuait à attiser la flamme entre Micheline et Gibran[144].

Le 5 mai, Mary invita Micheline à dîner. Comme elles parlèrent jusqu'à une heure du matin, Mary lui proposa de dormir chez elle, et Micheline de consentir :

« A table, nous avons parlé en français, évitant ainsi que les domestiques ne comprennent que nous parlions de Kahlil. Micheline m'a raconté que Kahlil était déprimé à cause d'un ancien ami et professeur à Beyrouth qui le traitait de "faux prophète".

Micheline : Avait-il trouvé quelque chose de faux dans le style, les mots ou la musique de tes écrits ?

Kahlil : Non, non. On m'a dit que c'était beau.

Micheline : Serait-ce alors dans les idées ?

Kahlil : Oui.

Micheline : Ah, que je suis heureuse !

Kahlil : Tu te réjouis de me voir traité de faux prophète !

Micheline : Oh, oui ! Si on avait qualifié ta poésie de mauvaise, j'aurais été désolée. Mais comme il s'agit de tes idées cela se comprend. Tu ne peux pas espérer qu'un peuple accepte tes idées, car cela demande plus que le peuple ne peut donner.

Kahlil se blesse facilement, poursuivit Micheline dans sa conversation avec Mary. Et j'aimerais le préparer, si je peux, à certaines choses qu'il doit affronter dans la vie. Ici il a des amis très proches de lui, il est entouré d'amour. Toutefois il ne pourra pas toujours trouver des gens qui l'aimeront si tendrement, si véritablement et surtout pour lui-même ; ils l'aimeront pour ce qu'ils peuvent tirer de lui. Il a tant d'illusions, et qu'elles sont belles ; mais elles ne peuvent pas durer, car les vicissitudes de la vie les saccageront. Et j'en tremblerai pour lui. Il souffrira tellement, et que ne pourrait-il perdre avec ses illusions ?

Kahlil a deux facettes, l'une est très forte et l'autre ne l'est point. Il croit qu'il est invulnérable, et je ne tenterais pas de le décevoir. Car cette croyance le fortifie. Toutefois il est vulnérable. Il est très influencé par son entourage. Et la vie d'étudiant à Paris risque d'être terrible pour lui. Elle peut couper la vitalité de certaines personnes bien que leur force soit grande. Qu'en sera-t-il pour lui ? Il n'est pas si fort, et la vie pourrait brûler ses ailes.

Nous avons parlé avec franchise des changements qui pourraient avoir lieu, au cas où son départ se concrétiserait. Notre relation pourrait se réduire à des souvenirs. Mais je lui ai dit : "Kahlil, j'aimerais que tu gardes une et une seule chose concernant Micheline. Tu peux tout oublier, mais souviens-toi que je t'ai donné mon affection parce que tu l'as méritée. Garde cette vertu digne du cœur de Micheline, ainsi dans l'avenir tu pourras être digne du cœur des autres femmes [145]." »

Ces propos de Micheline furent retranscrits par Mary dans un carnet neuf plus large que ceux qui relataient son journal intime ; depuis ce jour-là elle consacra entièrement ce carnet à notre auteur [146].

Deux jours plus tard, Mary voulut se renseigner davantage, cette fois-ci, sur le passé amoureux de son protégé. Elle invita alors Marion Peabody et n'hésita pas à la questionner sur lui et son ancienne relation avec Josephine [147].

Le samedi 9 mai, Gibran fut invité par Mary à aller voir une pièce de théâtre. Puis il la raccompagna à Marlborough Street où ils prolongèrent la soirée jusqu'à une heure tardive. Le premier sujet qu'ils évoquèrent fut évidemment Paris. Ils parlèrent du logement et de l'éventualité de visiter l'Italie. Par la suite, ils décidèrent qu'elle serait son agent commercial à Boston une fois qu'il serait à Paris. Il n'aurait qu'à lui envoyer ses dessins, et elle se chargerait de les vendre : « Si vous les trouvez convenables », lui suggéra-t-il.

Au moment où il s'apprêtait à prendre congé, il relança la conversation en lui racontant l'histoire de Sultana Tabit, cette jeune veuve de Beyrouth dont l'amour pour lui ne fut avoué qu'après sa mort.

Lorsque Mary lui demanda de lui dessiner de mémoire le portrait de Sultana, il sortit son crayon et se mit à l'esquisser. « Elle avait les plus longs yeux que j'aie jamais vus », commenta-t-il tout en les dessinant. Puis il ajouta une rose blanche dans ses cheveux, juste au-dessus de son oreille, car « elle avait l'habitude de la porter », précisa-t-il.

Puis il lui fit remarquer combien la cravate et le col américains lui étaient inconfortables : « En Amérique tout un chacun se doit de les porter, alors que chez moi je n'en porte jamais. » Mary lui répondit : « Enlevez-les, si tel est votre désir ; d'ailleurs j'aimerais bien vous voir sans. » Ainsi pour la première fois Gibran se révéla devant Mary le cou dévoilé. Le lendemain, elle décrivit cette scène dans son journal avec une sensation mi-spirituelle mi-charnelle :

« J'espère que je continuerai à me souvenir de cette beauté simple et nébuleuse qu'aucune image ne peut contenir.

Il est encore tendre pour l'âge d'homme.

A chaque fois qu'il est heureux dans son travail et conscient de l'amour autour de lui, un état intense et spirituel vient l'entourer. Ce soir-là, comme il était détendu, cette chose s'est manifestée et une ardeur s'en est dégagée à travers son cou et sa gorge dénudés.

Ses cils sont les plus longs et les plus soyeux que j'aie jamais vus. Il a un clignement dans la paupière inférieure qu'il n'a encore transposé dans aucun de ses autoportraits. Ses yeux sont réellement comme des étoiles qui se reflètent dans une eau profonde. Ses regards sont d'une qualité si radieusement douce.

Son visage change comme les ombres des feuilles, à chaque pensée, à chaque sentiment. Je l'ai vu rougir, puis se contracter et se crisper et enfin s'épanouir tel un immense faisceau de lumière, et le tout en l'espace de quelques instants. C'est un modèle de beauté vivante [148]. »

Durant tout le mois de mai, conscients de l'approche du départ pour Paris, Gibran et Micheline découvrirent la joie de leur amour et la tristesse de ses derniers jours. Dans son journal intime, Mary fit état de leurs langueurs et même de leurs sanglots [149].

Pendant cette période, Gibran écrivit en arabe un poème en prose, intitulé « La Beauté de la mort ». Les larmes versées sur son amour pour Micheline durent réveiller les souvenirs noirs de la triple mort des siens. Il vint chez Mary et lui montra le poème. Puis il se mit à le traduire en anglais, et elle lui aurait donné quelques conseils dans le choix des images. Ce fut la première fois que tous deux travaillèrent sur un texte [150]. Quelques jours plus tard, il fut publié dans le journal *Al-Mouhajir* avec la dédicace en lettres latines pour qu'elle pût les lire : « à MEH [151] [Mary Elisabeth Haskell] ».

Au mois de juin, Mary s'affaira à préparer le voyage de Gibran à Paris ainsi que son propre voyage en Europe en compagnie de son père. Elle devait partir avant lui, d'abord pour la Caroline du Sud afin d'assister au mariage de sa sœur. A la veille de son départ, le

9 juin, elle organisa un dîner d'adieu pour Gibran. A
la fin de la soirée il lui remit un portfolio comprenant
tous ses dessins, en lui demandant de bien les garder
chez elle [152].

Quant à Micheline, elle partit la première en France
afin de rendre visite à ses parents. Gibran devait attendre à Boston jusqu'au 25 juin. Entre-temps, il se souvint de son premier mentor qui disparaissait de jour en
jour du monde de l'art. Fred Holland Day n'était plus
influent, toutefois la lettre que Gibran lui écrivit témoignait du respect pour le passé qu'ils vécurent ensemble : « Cher frère, je quitte Boston le 25 du mois. Et le
1er juillet, je débarque de New York pour [*New Life*]
une nouvelle vie. J'espère vous voir avant de partir.
J'ai beaucoup de choses à vous raconter, beaucoup de
questions à vous poser. Et vous, cher frère, qui fûtes
le premier à me dessiller les yeux de ma jeunesse face
à la lumière, vous saurez me donner des ailes pour mon
âge adulte. J'espère que l'on se rencontrera avant que
la mer m'interpelle. Sinon, voulez-vous envoyer ne
serait-ce que votre bénédiction à votre petit frère [153] ? »

10

La première marche de l'échelle
Paris : juillet 1908-octobre 1910

« Durant mon séjour à Paris, cette brume qui s'interposait entre moi et Moi se réduisit à néant[1]. »

1908

Le 1er juillet, Gibran embarqua de New York en direction de la France à bord du *Rotterdam*. Entre ciel et mer, il écrivit cette lettre à Mary : « L'océan et le ciel furent de bons amis et je me plus en leur compagnie... J'accomplis plusieurs études sur de jolis visages durant ce voyage. La plus belle femme du paquebot était d'origine grecque et native de France ; elle connaissait fort bien Micheline. J'eus le plaisir de faire son portrait. Elle était triste et pensive, ce qui ajouta quelque chose à sa beauté[2]. »

Mary et son père étaient déjà en Irlande. Le 13 juillet, ceux-ci embarquèrent pour l'Angleterre, alors que Gibran venait de faire son entrée à Paris. Ce soir-là le ciel de France était illuminé par les feux d'artifice, il ne pouvait espérer un meilleur accueil.

Il raconta, dans une lettre à Mary, comment Micheline l'avait aidé à trouver une chambre provisoire au

cinquième étage d'un immeuble de l'avenue Carnot.
Il admit à Mary sa dépendance envers sa jeune amie
française et combien elle lui manquerait quand elle
devrait partir pour rendre visite à ses parents à Nevers :
« Mais si elle ne cherche que sa voie dans le théâtre,
ajouta-t-il, comme je tente de trouver mon chemin à
Paris, tout ira bien. Elle ne doit pas rester, et je ne dois
pas lui demander de rester[3]. » Cette remarque laisse
entendre que Gibran ne voulait pas que Micheline
habitât avec lui, pour être plus à même d'étancher sa
soif de savoir et de réalisation artistique.

Trois jours plus tard il se retrouva en compagnie de
Micheline et de son amie Marguerite. Tous les trois
écrivirent une lettre commune à Mary, en la priant de
venir partager avec eux leur joie de vivre. Micheline
cherchait à la rassurer : « Kahlil est avec moi et se
porte à merveille ; il vient tout juste de se raser. Il est
sérieux, et son âme vit dans une île inconnue. Très
bientôt il déménagera dans un studio. Pourriez-vous
nous rejoindre avant août ? » Marguerite ajouta en
français : « Venez vite, car Micheline m'a tellement
parlé de vous que j'ai hâte de vous connaître. » Et
Gibran de conclure en anglais : « Y aurait-il quelqu'un
qui n'aimerait pas faire votre connaissance ? » Chacun
d'eux apposa en bas de la page un rond avec un x à
l'intérieur, symbolisant une bise. Gibran ajouta au sien
deux ailes[4].

Vers la fin du mois de juillet il emménagea à Montparnasse dans un studio situé au 14, avenue du Maine.
D'ailleurs dans les années soixante, un groupe d'Américains admirateurs du *Prophète* clouèrent sur la façade
de cet immeuble une plaque commémorative, rappelant
qu'ici vécut Gibran « peintre, poète libano-améri-
cain[5] ».

Puis il s'inscrivit officiellement à l'académie Julian

et, en auditeur libre, à l'institut des Beaux-Arts[6]. Le choix de l'académie Julian était tout à fait naturel. L'ancien directeur de cette académie, Rudolf Julian, avait longtemps attiré les Bostoniens, entre autres, à son atelier de la rue du Cherche-Midi, comme Lilla Cabot Perry, Edmund Tarbell et Maurice Prendergast[7]. Vingt ans avant l'inscription de Gibran à cette académie, nombre de peintres français influencés par le symbolisme, tels Maurice Denis, Paul Sérusier et Pierre Bonnard ainsi qu'Edouard Vuillard, y fondèrent le groupe des nabis, mot signifiant « prophètes » dans la plupart des langues sémitiques.

Dans toute la correspondance entre Mary et Gibran durant cette période parisienne, celui-ci fit abstraction de toute anecdote sur sa vie quotidienne. Il fallut attendre quatre ans, après son retour de Paris, pour lire dans le journal de Mary cette histoire sur le jour du bizutage à l'académie Julian, qui nous renseigne sur la résistance de Gibran au vin : « A la cérémonie estudiantine qui était organisée pour recevoir les nouvelles recrues, j'ai dû boire comme tout le monde. Certains sont tombés de sommeil, d'autres ont été malades ou frappés de démence. Quant à moi, je n'ai rien senti de tout cela, j'étais plutôt gai et j'avais passé un agréable moment[8]. » Etait-il déjà accoutumé à l'alcool ?

Après avoir élu domicile et suivi ses premiers cours, il confia à Mary par écrit : « Je vois déjà les deux côtés de Paris : le beau et le laid ; et je suis ici pour étudier ces deux facettes, ainsi je pourrai comprendre la vie et la mort. Oui, l'esprit de décadence s'infiltre dans cette merveilleuse cité, mais nous avons tendance à oublier l'existence d'un ver hideux dans le cœur d'une belle pomme... Mon cœur est plein de choses ailées ; je les conserverai jusqu'à ce que vous veniez[9]. » En bas de sa lettre, il dessina le même motif ailé avec lequel il avait signé la lettre commune, prenant ainsi une nouvelle habitude qu'il allait garder seize ans durant tout comme, dans le passé, Josephine se plaisait à signer ses lettres du mot *wings*, « ailes ».

Quelques jours plus tard, Mary et son père arrivèrent à Paris. Gibran était là pour les accueillir. Intimidé par la présence du père, il ne put faire partager à Mary ses envolées philosophiques. Par la suite, Mary fut tellement prise par ses rencontres avec de vieux amis qu'elle n'eut pas l'opportunité de flâner dans les rues parisiennes avec lui, comme il l'avait tant rêvé. Le 4 août, le jour de son départ de Paris, Mary lui rendit visite à son domicile. Elle était une fois de plus accompagnée de son père [10].

Mary regagna son école à Boston, et Micheline s'en alla retrouver ses parents à Nevers. Esseulé, Gibran tomba malade. Il put recouvrer la santé grâce à un couple d'amis d'origine syrienne, les Rouhaïm, qui l'hébergèrent chez eux au Raincy dans la banlieue est de Paris. Il décrivit ce couple en ces termes : « L'homme était riche avec un grand cœur et la femme était aussi belle de visage qu'en son âme. » A ses yeux, Le Raincy était « comme un grand jardin divisé en plus petits par des allées ; les toits de tuiles rouges étaient comme une poignée de corail éparpillée sur du velours verdoyant [11] ». En signe de gratitude il leur promit de faire un portrait de Hasiba Rouhaïm, « la noble dame syrienne », qui l'avait soigné [12]. Toutefois cette femme divorça à la suite de l'intense influence qu'eut sur elle une héroïne de Gibran, Warda al-Hani, dans son recueil *Les Esprits rebelles* [13].

Après avoir repris le chemin de l'académie Julian, Gibran avoua à Mary : « Je peins ou plutôt j'apprends à peindre. Cela me prendra beaucoup de temps pour que je puisse peindre comme je veux. Mais c'est si beau de sentir l'évolution de sa propre vision des choses. Combien de fois ai-je arrêté de travailler avec le sentiment d'un petit enfant que l'on a mis au lit trop tôt ! Vous souvenez-vous quand je vous disais que je comprends les gens et les choses à travers ma propre perception auditive et que c'est le son qui le premier s'infiltre dans mon âme ? Maintenant je commence à comprendre les choses et les gens à travers mes yeux. Ma mémoire semble retenir les formes et les couleurs des personnes et des objets [14]. » Si Gibran apprit jadis la musique orphique grâce à Josephine, désormais Paris lui dessillait l'œil visionnaire.

Il était soucieux de sa dette envers Mary et, en même temps, il voulait lui faire comprendre qu'il tâcherait d'être digne de sa générosité : « Maintenant que je suis en parfaite santé, physiquement et moralement, lui écrivit-il, j'aimerais vous avouer que les quelques dessins que j'ai laissés chez vous à Boston et ceux qui sont dans mon studio parisien seraient tous à vous, si je devais mourir soudainement ici à Paris. Vous êtes libre d'en faire ce que vous voudrez.

Ce testament, chère Mary, bien qu'il soit mal écrit, est l'expression de mes vœux et de mes sentiments. Toutefois j'espère vivre longtemps et être capable d'accomplir ce qui mériterait de vous être légué, vous qui me donnez tant. J'espère que le jour viendra où je pourrai dire : "Je suis devenu un artiste grâce à Mary Haskell [15]." »

Il écrivit plus tard dans son *Prophète* au chapitre du Don : « Veillez d'abord à mériter de donner et d'être l'instrument du don. Car en vérité c'est la vie qui donne à la vie. Et vous qui croyez être la source du don, vous n'en êtes que témoin. Quant à vous qui recevez, et vous tous vous recevez, que la reconnaissance ne vous pèse guère. Sinon vous risqueriez d'imposer un joug à vous-même et à vos bienfaiteurs. Elevez-vous plutôt ensemble, comme si leurs dons étaient des ailes. Etre trop soucieux de vos dettes, c'est douter de leur générosité qui a la terre magnanime pour mère et Dieu pour père [16]. »

Il s'avéra que bien plus tard, à la veille de sa mort, Gibran formula réellement ce vœu dans un testament déposé chez son notaire new-yorkais.

Quand il avait écrit ce testament prématuré, Micheline était déjà retournée à Boston. Mary lui promit de l'assister financièrement comme elle le faisait pour Gibran. Micheline partit donc s'installer à New York dans l'espoir de conquérir le monde théâtral qui lui était cher. Sa liaison avec Gibran s'en trouva affaiblie, toutefois Mary resta l'intermédiaire entre ses deux protégés. Par ailleurs, elle était aussi le lien épistolaire entre Gibran et Mariana, laquelle, ne sachant ni lire ni écrire, ne pouvait pas correspondre avec son frère [17].

En novembre, Gibran fit état à Mary de son combat non pas avec l'art du dessin mais avec celui de la peinture dans une lettre au prélude pétri de nostalgie : « Lorsque je suis triste, chère Mary, je lis vos lettres. Quand la brume engloutit le "je" en moi, j'ouvre la petite boîte dans laquelle je conserve vos lettres et j'en prends deux ou trois pour les relire. Elles me rappellent mon véritable moi et me permettent d'échapper à tout ce qui n'est ni haut ni beau dans la vie. Chacun de nous, chère Mary, doit avoir quelque part un jardin secret. Celui de mon âme est un joli bosquet où vivent toutes les lettres que vous m'écrivez.

A présent je me bats avec les couleurs : le tiraillement est à la fois terrible et beau, sûrement l'un de nous deux doit triompher ! Je vous entends me questionner : "Et qu'en est-il de vos progrès en dessin, Kahlil ?" Et Kahlil, avec une soif dans sa voix, de répondre :

"Laissez-moi baigner mon âme dans les couleurs ; laissez-moi avaler le coucher de soleil et boire l'arc-en-ciel."

Les professeurs de l'académie me disent souvent : "Ne rendez pas le modèle plus beau qu'il ne l'est." Et mon âme ne cesse de soupirer : "Ah, si vous pouviez seulement peindre le modèle aussi beau qu'il l'est réellement !" Que dois-je faire, chère Mary, faudrait-il satisfaire les professeurs ou plutôt mon âme ? Certes ces respectables et vieux professeurs possèdent un immense savoir, mais l'âme est bien plus proche de la vérité [18]. »

En décembre, venant de faire un cauchemar, il écrivit à Mary : « Je suis anxieux à propos de ma sœur. Elle doit être gravement malade. Serait-elle morte [19] ? » Cinq ans après le triple décès des siens, le spectre de la mort dut ce soir-là planer dans son sommeil. En fait, il n'en fut rien, Mariana se portait bien physiquement ; cependant elle était troublée moralement par le fait qu'elle vivait seule, sans son frère.

Le jour de Noël, il écrivit à Mary : « Que l'Inconnu qui donna naissance à l'esprit du Christ donne naissance à une grande joie en votre cœur. Que cette fête vous soit renouvelée maintes fois dans le bonheur et la paix... Je baise votre main, et j'en reçois la bénédiction [20]. »

1909

Après que le destin eut à jamais séparé Gibran de Josephine, voilà qu'il le relia à un Joseph (Youssef), un camarade de classe au temps du collège de la Sagesse.

Youssef al-Houayik avait passé cinq ans en Italie pour y étudier à l'école des Beaux-Arts, sous les directives de Leone Rosa. Au début de l'année 1909, il se rendit à Paris. A l'époque Gibran avait quitté l'avenue du Maine pour habiter 7, rue de Vaugirard, à mi-chemin entre le Sénat et le Panthéon, dans un immeuble modeste qui lui servait d'habitation et d'atelier. Il le partageait avec d'autres artistes amateurs. Youssef décrivit la demeure de notre auteur en ces termes : « La pièce qu'habitait Gibran, de forme carrée, était au rez-de-chaussée. La lumière y pénétrait par un soupirail. Un escalier intérieur en bois menait à une mezzanine ne contenant qu'un matelas. C'était la chambre à coucher de Gibran. Un tissu imprimé, persan, lui servait de couvre-lit. Il avait installé sous l'escalier une armoire. Un rideau de couleur la soustrayait aux regards des visiteurs [21]. »

Après une séparation d'environ sept ans, ils se retrouvèrent réunis sur un banc d'école, celui de l'académie Julian cette fois-ci. Si le premier était pris en charge par une femme américaine, arrivant à peine à subvenir à ses besoins, le second s'auréolait du prestige de son oncle Ilyas al-Houayik, patriarche des maronites, et jouissait d'un solide appui financier du siège patriarcal.

Les yeux rêveurs, le cœur empoigné par les soucis et la tête envahie par les découvertes intellectuelles et celles des sentiments, Gibran vivait de ses ambitions démesurées et de sa passion de réformer le monde. Quant à Youssef, d'allure droite et plein de vitalité, il aimait l'humour et les rencontres. Il voyait la vie par ses côtés les plus simples. Il avait le cœur sur la main et ne se souciait point de la réforme du monde ni de sa fin ; cela ne l'empêchait pas de s'intéresser à l'astrologie ni même d'écrire ses propres impressions sur le monde sans chercher à les publier.

Bien que différents l'un de l'autre dans leur nature et leur caractère, ils s'accordaient par leur élégance et leur orgueil. Ils s'intéressaient à l'évolution des nouveaux mouvements artistiques sans pour autant s'intégrer totalement au courant révolutionnaire voire anarchiste qui gagnait le quartier Latin. Autrement dit, ils étaient restés classiques sans se détourner complètement de toutes les nouvelles tendances[22].

Gibran avait déjà à son actif trois livres en arabe et plusieurs expositions de ses toiles à Boston. Youssef, par contre, restait désorienté : « C'est un feu lent, très lent, disait Gibran, mais soudain il lui arrive de devenir un volcan. » En fait, « son feu » se répandait en projets : il voulait tantôt traduire en arabe *La Divine Comédie* de Dante, tantôt faire une étude critique de l'œuvre de Gibran ; parfois aussi il couchait certaines de ses idées sur le papier et ne les montrait qu'à notre auteur. Si Gibran n'avait pas de meilleur ami de sexe masculin, « Youssef était le plus proche de l'être[23] ».

Gibran ne tarda pas d'ailleurs à conseiller à Youssef d'abandonner la plume[24] pour la remplacer par le burin : « Il n'est nul sculpteur en Orient arabe, tu seras le premier[25]. » Il ne se trompa pas. Youssef devint l'un des pionniers de la sculpture au Liban.

Gibran annonça à Mary ces retrouvailles, en ajoutant : « Youssef et moi, nous essayons de faire quelque chose, mais nous le faisons de deux façons différentes. Mon ami se cherche dans la nature, quant à moi, je tente de me trouver à travers la nature[26]... L'art à mes yeux est hors de la portée de l'œil et de l'oreille ; la nature n'est autre que le corps de Dieu, la forme de Dieu ; et Dieu est ce que je chante et ce que j'aimerais comprendre[27]. »

Quant à Youssef, dans son livre *Mes Souvenirs parisiens en compagnie de Gibran*, il nous montra Gibran sobre, réservé, soustrait aux plaisirs de la ville et absorbé par les chefs-d'œuvre des siècles. Gibran veillait rarement à l'extérieur ; il n'aimait pas aller danser, préférant rentrer toujours tôt le soir. Il se plaisait sur les quais, avec les bouquinistes, dans les librairies, au Luxembourg, dans les vieilles rues de Paris, il ne fréquenta jamais les cabarets mais désirait ardemment connaître le mouvement artistique contemporain. Il baignait dans un état d'esprit que Youssef appelait « franciscain », assoiffé qu'il était de protéger les faibles, de préconiser le sens de la philanthropie absolue, la magnanimité et la dignité humaine [28].

Dans le même temps, Gibran se découvrit un nouveau professeur, Pierre Marcel Béronneau. Celui-ci était un peintre visionnaire et disciple de Gustave Moreau. Il semblerait que sa méthode lui convenait mieux que celle enseignée à l'académie Julian. Il le décrivit en ces termes : « C'est un grand artiste et un merveilleux peintre ainsi qu'un mystique. Le ministère de la Culture a acheté nombre de ses peintures, et il est connu dans le monde artistique comme le "Peintre de Salomé"... J'ai pris deux ou trois petites choses pour les lui montrer l'autre jour, il les a regardées longuement et après quelques mots d'encouragement, il m'a tenu une longue conversation personnelle : "Laissez le temps faire son œuvre, n'essayez pas de donner une expression à vos pensées et à vos idées maintenant. Attendez d'avoir parcouru tout le dictionnaire de la peinture [29]." »

Un mois plus tard, il annonça à Mary : « Je travaille à présent seulement avec Béronneau et j'ai arrêté mes études à l'académie Julian. Béronneau a une petite classe d'une douzaine d'élèves. Nous avons parfois des nus et parfois des modèles drapés. Béronneau travaille avec nous. Il veut que je voie chaque chose en tant que valeur et non pas sous forme de traits. Il dit qu'il aime mon travail, car je n'essaie pas d'être un petit Béronneau comme les autres [30]. »

Gibran recevait de Mary soixante-quinze dollars par mois, soit trois cent cinquante francs selon le taux de change de l'époque. De cette somme il consacrait cinquante francs pour ses cours avec Béronneau et autant pour tout le matériel de peinture [31]. Cela nous laisse supposer que ce qu'il lui restait lui permettait de mener une vie plutôt frugale. Pourtant il ne manquait jamais de réitérer sa reconnaissance envers Mary et le sacrifice qu'elle faisait pour ses études à Paris : « Il y a un an lorsque j'ai accepté votre aide, je ne connaissais pas la portée de sa grandeur. Aujourd'hui je la saisis et la qualifie de sacrifice, mais elle est plus sublime que ce mot, c'est l'amour que Dieu Lui-même veut qu'il soit [32]. »

Durant cette période parisienne, si sa main peignait le jour, elle ne cessait jamais d'écrire en arabe la nuit. Du 6 janvier 1908, lorsqu'il était à Boston, jusqu'au 6 janvier 1909 à Paris, il écrivit et réécrivit un long poème en prose sur le quart de siècle qu'il venait de clore. Le 13 février, « Le Jour de ma naissance [33] » fut publié à New York en première page du journal *Al-Mouhajir* et fut reproduit dans plusieurs journaux en Syrie et en Egypte...

Ce poème en prose écrit depuis le crépuscule de ses vingt-quatre ans jusqu'à l'aube de ses vingt-six ans pressentait la fin de sa vie, survenue à l'âge de quarante-huit ans, puisque Gibran voyait en cet anniversaire le *midi* de son âge : « Aujourd'hui je m'arrête un instant pour me souvenir, comme ce voyageur fatigué qui fait une halte à *mi-chemin* du sommet de la montagne. »

En outre, le 6 janvier, de Paris il écrivit à Mary une lettre comprenant la traduction de certains passages de cet article, dont le vœu languissant pour la mort fut inspiré par John Keats : « Il y a vingt-six ans, jour pour jour, je suis né. J'ai déjà fait vingt-six fois le tour du Soleil et j'ignore combien de fois la Lune a gravité autour de moi. Toutefois, je n'ai pas encore saisi le mystère de la Lumière. Durant ces vingt-six ans, maintes fois j'ai été à moitié amoureux de la Mort ; je l'ai parée de doux mots avec des rimes méditées. Et maintenant, chère Mary, je n'ai toujours pas abandonné mon amour pour la mort, mais je suis à moitié amoureux de la vie. La vie et la mort sont aussi belles l'une que l'autre à mes yeux. Et je commence à chercher dans chaque jour un jour anniversaire[34]. »

Deux mois plus tard Mary reçut un exemplaire de ce poème en prose imprimé dans le journal *Al-Mouhajir*. Elle frétilla de joie, lorsqu'elle lut, en exergue de l'article écrit en arabe, ces lettres latines sous forme de dédicace : *To MEH*, « A Mary Elisabeth Haskell ».

Gibran lui parla de ce poème en prose en ces termes : « L'âme de ce poème est la tienne et le corps appartient à d'autres personnes d'une autre terre et d'une langue différente. » Et comme Mary ne pouvait le lire en arabe, il ajouta dans sa lettre : « Hélas, chère amie, je ne peux vous envoyer qu'un poème silencieux, une musique sourde, des pensées voilées[35]. » Elle lui répondit par écrit : « J'ai aimé le poème que vous m'avez envoyé, j'ai aimé sa cécité et sa surdité qui en disent long. Je ressemble à quelqu'un qui ne comprend que l'allemand et qui a confiance en ce qu'écrit Keats en anglais[36]. »

Quelques jours plus tard, il informa Mary de ses lectures : « Je lis à présent Renan. je l'aime parce qu'il a aimé et compris Jésus. Il l'a vu dans la clarté du jour, non au crépuscule... Mon plus grand espoir est de pouvoir un jour peindre la vie de Jésus comme personne ne l'a fait auparavant. Ma vie ne peut trouver de meilleur repos que la personnalité de Jésus [37]. »

Un jour, Gibran et Youssef déjeunaient ensemble dans une brasserie près du jardin du Luxembourg. Youssef nous rapporta, dans son livre *Mes souvenirs parisiens en compagnie de Gibran*, qu'il surprit notre auteur, qui était songeur, en lui demandant :

– Gibran, mais où es-tu ?

– Mettons de côté nos soucis journaliers, tourne-toi vers ta gauche et contemple cette ravissante fille qui est assise seule et qui mange lentement, alors que ses yeux se nourrissent d'un livre posé à côté de son assiette. De temps en temps, elle dirige ses regards vers notre table. N'as-tu pas remarqué les flèches qu'elle lance vers nous de ses yeux de miel ?

Youssef se retourna et croisa le regard de cette fille. Elle avait la tête découverte et les cheveux presque blonds : son visage respirait la santé et la pureté, ses mains étaient blanches et sur ses épaules tombait un châle gris en tissu broché.

– Cette fille n'est pas parisienne, présuma Youssef. De quel pays serait-elle ?

– On dirait qu'elle est du Nord, supposa Gibran.

Après cette escapade du regard, leurs esprits revinrent à des sujets de conversation moins frivoles. Gibran parla à Youssef de l'ambiance chaotique à l'académie Julian et des conseils inintéressants du maître J.-P. Laurens.

– Je pense sérieusement travailler dans mon studio

d'une façon indépendante, ajouta Gibran. Que dirais-
tu si l'on s'entraidait en payant les honoraires des
modèles à tour de rôle ?

— Cela me convient parfaitement, répondit Youssef.
Nous pourrons travailler le matin dans ton studio où il
fait moins sombre que chez moi, et l'après-midi ainsi
que le soir nous irons dans des instituts artistiques à la
recherche de modèles.

— En contrepartie, poursuivit Gibran, il faudrait que
nous visitions le plus possible de musées parisiens et
d'expositions publiques ou privées pour être au fait de
l'actualité artistique. Il me semble qu'aujourd'hui à
Paris il y ait une pseudo-révolution dans l'art pictural,
une révolution démentielle. Non ! L'art n'est pas un
jeu, l'art est comme l'écriture, c'est un moyen d'expression de nos sentiments.

A ce moment-là, la ravissante fille paya sa note et
s'apprêta à partir en réajustant son châle puis serrant
son livre contre sa poitrine. A son passage près de leur
table, elle courba la tête en signe de salutation sans
qu'elle ne dît mot.

— Bien que muettes, les présentations ont été faites,
commenta Gibran. Mais comment peut-on savoir si
elles étaient adressée à toi ou à moi ? Etrange comme
les astres s'attirent et se repoussent dans cet immense
univers...

— Et s'ils se heurtaient ! l'interrompit Youssef.

— Ceci est un sujet passionnant pour un roman senti-
mental, dit Gibran en souriant. Dépuis longtemps j'aspire à en écrire un, et maintenant je suis en quête de
mes héros. Le genre de Balzac me plaît tant.

La serveuse arriva avec des assiettes de fruits.

— Georgette, savez-vous quelque chose sur cette
fille au châle gris ? lui demanda Gibran.

— C'est Mlle Olga. Elle vient de Russie pour étudier

à la Sorbonne. Le livre ne la quitte jamais. La pauvre, elle ne fréquente personne !

Gibran poursuivit sa conversation sur Balzac en décrivant comment ce dernier « errait la nuit dans les rues du vieux Paris en recueillant des scènes de vie ; ce n'était qu'à l'aube qu'il regagnait sa demeure où il se vêtait d'un habit oriental, puis il tirait ses rideaux de soie damassée pour enfin coucher tout ce qu'il avait vécu sur le papier. Et dire que Rodin immortalisa ce personnage par une statue qui n'avait pas eu de succès ! ». Environ un demi-siècle plus tard elle fut enfin exposée à l'intersection des boulevards Raspail et Montparnasse.

Le lendemain, ils retournèrent dans la même brasserie. Peu après, Olga entra avec son châle et son livre. A l'époque, il n'était pas incongru de partager sa table avec un étranger, en cas de service complet. Après quelques hésitations elle s'approcha donc d'eux et, avec beaucoup de respect, leur demanda : « Accepteriez-vous, messieurs, que je m'asseye à votre table ? Je me ferai toute petite. »

Après une courte conversation en anglais engagée par Gibran avec Olga, celle-ci se tourna vers Youssef en lui demandant s'il comprenait cette langue. Il lui répondit par la négative. « Alors il serait préférable que l'on parle la langue du pays, le français », suggéra-t-elle. Puis elle les questionna sur leur langue natale, et ils répondirent d'une seule voix : « L'arabe. » « Ah ! Si je pouvais étudier cette langue, s'exclama-t-elle. L'apprentissage des langues orientales fait partie de mes spécialités. »

La serveuse arriva avec les entrées. Ce jour-là la salade russe était au menu. Olga demanda à la serveuse : « Est-elle réellement préparée à la manière russe ? » Et Georgette de lui répondre : « Vous verrez, elle est délicieuse ; mais à présent prenez garde à vous, ne vous laissez pas faire par ces deux hommes ! »

Puis ils passèrent aux présentations, cette fois-ci verbales :

– Je m'appelle Olga, je viens de la ville de Tomsk en Sibérie, à quinze jours de voyage en train de Paris. Je suis venue pour suivre mes études supérieures en linguistique, en littérature française et en musique pour diriger par la suite ces disciplines à l'université de Tomsk dont le doyen est mon père.

– Je suis Gibran du Liban. J'ai émigré avec ma mère ainsi que mon demi-frère et mes deux sœurs aux Etats-Unis. La Providence m'a aidé à venir à Paris pour apprendre la technique de l'art et m'exercer à écrire ; je trouve un plaisir inouï dans l'écriture et la peinture, et j'ai des tas de choses à dire [38]...

Il s'avéra qu'Olga était fille unique. Son père était un grand ami du comte Léon Tolstoï et sa mère était apparentée à la comtesse. En 1906, grâce au comte, son père fut nommé président de la première Douma. A cette époque, Olga fut introduite à la cour de l'impératrice Alexandra Fedorovna. Par la suite son père décida de quitter le monde politique pour diriger l'université de Tomsk [39].

L'heure passa si vite qu'au moment où elle s'en rendit compte, Olga se leva précipitamment pour rattraper son cours à la Sorbonne. Dès qu'elle sortit, Youssef soupira : « Quelle beauté ! Elle glorifie son Créateur. Ah ! Si elle pouvait poser pour nous. » Et Gibran d'ajouter : « As-tu bien contemplé la noblesse de son corps et la grâce de ses gestes ! »

Il s'avéra par la suite que la ravissante Olga se lia d'une grande amitié avec Youssef.

Alors que Gibran buvait son café vénéré et qu'il fumait sa cigarette sacrée, il se mit à parler de la femme levantine, tout en évoquant l'héroïne de son livre *Les Esprits rebelles*, Warda al-Hani, qui dut quitter son mari. Puis il dit : « La plupart des gens, Youssef, vivent dans les abysses du mensonge, de l'infidélité et de la bassesse et prétendent être des ennemis des lois et des traditions ; quant à moi, je suis l'ennemi de l'hypocrisie et de la tartuferie. Un jour, je le crierai haut devant eux pour qu'ils aient honte d'eux-mêmes. » « Mon cher ami, lui rétorqua Youssef, Voltaire disait : "La plupart des gens resteront fourbes et ingrats, avares et cupides, insouciants et intolérants." »

Par la suite, ils sortirent se promener dans le jardin du Luxembourg. Gibran s'arrêta devant un bassin sur les bords duquel des enfants jouaient avec des petits bateaux en papier et dit : « Ah ! Si j'étais l'un d'eux. Te souviens-tu, Youssef, des cerfs-volants dans le ciel de Beyrouth, quand on allait les faire voler sur les collines d'Achrafiyé ? Une fois j'ai essayé d'en faire voler un dans le ciel de Boston, mais un policier me l'a interdit. » « Regarde par là, dit Youssef, les statues des reines de France. Chacune porte un vêtement différent, comme si elles défilaient dans un salon de mode. » Gibran rétorqua : « Vois-tu comme moi cette reine qui ressemble à Olga [40] ? »

Après avoir longé le jardin du Luxembourg, au coin de la rue d'Assas, ils furent attirés par une ruche d'abeilles. Ils s'y arrêtèrent pour observer leurs allées et venues alors que les mâles flânaient avec indolence autour de l'entrée de la ruche, gênant le passage des laborieuses femelles.

— Vois-tu, Youssef, combien ces mâles sont antipathiques ? Point de reproches aux femelles, si un jour elles devaient les dédaigner.

— C'est un sujet passionnant pour une nouvelle ; il est digne d'être traité par toi, Gibran, mais n'oublie pas d'expliquer que si les animaux sont soumis à leur instinct, qu'en est-il alors de l'homme ?

– Serait-ce encore de Voltaire ?

– Ce que j'aime chez Voltaire, c'est la légèreté de son ombre et de son sens de l'humour, outre sa langue aiguisée qui n'épargnait personne. Il a ébranlé les nerfs de ses concitoyens et de ses contemporains en soufflant dans son clairon et en réveillant les consciences. Combien sont ternes les images des personnalités levantines du temps de Voltaire, même celles qui lui ont succédé ! D'ailleurs celles-ci n'ont fait qu'assembler les mots et rafistoler les louanges.

Un laps de temps chargé de silence vint s'étendre entre la réflexion de Youssef et la réplique de Gibran ; puis celui-ci finit par émerger de ses contemplations, disant :

– La terre du Levant est aride, et l'air y est lourd pour ne pas dire malsain. Je suis résolu à secouer les nerfs des Américains et à leur faire entendre mon clairon. Leur terre est riche et leurs dollars coulent à flots bien que leurs citoyens fortunés, comme la plupart des fortunés sur terre, soient aveugles et égoïstes. Que Dieu maudisse l'argent qui s'interpose entre l'être et ses ambitions.

Que de fois cette expression fut prononcée par Gibran se plaignant de sa situation tout en brûlant d'envie de voir voler ce qui palpitait en son cœur. A cette époque ses ailes n'étaient encore que des duvets.

Puis ils prirent la rue Vavin. Ce quartier était truffé, d'instituts d'art privés, au milieu se trouvait une librairie d'art. Ils s'arrêtèrent pour regarder la vitrine qui était ornée de revues et livres d'art et de quelques toiles de style cubiste. Ils n'avaient point l'intention d'y entrer ; le coût de ces livres contrariait leurs bourses. Soudain la tête d'une fille brune apparut derrière la

vitre avec un sourire radieux et un regard fascinant.
Puis elle ouvrit la porte et dit : « Je vous en prie, messieurs, entrez donc. Nous avons à l'intérieur d'autres
revues et livres que vous pouvez regarder librement ;
certains d'entre eux ont dix pour cent de réduction. »
Ils finirent par entrer et ils furent abordés par une autre
fille moins brune et plus jeune qui les regarda plus
attentivement en leur demandant d'un air candide :
« Etes-vous italiens ou espagnols ? » Gibran s'empressa de lui répondre, en tendant loin sa main : « Nous
sommes de là-bas... du Liban. A côté de Yérouchalaïm,
près du ciel ! »

Les deux filles en furent réjouies et la plus jeune
d'ajouter : « Yérouchalaïm ! Nous sommes des juives
de Roumanie. Notre grand-père est parti vivre à Jérusalem depuis quelques années pour être enterré, plus tard,
dans cette Terre sainte et monter au ciel, dans le sein
de notre père Abraham. »

Youssef l'interrompit, disant : « Après de longues
années, j'espère, plus longues que l'âge de Mathusa-
lem. »

La première se nommait Suzanne, elle avait vingt-
cinq ans et la seconde, Léah, était âgée de quinze ans.
Quand Suzanne sut qu'ils étudiaient la peinture, elle
leur demanda : « Mais à quel mouvement artistique
appartenez-vous ? » Ils répondirent à l'unisson : « Jusqu'à présent au classique. » Elle rétorqua : « Mais il
n'y a plus de demande pour ce style. »

Puis elle se mit à leur montrer des toiles et des dessins de style cubiste et s'arrêta sur un tableau dans
lequel le corps dénudé d'une femme était si tordu et si
défiguré que l'on aurait cru qu'il avait été reflété dans
un miroir convexe ou concave à dessein de s'en railler.
Youssef tendit le doigt vers cette toile et demanda à

la jeune Léah en souriant : « Est-ce vous, là ? Sans vêtements, êtes-vous réellement ainsi ? »

Tous éclatèrent de rire, excepté Gibran qui, blême de colère, souleva sa canne et la pointa sur chacune de ces toiles en disant : « Ont-ils oublié, ces artistes frappés de démence, leurs mères, leurs sœurs et leurs bien-aimées ? Ou ont-ils perdu toute notion de sentiment et de mesure pour se permettre de défigurer le corps de la femme, ce corps sacré et divin ? » Surprise et confuse, Léah ne dit mot. Quant à Suzanne, elle eut le courage de lui répondre : « Mais il y a beaucoup de demande pour ce style. » Gibran poursuivit, comme s'il n'avait rien entendu, en disant : « Depuis l'âge de la pierre jusqu'à nos jours, les artistes chantent la gloire du corps de la femme, de la beauté, de toute beauté. Serait-ce la fin de leur chant ? L'art n'est pas fait pour le commerce, chère demoiselle. »

La porte s'ouvrit et un homme de grande taille entra. Suzanne fit alors les présentations : « Calmet, qui est notre oncle et le propriétaire de la librairie. Et voici donc MM. Youssef et Gibran. »

Léah l'interrompit en reprenant les paroles de Gibran et en imitant ses gestes : « De là-bas... du Liban. A côté de Yérouchalaïm, près du ciel ! »

Depuis cette rencontre, Gibran passa avec Léah, Suzanne et leur oncle Calmet, en compagnie de Youssef, plusieurs soirées, notamment au café du Dôme, à Montparnasse [41].

Youssef qualifiait le café du Dôme d'académie populaire pour comprendre le monde et la vie. Alors que Gibran émettait quelques réserves sur de tels propos [42].

Le tempo de la vie de Gibran s'accéléra de jour en jour. Il ne fut plus si seul dans cette ville froide et étrangère. Il parvint à rencontrer le maître Rodin à deux reprises : dans l'atelier du sculpteur, grâce probablement à une femme de lettres américaine dénommée Mrs Hamilton, et plus tard, lors d'une exposition au Grand Palais.

« J'ai eu le grand plaisir de rencontrer dans son atelier Auguste Rodin, le plus grand sculpteur des temps modernes, écrivit-il à Mary. En vérité, il fut très aimable à mon égard et envers l'amie qui m'a conduit auprès de lui. Il nous montra des tas de merveilleuses choses en marbre et en plâtre... Je suis sûr que vous vous rappelez l'histoire que je vous ai racontée sur un Arabe parti de son désert pour visiter l'Italie. Et lorsqu'il a vu l'œuvre de Michel-Ange, il fut si ému par sa puissance qu'il écrivit un beau poème intitulé *Le Marbre souriant*. Or, après avoir quitté l'atelier de Rodin, sur le chemin du retour, j'ai ressenti la même chose que cet Arabe. Ainsi, arrivé à la maison, j'ai écrit un sonnet dont le titre est *L'Homme, le Créateur*[43]. »

« Avril est le mois des salons et des expositions à Paris, poursuivit-il dans une autre lettre à Mary. L'un des plus grands salons a ouvert ses portes, il y a quelques jours ; et bien sûr je m'y suis rendu. Tous les artistes de Paris étaient là, regardant avec avidité les ombres des âmes humaines... Le grand Rodin y était lui aussi. Il me reconnut et me parla de l'œuvre d'un sculpteur russe, disant : "Cet homme comprend la beauté de la forme." J'aurais donné n'importe quoi pour que ce Russe entende ce que le grand maître avait dit de son œuvre. Un mot de Rodin est d'une immense valeur pour un artiste[44]. » D'ailleurs juste avant la fin de son séjour parisien, Gibran parvint à décrocher un mot élogieux de Rodin pour son œuvre littéraire et artistique.

Encouragée par l'intégration de son protégé dans le milieu artistique parisien et consciente qu'elle lui avait promis d'être son agent commercial aux Etats-Unis, Mary mit sur pied une seconde exposition des tableaux de Gibran au Wellesley College. Ce fut par l'intermédiaire de l'association universitaire Tau Zeta Epsilon et avec l'assistance de son amie Margarethe Müller[45]. Selon une critique de la presse parue le 26 mai, certains tableaux exposés de Gibran étaient en couleurs[46] ; ce qui nous laisse supposer que c'étaient là les premiers fruits de son expérience parisienne qu'il dut envoyer à Mary pour l'occasion.

Au début de l'été, la serveuse de la petite brasserie près du Luxembourg, Georgette, informa Youssef et Gibran qu'elle allait quitter cette brasserie pour travailler dans une autre détenue par une certaine Mme Baudet, située à l'angle de la rue Léopold-Robert et du boulevard Raspail. Ils ne tardèrent pas à s'y rendre. Ce fut la première dans le quartier Latin à avoir un décor loin d'être classique, mais plutôt inspiré par cette révolte artistique qui voyait le jour à Paris à cette époque. Ainsi, ils devinrent les habitués de cette brasserie où ils étaient choyés par les bons soins de Georgette[47].

Un jour, Youssef et Gibran y déjeunèrent en compagnie d'un ami dénommé Gaspard, qui était un chercheur en médecine, travaillant à l'Institut Pasteur. Fervent positiviste, le Dr Gaspard niait l'existence de Dieu. Cette attitude athéiste révolta Gibran qui essaya d'alléguer : « Il n'est point de chose qui ne soit engendrée par une autre. » Trouvant la preuve désuète, Gaspard la réfuta, n'admettant que ce qui pouvait être accepté par la raison positive. Et Gibran de répondre : « Mais la raison humaine ne peut tout embrasser. »

Gaspard dit alors : « Vous, les Orientaux, avez légué au monde cet héritage de croyances qui induisent en erreur les saines intelligences[48]. »

Ces discussions se prolongeaient souvent dans l'intimité qui liait Gibran à Youssef, et notre auteur revenait à l'idée de composer un ouvrage en arabe intitulé *La Religion et la Religiosité*. Mais son ami Youssef l'en dissuada, sous prétexte que le sujet avait déjà été presque épuisé par les penseurs[49].

A la fin du repas, Youssef nous rapporta dans son livre *Mes Souvenirs* que le Dr Gaspard l'invita ainsi que Gibran à visiter l'Institut Pasteur[50]. A leur retour, Youssef et Gibran firent halte chez Olga. En les voyant, elle leur avoua : « Alors que je m'entraînais à jouer cette sonate de Beethoven que vous allez écouter, j'étais en train de penser à certaines personnes, et les voilà en face de moi en chair et en os ! » Et Gibran d'ajouter : « Et avec leur esprit, leur cœur et leurs oreilles. » Puis Olga se remit à jouer du piano, alors Gibran et Youssef l'écoutèrent, les yeux fermés. Une fois qu'elle eut terminé, Olga dit à Youssef : « Mais où étais-tu ? »

Youssef répondit : « Je voyais des dessins de Michel-Ange flottant entre le sol et le plafond puis les esprits torturés de l'Enfer de Dante qui déambulaient pour enfin plonger dans le feu. Et toi Gibran, de quoi rêvais-tu ? » le questionna Youssef.

« J'étais ivre, mes amis. Je voyais les Cèdres, la Vallée sainte, le tourbillon des jours d'hiver et les fleurs du printemps embaumant. Ah ! Si l'on pouvait m'emporter sur un tapis volant jusqu'à Bcharré ! »

Puis ce fut l'heure du thé. Olga leur en servit de son samovar et Youssef ouvrit un paquet de petits gâteaux qu'il avait apportés. Gibran dit alors : « Celui qui ne sait pas savourer la musique n'a pas de goût[51]. »

Toujours dans son ouvrage *Mes Souvenirs*, Youssef nous rapporta qu'un jour il se rendit chez Gibran et lui dit : « D'ici peu une des madones de Botticelli va venir poser pour nous ; c'est une fille italienne que j'ai rencontrée hier à l'académie Julian. Elle est sublime, Gibran, elle te plaira sûrement. Où sont les tubes de couleurs ? »

Peu après l'Italienne frappa à la porte. La madone entra vêtue d'une robe verte et d'un châle rouge ; dans sa main elle tenait le bout de papier sur lequel Youssef lui avait noté, la veille, l'adresse de Gibran. Youssef les présenta l'un à l'autre : « M. Gibran. Mlle Rosina. » Puis elle se découvrit la tête et ses longs cheveux blonds de se répandre sur ses épaules, tel de l'or en fusion.

Gibran soupira en arabe : « Je n'ai jamais vu d'aussi beaux cheveux ! » Et dans la même langue Youssef ajouta : « Et tu vas voir le plus beau corps. » Puis il dit à Rosina en italien : « Voulez-vous vous apprêter à poser pour nous ? » En toute simplicité et confiance, Rosina se dévêtit puis se retourna et dit en français : « Quelle pose voulez-vous ? »

Gibran réfléchit longuement et lui dit : « Je vous vois en train de voguer dans l'espace, emportée par des ailes d'anges vers les cieux. » Il la pria de s'étendre sur le dos puis il souleva légèrement sa jambe gauche et son bras droit et ajusta le tout avec des coussins, en murmurant en arabe : « Voilà ce qu'est un ange ; si je pouvais en être un... » Puis il lui demanda en français : « Etes-vous installée bien confortablement ? » Rosina acquiesça d'un signe de tête accompagné d'un sourire de remerciement, puis elle se tourna vers Youssef et l'interrogea en italien : « En quelle langue murmurait votre ami tout à l'heure ? » Youssef lui répondit : « En

libanais. » Ayant cru entendre « en japonais », Rosina
s'enquit : « Etes-vous japonais ? »

Après avoir dissipé le malentendu, le silence régna.
Gibran et Youssef se mirent à peindre, envoûtés par
cette beauté immaculée. Trois quarts d'heure plus tard
Gibran demanda à Rosina si elle voulait se reposer ;
elle lui répondit avec indolence : « Y a-t-il un repos
plus reposant que cette pose que vous avez choisie
pour moi ? »

Leurs pinceaux continuèrent donc à déambuler dans
les couleurs et à se griser de cette beauté nue. Puis tout
en gardant son regard fixé sur Rosina, Gibran avoua à
Youssef : « Ah ! Si mes doigts obéissaient à la lettre à
tout ce qui étincelle dans ma tête et dans mon cœur,
ils feraient un miracle ! Dis-moi, Youssef, que connais-
tu de cette créature de rêve ? »

« Je l'ai rencontrée hier à l'académie, lui répondit
celui-ci. Son corps m'a fasciné. A la fin de la séance
certains artistes se sont rués vers elle en lui demandant
si elle pouvait être libre le lendemain ; elle leur répondait en italien par la négative. J'ai alors écrit sur un
bout de papier ton nom et ton adresse et j'ai sorti un
franc de ma poche. Puis je me suis approché d'elle et
les ai glissés dans sa main, tout en lui faisant la même
requête que les autres, mais en italien. Les yeux écar-
quillés, elle m'a dit : « D'accord mais pour un seul
jour. »

Gibran dit d'un ton profond : « Qui sait, peut-être
que cette fille a besoin d'aide et de protection. Paris
est dangereux pour une telle brebis. »

A la fin de la séance, Gibran lui paya deux francs
cinquante ; c'était son tour d'honorer le modèle. Pendant qu'elle s'habillait, Gibran remarqua qu'elle portait
autour du coup une petite croix métallique tenue par
une simple ficelle. Il dit à Youssef en arabe : « Elle

me fend le cœur. » Puis il demanda à Rosina, avec
respect, si elle pouvait être libre la semaine suivante
pour poser de nouveau. Elle hésitait à répondre, et soudain l'on frappa à la porte. Gibran se dirigea alors vers
la porte, tout en disant à Youssef : « Toi, tu comprends
sa langue, essaie donc d'arranger l'affaire. Il nous faut
encore quatre ou cinq séances. »

Puis il revint avec Mme Hamilton qui couvrit Rosina
de son mépris et celle-ci de la toiser à son tour. La
dame américaine commença à échanger quelques paroles en anglais avec Gibran puis Rosina salua et s'en
alla sans répondre à la question.

Cette célèbre femme de lettres était venue les inviter
à une réception en l'honneur du maître Rodin. Youssef
refusa en s'excusant et partit rattraper Rosina. Gibran
lui dit : « Je passerai te voir vers dix-sept heures. Et si
tu vois Olga, salue-la de ma part. »

Sur le boulevard Raspail, Rosina ralentit le pas
devant les vitrines puis s'arrêta près d'une vieille men-
diante et lui fit l'aumône. Youssef réussit à la rattraper
et l'invita à déjeuner à la brasserie de Mme Baudet.

A table, elle l'informa qu'en Italie elle habitait le
petit village d'Anticoli avec sa famille et qu'elle était
partie pour Rome afin d'y travailler en tant que modèle
dans des instituts d'art. Par la suite elle vint à Paris
avec ses frères. Puis elle dit la gorge nouée : « Je
regrette d'être venue à Paris. Je suis étrangère dans
cette ville loin de ma mère et de mes sœurs. » « Et
vos frères ? » lui demanda Youssef. « Mes frères sont
toujours hors de la maison, lui répondit-elle. Ils sont
durs envers moi, ils n'essaient pas de me comprendre
et me prennent tout ce que je gagne. » Une larme scin-
tilla alors sur sa joue. « Mais trouvez-vous toujours du
travail à Paris ? » lui demanda Youssef. « Souvent j'ai
des propositions à l'académie. Je n'accepte que si la

tête de l'artiste me convient. Sinon la porte du vieux satyre est souvent ouverte », lui confia-t-elle. « Le vieux satyre ! » s'exclama Youssef. « Oui, le maître Rodin. Lorsque je m'étais rendue pour la première fois à ses ateliers en compagnie d'une amie, il s'était approché de moi et avait caressé mes épaules puis ma poitrine et m'avait demandé en passant la main dans sa barbe, comme un satyre, si j'étais toujours vierge. J'ai été outrée par sa question et j'ai voulu m'enfuir, mais il m'a retenue tout en riant dans sa barbe. Par la suite, il nous a conduites dans un de ses ateliers où se trouvaient trois filles nues qui batifolaient et riaient aux éclats. Puis il nous a dit : "Faites pareil qu'elles et mangez du chocolat autant que vous voulez." Plus tard une dame est arrivée, parée d'un grand chapeau garni de fleurs et de plumes et d'une longue robe dont elle tenait un des pans, laissant apparaître ses souliers à hauts talons. Rodin s'est alors empressé de nous payer cinq francs chacune en nous demandant de prendre congé. »

Puis Youssef l'interrogea : « Avez-vous fait autre chose que de poser à Paris, n'avez-vous pas essayé de chanter ou de danser par exemple ? »

Les yeux de Rosina se mirent à briller et elle répondit avec une joie juvénile : « J'ai commencé à apprendre à danser avec mon amie Marguerite chez Isadora Duncan. »

Youssef lui proposa alors de le rejoindre chez lui à dix-sept heures avec son amie Marguerite, munies de leurs longs voiles à la Duncan : « Une amie, Olga, y sera et nous jouera du piano ; Gibran s'y trouvera aussi. » Ils se quittèrent après que Youssef lui eut écrit son adresse.

Ce soir-là Youssef et Gibran entrèrent dans l'extase, la méditation et le recueillement devant la danse gracieuse de Rosina et de Marguerite sur les notes féeriques d'Olga [52].

Cette scène aura été gravée dans la mémoire de Gibran jusqu'au crépuscule de sa vie, engendrant l'apothéose de l'image de la danseuse dans son dernier livre, *L'Errant* :

« Un jour, la cour du prince convia une danseuse accompagnée de ses musiciens.

Elle fut présentée à la cour, puis devant le prince elle dansa aux sons du luth, de la flûte et de la cithare.

Elle dansa la danse des flammes et celle des épées et des lances. Et elle dansa la danse des étoiles et celle de l'univers. Puis elle dansa la danse des fleurs virevoltant dans le vent.

Subjugué, le prince la pria de s'approcher. Elle se dirigea alors vers le trône et s'inclina devant lui. Et le prince de lui demander :

"Belle femme, fille de la grâce et de la joie, d'où vient ton art ? Comment peux-tu maîtriser la terre et l'air dans tes pas ainsi que l'eau et le feu dans ta cadence ?"

La danseuse s'inclina de nouveau devant le prince et dit :

"Votre altesse, je ne saurais vous répondre, mais je sais que

l'âme du philosophe veille dans sa tête,

l'âme du poète vole dans son cœur,

l'âme du chanteur vibre dans sa gorge,

mais l'âme de la danseuse vit dans son corps tout entier [53]." »

Grâce à Rosina, Gibran et Youssef furent conviés au théâtre du Châtelet pour assister à maintes représentations de la danseuse Isadora Duncan, avec laquelle ils purent avoir plusieurs entretiens [54].

Un soir, arrivé devant la brasserie de Mme Baudet, Gibran avoua à Youssef qu'il souffrait de la gorge et qu'il n'éprouvait aucune envie de dîner. Il le quitta en s'appuyant sur sa canne en direction de sa maison. Quelque temps plus tard, le cocher que notre auteur avait l'habitude de louer entra dans la brasserie et informa Youssef que Gibran était très souffrant. Youssef rapporta dans son livre *Mes Souvenirs* qu'il se précipita chez son ami et le trouva gémissant dans le noir, tapi sur son divan.

Gibran lui dit d'une voix enrouée : « Dieu merci, tu es là, Youssef. Je crois que je vais mourir étouffé. » Quelques instants plus tard, la concierge frappa à la porte et entra avec un bol de potage qu'il ne put boire tellement sa gorge était enflammée. Après la visite du médecin, il s'avéra qu'il avait une angine aiguë. Youssef veilla toute la nuit à son chevet, lisant *Le Père Goriot* de Balzac. En pleine nuit, Gibran se leva pour faire des gargarismes avec les médicaments prescrits par le médecin, et dit à Youssef : « J'ai peur que tu attrapes froid, prends mon manteau dans l'armoire. » Et Youssef de lui répondre : « Les anges dans ta demeure me tiennent chaud. »

Le lendemain, à son réveil, Gibran commença à analyser les secrets de la vie et de la mort puis demanda à Youssef : « Si j'avais rendu l'âme, qu'aurais-tu fait ? » Youssef lui répondit avec sympathie : « Je t'aurais suivi. Mais maintenant tu ne dois pas parler pour ne pas fatiguer ta gorge. » Et pourtant Gibran poursuivit : « Tes parents, Youssef, sont toujours vivants et que Dieu prolonge leurs vies. Quant à moi, ma mère, ma sœur et mon demi-frère, comme tu le sais, ne sont plus, et Dieu seul sait si mon père est toujours en vie. » Comme sa voix s'enrouait d'émotion, il se tut quelques instants, puis se ressaisit et ajouta : « Je suis sûr que je mourrai bien avant toi, Youssef. Je te prie de poser sur ma tombe une statuette que tu sculpteras de tes propres mains, représentant un lion qui bondit en rugissant. »

On frappa à la porte. C'était Rosina. Youssef lui expliqua que Gibran étant souffrant, ils ne pourraient pas travailler aujourd'hui. Cependant, il lui tendit deux francs cinquante, les honoraires de la pose. Elle lui objecta : « Vous n'êtes pas Rodin, vous ! Laissez-moi entrer pour voir M. Gibran. » Elle s'approcha de lui, posa la main sur son front et lui dit : « Donnez-moi votre taie d'oreiller ainsi que toutes vos chemises, vos chaussettes et vos mouchoirs. Je vais les prendre pour les laver. » Elle finit par rassembler elle-même le linge et enroula le tout dans un ballot ; puis elle ouvrit la porte et lança : « Je reviendrai demain ! » Perplexe, Gibran se retourna vers Youssef et, comme si la fièvre avait permis au doute de s'infiltrer à travers ses yeux, il dit : « Youssef, crois-tu vraiment qu'elle va revenir ? Elle a pris mes habits ! » Youssef le rassura, disant : « Ne t'inquiète pas. J'ai autant confiance en elle qu'en ma sœur, la religieuse. »

En fin d'après-midi, Youssef se proposa d'aller faire quelques emplettes pour le dîner. Gibran lui demanda de lui apporter de la cervelle.

Le lendemain, Rosina revint chez Gibran avec le ballot : tout était repassé et parfumé au laurier. Gibran lui dit : « Que Dieu bénisse vos mains et couvre vos jours de lauriers. »

Puis Youssef et Gibran reprirent leurs toiles respectives et poursuivirent leurs dessins, *L'Emportée sur les ailes des anges*. Comme à l'accoutumée Gibran pensa à voix haute ; il commença à analyser la nature de la femme en disant en arabe : « J'aime la femme dont la moitié ressemble à Béatrice, l'impératrice de Dante et l'autre moitié à Messaline, l'impératrice romaine. Il faudrait qu'elle soit à la fois belle dans son corps et sublime dans son esprit. Cette pauvre fille que nous dessinons est un trésor inestimable, mais de quoi pourrons-nous parler avec elle, une fois qu'on aura terminé. Serait-elle capable de tenir une conversation profonde ? »

Une heure plus tard, Gibran avait terminé complètement la toile et s'en réjouit. Pendant que Rosina se rhabillait, Gibran prit en cachette une petite boîte et en sortit une chaîne et trois bracelets en argent et dit en arabe à Youssef : « Je les ai achetés quand j'étais à Beyrouth et je suis retourné avec aux Etats-Unis puis les revoilà à Paris. Aujourd'hui j'ai trouvé celle qui est digne de les porter. Prends-les et dis-lui que c'est un cadeau de toi. » Youssef lui répondit : « Tu n'as pas honte ! Me demandes-tu de mentir ? » Puis il dit à Rosina en italien : « Voulez-vous accepter ce cadeau de notre ami Gibran ? »

Les yeux de Rosina étincelèrent de joie. Ne pouvant se retenir, elle remplaça la ficelle par la chaîne et s'empressa de glisser les bracelets sur son bras puis s'apprêta à remercier Gibran en tenant sa main pour la baiser. Gibran bondit en arrière, et Youssef de s'écrier : « Mais non, sur la joue ! » Gibran et Rosina rougirent de timidité. Puis elle finit par l'embrasser, sans qu'il eût l'audace de lui rendre la pareille [55].

Au début du mois de juin, Charlotte, l'autre protégée de Mary, se rendit à Paris à la recherche d'un producteur français pour ses pièces de théâtre. Elle susurra à l'oreille de Gibran les noms des personnalités bostoniennes qui étaient les prétendants de Mary. Gibran ne l'écoutait que d'une oreille [56]. Par ailleurs elle écrivit à Mary un rapport optimiste sur les progrès de Gibran : « Son travail révèle une immense évolution. Il a touché la réalité et a appris à peindre. Le sens des couleurs est devenu sien, et je ressens que toute sa nature a mûri et s'est renforcée cette année. Bientôt il va faire mon portrait pour te l'offrir. Non, ma chérie, il ne m'aime pas comme tu m'aimes et personne ne peut m'aimer autant que toi, ni même comme moi je t'aime. Il ne peut pas comprendre ce qui est moderne et occidental en moi, mais nous progressons ensemble agréablement. Il sera un bon compagnon pour contempler l'art de Paris[57]. » Les propos de Charlotte dénotent des sentiments plus qu'amicaux envers Mary. Visiblement, Gibran s'en doutait, ce qui expliquerait la raison pour laquelle il voulut offrir à Mary le portrait de Charlotte.

Gibran et Charlotte passèrent une semaine de vacances à Versailles. Ce fut là qu'il commença à peindre le portrait de Charlotte ; mais il ne put le terminer à cette époque-là, car il disait en se plaignant : « Charlotte a beaucoup d'idées, de projets et de rêves ; elle est toujours en train de courir, courir derrière son ombre. Son âme forte et belle ne peut nulle part être au repos[58]. »

Cependant, Gibran fut secoué par un événement tragique qui freina sa production pour un certain temps. Son cauchemar sur la mort qu'il avait eu six mois auparavant vint se concrétiser. Il reçut une lettre de Bcharré annonçant la mort de son père. Il s'était éteint aveugle, alors que son fils commençait à briller.

Il écrivit à Mary, dans la première phrase de sa missive du 23 juin, qu'il pleurait amèrement chaque fois qu'il relisait les deux dernières lettres de son père[59].

Durant des années Gibran avait éprouvé des sentiments ambivalents envers la dureté et la faiblesse de son père, mais quand il sut que cet homme autoritaire l'avait finalement « béni juste avant qu'il ne rendît l'âme », il en fut étrangement affecté. Il poursuivit dans sa lettre à Mary : « Je ne peux que voir les tristes ombres des jours passés lorsque mon père, ma mère et Boutros ainsi que ma sœur Sultana vivaient et souriaient devant la face du soleil. Où sont-ils maintenant ? Sont-ils ensemble ? Peuvent-ils se rappeler le passé ? Sont-ils tout près de ce monde ou fort loin ? Toutefois, je sais, chère Mary, qu'ils continuent à vivre, et leur nouvelle vie est bien plus réelle, plus belle que la nôtre. Ils sont plus proches de Dieu que nous le sommes. Le voile à sept plis n'est plus suspendu entre leurs yeux et la Vérité, et ils ne joueront plus à cache-cache avec l'Esprit [60]. »

Dans la même lettre, il conclut par une marque d'affection pour Mary qui dépassait les normes de l'amitié pour friser les sphères de l'amour : « Vous, chère et douce consolation, vous êtes à présent à Hawaii, en cette île si aimée du soleil. Comme vous êtes de l'autre côté de la planète, vos jours sont nuits à Paris. Vous appartenez à un autre ordre temporel, et pourtant vous êtes si proche de moi. Vous marchez à mes côtés lorsque je suis seul. Et vous êtes là, à l'autre bout de la table, en train de me parler alors que je travaille... Souvenez-vous de moi, lorsque vous vous retrouvez parmi les vallées et les montagnes de Hawaii. Je baise votre main, chère Mary. Je ferme les yeux et je vous vois, chère amie [61]. »

Dès lors, étant orphelin de mère et de père ainsi que de son pays qui censurait ses écrits, son amitié pour Mary se muait-elle timidement en amour ?

Après quelques jours de sombre souvenance mêlée d'amertume, il se replongea dans le travail. Il révéla à Mary ses petits pas sur le long chemin de l'Art : « Vous savez qu'à mon arrivée à Paris je ne connaissais pratiquement rien à la technique picturale. Je fai-

sais les choses d'une façon instinctive sans savoir
comment ni pourquoi. J'étais dans le noir, et maintenant je sens que je marche dans la pénombre vers la
lumière[62]. » Au terme du mois de juillet, il lui assura
que ce mois était le plus fructueux de sa vie en tant
qu'artiste. Grâce aux cours qu'il suivit auprès de
Béronneau, certains de ses tableaux lui permirent de
participer à deux concours et de recevoir une médaille
d'argent[63].

En parallèle à ses menus exploits dans le monde pictural, Gibran continua à écrire en arabe. Dans ce climat
de liberté caractérisant la société parisienne, il continua
à écrire l'histoire d'un amour prisonnier des traditions
et du pouvoir ecclésiastique levantins : *Les Ailes
brisées.*

Quant au projet d'un essai intitulé *La Religion et la
Religiosité* dont il parlait à Youssef[64], il se mua en un
projet de roman qui ressemblerait à la nouvelle « Khalil, l'impie » dans *Les Esprits rebelles.* Son héros serait
Gibran lui-même, déguisé en Khalil ibn Salem. Il y
prouverait que l'homme peut entrer en contact direct
avec Dieu où qu'il soit, sans recourir aux temples et
aux prêtres, et que la source des religions est une ; ce
sont les intérêts des hommes de religion qui en firent
plusieurs branches. Ibn Salem n'allait pas, en effet, à
l'église pour prier comme les autres gens. Il allait plutôt aux champs pour voir le visage de Dieu à travers
la beauté de la nature et entendre les langues des
oiseaux purs et les cours d'eau limpide chanter Sa
gloire. Les champs sont dignes d'être le royaume de
l'esprit beaucoup plus que les églises bonnes pour les
prêtres. En outre, Ibn Salem croit à la divinité du grand
Nazaréen, bénit les enseignements de Bouddha et de
Moïse et croit que tous ceux dont les paroles ont mis
une partie des gens dans la bonne voie qui mène à la

perfection émanent du grand Esprit de Dieu[65]. Toutefois, ce projet de livre, qui aspirait à chanter la nature, icône de Dieu, resta au stade de projet. Dans la même période, nous rappelons qu'il écrivit à Mary : « La nature n'est autre que le corps de Dieu, la forme de Dieu ; et Dieu est ce que je chante et ce que j'aimerais comprendre[66]. »

A Paris également, il reprit son manuscrit *Pour que l'univers soit bon*, l'embryon du *Prophète*, et se mit à lire certains passage en arabe à haute voix[67] :

« Au septième jour de la première lune, al-Moustapha [l'élu] descendit jusqu'à la côte et se dressa devant le vaisseau qu'il bâtit lui-même en bois de santal. Puis il se tourna vers la sublime cité érigée sur onze collines.

Le regard fixé sur la sublime cité, al-Moustapha se dit : "Voilà que le soleil a atteint le signe du Bélier, terminant ainsi un cycle de sept mille ans depuis que je suis venu pour la première fois de chez les dieux pour être parmi les humains.

Il y a sept mille ans, je suis descendu des hauteurs, tenant à la main le flambeau du feu sacré. Je suis venu voir les habitants de la Terre pour éclairer leur obscurité, transformer leurs cendres en braises et vaincre le brouillard qui hante leurs cavernes.

Voilà que le soleil a atteint le signe du Bélier. Ainsi sept mille ans viennent de s'achever depuis que mon âme s'est exilée des théâtres des géants éternels pour les cavernes des faibles pygmées, à dessein de faire croître leurs esprits et leurs corps.

Et me voici aujourd'hui prêt à m'exiler à nouveau de chez les pygmées où résident l'ambiguïté et la perplexité, pour m'embarquer seul en direction de l'île de la solitude, où la quiétude chante ses louanges au jour et à la nuit.

Je vais m'éloigner des hommes, car le limon dont ils furent pétris a été souillé par des scories... Je resterai loin jusqu'à ce que les éléments éternels se réunissent à nouveau, créant par leur interaction un nouveau limon pétri avec l'huile et le vin de la vie..."

Al-Moustapha ôta son vêtement, planta sa canne et monta à bord de son vaisseau, disant : "... Que mon corps soit nu devant la nuit et le jour pour que le vent se plaise à le toucher et que les planètes se réjouissent de le voir [68]." »

Puis Gibran se dit en répétant les paroles de sa défunte mère : « C'est du bon travail, mon fils. Mais son heure n'a pas encore sonné, laisse-le fermenter avec le temps [69]. Il faut que tu vives plus longtemps pour trouver l'Autre. C'est alors seulement que tu écriras ce qu'Il te dictera [70]. » Il continua à l'écrire secrètement durant encore quinze ans.

Par ailleurs, il ne cessa de collaborer au journal *Al-Mouhajir* à New York : « Voilà un autre article que je t'envoie, écrivit-il à son éditeur Amin al-Ghrayib ; je l'ai écrit hier soir après qu'un ami m'eut raconté qu'il s'était séparé de sa bien-aimée. » Il s'agirait de Youssef et d'Olga qui durent rompre leur relation [71]. D'ailleurs, avant qu'elle ne regagnât la Russie, Olga offrit une toque russe en velours noir à Youssef et à Gibran. Ils la portaient lors de leurs sorties nocturnes [72].

« Sur mon bureau, poursuivit Gibran dans sa lettre à son éditeur, se trouvent deux pages d'un autre article que je t'enverrai plus tard une fois que je l'aurai terminé comme je le veux. Quelles sont les nouvelles d'*Al-Mouhajir* ? J'espère qu'il ne sera pas transféré en Syrie. Car je sais que la vie de ce journal au Levant sera exposée au danger et prisonnière des frayeurs [73]. »

Deux jours plus tard, Gibran reçut le dernier numéro

d'*Al-Mouhajir* publié à New York. Il écrivit à son propriétaire qui s'apprêtait à partir s'installer à Beyrouth :
« A travers ce numéro je regarde l'avenir avec des
yeux pleins d'espoir et d'espérance en dépit de l'amertume de l'éloignement... Mes articles resteront dans
mes cahiers en attendant qu'un nouveau journal éclose
sous tes ailes... Avant que tu partes pour Beyrouth, je
te prie de bien vouloir me conserver la collection
complète du journal chez Mme Mary 'Issa al-Khoury...
Gibran est désormais étranger au *Mouhajir*, toutefois
le mot même *al-Mouhajir* [l'émigrant] sera toujours
doux à prononcer[74]. »

Gibran et Youssef prirent l'habitude de passer leur
dimanche à visiter le Louvre. L'entrée en ce jour du
Seigneur était gratuite. Leur visite était en quelque
sorte un pèlerinage au temple de l'Art. Gibran ne se
lassait jamais de contempler la statue égyptienne de
l'*Ecrivain* et celle de la *Victoire de Samothrace* ainsi
que le buste de la *Vénus* de Milo sans oublier l'immor-
telle *Joconde*.

Alors qu'ils déambulaient dans ces couloirs, ivres de
ces richesses, Youssef nous rapporta dans *Mes Souvenirs* que ses yeux commencèrent à briller et il dit :
« Allons-nous jeter à la poubelle tout ce magnifique
héritage artistique par la faute de certains escrocs qui,
n'ayant pu réussir à gravir des sommets plus élevés
dans le monde de l'art, se sont résolus à se dévoyer
dans l'espoir de découvrir du nouveau et ont fini par
nous apporter des œuvres hideuses voire risibles ? »

Gibran rit fort et dit : « Les vibrations de tes mots
m'ont plu, mais ton argument n'est pas si solide. Ne
crois-tu pas qu'il y ait quelque chose derrière ce vacarme ? Nous devons d'abord comprendre cette chose, par
la suite nous choisirons librement le style qui convien-

dra le mieux à nos sentiments et à nos goûts [75]. Il faudrait nous évertuer à comprendre cette révolution démentielle contre l'art et la beauté, cette rude bataille entre l'imitation de la nature et son reniement. Nous devrions chercher à savoir jusqu'à quel point on doit imiter la nature, à la manière de Léonard de Vinci et de Michel-Ange ou bien jusqu'où on peut aller dans le reniement de la nature, selon ces artistes fous [76]. Je commence à croire que le genre de peinture ou de sculpture ou de toute autre œuvre artistique dont le sens, les traits et les couleurs sont saisis d'une façon simple et facile pour l'œil, est souvent banal et froid et finit par faire bâiller son spectateur. Par contre, le genre qui se révèle difficile à comprendre du premier regard excite l'imagination ; l'excitation et la compréhension après l'effort sont une sublime extase. Ne crois-tu pas, Youssef, que ce genre soit une tentative d'approfondissement de la pensée ? C'est la créativité même, et en elle réside un plaisir qui dépasse tous les plaisirs. »

Visiblement, Gibran était quelque peu attiré par l'émergence du style des cubistes et des couleurs des fauves, mais il recherchait instinctivement les idées des peintres symbolistes.

Puis Youssef invita Gibran à regarder par la fenêtre la vue sur les Tuileries et la Seine et à contempler cette lumière somnolente qui voilait la face de Paris et dit : « J'ai souvent remarqué que chaque grande ville avait un visage bien particulier et des couleurs magiques propres à elle, comme les visages des Vierges. »

Gibran ajouta : « O combien je désire voir le visage d'Athènes et m'asseoir parmi les ruines de l'Acropole ! Je sens que quelque chose me manquerait si je ne parvenais pas un jour à visiter le temple de Minerve et à fouler le sol de Rome, de Florence et de Venise. Je le regretterais toute ma vie. Je te félicite, Youssef, d'avoir pu visiter ces villes et d'y avoir vécu. Mais comment y aller ? Et si l'on faisait des économies ? »

Et Youssef de répondre avec regret : « Eh oui ! Mais il faudrait beaucoup d'argent. » Gibran hocha la tête et répéta sa fameuse expression : « Que Dieu maudisse l'argent qui s'interpose entre l'être et ses ambitions [77]. »

Les peintres parisiens de ce temps formaient deux camps : les classiques, porteurs de petits gilets et de chapeaux en velours, et les modernistes, vêtus de noir. Distant de l'une et l'autre tendance, Gibran songeait à s'inspirer de Botticelli et de Léonard de Vinci ainsi que de Carrière. L'idée de pouvoir les imiter le hantait [78] : « Je sens maintenant que l'œuvre de Carrière est la plus proche de mon cœur, écrivit Gibran à Mary. Ses figures assises ou debout derrière la brume me parlent plus que toute autre œuvre excepté celle de Léonard de Vinci. Carrière comprenait les visages et les mains plus que quiconque. Et la vie de Carrière n'est pas moins belle que son œuvre. Il a tellement souffert, mais il a connu le mystère de la douleur : il a su que les larmes rendent toute chose étincelante [79]. »

Toujours dans *Mes Souvenirs*, Youssef nous raconte qu'il vint un jour chez Gibran lui transmettre l'invitation de Calmet à dîner à l'occasion de son mariage. Gibran répliqua : « Je vais me sentir étranger dans ce milieu juif, mais comme Léah mérite ce sacrifice et comme la mariée parle anglais, pourquoi pas, on y va. Toutefois ce serait malvenu, si nous y allions les mains vides. » Youssef lui répondit : « Notre présence vaut plus qu'un présent. »

Ils étaient dix personnes à table. Après avoir mangé,

bu et dansé, Suzanne prit la parole et dit : « Nous allons clore cette cérémonie par un concours dont le prix est ce cadeau. » Elle pointa le doigt sur une boîte de couleur pourpre posée sur la table juste à côté du chandelier à sept branches et ajouta : « Ce cadeau ira à celui qui racontera l'histoire la plus originale. Je vais tirer au sort trois noms parmi nous. » Elle tira en premier le nom d'un jeune Roumain lequel raconta une histoire en sa langue qui ne fit rire que ceux comprenant le roumain. Puis elle tira le nom de Léah, sa sœur, qui raconta une histoire sur les juifs qui réjouit tout le monde.

Enfin elle tira le dernier nom qui fut celui de Gibran. Tout le monde se tourna vers lui et l'encouragea en l'applaudissant. Décontenancé, Gibran regarda Youssef avec des yeux interrogatifs. Youssef s'approcha de lui et dit en arabe : « Et si tu leur racontais un des exploits héroïques de ton ancêtre Gibran qui portait le même prénom que toi ! » La mariée, elle aussi, insista mais en anglais.

Mis au pied du mur, Gibran rassembla tout son courage oratoire et commença à raconter l'histoire de son grand ancêtre : « Le trisaïeul de mon père qui se prénommait Gibran, lui aussi, avait l'habitude de ne jamais sortir de la maison sans son épée et de ne jamais se coucher sans l'avoir à ses côtés. Un jour, un évêque offrit à notre village une collection de tableaux qui illustrent les quatorze stations du chemin parcouru par Jésus portant sa croix. Le prêtre accrocha les tableaux dans l'église et fit retentir la cloche, invitant les villageois à venir les contempler. Mon ancêtre s'y rendit, accompagné de ses acolytes et bien sûr de son épée. Le prêtre commença à expliquer les quatorze arrêts du chemin de croix : "Le premier illustre Notre-Seigneur Jésus-Christ dans le jardin des Oliviers et autour de lui des soldats venus l'arrêter." Mon ancêtre, les yeux exorbités, tira alors à moitié son épée, mais il finit par se retenir et par la rengainer, écoutant la suite de l'exposé. Le prêtre poursuivit : "Et ce tableau, mes enfants, illustre Notre-Seigneur Jésus-Christ portant une couronne d'épines et en face de lui un soldat qui le fouette." A ce moment-là, mon ancêtre dit d'une voix tonnante : "Ici à Bcharré, malheur à celui qui ose fouetter le Messie !" Il dégaina complètement son épée et donna un coup sur le soldat, brisant ainsi le verre, le cadre et la toile ! »

Tout le monde se mit à rire aux éclats et à applaudir, et Léah de s'écrier : « Le prix est pour Gibran ! » Calmet dit alors : « Heureusement pour les juifs que l'ancêtre de Gibran n'était pas vivant au temps de Jésus, il l'aurait défendu et lui aurait même épargné d'être crucifié ! » Léah ajouta : « Et toute l'histoire du monde aurait été chamboulée. »

Sur le chemin du retour, Youssef et Gibran ouvrirent la boîte et trouvèrent du chocolat et des dragées ainsi qu'une photo encadrée de Suzanne et une autre de Léah. Gibran donna le chocolat ainsi que la photo de Suzanne à Youssef et garda le reste dans ses mains [80], lui qui ne voulait pas se rendre à ce mariage les mains vides !

Au début de l'automne, il décida de ne plus suivre les cours de Béronneau, car « je sens que j'ai pris de l'homme tout ce qu'il pouvait donner, expliqua-t-il à Mary. Je dois trouver quelqu'un qui travaille sans détour et qui est moins rêveur [81] ». Dans le même temps, il quitta son studio qui était froid et sombre et s'installa provisoirement dans un hôtel. Youssef et lui prirent l'habitude d'aller travailler sur le motif à l'institut Colarossi, détenu par une certaine Catarina d'origine italienne qui dans sa jeunesse travaillait comme modèle[82].

En novembre, il fit la connaissance de nouveaux modèles et il termina une toile intitulée *Le Jeune Poète*. Puis il rencontra Marie Doro, une actrice américaine, et en fit le portrait. Il la décrivit à Mary en ces termes : « Elle a une grande âme et un esprit clair ; elle croit qu'elle était en Orient pendant ses vies antérieures, et je le crois moi aussi. Les gens nous prennent pour frère et sœur, mais Miss Doro ne nourrit pas mon cœur ni moi le sien. Je vous vois en train de sourire, ma chère Mary[83] ! » Nous notons là l'utilisation pour la première fois du pronom possessif « ma », précédant « chère Mary ».

Puis la vie lui sourit. Il finit par trouver un studio dans la rue du Cherche-Midi, cette fois-ci à l'étage, sain, chauffé et éclairé. Ce fut en décembre, un mois avant que Paris ne fût inondé. Il put également suppléer à l'aide financière de Mary par un travail rémunéré ; il donnait des cours particuliers de dessin à cinq étudiants, deux fois par semaine, ce qui lui permettait de percevoir la somme de cent francs par mois : « C'est un travail difficile, mais je l'aime, avoua-t-il à Mary. Car il me permet d'être sûr de ces quelques petites choses que je connais sur l'art[84]. » Et de surcroît il réalisa le portrait d'un grand sculpteur américain, Paul Bartlett, qui est l'auteur de la statue de La Fayette sur sa monture exposée à l'entrée du Louvre et qui à l'époque entreprenait un projet de figures allégoriques destiné à la Bibliothèque nationale de New York. La réaction de Bartlett concernant son portrait dessiné par Gibran fut si favorable que celui-ci en fut inspiré pour se lancer dans « un merveilleux projet » qui consistait à réaliser une série de « portraits des grands hommes de notre temps, les piliers de la culture et de l'art moderne, avoua-t-il à Mary. Je ne demanderai qu'une demi-heure à chaque homme... Bien sûr, je vais inclure dans cette série quelques femmes célèbres à l'instar de Sarah Bernhardt et Ellen Terry ». Quelques mois plus tard, il réussit à ajouter à cette liste les portraits du Prix Nobel Maurice Maeterlinck et des deux académiciens Edmond Rostand et Pierre Loti[85].

Gibran dut être influencé par le roman *Aziyadé* de Loti dans lequel ce dernier immortalisa, en 1879, son amante tcherkasse aux yeux de gazelle. Toutefois, notre auteur ne se contenta pas d'affranchir la femme levantine, il chercha aussi à libérer le Levant de son joug ottoman.

1910

Après la révolution des Jeunes-Turcs contre le régime ottoman d'Abdül-Hamid II en 1908, Paris reçut plusieurs dissidents syro-libanais. Des associations secrètes y virent le jour pour faire avancer la cause du nationalisme et de l'autodétermination dans les pays arabes occupés par les Ottomans. Parmi les chefs de ces mouvements se trouvait un écrivain libanais qui vivait à Paris, Choukri Ghanem. Il fut surtout connu par sa tragédie intitulée *Antar*, jouée à l'Odéon, dans laquelle il sut merveilleusement combiner ses écrits poétiques avec ses pensées politiques. Gibran fréquentait ces groupes naissants[86]. Un mois avant que Choukri Ghanem ne publiât son appel à l'autodétermination arabe, Gibran écrivit à Mary : « J'ai un ami poète syrien dénommé Ghanem ; il écrit à la fois en arabe et en français. L'une de ses pièces a été jouée cet hiver, ce fut un grand succès. Il a cinquante ans, mais la flamme de la jeunesse continue de brûler dans son âme[87]. »

A la suite de la première conférence tenue à Paris en 1910 par les indépendantistes syriens et libanais, Gibran fut pénétré par ces nouvelles idées libératrices. Les problèmes sociaux et féodaux qui occupaient l'Orient ottoman avaient déjà une place dans les premières nouvelles qu'il écrivit avant cette date. Mais Gibran commença désormais à éprouver un véritable sentiment national, à se considérer comme responsable de la liberté des peuples asservis sous le joug turc et à rentrer dans le courant des idées révolutionnaires qui se manifestaient d'une façon occulte au Liban, en Syrie, en Egypte, en Irak et ouvertement dans les milieux des émigrés, loin de l'oppression ottomane[88].

A cette époque il fut victime d'un attentat perpétré par les Turcs et blessé au bras par une arme à feu[89]. Nous ne connaissons pas les circonstances de cet événement sinon par ces remarques : « Tu es mon frère, et je t'aime. Mais pourquoi donc cherches-tu à te battre avec moi ?... Est-ce de la noblesse que l'homme tue son frère ? Si oui, que l'on élève donc une statue au nom de Caïn... Yérouchalaïm n'a pas réussi à tuer le Nazaréen, ni Athènes à éliminer Socrate, ils sont tous deux vivants pour l'éternité. Il en va de même pour tous ceux qui écoutent l'humanité et suivent les pas de la divinité[90]. »

Dans le même temps, les autorités ottomanes ordonnèrent l'autodafé du livre *Les Esprits rebelles* sur la place publique à Beyrouth, auquel assistèrent certains fanatiques religieux qui accusèrent Gibran d'être un « dangereux révolutionnaire, vénéneux pour la jeunesse[91] ». Et dans une lettre à Mary, il résuma les critiques des journaux et des revues arabes sur son dernier livre : « On me qualifie de "destructeur des vertus humaines,

vivant à l'ombre d'un dieu étrange" ; je ne tiens pas compte de ces propos, mais quelquefois je les aime [92]. »
Seulement deux cents exemplaires des *Esprits rebelles* purent être secrètement introduits en Syrie. Le siège du patriarcat maronite laissait propager la rumeur de l'excommunication de Gibran sans jamais en prononcer officiellement la sentence ni en démentir les bruits.

Lorsque deux évêques, représentants du patriarche maronite, se trouvèrent à Paris, ils invitèrent Gibran ainsi que d'autres Syriens à une réception. Au moment où il voulut prendre congé, il fut convié à dîner avec les deux évêques. Devant leur insistance, il finit par rester. L'un des évêques avait le sens de l'humour, l'autre point. Le premier était parent des Gibran ; quant au second, il prit à part notre auteur et tous deux échangèrent ces propos :

– Mon fils, tu as commis une énorme faute et tu continues à l'aggraver. Tu utilises tes dons contre ton peuple, ton pays et ton Eglise. Sa Béatitude le Patriarche est au courant de tout cela, mais il ne te condamne pas. Il t'envoie un message spécial et une offre d'amour et d'amitié. Et je suis sûr que tu sauras apprécier l'honneur que Sa Béatitude te fait en t'envoyant un tel message. Renonce à ce que tu fais, et les bras du Patriarche ainsi que ceux de l'Eglise te seront ouverts. Ton avenir sera assuré. Détruis tous les exemplaires de ce livre [*Les Esprits rebelles*], et fais-moi la promesse, que je porterai au Patriarche et à l'Eglise en Syrie, que tu renonceras à jamais à écrire de pareilles choses.

– Monseigneur, tout ce que vous venez de me dire ne me surprend point. Car j'en étais informé bien avant cet entretien. Quant à ma réponse, permettez-moi de vous dire que je suis loin de me rétracter et que bientôt j'aurai terminé d'écrire un nouveau livre intitulé *Les*

Ailes brisées. J'espère qu'il sera lu par vous et par Sa Béatitude le Patriarche et que vous en serez inspirés pour réformer votre Eglise. Vous verrez en lui combien je suis entièrement en désaccord avec vous et combien j'ai pu aller encore plus loin depuis *Les Esprits rebelles*. Bonsoir, je ne puis rester à dîner[93].

Ce fut probablement grâce à Youssef al-Houayik, neveu du patriarche et à Mgr Boulos Gibran, nommé vicaire patriarcal quelques mois avant la publication des *Esprits rebelles*, que la sentence d'excommunication ne fut jamais officialisée.

Mais quelles furent les raisons pour lesquelles les autorités ecclésiastiques se sentirent si offusquées qu'elles songèrent à l'excommunication ? Qu'est-ce donc qu'un prêtre, aux yeux de « Khalil, l'impie », héros des *Esprits rebelles* ? Prêtant à « Khalil, l'impie » ses propres griefs, Gibran lui fit longuement exposer ses ressentiments contre cette caste qui ne sut pas être amour[94].

Depuis le début de l'année, Gibran se préparait pour l'annuel Salon du printemps auquel il désirait ardemment participer. En mars il écrivit à son cousin, Nakhlé : « En ces jours je suis telle une roue qui ne cesse de tourner et que je ne peux arrêter. Et tu sais fort bien que la vie sans labeur ressemble à la mort. Depuis deux mois je m'affaire à présenter mes toiles au Salon du printemps qui ouvrira ses portes la semaine prochaine. La plus importante de ces toiles est celle que j'ai intitulée *La Procession des générations*. Dieu seul sait combien j'ai dû peiner avant de la terminer, car c'est un sujet qui exige beaucoup d'études et de temps, de réflexion et de sensibilité ; je ne sais pas si je l'ai bien réussie, mais je suis convaincu que j'ai mis en elle ce que Dieu a posé en mon âme, et c'est tout ce que l'homme peut faire. Je ne manquerai pas de te faire part du résultat de cette exposition.

Viendra-t-il le jour où nous pourrons nous rencontrer au Liban, partir à cheval vers les vestiges de Baalbek puis remonter l'Oronte jusqu'à Homs et par la suite nous rendre dans les plaines, rendant visite aux Arabes dans leurs tentes et écoutant la douce mélodie des *mou-layya* [chants populaires] qui réjouissent le cœur ? Ce sont des rêves qui viennent avec les spectres de la nuit et qui partent avec les lumières du jour. Ce sont des rêves éveillés, mais qui ne vont pas tarder à s'étioler devant mes yeux, comme les formes de la brume qui se dissipent lorsqu'elles effleurent les versants de la vallée[95]. »

Gibran présenta trois toiles : *La Procession des générations, L'Emportée sur les ailes des Anges* et *L'Automne*. Il avait choisi Rosina comme modèle pour les deux dernières toiles[96]. Le jury de la Société nationale des Beaux-Arts n'en sélectionna qu'une seule, *L'Automne*, grâce à laquelle il allait inaugurer son « printemps » artistique à Paris, en cette capitale qui préside à toutes les réputations.

Le tableau, hélas, ne fut pas exposé en bonne place, mais relégué dans un sombre couloir du Grand Palais. Youssef versa alors au gardien un dollar et lui demanda de le transporter dans la grande salle. Lorsque Rodin apparut, tel un demi-dieu, il fut entouré d'un essaim de femmes parfumées. Parmi celles-ci se trouvaient des Américaines qui connaissaient notre auteur. Devant *L'Automne*, Rodin, le septuagénaire, et le jeune Gibran se saluèrent et échangèrent quelques propos[97].

« Enfin l'exposition eut lieu, écrivit-il à son cousin Nakhlé. Ce fut dans un cadre si raffiné que l'on se croyait au marché de 'Oukâz au temps de la période pré-islamique. J'aurais aimé que tu sois là pour admirer la beauté incarnée en des toiles et statues ressemblant aux merveilles dont on parle dans les *Mille et Une Nuits*... Un seul de mes tableaux fut retenu, celui de *L'Automne* qui représente une femme dont la poitrine est dénudée et dont les cheveux et le voile sont caressés par le vent. A travers sa stature, ses couleurs et son arrière-plan, elle parle de la mélancolie qui s'interpose entre les joies de l'été et la tristesse de l'hiver. La presse française parla longuement de cette exposition et mentionna mon nom avec de douces épithètes. Je reçus une lettre d'encouragements du comité du jury, que je garderai toute ma vie. Elle me rappellera mes jours de labeur et de lutte à Paris[98]. »

Ainsi fut-il en mesure de montrer à Mary davantage de preuves concrètes concernant son progrès à Paris. Il lui écrivit : « Je n'ai jamais vu autant de monde dans ma vie, ni autant d'enthousiasme... Votre nom est inscrit sur *L'Automne*. Désormais toutes mes toiles porteront un cercle dans lequel j'écrirai vos initiales [MEH][99]... Un jour, les gens y verront le symbole du véritable bien, du véritable amour et de la véritable foi[100]. » Plus tard, Mary qualifia ce petit cercle d'une « pupille dans un œil qui scrute les cieux[101] ».

Dans la même lettre il décrivit la liste grandissante de ses connaissances : « J'ai plusieurs amis sympathiques, des poètes syriens et français, des peintres anglais et américains, des musiciens allemands et italiens. Nous nous rencontrons parfois dans des lieux publics et d'autres fois chez des bonnes gens qui aiment recevoir les artistes[102]. »

Le deuxième exploit fut la promesse de publication de l'une de ses nouvelles. Il poursuivit dans sa lettre à Mary : « Un éditeur parisien publie une collection de livres contenant les plus célèbres nouvelles des écrivains modernes toutes cultures confondues. A ma surprise, j'ai appris que l'un de mes derniers poèmes en prose a été traduit en français et qu'il sera publié dans le volume quatre de cette collection, tard en juillet [103]. »

Il s'agit de « Martha la Banaise » qui est la deuxième nouvelle de son livre *Les Nymphes des vallées*. Elle ne parut qu'en novembre dans le numéro dix de la revue *Les Mille Nouvelles Nouvelles* [104]. Il en fut déçu, car le traducteur prit la liberté de supprimer la fin de la nouvelle dans laquelle les prêtres refusent de participer aux funérailles de Martha. De surcroît, il aurait aimé que le traducteur, Michel Bîtâr, professeur d'arabe à la Sorbonne, choisisse une autre nouvelle, celle de « Warda al-Hani » de son livre *Les Esprits rebelles* [105]. Toutefois, il dut être réconforté de voir son nom publié dans cette revue parmi des auteurs contemporains célèbres, tels le dramaturge russe Anton Tchekhov et l'écrivain autrichien Arthur Schnitzler [106].

Dans la note biographique précédant la nouvelle, Gibran fut présenté ainsi : « Le jeune écrivain arabe, Joubrane [*sic*], écrit des nouvelles pour plaider des réformes, comme celle de l'émancipation de la femme orientale... Il cherche à briser le joug religieux au Liban. Joubrane est lu, commenté et discuté. Sa nouvelle "Warda al-Hani" dans *Les Esprits rebelles*, publiés en 1908, a inspiré plus de deux cents articles de presse en langue arabe [107]. »

Par ailleurs, Gibran et Youssef aimaient à se promener le long du boulevard Montparnasse jusqu'à La Closerie des Lilas. Ils y faisaient halte pour contempler la statue commémorative du *Maréchal Ney* de Rude. Puis ils flânaient dans le jardin de l'Observatoire en s'émerveillant devant la fontaine qui porte *Les Quatre Parties du monde* de Carpeaux.

Que de fois Gibran s'extasia devant ces merveilles, nous rapporta Youssef dans *Mes Souvenirs* : « Ah ! Nous sommes à Paris, Youssef. Nous sommes dans ce merveilleux jardin, dans ces allées mêmes où passèrent tant de grands savants et d'illustres artistes. Je ressens encore le souffle de Puvis de Chavannes et de Carrière, ainsi que celui de Balzac, de Musset et de Hugo, sans oublier Pasteur, Curie, Taine et Renan. J'imagine les traces de leurs pas sur ce chemin. »

Et Youssef de l'interroger avec ironie : « Et les muses, ne vois-tu pas les douces traces de leurs pas ! »

Après un long silence Gibran suggéra à Youssef d'aller voir Sainte-Geneviève : « Cela fait longtemps que je ne l'ai pas revue : son visage me manque. »

Ils quittèrent le jardin de l'Observatoire et prirent la rue Soufflot, du nom de l'architecte du Panthéon, en direction de Sainte-Geneviève. Gibran était émerveillé chaque fois qu'il se trouvait dans ce « temple édifié sur un autre temple », et surtout quand il contemplait le chef-d'œuvre de Puvis de Chavannes, la fresque de *Sainte Geneviève veillant sur Lutèce,* tout en se souvenant des heures qu'il passait dans sa jeunesse à admirer la peinture murale à la Bibliothèque nationale de Boston exécutée par le même Puvis de Chavannes.

Gibran s'enquit : « Quelle fut la vibration de sa voix lorsqu'elle parla face à Attila pour que celui-ci rebroussât chemin ? Y a-t-il une quiétude plus profonde que celle de son visage ? »

Puis ils se dirigèrent vers une autre fresque, celle de *La Mort de la sainte* réalisée par J.-P. Laurens, le professeur de Gibran à l'académie Julian. « Regarde, que c'est froid, cela fait bâiller, c'est sans esprit, commenta Gibran. Je t'ai toujours dit, Youssef, que le goût artistique de Laurens me déplaisait. J'aime être libre dans mon propre genre. »

Rameutés par un guide, ils descendirent avec lui dans la cave suivis par un groupe de visiteurs. Et le guide commença à répéter tel un perroquet : « Ci-gît Voltaire, le grand philosophe, le grand écrivain, le grand penseur. » Puis il pointa le doigt vers une autre sépulture et dit : « Ci-gît Jean-Jacques Rousseau, le grand écrivain, le grand penseur. » Ensuite, vers une autre en disant : « Ci-gît Victor Hugo, le grand poète... »

Gibran empoigna le bras de Youssef et lui susurra à l'oreille : « Je suis rassasié de grandeur ; allons nous promener sur les rives de la Seine. »

Ils descendirent le boulevard Saint-Michel jusqu'au pont. Puis Youssef demanda à Gibran :

— Sais-tu ce que Louis XVI disait de Voltaire et de Rousseau ?

— Tu veux dire ce roi que les révolutionnaires ont exécuté sur la place de la Concorde !

— Quand Louis XVI était séquestré dans la prison du Temple, il disait que c'étaient Voltaire et Rousseau qui avaient détruit la France et achevé la minuscule famille des Bourbons. Napoléon disait aussi que si ces Bourbons avaient veillé sur le mouvement littéraire, leur étoile n'aurait pas disparu. Rousseau et Voltaire n'étaient pas grands, mais leurs contemporains étaient petits.

— Avec Voltaire et Rousseau, la France a commencé à penser ; même Napoléon n'aurait pas pu l'en empêcher. Mais quand se produira-t-il ce miracle au Levant, quand et avec l'aide de qui ?

— Avec l'aide de Gibran, répondit Youssef avec enthousiasme et confiance.

Gibran se retourna vers lui et, le regardant les yeux dans les yeux, lui dit : « Gibran se fera fort d'être à la hauteur. » Et Youssef d'ajouter : « Et qui sait si ses

concitoyens ne lui élèveront pas un grand Panthéon[108] ! »

Quelques mois auparavant, Gibran écrivit à Mary
qu'il attendait un ami : « Il s'appelle al-Rihani, un
grand poète. Il vient du Levant pour présenter une
pièce de théâtre arabe à Londres. Il a un joli visage et
une bonne âme. Il a traduit, il y a quelques années, des
vers arabes en anglais[109]. » Il s'agit du recueil de poésie sur l'éthique *al-Louzoumiyât*, écrit au XIe siècle par
Abou al-'Ala al-Ma'arri.

Et d'un ton jovial il annonça également à son cousin
Nakhlé la prochaine arrivée à Paris de cet ami : « Tu
auras des nouvelles d'al-Rihani et moi qui te feront
plaisir. Si le ciel le veut, nous allons accomplir de bril-
lantes entreprises... Amin al-Rihani est l'un des rares
hommes de Syrie qui ne recule point devant les grandes actions[110]. »

Amin al-Rihani vivait aux Etats-Unis où ses parents
avaient fait fortune. Lorsque Gibran se mit à écrire
pour *Al-Mouhajir*, Amin venait d'entreprendre une
tournée au Moyen-Orient. Notre auteur, qui était son
cadet de sept ans, ne le connaissait qu'à travers ses
articles publiés à Beyrouth. A sa renommée littéraire,
Amin alliait une célébrité politique dans le monde
arabe. En somme, il représentait l'idéal auquel aspirait
Gibran à cette époque, lui qui rêvait d'amour dans ses
Nymphes des vallées et de liberté dans ses *Esprits
rebelles*. Les deux hommes furent liés par une admiration réciproque.

En été, Gibran rencontra pour la première fois Amin
al-Rihani, qui était de retour aux Etats-Unis en passant
par Paris. Il avait une grande connaissance de la littérature arabe et américaine. Il envoyait régulièrement des
articles durant ses voyages à des revues publiées aux

Etats-Unis, notamment à *Papyrus*, dirigée par Michael Monahan et orientée sur les idées de Carpenter, Renan, Whitman, Wilde et Poe. Gibran admirait chez Amin son esprit satirique et son style recherché [111].

Un jour, Amin, Youssef et Gibran se trouvèrent ensemble à se promener en fiacre sur les Champs-Elysées. Amin regarda les deux autres et désigna Youssef au milieu, comme le « Fils » et Gibran comme le « Saint-Esprit ». Amin, étant le « Père », se mit à s'entretenir avec le « Saint-Esprit » de la réforme de ce monde corrompu [112].

Amin lui rapporta les revers qu'il subit au Liban à cause de ses idées réformatrices qui déchaînèrent le courroux des prêtres. Tous deux déversaient leur haine commune et manifestaient leur désir mutuel de voir la religion revenir à sa quintessence spirituelle, dégagée de toutes ses amarres matérielles intéressées : « Il est temps, disaient-ils, d'arrêter les prêtres qui déforment la vraie religion et la dévient de son orientation salutaire [113]. »

A la fin de cette discussion, ils se retrouvèrent au bois de Boulogne. Amin susurra dans l'oreille de Youssef : « Et si je vous invitais à passer ensemble la soirée au Moulin Rouge ! » Gibran déclina l'invitation, sous prétexte qu'il était fatigué [114].

Cet été-là, on continuait à jouer à l'Odéon *Antar* de Choukri Ghanim. Le succès de la pièce poussa Gibran et Amin à rêver d'un théâtre au Liban qui attirerait à lui tous les talents du monde arabe. Cette idée continua à les préoccuper longtemps [115]. Gibran avait même demandé à son ami Calmet d'intervenir auprès d'un metteur en scène pour adapter une de ses nouvelles pour le théâtre français [116]. Il s'agissait probablement de la traduction de *Martha la Banaise.*

Quelques jours plus tard, Amin et Gibran se rendirent en Angleterre ; ils passèrent leur temps entre les attractions touristiques et les galeries d'art : « Mes journées sont pétries du vrai beau, écrivit-il à Mary ; et lorsque je rentre la nuit, j'y pense avec une vraie faim. Parfois, l'âme peut devenir si cupide que tout ce qu'il y a de beau dans le monde ne suffit pas à l'assouvir [117]. » Il tomba amoureux des tableaux de Turner à la Tate Gallery. Dans la même lettre à Mary, il qualifia Turner de « l'un des plus grands esprits de tous les temps : sa vision était aussi magnifique que celle de Shakespeare et ses imaginations, aussi sublimes que celles de Beethoven [118] ».

Par ailleurs, ils eurent un entretien avec Thomas Power O'Conner, le nationaliste irlandais grâce auquel ils purent visiter le Parlement britannique. Gibran raconta à Mary que durant ce séjour londonien, Amin et lui furent invités à un dîner costumé et par la suite à un récital à la Poetry Society où tous deux se rendirent habillés en Arabes [119].

Ils écrivirent une lettre à leur ami Youssef, resté à Paris : « Nous sommes dans cette cité drapée de nuées noires et nous ressemblons à des oiseaux du Sud qui se sont égarés dans une tempête du Nord... Nous nous sommes arrêtés, émerveillés devant les toiles de Watts, le poète des peintres et devant Rossetti, le peintre des poètes [120]. » Dans cette lettre Gibran écrivit une ligne, et cette ligne fut suivie d'une autre écrite par Amin, et ainsi de suite [121].

A la fin du mois de juillet, Amin partit pour New York et Gibran regagna Paris. Son ami Youssef était déjà parti en vacances alors que Micheline était de retour à Paris ; ses essais pour percer dans le théâtre new-yorkais étant restés vains, elle avait décidé de rentrer au pays. Micheline, qui deux ans auparavant émettait des réserves sur le succès parisien de Gibran, se trouvait à présent au cœur même de son pays en quête de consolation auprès de notre auteur. Un mois plus tard, Gibran apprit à Mary qu'elle avait quitté Paris pour se rendre chez ses parents à Nevers : « En vérité elle a beaucoup souffert, mais elle est si courageuse qu'elle a pu garder son sang-froid. Elle pense toujours au théâtre et à sa gloire, mais à présent elle connaît fort bien la face cachée de la scène. J'espère qu'elle pourra surmonter tout cela [122]. »

Youssef réussit à se payer des vacances culturelles après avoir vendu l'une de ses toiles à Calmet, alors que Gibran s'obstinait à n'en vendre aucune. Youssef partit pour Istanbul, faisant halte en Allemagne puis en Autriche. Arrivé en Turquie, il reçut une lettre de Gibran : « Tu es naturellement heureux dans la cité des Césars et des sultans qui se dresse pareille à un point d'interrogation entre l'Orient et l'Occident. Nombreuses sont les choses à Istanbul qui invitent à l'étude et à la méditation, notamment les vieilles églises et les mosquées aux inscriptions byzantines et aux fresques datant de la pré-Renaissance. Tu ne devrais pas quitter Istanbul sans les avoir étudiées. Il ne fait point de doute que le musée contient de rares vestiges grecs et romains. Regarde-les bien et évoque mon nom lorsque tu te tiendras face à toute chose sublime par sa beauté et belle par sa grandeur.

Comment as-tu trouvé les Syriens à Istanbul ? Les as-tu trouvés parmi les vivants actifs ou parmi les morts inertes ? Le Syrien est une brebis en son pays et un lion à l'étranger ; si cela s'appliquait aux Syriens d'Istanbul, tu pourrais donc annoncer à la Syrie l'irrévocable victoire [123]. »

Dans le même temps, Gibran reçut une lettre d'Amin qui venait d'arriver à New York et qui semblait être souffrant. Notre auteur le consola par écrit : « New York n'a jamais été et ne sera jamais la patrie des fils de la poésie et de l'imagination. Toutefois, je crois que ta grande âme tissera un nid doux sur les branches de cet arbre troublé. Demain tes peines te quitteront pour aller se précipiter dans l'abîme du passé, et tes forces te reviendront par-delà l'horizon azuré, dès lors New York deviendra le théâtre de tes rêves et de tes vœux. Aie patience, les dieux ne tarderont pas à te guérir, bientôt tu retrouveras New York bien mieux que tu ne le vois à présent... Depuis mon retour de Londres, je suis entre traits et couleurs, tel un oiseau que l'on vient de libérer de sa cage et qui plane au-dessus des vallées et des plaines... Toutes les esquisses que j'ai faites là-bas m'ont beaucoup aidé... Je sens que des mains invisibles dépoussièrent le miroir de mon âme et déchirent le voile devant mes yeux pour me révéler plus claire-ment et plus merveilleusement les formes des choses et leurs ombres. L'art est une sublime divinité dont on ne peut effleurer les pans de la toge qu'avec des doigts purifiés par le feu et dont on ne peut voir le visage qu'en deçà des paupières noyées de larmes.

Dans quelques semaines je quitterai Paris. J'espère te retrouver frais et dispos, tel l'arbre sacré devant les temples d'Ishtar et joyeux, comme les eaux mélodieu-ses dans la vallée de Kadicha [124]. »

Alors que Gibran songeait à son retour à Boston, il reçut d'autres honneurs : « L'Union internationale des Beaux-Arts et des Lettres m'invite à envoyer six toiles pour son salon qui ouvrira ses portes le 1er octobre », annonça-t-il à Mary [125].

Quelques jours avant son départ, conscient de la fin

de son rêve parisien, les souvenirs de son pays venaient se mêler à ses langueurs, comme en témoigne cette lettre qu'il écrivit à son cousin Nakhlé, qui était rentré à Bcharré : « Souviens-toi des délicieux contes que nous écoutions l'hiver près de l'âtre alors que tombaient de gros flocons et que les vents hurlaient contre nos maisons. Te souviens-tu de ce conte qui se déroulait dans un luxuriant jardin où les arbres ravissaient les yeux et les fruits appelaient les lèvres ? Te souviens-tu de la fin de ce conte quand ces arbres enchantés se transformaient en jeunes hommes et filles par la main du destin. Tu te rappelles certainement toutes ces choses, mais tu ne sais peut-être pas que Gibran, pareil à ces jeunes enchantés, est lié par des chaînes invisibles, conditionné par des impératifs inconnus. Je suis un arbre enchanté, mais sire Aladin n'est pas encore venu derrière les sept mers pour briser mes fers et délier mon être des amarres de l'enchantement, me rendant ainsi totalement libre... Tu ne peux imaginer ce que Dieu a déposé dans mon tréfonds de tristesse et de souffrance. Je ne me plains pas de mon sort et n'accepterais point d'échanger mon état présent contre un autre, car j'ai choisi la vie littéraire en étant conscient qu'elle est encerclée de douleurs. Ma vie ressemble à une chaîne de difficultés et de malheurs dont les anneaux s'entrelacent les uns avec les autres. Je suis patient et même heureux de m'évertuer à vaincre ces difficultés, car si celles-ci n'existaient pas, l'effort et le labeur ne seraient pas là et sans ces derniers, la vie serait vide, froide et ennuyeuse [126]. »

Il écrivit plus tard dans *Le Prophète* :

« La vie est ténèbres, si elle n'est pas animée par un élan.

Et tout élan est aveugle, s'il n'est pas guidé par le savoir.

Et tout savoir est vain, s'il n'est pas accompagné de labeur.

Et tout labeur est futile, s'il n'est pas accompli avec amour.

Et lorsque vous travaillez avec amour, vous resserrez vos liens avec vous-même, avec autrui et avec Dieu [127]. »

Il dut reporter son départ d'une semaine, car l'argent de Mary tardait à arriver et les cheminots étaient en grève [128]. Youssef, de retour de son voyage, l'accompagna à la gare de Lyon : « Nous étions seuls, raconta Youssef. Je l'ai conduit jusqu'à sa place dans le compartiment et je l'ai aidé à ranger ses bagages. J'ai occupé la place disponible à côté de lui jusqu'au départ du train... C'est avec des larmes dans les yeux que Gibran quitta Paris [129]. » Le 22 octobre, il embarqua pour New York à bord d'un paquebot américano-hollandais, le *New Amsterdam* [130].

Amin al-Rihani était le maître incontesté de la communauté syrienne aux Etats-Unis et le politicien constamment sollicité par les Américains pour tout ce qui concernait le Moyen-Orient. Cinq jours avant son départ de Paris, Gibran lui écrivit une lettre, lui demandant d'intervenir en sa faveur auprès de la douane américaine : « J'ignore les difficultés douanières que j'aurai à affronter lors de mon débarquement à New York. J'aimerais récupérer toutes mes études et mes toiles sans payer de taxes, si tu pouvais te renseigner sur ce sujet.

Je sais que le poète ne veut et ne peut se ravaler du cercle de la sublime lumière vers ces choses terre à terre qui entravent le flux de ses pensées et qui éloignent la muse de ses imaginations. Mais que faire, cher Amin ? je n'ai d'ami que toi à New York [131]. »

Paris l'avait nourri artistiquement et intellectuellement et renouvela sa confiance en lui. Il emporta dans ses bagages le portrait de plusieurs personnalités distinguées dans le monde littéraire, artistique et politique : Henri Rochefort, Claude Debussy, Maurice Maeterlinck, Edmond Rostand, Pierre Loti et enfin Auguste Rodin [132]. Ce ne fut qu'à la fin de son séjour à Paris que Gibran put rencontrer à nouveau Rodin et réussit à faire son portrait [133]. Plus tard on attribua à Rodin cette assertion : « Je ne connais nul autre que Gibran dont la peinture et la poésie sont aussi liées et font de lui un nouveau William Blake, le Blake du XXe siècle [134]. »

En littérature, outre Gide et Rilke [135], Gibran découvrit Nietzsche et Tolstoï ainsi que Dante et Renan, à travers Olga et Youssef.

L'apport libanais de l'enfance, la culture américaine de l'adolescent qui recherchait sa forme, s'allièrent à une nouvelle influence latine, voire humaniste, qui alla compléter la gamme de cet esprit ouvert. Ce fut à Paris qu'il écrivit : « La terre est ma patrie et l'humanité, ma famille [136]. » Dans le même article il ajouta : « Je t'aime, mon frère, qui que tu sois. Je t'aime en prière dans ta mosquée, en dévotion dans ton église ou en vénération dans ton temple. Car toi et moi sommes les enfants d'une même religion : l'Esprit. Et les divers sentiers religieux représentent les différents doigts de l'unique main aimante de l'Etre suprême. Et cette main se tend vers nous avec ardeur pour nous guider vers la plénitude de l'Ame [137]. »

Il emporta avec lui l'écho des discussions idéologiques, une nuance de positivisme qui atténua, modifia et moula la nébuleuse de son imagination. Il emporta également avec lui un souvenir indéfinissable des merveilles picturales et des expressions rythmées de la chorégraphie qui allait désormais exiger de lui le

contrôle sévère de toute production. Faut-il encore
signaler que l'artiste et l'écrivain allaient se nourrir
d'une constante interférence d'images, d'idées et de
sentiments [138] ?

Cependant, il avait hâte de retourner à Boston afin
de faire fructifier ses connaissances artistiques : « Je
me vois dans un coin tranquille, avoua-t-il à Mary, où
je pourrais travailler sur cette collection mystique *Vers
Dieu*, que vous aimez [139]. » Il ajouta dans une autre lettre : « Peut-être dans quelques années pourrai-je retourner et visiter l'Italie... La Syrie et l'Italie sont deux
pays que j'aime beaucoup. J'ai l'impression que j'aurai
la possibilité de voir l'Italie maintes fois mais jamais
la Syrie. Les chants du Liban n'atteindront plus jamais
mon oreille si ce n'est en rêve. Je suis exilé par la
nature de mon travail, vers la "terre qui est au-delà des
sept mers [140]". »

Gibran était certain qu'il ne retournerait plus jamais
au pays des Cèdres. Sa prédiction se révéla à moitié
vraie : il ne put retourner au Liban ni visiter l'Italie.
Après son séjour parisien, il ne quitta plus les Etats-
Unis. La plus grande part de son œuvre restait à
accomplir, la plus importante étape de sa vie était à
présent devant lui.

11

La demande en mariage
Boston : novembre 1910-octobre 1911

« Aimez-vous l'un l'autre, mais ne faites pas de l'amour une alliance qui vous enchaîne l'un à l'autre...

Offrez l'un à l'autre votre cœur, mais sans en devenir le possesseur. Car seule la main de la Vie peut contenir vos cœurs.

Et dressez-vous côte à côte mais pas trop près. Car les piliers qui soutiennent le temple se dressent séparés, et le chêne ne s'élève point dans l'ombre du cyprès[1]. »

Fin 1910

Gibran débarqua à New York le 31 octobre 1910 ; le lendemain, il arriva à Boston[2]. A Oliver Place, il retrouva sa sœur Mariana. Deux ans auparavant, ils s'étaient quittés orphelins de mère, ils l'étaient à présent de père également, ce qui dut accentuer davantage leur étreinte. Puis il courut chez Mary, les yeux avides de sa chaleur et le cœur gorgé de reconnaissance. Elle l'accueillit, les bras ouverts, et lui annonça qu'elle aussi venait de perdre son père.

Mary proposa à Gibran de chercher une maison plus grande afin qu'il pût installer son propre atelier et le rassura sur le fait qu'elle allait continuer à l'aider en lui attribuant soixante-quinze dollars par mois. Cinq jours plus tard, il loua un appartement au 18, West Cedar Street[3]. Il ne pouvait espérer une meilleure adresse, dont le nom de la rue est si symbolique : « Cèdre de l'Ouest ». En outre, cet emplacement était chargé de souvenirs : à deux pas du domicile de Day ainsi que de l'atelier qu'on lui avait prêté pour faire le portrait de Micheline, là où son amour pour elle dut naître.

Ainsi, pour la première fois dans leur vie bostonienne, Gibran et Mariana habitèrent-ils un quartier calme, le Beacon Hill (« Colline du Phare »), loin de celui qui grouillait d'émigrés syriens. Toutefois, même si son frère était à la maison, Mariana se sentait seule. Elle avait du mal à s'habituer à ce quartier qui lui faisait perdre la convivialité de ses voisines syriennes. L'atelier de Gibran ne ressemblait guère à ce qu'il devait être. Elle était tout le temps derrière lui à nettoyer la peinture qu'il renversait ou à arranger ses livres et ses papiers quand il les laissait ouverts ou éparpillés. Pourtant Gibran ne disait mot, car il se souvenait de ce que sa sœur lui avait dit à son arrivée de Paris : « Je refuse de me marier, je préfère te consacrer le reste de ma vie. » En contrepartie, Mariana ravalait la question qui lui brûlait les lèvres : « Me quitterais-tu pour elle [Mary][4] ? » Il se passa six mois avant que Gibran ne s'irritât contre ce manque d'intimité.

Après s'être bien installé dans sa nouvelle demeure, il montra à Mary les portraits des grandes personnalités qu'il avait réalisés à Paris. Ils baptisèrent cette collection *Le Temple de l'Art* et se mirent à songer à l'étendre dans l'avenir à d'autres personnalités[5].

Par la suite, Mary suggéra à Gibran de lui donner des cours de lecture pour parfaire sa diction. Elle commença par le poète anglais Swinburne pour lequel Gibran éprouvait un attrait particulier. Quelques semaines plus tard, l'écoutant lire lentement avec une voix grave et des intonations solennelles, Mary se trouva emportée par un « plaisir méditatif[6] ». Telle une maîtresse veillant à chacun des pas de son élève favori, Mary observait silencieusement la réintégration de Gibran dans son monde à elle. Joignant l'utile à l'agréable, ils ne manquèrent pas de faire des sorties en fin de semaine, en allant visiter le musée des Beaux-Arts ou d'assister à des pièces de théâtre[7].

L'ombre de Paris continua à le poursuivre, et la nostalgie à le saisir, longtemps après l'avoir quitté. Il écrivit à Youssef qui se trouvait toujours à Paris : « Heureux ceux qui possèdent un gîte à Paris. Heureux ceux qui longent les rives de la Seine, se penchant sur les livres anciens et les vieux dessins. Dans cette ville [Boston] pleine d'amis et de connaissances, je me sens exilé au bout du monde, où la vie est froide comme la neige, terne comme la cendre, silencieuse comme un sphinx[8]. »

Dans une autre lettre adressée à son ami Jamil al-Ma'louf, qui était alors en France pour des raisons politiques, nous lisons : « Paris, Paris, théâtre des arts et de la pensée, source d'imagination et de rêves. A Paris je naquis une deuxième fois, et à Paris j'aimerais passer le reste de ma vie, toutefois je voudrais que ma tombe soit au Liban. Si le destin me sourit et réalise certains de mes rêves d'aujourd'hui qui voltigent dans mon esprit, je reviendrai à Paris pour assouvir mon cœur affamé et étancher mon âme assoiffée. J'y revien-

drai manger de son pain divin et boire de son vin magique[9]. »

Par ailleurs, Youssef se remémora dans *Mes Souvenirs* que durant cette période parisienne Olga, Léah et
Suzanne s'intéressèrent en vain à la vie amoureuse de
Gibran et que lui-même, qui était si proche de son ami,
s'émerveillait de ses qualités impénétrables. Un jour,
alors qu'Olga et Youssef se promenaient dans le jardin
du Luxembourg, elle lui avoua : « J'ai beaucoup d'admiration pour ton ami Gibran. Ce qui me plaît en lui
est cette ardeur dans ses ambitions. Lorsqu'il parle, j'ai
l'impression de voir une auréole sur sa tête. Ses paroles
me réjouissent tant ; elles sont toujours ointes du parfum de sa belle âme. Y a-t-il une femme dans sa
vie[10] ? »

Cette femme serait-elle Mary ? Malgré la distance,
elle conquit le cœur de Gibran, lequel ne cessait de
ressentir sa foi et sa chaleur.

Dans *Le Prophète,* al-Mitra fut « la première à le
deviner et à croire en lui[11] ». Certes, Josephine fut la
première à le deviner, mais Mary sut croire en lui.

Le 7 décembre, dans une conversation avec Mary
sur le Christ, « le plus sublime des créatures humaines », Gibran s'identifia à Ernest Renan et à juste titre
à son chef-d'œuvre, *La Vie de Jésus.* « J'ai lu tout ce
que j'ai pu trouver sur Jésus, ajouta-t-il. J'ai visité son
pays de la Syrie jusqu'au sud de la Palestine. Et toute
ma vie durant mon admiration pour lui n'a cessé de
grandir. Il est le plus grand de tous les artistes autant
que le plus grand des poètes... L'appeler Dieu le dimi-
nue. Parce qu'en tant que Dieu ses paroles merveilleuses seraient petites, mais en tant qu'homme, c'est de la
poésie la plus pure[12]. »

Le soir même, six ans après leur première rencontre,

Gibran daigna, sur l'insistance de Mary, lui raconter longuement son passé à Bcharré et la mort des siens. Dès cette nuit-là, Mary ouvrit un nouveau carnet dans lequel elle relatait chaque détail de la vie de Gibran. Elle l'inaugura par cette phrase pétrie d'humble ambition : « J'écris ces choses qui pourraient servir un de ces jours [13]. »

Le samedi 10 décembre, ils retournèrent au musée des Beaux-Arts. Ils s'arrêtèrent longuement devant des œuvres de Rembrandt, Millet, Corot, Rodin ainsi que Turner, et Gibran de les commenter à Mary. Le soir, ils se rendirent à un concert de musique classique qui fut annulé. Puis tous deux retournèrent dîner chez Mary, dont l'appartement se trouvait au sein même de l'école.

A minuit, c'était le 11 décembre. Ce fut le jour du trente-septième anniversaire de Mary. Le plus beau cadeau que Gibran pouvait lui offrir n'était autre qu'une parole.

A chaque fois que cette parole allait fuser de ses lèvres, il la retenait, se disant en lui-même : « Patience, ton heure n'a pas encore sonné. N'oublie pas que tu es la parole la plus cruciale de toute ma vie. Une fois proférée, je vivrai soit pour te bénir soit pour te maudire. L'oreille dans laquelle tu vas tomber saura-t-elle te recevoir telle la manne qui fut jadis envoyée aux Hébreux dans le désert ? Patience, le temps que je prépare un prélude digne de ta grandeur [14]. »

A un certain moment, le silence régna et un ange passa. Gibran prit la main de Mary et, les yeux clos, la souleva avec déférence jusqu'à ses lèvres, lesquelles finirent par débrider cette parole. Avec une voix pareille à celle du destin révélant l'un des secrets de l'existence, il dit :

— Je n'ai rien à vous offrir, je ne suis qu'un simple

poète dans un pays qui m'est étranger et je n'ai qu'une certaine célébrité dans d'autres contrées. Je n'ai ni argent, ni toute autre chose matérielle que je pourrais partager avec vous. J'ai quelque chose de grandiose à accomplir, et aujourd'hui je me permets d'entreprendre une autre chose aussi importante [15]... Voulez-vous que nos chemins se prolongent, la main dans la main ?

Ébahie par la gravité de sa voix, elle s'enquit avec candeur :

– Mais pour aller où, Kahlil ?

– Là où la vie nous conduit.

– Le mariage [16] !

– Oui. Je vous aime... Je désire vous demander en mariage, si je peux.

Comme si elle s'était préparée à répondre à cette offre, elle rétorqua avec le sourire :

– Je sais que vous m'aimez, et moi aussi... je vous aime... Hélas ! La différence d'âge [dix ans] rend le mariage hors de question [17].

Sa réplique, si objective fût-elle, dut blesser profondément Gibran dans son orgueil. Il se remémora plus tard : « A mon retour de Paris, je vous ai donné mon cœur tout entier, de la façon la plus simple et la plus sincère. J'étais pareil à un enfant qui déposait tout ce qu'il était et tout ce qu'il avait dans vos mains. Et curieusement vous m'avez répondu avec froideur [18]... » « Quand j'étais à Paris, je ressentais votre foi et votre chaleur. Et à mon retour à Boston, vous étiez comme auparavant, aussi douce et merveilleuse d'esprit. Dès lors que je vous ai parlé de mariage, vous vous êtes mise à me blesser [19]. »

Le lendemain, Mary avait prévu d'organiser une fête pour son anniversaire. Juste avant, elle changea d'avis : « Je lui ai dit oui [20]. »

Durant tout le reste du mois de décembre, Mary nota

chaque jour dans son journal les défauts qu'elle lui trouvait : « Café six fois par jour, cigarettes, couche-tard, peu d'exercice physique, paquet de nerfs. »

Par contre, à la suite du « oui » de Mary, Gibran se sentit plus que jamais rassuré et encouragé dans son travail. Enthousiasmé par son expérience parisienne, il s'adonna à la peinture. Dans un premier temps, il prit Mariana et ses deux cousines, Rosie et Amélia, comme modèles. Puis, en quête de nouvelles figures, il alla fréquenter Denison House, là où jadis furent exposés ses tout premiers dessins. Par ailleurs, grâce à Mary, il fit le portrait du Dr Richard Cabot, directeur du Massachusetts General Hospital, là où sa mère, Kamila, avait été hospitalisée. Une semaine plus tard, il fit également le portrait de Charles Eliot [21], doyen de l'université de Harvard, qui avait été l'invité d'honneur au mariage de Joséphine.

Par ailleurs, fort de l'expérience acquise durant ses études à Paris, il ébaucha un nouvel autoportrait mais cette fois-ci à l'huile, qu'il termina l'année suivante. Nous signalons qu'en arrière-plan la femme aux traits voilés, tenant une boule de cristal, n'est autre que Mary Haskell ; elle nous rappelle la devineresse al-Mitra dans *Le Prophète*.

1911

En outre, il collabora avec Najib Diab, directeur du journal new-yorkais d'expression arabe *Mir'at al-Gharb* (« *Miroir de l'Occident* »). Son premier article fut publié le jour de son vingt-huitième anniversaire [22], le 6 janvier 1911. Il le dédicaça comme d'habitude avec ces lettres latines pour que Mary pût les lire : à « MEH » (Mary Elisabeth Haskell).

Dans cet article intitulé « Vous et Nous [23] », il fit l'apologie de l'art immortel face à toutes les gloires humaines périssables, en lançant ses flèches acerbes contre la société mercantile.

Alors que Gibran le traduisait oralement à Mary en anglais, celle-ci lui exprima le désir d'apprendre l'arabe. Dès lors, leurs rôles de maître-élève ne cessèrent de s'alterner. Un soir elle lui donnait des cours de diction en anglais, et un autre elle recevait de lui des cours de langue et de civilisation arabes [24].

Le 24 janvier, se prélassant à même le sol, auprès de la cheminée, Mary lisait un recueil de Francis Thompson afin d'en choisir quelques poèmes pour ses élèves. Puis elle s'assoupit, se livrant à un petit somme durant lequel elle rêva de Charlotte qui lui disait : « Kahlil grandit de jour en jour en moi [25]. » Dès lors le doute s'infiltra en son cœur ; elle se sentit doublement bafouée, d'une part par Gibran, son jeune prétendant, et par Charlotte, son amour secret, croyant que ses deux protégés étaient en étroite intimité. Toutefois son doute était on ne peut plus infondé.

Quatre jours plus tard, elle confia à Gibran qu'elle s'inquiétait au sujet du bien-être de sa protégée Charlotte et d'une possible répercussion sur son propre projet avec lui. Par ailleurs, elle lui révéla qu'elle aimerait le « tester » encore deux ans pour qu'elle pût être certaine de son amour envers elle. Plus tard, elle lui montra un album de photos dans lequel figuraient certains de ses ex-prétendants. Et, de surcroît, elle lui parla des milliers de dollars annuels qu'elle consacrait pour aider Charlotte dans sa carrière théâtrale ainsi que deux autres protégés d'origine grecque dans leurs études universitaires qui lui furent recommandés par son amie Sarah Armstrong, juste avant sa mort. En somme, Mary cherchait à le mettre à l'épreuve. Elle voulait lui divulguer à demi-mots ses relations douteuses avec Charlotte et lui parler d'argent afin de faire naître en lui une certaine gêne mêlée de haine envers elle.

Gibran lui rétorqua avec sagesse : « Dans la relation entre mari et femme, comme dans le cas de toute autre relation, si la chose importante existe, j'entends par là la compréhension, tout le reste peut être résolu. Ayons confiance en Dieu et ayons l'ultime conviction que tout ira bien. Toutefois, si un jour vous me dites : "Kahlil, je pense qu'il n'est pas sage que l'on se marie", j'accepterai totalement ce que vous dites et ce que vous pensez[26]. »

Gibran se remémora plus tard combien il était insatisfait durant cette période d'essai : « Comme j'ai accepté le soleil et la chaleur, je devais accepter aussi l'éclair et le tonnerre. Mais quelque chose en moi se mourait de jour en jour[27]... Ce fut l'étape de ma vie la moins productive. J'étais torturé constamment. Si vous [Mary] aviez été un pas plus loin, je vous aurais détestée[28]. »

En février, Charlotte vint de New York à Boston rendre visite à Mary. Celle-ci lui confia son projet de mariage avec Gibran quand les circonstances le permettraient. Et Charlotte de répondre : « J'espérais que cela aurait lieu depuis que je l'ai revu à Paris. » Comme elle était éprise de tout ce qui touchait au mysticisme et à la psychologie, elle tenta d'interpréter le rêve de Mary. Elle lui conseilla de porter des « boucles d'oreilles en corail » afin de repousser le mauvais œil, et de reconnaître son « moi oriental » pour mieux se rapprocher de Gibran[29]. Durant le séjour de Charlotte, Gibran parvint à finir son portrait à l'huile qu'il avait commencé à Paris. Il plut tellement à Mary qu'elle l'accrocha dans sa propre chambre à coucher[30].

Un jour, Charlotte et Mary rendirent visite à Gibran dans son nouvel appartement West Cedar Street. Outre la propreté de la maison, Mary nota la présence de deux masques mortuaires, l'un d'une jeune Syrienne retrouvée noyée dans la Seine et l'autre de Beethoven, et parmi les livres d'art d'un ouvrage de Rossetti venant de la collection éditée par Day. Mariana étant à son travail, Gibran leur fit du café turc et leur offrit des amuse-gueules typiquement orientaux : pistaches, graines de melon et pois chiches salés. Puis Mary prit un livre écrit par Josephine, le lut à haute voix et fit deviner à Charlotte le nom de l'auteur. Gibran resta de marbre [31].

Le surlendemain tous trois se réunirent, le soir, chez Mary autour d'un verre, assis par terre. Ils se mirent à parler de réincarnation. Nous savons qu'à travers sa correspondance et ses aveux à Mary, Gibran prétendait avoir eu plusieurs vies antérieures, notamment en Inde, Perse, Chaldée, Syrie, Galilée, Egypte, Grèce, Italie [32]. Au point d'orgue de leur discussion sur ce thème, Mary lança : « Blake est mort en 1827, et Rossetti est né en 1828 ; Rossetti est mort en 1882, et Kahlil est né en 1883. » Puis leurs propos dérivèrent sur leurs propres expériences mystiques. Gibran leur confia qu'étant sur le point de dormir, il parvenait parfois à ressentir le dédoublement de son moi. Il leur décrivit « l'étrange sensation de me voir debout, hors de mon être, regardant mon autre moi dormir [33] ». Quelques jours plus tard, Charlotte dut regagner New York, mettant un terme à leurs soirées mystiques.

Ce mythe du retour éternel cher à Gibran est-il simplement inspiré des philosophies de l'Extrême-Orient ou des écrits de Nietzsche ? Les légendes sont aussi vivaces que nombreuses au Liban ; d'ailleurs, l'une des interprétations veut que la Phénicie ait tiré son nom du phénix, cet oiseau mythique qui renaît de ses cendres. Gibran fait d'ailleurs allusion au phénix au cœur même de son *Prophète* [34]. Il est une autre légende qui est celle d'Adonis, ce jeune dieu phénicien, d'une incomparable beauté, qui fut blessé mortellement par un sanglier ; Astarté le changea en coquelicot, qui un beau jour se fana pour renaître au printemps telle la Pâque chrétienne. Rappelons également que deux confessions religieuses en Syrie et au Liban croient en la réincarnation de l'âme : les alaouites et les druzes.

En regagnant Boston, Gibran était encore sous l'influence du mouvement libérateur de la conférence syro-libanaise tenue à Paris lors de son séjour. Il préconisa dans les milieux émigrés la création d'une association littéraire et politique ayant pour but de rassembler les forces éparses des émigrés syriens aux Etats-Unis, et projetant d'émanciper les pays du Moyen-Orient asservis sous le joug ottoman.

Cette association fut fondée au début du mois de février 1911 et baptisée sous le nom de *The Golden Links,* et en arabe *Al-Halaqât al-Dahabiya,* que l'on pourrait traduire par « Les Chaînons d'Or », dont chaque membre était le maillon. Elle fut inspirée par deux autres associations qui venaient de disparaître [35].

La première portait le nom d'*Al-Jam'iya al-'Ilmiya al-Souriya*, « Association scientifique syrienne ». Elle fut fondée en 1875 à Beyrouth et avait des représentations à Damas, Tripoli et Jérusalem. Son fondateur fut l'éminent professeur Ibrahim al-Yaziji, le traducteur de la Bible en arabe. Tous ses membres furent des francs-maçons, appelant à la révolte contre le joug ottoman [36].

L'autre association, *Souriya al-Fatat*, « Jeune-Syrie », fut fondée à New York en 1899 par Jamil al-Ma'louf. Parmi les objectifs de cette association figuraient « l'indépendance et la laïcité de la Grande Syrie[37] ».

Les membres des Chaînons d'Or furent nommés *al-Houras*, « les Gardiens ». Leurs actions et décisions demeuraient secrètes, et ne pouvaient y être admis que ceux qui jouissaient d'un caractère d'une probité exemplaire et étaient doués des vertus du sacrifice et du désintéressement[38]. Ils avaient des représentants à New York, à Londres et à Constantinople ainsi que dans plusieurs villes en Syrie et en Egypte[39].

Le 25 février, dans une grande réunion, Gibran prononça un discours, incitant les Syriens métropolitains à compter désormais sur eux-mêmes et à se méfier à la fois des promesses de la Sublime Porte et de celles des puissances européennes. En mars, le journal *Mir'at al-Gharb* publia intégralement son discours :

« L'essor de chaque nation et de chaque société dépend d'abord de ses individus. L'individu est en effet responsable du bonheur ou du malheur du milieu qui l'entoure. L'individu peut exercer une bonne ou une mauvaise influence sur sa nation et son pays, selon les qualités dont Dieu l'a doté ou le mal que le diable lui a donné. Je dis cela en étant convaincu qu'il n'est pas une force sous le soleil qui puisse relever les nations levantines, si les Levantins ne comptent pas sur eux-mêmes. Que les Syriens comptent sur leur gouvernement local ou sur leur Etat constitutionnel est un acte de démence, voire de pure sottise, et je n'attribue cette aveugle dépendance qu'à la force de continuité qui anime d'habitude les esprits des faibles rebelles. L'Etat ottoman ne peut pas arranger ses affaires, car il a corrompu, battu et négligé ses gouvernés pendant cinq siècles, de sorte que la décadence a envahi les âmes de ses sujets, que la faiblesse a sucé le sang de leur cœur, que l'hésitation a plié leurs genoux et que la lâcheté a paralysé leurs bras ; aussi sont-ils devenus les esclaves de l'esclavage et le seront toujours jusqu'à ce que Dieu envoie à l'Orient une nouvelle force.

Les espoirs que fondent les étourdis sur le gouvernement parlementaire ressemblent à l'espoir que nourrissent les parents d'un agonisant de le voir ouvrir les yeux pour quelques instants avant qu'ils ne se referment à jamais. Ces gens qu'on appelle le comité des libres, quelque capables qu'ils soient de proclamer la Constitution, de détrôner Abdül-Hamid II et de rechercher une réforme illusoire, ne veulent se débarrasser d'aucun maillon des chaînes et des liens avec lesquels les sultans commandent les cortèges des nations ottomanes. Tout ce qu'ils veulent, les libres Turcs, est jusqu'à présent un gouvernement constitutionnel pour eux, pour les Turcs, et un pouvoir absolu sur les Arabes [Péninsule arabique] et tous ceux qui parlent l'arabe [Grande Syrie]. C'est la corruption innée que nous ne pouvons pas leur ôter de la tête et du cœur. Qui, en tout cas, peut les blâmer ? N'est-ce pas là une politique d'auto-conservation ? En tant que successeurs et héritiers des sultans conquérants, tout ce qui leur importe c'est la sauvegarde de leur hégémonie et de leur influence jusqu'à ce que Dieu en décide autrement. (Applaudissements.)

Mais si cela est bien le chemin pratiqué par les Turcs pour sauvegarder leur hégémonie sur les pays qu'ils ont occupés et opprimés pendant cinq siècles successifs, le Syrien, lui, doit-il se contenter d'espérer, qu'il soit en son pays ou à l'étranger, en s'appliquant à encenser certains et à avoir confiance en d'autres ?

Vous me demanderez ce que fera donc le Syrien, si je le déleste de l'espoir qu'il fonde sur l'avenir de l'Etat et la réforme du pays où il est né et il a vécu ? Demandera-t-il la naturalisation dans les pays où il se trouve, sollicitera-t-il l'aide des pays étrangers pour avoir toujours le dos soutenu par l'une des puissances européennes ; ainsi le druze continuera-t-il à s'accrocher à l'Angleterre, l'orthodoxe à la Russie et le maronite à la France ? Ferons-nous ce qu'ont fait nos pères et nos grands-pères ? Non, non !

Celui qui vide son cœur des rêves et des illusions de l'Etat ottoman pour le remplir des échéances et des ambitions des pays étrangers ressemble à celui qui fuit le feu pour aller en enfer. Le Syrien ne peut compter que sur lui-même, s'appuyant sur ses propres forces et dons et se référant à son intelligence et à son génie.

Sachez, Mesdames et Messieurs, que le moindre dollar gagné par le plus humble de nos vendeurs ambulants aux Etats-Unis est gagné de fait même par toute la Syrie, qui l'ajoutera à sa fortune et s'en servira pour développer son commerce. Soyez sûrs que le moindre mot appris par le plus petit de nos enfants dans la plus petite école américaine sera appris par tous les peuples de la Syrie.

En Syrie, le gouvernement ne répare pas les routes, ni ne construit de moyens de communication ; seul le Syrien qui étudie à l'étranger le génie civil comblera cette lacune. L'Etat ottoman ne s'intéresse qu'oralement au développement de l'agriculture dans les plaines de la Syrie ; mais le jeune Libanais qui étudie les règles de l'agriculture, c'est lui qui les fera développer. La Sublime Porte n'active pas le commerce dans les pays dont Dieu a fait les portes de l'Orient ; mais le Syrien à qui la pauvreté et l'émigration ont appris les principes du commerce, c'est lui qui fera goûter aux nations orientales le plaisir du gain.

La connaissance, la fortune, l'honnêteté et la liberté de parole et d'action ainsi que tout ce qui rapproche l'homme des dieux sont les fruits de la lutte [*jihad*] et de l'endurance [*ijtihad*] de l'individu. On ne peut pas l'obtenir en s'affiliant aux partis politiques, ni en appartenant à l'Etat, ni encore en comptant sur la Constitution. Que le Syrien ait de bonnes mœurs, de la connaissance et de la liberté ainsi que de la fortune, qu'il soit, après cela, dépourvu de tout patriotisme, s'il le veut, je vous garantis qu'il ira au septième ciel. (Applaudissements.)

Apprenez à vos enfants les véritables règles chevaleresques, peu leur importe alors si Abdül-Hamid II est détrôné ou non. Eduquez-les bien, ils vivront bien, que le gouvernement soit juste ou injuste. Libérez-les de l'esclavage, de l'imitation et des traditions, ils seront libres dans les chaînes et les prisons. (Applaudissements.)

Ce sont nous, les Syriens, qui avons bu le vinaigre à la place du vin, ce sont nous qui avons mangé les épines à la place des fruits, ce sont nous qui avons traîné les boulets pendant que les autres traînaient la soie et le pourpre. Nous, Syriens, qui avons construit les palais, nous voilà dans les cavernes et les tombes, nous devons libérer nos âmes de l'esclavage. Nous devons nous développer en tant qu'individus pour être forts en tant que collectivité. Nous devons aller seuls, solitaires au sommet de la montagne. Qui ne marche pas la tête haute restera l'esclave de lui-même, et qui est l'esclave de lui-même ne peut marcher libre. La liberté est un rayon qui émane de l'intérieur de l'homme, point de l'extérieur. (Applaudissements.)

Faites fructifier votre labeur, lisez les journaux, fondez des associations, apprenez les métiers et les arts et soyez propres de corps et d'âme. Ce sont ces choseslà qui feront de vous des hommes libres et forts et des femmes belles et distinguées.

Toutefois, je vous conjure au nom des jardins de

Damas, des vergers de Homs et de Hama, de la jovia-
lité de Beyrouth et de la beauté de Tripoli ainsi qu'au
nom des cèdres du Liban, de ne pas trop espérer en
l'Etat, car l'Etat est une charogne puante et pourtant
elle palpite[40]. »

Les journaux loyalistes en Syrie et en Egypte ne tardèrent pas à se soulever contre ce discours[41]. Par ailleurs, au cours du débat qui suivit ce discours, il
encouragea les Syriens d'outre-mer à s'intégrer dans
les sociétés des pays d'accueil afin de tirer profit de
leur culture. Certains parmi le public objectèrent à cette
idée, arguant qu'il était préférable aux communautés
d'émigrés syriens de rester isolées[42].

A la tête de cette association poético-politique et
ayant à son actif plusieurs ouvrages en arabe, Gibran
n'avait plus à se soucier de sa réputation littéraire dans
le monde arabe. Il lui resta à faire ses preuves sur le
plan artistique au cœur même du Nouveau Monde. Il
voulait se faire une nouvelle personnalité, prendre un
autre essor : Boston était trop étroit. Il se sentait
comme un cèdre planté dans un pot de fleurs : il lui
fallait plus d'espace.

Sa joie de vivre et de travailler à Boston se mourait
de jour en jour. Après avoir visité en long et en large
tous les musées de la ville, il sentit qu'il n'avait plus
rien à en tirer[43]. De surcroît, ses anciens amis n'étaient
plus à même de combler son besoin de stimulation :
« Tout à Boston est beau, mais je ne ressens plus sa
vie artistique. Tout me semble mort. Même mes amis
Louis et Béatrice Rüyl [dessinateurs au *Herald* de Bos-
ton] apparaissent à mes yeux comme s'ils vivaient au
XVIIe siècle... Les visages des gens sont si froids, si
distants[44]... Mes amis artistes avaient l'habitude de

nourrir mon âme... J'ai l'impression à présent qu'ils ne font que répéter la même chose[45]. »

Certes, Day fut impressionné par la collection *Le Temple de l'Art* de Gibran et il lui suggéra d'y ajouter l'industriel et philanthrope Andrew Carnegie, qui constituait le type par excellence du self-made man américain à l'époque du capitalisme triomphant. Toutefois, Gibran remarqua que son vieux mentor devenait de plus en plus excentrique : « Day continue à considérer que la photographie est un grand art et que Burne-Jones est le meilleur peintre. Il n'a guère changé depuis dix ans[46]. »

Quant à Josephine, devenue mère de deux enfants, il n'avait aucune nouvelle d'elle si ce n'est par les journaux. Ses pièces de théâtres avaient un grand succès à Londres et à New York[47].

Il voulait aussi échapper à ses souvenirs moroses de Boston, au jeune immigré qu'il fut, au spectre de la mort, à ses bienfaiteurs et à leur obligeance, peut-être aussi à Mary elle-même dont il se sentait si dépendant.

Vingt ans, jour pour jour, avant sa mort, Gibran écrivit à l'occasion du Vendredi saint un article intitulé « Le Crucifié[48] » qui fut publié dans le journal new-yorkais d'expression arabe *Mir'at al-Gharb*[49].

Dans la même période, Gibran écrivit à Youssef, qui était toujours à Paris, une lettre dans laquelle il dévoila une autre facette de son état d'âme, un pressentiment de mauvais augure :

« Ma sœur est près de moi, ceux qui m'aiment m'entourent et nombre de personnes me rendent visite matin et soir ; et pourtant je ne suis pas heureux dans ma vie. Mes travaux grimpent au sommet, mes pensées sont apaisées et mon corps jouit de tout ce que la santé

connaît de bien-être ; mais je ne suis pas heureux. Mon
âme est affamée et assoiffée de je ne sais quelle nourriture et quel breuvage. L'âme est une fleur altière qui
ne peut pousser dans l'ombre. Quant aux épines, peu
leur importe la lumière.

Amin al-Rihani habite New York et il est triste lui
aussi. Dans nos correspondances, chacun de nous épan-
che son cœur, en décrivant sa nostalgie pour le pays et
en versifiant les beautés du Liban. C'est ainsi que
vivent les fils du Levant atteints de la maladie de l'art ;
et voilà ce qu'est la vie des fils d'Apollon, exilés dans
ce monde étrange dans ses actes et figé dans son évolution, un monde qui se raille de ses propres pleurs [50]. »

Mary comprit alors qu'il valait mieux que Gibran
changeât de ville. New York pourrait lui promettre une
meilleure vie. Elle s'engagea à l'aider sur deux plans :
elle demanda à Charlotte de lui trouver un appartement
près d'elle à Manhattan et elle chercha à se mettre en
contact avec la toute-puissante protectrice des arts à
New York, Isabella Stewart Gardner [51]. Pour ce faire,
elle dut inviter des gens d'influence dans le monde
artistique et les présenter à Gibran. Un soir, elle écrivit
avec toute confiance dans son journal : « C'est le
moment où la porte va s'ouvrir entre Kahlil et le
monde qui l'aimera... Je pense que son avenir n'est
plus lointain à présent [52]. »

Par la suite, elle écrivit dans son journal qu'elle était
à présent résolue à prendre une décision, qui semblait
inspirée par la voix de la raison et qui allait affecter à
jamais sa vie et celle de Gibran : « Ainsi je suis déter-
minée à suivre ce qui me paraît être l'ultime doigt de
Dieu. J'ai définitivement éloigné de moi la possibilité
d'être son épouse. Et bien que chacune de mes heures
veillées aient été trempées de chaudes larmes, je sais à
présent que j'ai raison et que les larmes signifient la

joie, et non pas la peine, pour les jours à venir. Mon âge est tout simplement la barrière qui s'interpose entre nous et il pourrait gâcher notre mariage. Mais il est une autre raison qui est son futur amour si différent de celui qu'il éprouve pour moi. Un cyclone d'amour, voilà ce que sera son mariage. Et sa plus grande production sera le fruit de cet amour. Je ne suis qu'un pas sur son chemin vers la femme de cet amour. En dépit de mes pleurs, je pense à elle avec joie [53]. »

Le lendemain, le samedi 15 avril, elle se prépara à affronter l'heure de vérité avec Gibran. Elle passa la matinée à jouer du piano et à arpenter les rues de son quartier en pensant à ce qu'elle allait lui dire. A son arrivée, ils se mirent dans la bibliothèque. Puis lorsqu'elle sut « maîtriser sa voix », elle dit :

— Tout en moi proteste contre ce que je vais dire, excepté une chose. Et je sais que cette chose est juste.

— De quoi s'agit-il, Mary ? Est-ce une mauvaise nouvelle ?

— Mauvaise pour moi, et bonne pour vous. Ne vous en faites pas si je pleure.

— Non, vous n'allez pas pleurer ? la rassura-t-il en lui tenant fortement la main.

— J'ai arrêté de penser que je serai un jour votre épouse, et pourtant j'aimerais l'être.

Gibran devint blanc. Les yeux grands ouverts, il brûlait d'entendre les raisons pour lesquelles elle avait encore une fois changé d'avis.

— Ma grande passion pour vous n'a cessé de s'amplifier depuis votre offre en mariage. Auparavant je recherchais un amour, un mari doté d'une grande force physique, mais cela a changé depuis cette date-là. Toutefois, ce qui n'a nullement changé, restant un obstacle insurmontable, est mon âge. Il est vrai que je possède encore une certaine vigueur de jeunesse ; mais bientôt je serai au bas de la pente, tandis que vous, vous serez encore en train de gravir les hauteurs.

Gibran ne put retenir ses larmes en écoutant les derniers mots de Mary. Tous deux s'étreignirent et se livrèrent à des sanglots.

Depuis longtemps elle languissait d'embrasser sa main, mais elle n'osait pas. Elle savait qu'il était extrêmement sensible à la moindre caresse. Ce jour-là, elle lui prit la main droite et la baisa en lui chuchotant :

– Je ressens un cœur palpitant dans votre main en réponse à mon baiser.

Au seuil de la maison, Mary versa de nouveau quelques larmes, et à chaque larme que Gibran lui essuyait, il répétait le mot Mary, Mary... Au moment où leurs mains se détachèrent, il lui dit :

– Ce soir, vous m'avez donné un cœur nouveau [54].

Le silence de Gibran ce soir-là fut interprété par Mary comme un signe de consentement à sa dernière décision, présumant qu'en dépit de son amour pour elle, il n'avait jamais voulu réellement se marier avec elle, si ce n'est par reconnaissance [55]. Quant à Gibran, blessé dans son orgueil levantin par deux fois, il argua plus tard que, lassé de son attitude ambivalente à la « Dr Jekyll et Mister Hyde [56] », ses tergiversations finirent par le résigner à reléguer son rêve de mariage mais jamais son amour pour elle. Toutefois, Mary le regretta et vécut longtemps déchirée d'avoir décliné cette offre.

Le lendemain, il s'abstint de venir la voir, comme il avait l'habitude de le faire tous les dimanches. Le jour suivant, elle trouva une excuse pour se rendre chez lui. Elle le trouva devant son chevalet, peignant une nouvelle toile, intitulée *Le Chaos* [57].

Dix jours plus tard, il embarqua à bord du *Joy Line* pour New York. Comme Charlotte était en tournée théâtrale, il fut hébergé chez elle au 164, Waverly Place [58].

Avant de quitter Boston, il offrit nombre de ses toiles à Mary qu'elle accrocha un peu partout dans sa maison. A chaque détour de son regard, elle voyait l'esprit de Gibran dépeint sur ses murs [59].

Le 1er mai, après s'être oint les cheveux avec de l'huile comme il avait l'habitude de le faire chaque matin, « à la manière des anciens prêtres chaldéens », il écrivit à Mary : « Je ne fais que courir dans les rues de cette gigantesque ville, et les ombres courent derrière moi. Je regarde avec mille yeux et écoute avec mille oreilles tout au long de la journée. Et lorsque je rentre tard le soir, je trouve encore des choses à voir et des voix à percevoir. New York n'est point l'endroit où l'on peut trouver du repos. Mais est-ce que je suis venu ici pour me reposer ? Je suis heureux de me voir capable de courir. » Il ajouta qu'il avait visité pour la première fois le Metropolitan Museum of Art et en était sorti ébahi par ses chefs-d'œuvre [60]. Or, dès le lendemain de sa mort, le même musée exposera en permanence cinq de ses toiles [61]. Puis en réponse à la lettre de Mary dans laquelle elle lui révélait qu'elle s'était mise à lire *Ainsi parlait Zarathoustra*, il lui dit : « Nietzsche est pour moi un sobre Dionysos, un surhomme qui vit dans la forêt, un être puissant qui aime la musique et la danse ainsi que tout ce qui procure de la joie [62]. »

Par ailleurs il fut étonné de l'omniprésence juive dans la capitale du dollar : « Cela rappelle à l'historien l'esclavage des juifs à Babylone et leurs jours de malheur en Espagne. Cela plonge le poète dans une profonde méditation sur leur passé en Egypte et leur avenir sur cette terre. Peut-être un jour verrons-nous les juifs du Jourdain conduire une marche sur la

5th Avenue comme ce fut le cas du peuple de Paris
dans sa marche sur Versailles ! Le juif est roi à New
York et son palais est la 5th Avenue. L'histoire est
souvent capable de se répéter. Il y a chez le juif quelque chose d'éternel : le monde commence avec sa naissance, et c'est à lui de le conquérir et de le perdre et
c'est à lui de le reconquérir [63]. » Or, sept ans plus tard,
dans ce même New York, Gibran liera connaissance
avec un éditeur qui publiera par la suite toute son
œuvre anglaise. C'était un américain d'origine alle-
mande, dénommé Alfred Knopf ; il était juif [64].

Gibran ne tarda pas à s'intégrer dans la communauté
syrienne de New York. Il fut invité à un banquet offert
par Na'oum Moukarzel, l'éditeur du journal d'expression arabe *Al-Houda*. Parmi les convives figurait Riza
Pacha, l'ambassadeur turc, qui fut « si gentil et si
doux » avec notre auteur, tentant avec aménité de le
réconcilier avec la Sublime Porte. Au cours de ce banquet, sur l'insistance de l'éditeur, Gibran fit une allocution qu'il qualifia de « feu sous les cendres [65] ».

Deux jours plus tard, grâce aux lettres de recommandations de Mary, il réussit à inviter chez lui le premier
New-Yorkais connu, le compositeur et musicologue
Arthur Farwell. Celui-ci vint le voir accompagné de
deux jeunes dames. Quand Gibran eut dessiné son portrait, l'une des deux femmes dit à Farwell : « Arthur,
votre mère doit absolument voir ce portrait, elle y verra
son vrai fils dont l'avenir est prometteur [66]. » Six mois
plus tard, Farwell rendit à nouveau visite à Gibran,
cette fois-ci en compagnie de sa mère qui fut, selon
notre auteur, « parmi les dames les plus dignes de
considération [67] ». A la suite de sa première rencontre
avec Farwell, celui-ci présenta Gibran à William Mac-

Beth, un collectionneur de tableaux d'art, spécialisé dans la peinture américaine contemporaine[68].

Le soir même, il fut invité à dîner chez Amin al-Rihani en compagnie duquel il avait visité Londres, un an auparavant[69]. Gibran ambitionnait d'être le pair d'Amin quand il lui écrivait de Boston : « Que je serai heureux, lorsque le destin nous réunira dans une seule ville. Nous serons debout tous les deux face au soleil et nous montrerons ce que Dieu a déposé dans nos âmes[70]. » Le lendemain, il écrivit à Mary : « En ce jour béni, en ce jour empli de puissance et de vie, j'ai fait le portrait d'al-Rihani, le meilleur que j'aie pu dessiner depuis mon retour de Paris[71]. » Le 16 mai, avant que Charlotte ne regagnât son appartement il emménagea dans une chambre meublée dans l'immeuble où Amin habitait. Comme elle était petite, il ne l'utilisait que pour dormir. Et, en l'absence d'Amin, il utilisait son appartement pour y travailler[72]. C'était au 28, West 9th Street[73], à deux rues de chez Charlotte.

Comme Amin était franc-maçon[74], Gibran dut parler avec lui de son association Les Chaînons d'Or. Et comme il savait que Charlotte avait une passion pour l'ésotérisme, il écrivit à Mary : « Je projette de présenter Charlotte à Amin, ils sympathiseront l'un avec l'autre[75]. »

Au retour de Charlotte, Gibran prit l'habitude de se rendre chez elle tous les matins pour le petit déjeuner. Quelques jours plus tard, elle le présenta à son ami intime, Charles Edward Russell, le candidat socialiste aux élections du gouverneur de New York. Sachant que Mary avait du respect pour ce politicien dont il venait de faire le portrait, Gibran ne tarda pas à l'informer de sa dernière rencontre[76].

Par la suite, Gibran confia à Charlotte qu'il cherchait un modèle pour une nouvelle toile, *al-Saqia* : « une

femme drapée de voiles et portant de l'eau à boire ».
Elle lui rétorqua : « Je suis et la femme et les voiles. »
Chacun d'eux écrivit à Mary combien ils étaient avides
de sa présence durant leurs séances de travail[77].

Avant de partir pour New York afin d'assister à la
naissance de cette toile à travers ses deux protégés
bien-aimés, Mary alla voir la sœur de Gibran, Mariana,
qui souffrait à nouveau de l'éloignement de son frère.
Celle-ci savait fort bien que, grâce à Mary, son frère
pourrait un jour réaliser ses rêves ; en signe de reconnaissance, elle lui offrit ce qu'elle avait de plus cher
au monde : le bracelet de sa mère, Kamila[78]. Le
1er juin, Mary arriva à New York et courut jusqu'à
Waverly Place pour retrouver Gibran devant son chevalet, et Charlotte en sommelière « au corps nu, drapé
de voiles aux teints vert, abricot et orange, tenant à la
main une coupe en cuivre incrustée de pierres précieuses[79] ». Quelle ne fut pas leur surprise de se voir réunis
autour du thème de l'eau, étanchant leur soif l'un de
l'autre !

Trois jours plus tard, la toile fut achevée. Ils passèrent la soirée ensemble chez Charlotte en compagnie
d'Amin al-Rihani. Les femmes étaient en tenue de soirée, et les hommes en habit oriental. Dans une atmosphère éthérée où la poésie et l'encens se courtisaient
l'un l'autre, les regards de Charlotte captivèrent Amin
alors que ceux de Gibran se rivèrent sur Mary. Cherchant à atténuer ses ardeurs, celle-ci proposa de lire
l'avenir dans la main d'Amin[80].

Le séjour de Mary se prolongea jusqu'au 12 juin,
durant lequel elle visita en compagnie de Gibran les
musées de la ville ainsi que la cathédrale de Saint John
the Divine et l'université de Columbia. Ils passèrent
leurs soirées à lire ensemble *Ainsi parlait Zarathoustra*. Un jour, comme il pleuvait sans cesse, ils restèrent

à la maison et Gibran se mit à dessiner quelques croquis représentant sa propre façon de voir Renan, Swinburne, Keats, Shelley, Rodin, Dante, Shakespeare et Michel-Ange[81].

Ils repartirent ensemble pour Boston. Gibran voulait passer quelques jours de repos auprès de sa sœur alors que Mary se préparait pour ses vacances coutumières dans l'ouest du pays. Avant de quitter Boston, elle voulut qu'il se sentît indépendant d'elle financièrement, tout en lui permettant de gérer aisément sa vie sans qu'aucune entrave matérielle ne revînt freiner l'élan de sa production artistique. Elle lui proposa de remplacer son aide financière mensuelle par la coquette somme de cinq mille dollars[82].

Durant son séjour parisien, Gibran ne cessait de répéter à son ami Youssef : « Que Dieu maudisse l'argent qui s'interpose entre l'être et ses ambitions. » Le voilà à présent soulagé matériellement, alors que les blessures de son cœur n'étaient pas complètement pansées. N'avait-il pas écrit dans son *Prophète* : « Lorsque vous éprouvez de la joie, sondez votre cœur et vous trouverez que seul ce qui dans le passé vous a causé de la peine fait à présent votre bonheur[83]. » A défaut d'être la compagne de son chemin, Mary, avec un pincement au cœur, choisit d'être plutôt le pont entre Gibran et ses ambitions.

Gibran accepta l'offre et suivit le conseil de Mary en plaçant cet argent chez son courtier. Et il lui dit : « J'aimerais un jour pouvoir vous rembourser. Je sais qu'à présent je ne peux point le faire, toutefois je désirerais vous léguer tout ce que je possède après ma mort[84]. »

Il prit une feuille blanche et se mit à rédiger son testament avec une équité exemplaire pour tous ceux qui marquaient alors sa vie :

« Je, soussigné Kahlil Gibran, jouissant de toutes mes facultés mentales, déclare par la présente ma dernière volonté. Ce testament annule tout autre acte similaire écrit avant cette date.

Je lègue à Mary Elisabeth Haskell tous mes esquisses, dessins et toiles. Si avant mon décès je perdais la raison, toute ma production artistique lui reviendrait immédiatement.

Je lègue mes manuscrits littéraires à ma sœur Mariana Gibran. Et pour les publier je lui conseille de consulter Amin al-Rihani, Najib Diab [éditeur du journal *Mir'at al-Gharb*] et Amin al-Ghrayib [éditeur du journal *al-Mouhajir*] lequel réside à Beyrouth-Syrie. Quant à mes manuscrits politiques et sociaux, je les lègue à Amin al-Ghrayib.

Tout ce qui me reste d'argent ainsi que toutes les lettres en langue anglaise qui m'ont été envoyées, je les lègue à Mary Elisabeth Haskell. Quant aux lettres qui m'ont été adressées en langues arabe et française, je voudrais que ma sœur Mariana les garde cinq ans après ma mort, et durant cette période les expéditeurs de ces lettres pourront les récupérer, s'ils le désirent. Après cinq ans, je voudrais que toutes ces lettres soient en possession de Youssef al-Houayik.

Si Mary Haskell est toujours en vie, je voudrais que mon cœur soit extirpé de ma dépouille et qu'il lui soit remis. Ma dépouille sera acheminée à Bcharré et enterrée à Mar Méma. Et si Mary Haskell n'est plus, mon cœur restera à sa place et ma dépouille sera enterrée à Mar Méma.

Je lègue mes livres qui sont à Bcharré à la bibliothèque du village. Quant à mes livres se trouvant à Boston, je les lègue à l'association Les Chaînons d'Or excepté les livres et les reproductions d'art qui reviendront à Mary Haskell. Je lègue toutes mes affaires personnelles à ma sœur Mariana, excepté mes deux bagues chinoises en argent qui seront données à Mary Haskell.

Si Mary Haskell n'est plus de ce monde lors de mon décès, je voudrais que mon ami Fred Holland Day se charge de mes esquisses, dessins et toiles. Dans ce cas, je désire que toute ma production artistique soit la propriété publique d'un musée et qu'elle reste rassemblée le plus longtemps possible, mais aussi qu'elle puisse pourvoir aux besoins de ma sœur[85]. »

Par la suite ils parlèrent de ses activités pendant l'été. Gibran projetait de rester à Boston pour y travailler. En premier lieu, il voulait revoir le manuscrit arabe des *Ailes brisées* qu'il avait commencé à écrire en 1906 et avait porté avec lui durant ses deux années parisiennes. Un autre projet germait en lui, une série de paraboles, son futur premier livre anglais, *Le Fou*. Par ailleurs, il avait promis à Amin al-Rihani d'illustrer son prochain livre en anglais par une série de dessins allégoriques. Après l'énumération de ces projets, Mary lui demanda avec ironie :

– Et les vacances ?

– Je m'étendrai sur l'herbe, lui répondit-il.

– Et pour combien de temps ? s'enquit-elle en souriant.

– Environ deux minutes[86] !

Pendant que Mary escaladait les montagnes de Californie avec ses compagnons du Sierra Club, Gibran demeura à Boston près de sa sœur. Il écrivit : « Quel drôle d'été ! Il fait sombre, froid et triste. Je me sens comme dans une prison[87]. » Et pourtant, il réussit à finir les illustrations pour le livre en langue anglaise d'Amin, intitulé *Le Livre de Khaled*, et reçut la somme de cinquante dollars de l'éditeur. Après avoir retouché le portrait de Charlotte qu'il finit par baptiser du nom d'*Isis*, il entama quatre nouvelles toiles. En outre, le manuscrit des *Ailes brisées* fut fin prêt pour être imprimé[88]. Dans le même temps, comme il se sentait « dans une prison » tout en étant désormais libre matériellement, il écrivit un article en arabe qui nous rappelle cette citation de Rousseau : « L'homme est né libre, et pourtant il est dans les fers. » Gibran envoya cet article, intitulé « L'Esclavage[89] », au journal *Mir'at al-Gharb*[90].

Dans la même période il écrivit un autre article, « Fils de ma Mère[91] », publié également dans *Mir'at al-Gharb*[92], dans lequel il s'adressa à ses compatriotes sur un ton de blâme et de reproche pour l'absence de tout souffle de révolte dans leurs âmes contre le joug ottoman.

L'aliénation nationale engluait tout un peuple. Gibran pointa le doigt sur la déchéance d'un peuple qui construisait, avec des promesses vaines, des châteaux de mots ou qui dressait, en rêve, des temples éphémères. Un peuple qui se satisfaisait du roucoulement de la colombe et qui se bouchait les oreilles pour ne pas entendre le lion rugir ; un peuple ignorant qu'il était aveugle parce qu'il ne voyait pas couler les sources du savoir ; un peuple qui emboîtait le pas à ses aïeux et qui refusait de faire un pas de plus que celui fait par ses pères.

A la fin de l'été, Gibran avoua à Mary par écrit : « Je commence tout juste à aimer la Vie. Il y a tas de choses à faire, des tas de questions à traiter, des tas de rêves à rêver[93]. »

Le 16 septembre, Mary était de retour à Boston,

hâlée et revivifiée grâce à ses vacances en Californie. Elle se réjouit en voyant Gibran plein de vitalité et d'élégance : « Il était mieux que jamais, rajeuni, sans souci, confiant et heureux. Il portait un nouveau costume, couleur marron, avec une cravate assortie. » Elle aussi était élégamment habillée : elle portait « la robe bleue de Charlotte avec son inséparable ceinture noire et argentée ainsi qu'un chapeau marron et autour du cou un boa de plumes ». Ils dînèrent ensemble au Napoli Hotel dans le quartier nord de la ville et parlèrent de son dernier article sur l'esclavage publié trois jours auparavant[94].

Le surlendemain, il embarqua pour New York à bord du *Joy Line* d'où il écrivit à Mary : « J'ai passé la nuit sur le pont en compagnie des étoiles et de la lune, puis j'ai assisté à un remarquable lever de soleil. Les souvenirs d'une nuit pareille resteront à jamais inoubliables. La musique de la mer étrangement voilée par le silence ainsi que ces innombrables mondes étincelants qui voguent paisiblement à travers l'incommensurable espace me permettent de méditer sur des milliers de pensées éthérées[95]. »

Arrivé à New York, il loua à nouveau une chambre dans la 9th Street. Quelques jours plus tard, il trouva un petit appartement au 51, West 10th Street, en plein Greenwich Village, le Montmartre américain. L'immeuble dans lequel il emménagea n'était autre que le célèbre Tenth Street Studio conçu par Richard Morris Hunt spécialement pour les peintres et les sculpteurs, qui servit durant cinquante ans de maison, atelier et salle d'exposition à nombre d'artistes parmi les plus célèbres du pays[96].

Le soir même, il écrivit à Mary : « Je sais que vous auriez préféré que je loue un appartement plus spacieux, mais je trouve que celui-ci me suffit pour le moment. Un jour le Grand Esprit me conduira au bon endroit quand le moment sera venu[97]. » En fait, quelques années plus tard ce « bon endroit » serait toujours dans le même immeuble mais à un étage supérieur et dans un appartement plus grand.

Ce fut durant cette période qu'il remit, en main propre, le manuscrit des *Ailes brisées* à son éditeur Najib Diab. A la fin du mois de septembre, il retourna à Boston pour prendre toutes ses affaires à dessein de s'installer définitivement à New York. Il apporta à Mary sa dernière toile, disant : « Ceci est le point de départ des chemins de ma vie. » Tout émerveillée devant cette toile, elle la baptisa *Le Contemplateur*[98].

Le lendemain, Mary invita Gibran à une conférence donnée par le poète et dramaturge irlandais William Yeats. A la fin de la conférence, les deux hommes se donnèrent rendez-vous[99]. Le 1er octobre, Gibran fit son portrait ; durant leur rencontre qui dura trois heures à l'hôtel Touraine, Yeats lui confia qu'il s'ennuyait à Boston et qu'il aimerait bien repartir. Le soir même il raconta à Mary son entretien avec Yeats : « Il y a une chose qui corrompt l'œuvre de Yeats : il est patriote alors qu'il devrait être tout simplement un artiste[100]. » Or, dix ans plus tard, Yeats devint sénateur en Irlande et reçut le prix Nobel de littérature.

Durant ses derniers jours à Boston, Gibran confia à Mary trois nouvelles toiles qu'ils intitulèrent *La Douleur, Les Dieux morts* et *Les Deux Croix*. Mary avoua dans son journal : « J'avais une boule dans la gorge et ne cessais de m'évertuer à l'avaler. »

Ils discutèrent d'une nouvelle série de cours sur « le monde de l'esprit » que Mary projetait de donner dans son école. Tous deux établirent un choix de textes tirés du *Livre des morts,* de Job ainsi que du Coran, et parmi les grecs, Eschyle, Sophocle et Euripide, puis Dante, Shakespeare, le personnage de Faust, Balzac, Nietzsche, Ibsen et Whitman.

A la veille du départ, Mary était là, aidant Gibran à ranger ses affaires ; ils tombèrent sur une photo de Josephine Peabody. Comme Mary l'incita à parler d'elle, il le fit avec franchise et tendresse, en concluant : « Après elle, a surgi un bel amour fait d'amitié mêlée de passion [101]. »

Le 18 octobre, un an après son retour de Paris, Gibran quitta définitivement Boston pour New York, avec un pincement au cœur pour les larmes de sa sœur qui ne surent le retenir, espérant dès lors réaliser le Gibran dont il rêvait, laissant derrière lui le jeune émigré syrien qui cherchait protection, pour regarder vers l'avant où se profilait sa conquête de New York.

12

La conquête de New York
New York : novembre 1911-décembre 1913

« Nul ne peut atteindre l'aube sans passer par le chemin de la nuit [1]. »

Fin 1911

Alors que Mary endurait sa solitude à Boston, Gibran cherchait à vivre seul et à satisfaire ses rêves, en faisant de son nouveau nid sa piste d'envol.

Les premiers temps, il fut occupé à aménager son appartement. Souvent, il prenait ses repas chez Charlotte qui le décrivit dans sa correspondance à Mary en ces termes : « Kahlil semble n'avoir jamais été aussi bien et paraît plus déterminé que jamais [2]. » Et Gibran de confier à Mary par écrit : « Mes jours sont emplis d'images, de voix et d'ombres. Il y a du feu dans mon cœur, du feu dans mes mains. Où que j'aille je vois des choses mystérieuses. Savez-vous ce qu'est se brûler et se sentir de plus en plus libre de tout ce qui est autour au fur et à mesure que l'on se consume ? Il n'est de plus grande joie que celle du feu [3] ! »

Après vingt-huit ans d'existence, le 1er novembre 1911, Gibran avait enfin son propre toit : « Je n'ai jamais senti dans le passé ce qu'était un véritable chez-soi. » Puis il poursuivit dans sa lettre à Mary : « Une antique chanson arabe débute par "Il n'est que Dieu et moi qui savons ce qui est en mon cœur". Aujourd'hui, après avoir lu et relu vos trois dernières lettres, j'ai crié : "Il n'est que Dieu, Mary et moi qui savons ce qui est en mon cœur." J'aimerais ouvrir ma poitrine et tenir mon cœur dans la main afin que les autres aussi puissent le savoir ; car il n'est de désir plus profond que celui de se révéler. Nous voulons tous que la petite lumière en nous cesse d'être mise sous le boisseau. Le premier poète dut tant souffrir lorsque les gens des cavernes se moquèrent de ses mots démentiels. Il aurait donné de bon gré son arc, ses flèches ainsi que sa peau de lion et tout ce qu'il possédait, pour que ses compagnons comprennent la joie et la passion que le coucher de soleil avait créées en son âme. Cependant, n'est-ce pas cette peine mystique, cette peine de n'être pas connu qui engendre l'art et les artistes ?... Nous, chercheurs de l'Absolu, qu'est-ce que la Vie nous a réservé, si ce n'est la joie d'être assoiffés[4]. »

Gibran et Charlotte invitèrent Mary pour le Thanksgiving Day. Avant son départ pour New York, Mary rendit visite à Mariana. Celle-ci avait quitté son appartement West Cedar Street pour habiter à nouveau le quartier des immigrés syriens, au 15, Oliver Place. Désormais elle travaillait en tant qu'aide-soignante[5].

Après avoir déposé ses affaires chez Charlotte, Mary se laissa guider par celle-ci au 51, West 10th street pour retrouver Gibran et découvrir son nouvel appartement. Elle nota la présence de « bougies achetées à la livre, une tapisserie du marché aux puces à Paris ainsi qu'un merveilleux lustre syrien en verre à reflets irisés et des tapis de prière orientaux offerts par Mme Marie al-Khoury[6] ». Propriétaire d'une bijouterie, Marie al-Khoury avait perdu son mari quand elle fit la connaissance de Gibran par l'intermédiaire d'Amin al-Rihani. Son appartement à New York était ouvert à tous les intellectuels syriens ; elle était riche, intelligente, belle et n'avait pas d'enfant[7].

Gibran offrit à Mary et Charlotte du café turc et fit brûler de l'encens. Puis il leur montra ses trois dernières toiles et leur lut quelques passages des *Ailes brisées*[8].

Durant le séjour de Mary, tous trois visitèrent le Metropolitan Museum à deux reprises et assistèrent à un spectacle oriental qui fut donné à l'hippodrome dans lequel défilèrent acrobates, éléphants et danseurs syriens. Pendant ce spectacle, Gibran tenait la main de Mary[9].

Aussitôt après Mary regagna Boston. Amin al-Rihani, lui, était de retour à New York après un voyage au Liban. Son ouvrage autobiographique en langue anglaise, *The Book of Khalid*, *« Le Livre de Khalid »*, venait d'être publié avec les illustrations de Gibran. Dès lors ses rencontres avec Charlotte se multiplièrent de jour en jour. Dans une lettre à Mary, Charlotte lui proposa de venir passer les vacances de Noël avec elle, Gibran et Amin, ajoutant : « Qui sait ! Peut-être toi ou moi ou toutes les deux, nous pourrions donner naissance à cet Enfant qui unira l'Orient à l'Occident par son Génie. Je prie pour que tu acceptes mon invitation ainsi que celle de la Destinée[10]. »

Mary déclina l'invitation et projeta de prendre quelques jours de vacances dans le sud du pays ; elle réussit à convaincre Gibran de venir à Boston passer les fêtes de fin d'année auprès de sa sœur. En guise de cadeaux de Noël, elle remit à Mariana un col de fourrure et à Gibran deux livres, l'un de Swinburne et l'autre de

Rossetti, ainsi que des cuillères chinoises et des pantoufles japonaises[11]. A son retour à Boston, elle le questionna sur l'amour naissant entre Charlotte et Amin, il lui répondit : « Il se pourrait qu'une dispute éclate entre eux deux[12]. »

1912

Le 6 janvier, à l'aube de ses vingt-neuf ans, de New York il écrivit à Mary : « Je sens mon être englouti dans un silence étrange, le silence de mers profondes, de régions non explorées, le silence de divinités inconnues[13]. »

La veille, de Boston Mary lui écrivait : « Chère main et cher œil, je remercie le *bon Dieu* [en français] qui il y a vingt-neuf ans vous a offert à votre mère, et nous a offert un an de plus pour être encore plus proches l'un de l'autre... O chère manifestation de Dieu, ô mon Maître[14]. »

Durant le mois de janvier, Mary fut souvent en pleurs[15], à chaque fois qu'elle recevait des lettres de l'un ou de l'autre de ses protégés. Charlotte ne mâchait pas ses mots en écrivant à Mary que son amour pour Amin ne cessait de prendre de l'empire sur son cœur. Quant à Gibran, elle le voyait attiré de jour en jour dans les bras d'une rivale, dénommée Célébrité.

Le 26 janvier, *Les Ailes brisées* fut enfin publié aux éditions *Mir'at al-Gharb*[16]. Cette effusion romantique, première de son genre en arabe, eut une considérable répercussion dans les milieux orientaux. Il s'agit d'une confession amoureuse, d'une critique sociale, d'une thèse morale et d'un chant pastoral venant d'outre-mer et prenant le Liban pour cadre. Dans ce livre Gibran

sape le statut misérable des femmes brimées par des
siècles de tradition misogyne. L'héroïne de cet unique
roman écrit par Gibran se nomme Salma Karamé (gra-
phiquement en arabe : Salm/i Kramh), qui serait un
anagramme du nom Mary Haskell.

Nous rappelons que ce livre fut en grande partie écrit
pendant la période parisienne et que le titre lui fut inspiré par sa mère à la veille de sa disparition. Il en
envoya un exemplaire à Mary avec une dédicace impri-
mée entièrement en arabe excepté les initiales de
Mary ; en dessous il en écrivit la traduction en anglais
de sa propre main :

> « A celle qui fixe le soleil
> Sans que ses yeux ne cillent,
> Et qui saisit le feu
> Sans que sa main ne vacille.
> A celle qui au-delà des cris
> De ce monde aveugle
> Sait écouter la mélodie
> De l'Esprit universel.
> A *M. E.H.* j'élève ce livre [17]. »

A la réception du livre, Mary écrivit dans son journal en réplique à cette dédicace : « A celui qui dirige
les regards vers le soleil, à celui qui est porteur du feu.
A celui qui donne à l'Absolu une voix dont mon nom
jubile d'entendre l'immortalité. A lui toute ma reconnaissance [18]. »

Une semaine plus tard, exténué et extasié par son
travail, Gibran informa Mary qu'il aimait à « travailler
longtemps sans rien manger ». Il ressentait dans la faim
qui frise la mort une source d'inspiration. Et dans la
même lettre il ajouta : « J'ai beaucoup de choses à dire

sur la Vie après la Mort. Je sens, et peut-être le senti-
rai-je toujours, que le moi qui est en mon être ne saurait périr. Il ne sera pas noyé dans la sublime mer que
nous appelons Dieu [19]. »

Le 7 février, à l'approche du carême, comme il avait
l'habitude de voir Jésus dans ses rêves deux à quatre
fois par an [20], ce matin-là il écrivit à Mary avec extase :
« Aujourd'hui, mon cœur est empli de choses étranges,
d'ombres sereines. J'ai vu Jésus dans mon rêve, la nuit
dernière : le même visage chaleureux, les grands yeux
noirs paisiblement radieux, les pieds couverts de poussière, son habit rustique d'une couleur grisâtre tirant sur
le brun, sa longue canne recourbée. J'ai vu le même vieil
esprit, l'esprit de celui qui ne fait rien si ce n'est regarder
fixement la Vie avec quiétude et douceur. O Mary, que
ne puis-je Le voir dans mes rêves chaque nuit ? Que ne
puis-je regarder fixement la Vie avec la moitié de Son
calme ? Que ne puis-je rencontrer quelqu'un dans ce
monde qui serait aussi merveilleusement simple et chaleureux que Lui [21] ? »

Si Jésus venait souvent visiter ses rêves, il se trouvait que Gibran était aussi fréquemment malade. Nous
rappelons cette maxime tirée de son *Prophète* : « La
joie et la tristesse ne sont point séparables... Quand
l'une vient s'attabler seule avec vous, n'oubliez pas
que l'autre s'est assoupie sur votre lit [22]. »

Ainsi, dix jours après son rêve de Jésus, il écrivit à
Mary : « Ma vieille amie, la grippe, est là... Nous nous
rencontrons deux à trois fois par an, nous nous entrete-
nons comme de vieux amis, puis nous nous quittons
avec le sourire. Etre malade est en quelque sorte du
repos pour moi... Je suis né avec une pointe de flèche
dans mon cœur, il est aussi pénible de la retirer que de
la laisser... Je vis souvent à l'intérieur de mon être,
comme une huître. Je suis une huître qui tente de for-

mer une perle à partir de mon propre cœur. Mais on dit qu'une perle n'est autre que la souffrance de l'huître... Je ne quitterai pas cette terre étrangement belle avant d'achever mon œuvre, et cela me prendra beaucoup de temps [23]. »

Dans le même temps Mary reçut une lettre de Charlotte qui vint confirmer la prédiction de Gibran concernant sa relation avec Amin : « Rihani continue à espérer que je vais très bientôt accepter de me marier avec lui. Mais je ne devrais pas, bien qu'il soit riche et célèbre. Nous sommes trop nerveux pour pouvoir vivre en couple. Je serais morte, finie en tant que femme [24]. »

Cette nouvelle ne pouvait que réjouir Mary. Aussitôt elle prit le train pour New York afin de soigner physiquement Gibran et réconforter moralement Charlotte. Toutefois, elle alla directement chez celle-ci et y passa la nuit à l'écouter parler jusqu'à quatre heures du matin. Amin fut évidemment le centre de leurs entretiens. A l'aube, en plein sommeil, Mary sursauta du lit en « hurlant ». Une voix cauchemardesque lui révéla : « Kahlil te dit que la patience a ses limites. Il doit tout avoir ou rien [25]. » Selon son interprétation de ce rêve, elle songea à proposer à Gibran une liaison en dehors du mariage, qui serait une solution intermédiaire aux désirs de chacun d'eux.

Le lendemain, Micheline était là. Après avoir enseigné le français dans le Connecticut, elle se trouvait à présent à New York en passe de conclure un mariage. Elle tint à présenter son prétendant à Mary. Celle-ci le trouva convenable [26].

Puis Mary courut à l'appartement de Gibran, envoûtée par cette voix invisible du rêve. Comme si Gibran eût lu la fatigue dans ses yeux et sa soif de parler, il lui offrit du café et quelques petits pains. Elle commença à le questionner sur l'enfer de leur éloignement puis réitéra l'impossibilité du paradis du mariage, concluant par un appel au purgatoire du concubinage. Gibran refusa catégoriquement. Il fut même « choqué » par ses propos. Quelques minutes plus tard, il lui dit :

– A présent je sais que vous m'aimez.

– Vous ne le saviez pas auparavant !

– Si, mais différemment. Cependant, vous ne pourrez pas être mon amante, car je vous aime[27].

Déçue surtout d'elle-même, de la « couardise » de sa proposition, Mary s'en alla. Elle refusa de venir le voir dans la soirée avec Micheline comme elle le lui avait promis. Le lendemain, elle frappa à sa porte. Prenant son café matinal, Gibran, enrhumé, venait à peine de se lever. A nouveau, elle tenta de le défier de prendre cette initiative :

– Avant mon retour à Boston, j'aimerais être à vous. Je mets mon âme et la vôtre dans vos mains.

– J'aurais aimé le dire en premier.

– Vous avez toujours dit que la clef est entre mes mains. Aujourd'hui, je vous la donne.

– Mais pourquoi n'avez-vous jamais parlé de ce sujet auparavant ?

– Nous n'aurions jamais pu en parler, si je n'avais pas pris l'initiative.

– Mais je suis le premier à avoir déclaré mon amour, à demander votre main, à vous rapprocher de mon cœur. A présent, je suis las de tenir une femme à poigne.

Ce fut la première fois qu'elle prit le train sans qu'il l'accompagnât à la gare[28].

Deux semaines plus tard, elle lui écrivit une lettre dans laquelle elle lui suggéra une rupture totale : « Mon cher Vieil Homme, devrais-je vous révéler mes

pensées depuis que je suis partie de New York ? Si le
fait de me voir vous cause plus de peine que de joie,
alors je ne veux pas que vous me voyiez. Je laisse le
temps et l'absence commencer à apporter leurs soins
curatifs. Le sentiment qui a grandi en quinze mois peut
disparaître en un laps de temps bien plus court, si nous
ne le nourrissons pas. Dès lors, se voir ou s'abstenir
de se voir sera chose simple. Et je ne dis pas cela avec
légèreté, mais avec une simple sincérité [29]. »

En lisant la lettre, Gibran savait que Mary n'était
pas seulement sincère mais aussi très sérieuse dans sa
nouvelle proposition. Il prit sa plume et y mit tout son
cœur :

« Très chère Mary, comment pourriez-vous, au nom
d'Allah, me demander si le fait de vous voir me procure plus de peine que de plaisir ? Quelle est cette
chose céleste ou terrestre qui vous a inspiré une telle
pensée ?

Qu'est-ce que la peine et qu'est-ce que le plaisir ?
Pourriez-vous séparer l'un de l'autre ? La force qui
anime votre être et le mien est faite de peine et de
plaisir. Ce qui est réellement beau ne nous procure
qu'une peine délicieuse ou une joie douloureuse.

Mary, vous m'inondez de plaisir et c'est pour cela
que c'est douloureux ; et vous me causez tant de peine
et c'est pourquoi je vous aime [30]. »

Cette lettre dut quelque peu apaiser les inquiétudes
de Mary. Un mois plus tard, il vint à Boston, tentant
cette fois-ci de réparer les dommages de vive voix.

Comme il faisait beau ce jour-là, ils préférèrent sortir de l'école de Mary pour se promener dans la
Commonwealth Avenue jusqu'au jardin public. Ils
choisirent un banc face au soleil. Un petit gamin juif
vint batifoler autour d'eux, en faisant peur aux pigeons.
Puis lorsque le gamin partit jouer plus loin, Mary se

ressaisit et se mit à questionner Gibran sur sa vie sexuelle. Il lui en livra le cœur :

– J'ai eu très peu de femmes dans ma vie. Toutefois le type de femme physiquement attractif à mes yeux est extrêmement rare. J'en ai rencontré trois ou quatre... Souvent les gens prétendent que je suis un don Juan, alors qu'il n'en est rien... Je n'ai jamais été entravé par l'idée du Bien ou du Mal, mais plutôt parce que je ne le désirais pas. Je crois en la liberté personnelle mais dans la limite de l'honneur, de la propreté et de la décence...

– J'ai lu ces derniers temps beaucoup de choses sur Œdipe qui se maria avec sa mère, sur Mahomet et son épouse Khadija [plus vieille que lui] ainsi que sur Elizabeth Barret et son [jeune] mari Robert Browning [deux poètes anglais]...

– A présent, laissez-moi vous dire que je veux toujours travailler avec vous et toujours grandir avec vous. Je ne veux pas être délaissé lorsque vous courez sans moi, et je ne veux pas courir en vous laissant derrière moi. Mes études sont en fait la relation amoureuse entre nous. Certes, j'ai commis des fautes, des petites fautes. Quant à la grande chose, je ne me suis jamais trompé... En ce qui concerne le mariage, il est très probable que je ne marierai jamais[31].

Par la suite, désirant mettre un terme à ce sujet, il dévia sur sa vie quotidienne au West 10th Street. Comme il ne pouvait ni écrire ni dessiner le matin, il préférait écrire ou lire tard dans la nuit pour dormir le matin. Quant à ses après-midi, elles se décomposaient comme suit : lundi, mercredi et vendredi consacrés à la peinture en présence de modèles ; mardi et jeudi, ouverts aux visiteurs. Puis ils parlèrent de couleurs. Il s'avéra que Gibran avait une prédilection pour le bleu, « surtout le bleu persan et le bleu égyptien. Ma deuxième couleur est le doré et je mettrai en troisième rang le gris, cette couleur qui est au-delà de toutes les couleurs ».

Grisée par ses paroles, désormais Mary ne le regardait plus comme un « ami dont je suis amoureuse mais tel un mari avec qui j'entretiens une grande amitié [32] ».

Le lendemain soir, après avoir assisté à un concert de musique classique, Gibran accompagna Mary chez elle. Dans son salon-bibliothèque, ils s'enlacèrent comme deux époux platoniques. Soudain, on sonna à la porte. C'était Adam, le frère de Mary, accompagné de son épouse, Nattie. Mary fut horriblement embarrassée ; elle susurra deux mots dans l'oreille de Nattie, et celle-ci de tirer délicatement le bras de son mari vers leur voiture, tout en s'excusant de leur visite inopinée et à une heure si tardive. Toutefois, Adam put apercevoir Gibran.

Celui-ci attendit dix ans avant de commenter cette scène marquée par le reflet méprisant qu'il vit ce soir-là dans les yeux d'Adam : « Vous [Mary] étiez ce soir-là on ne peut plus gênée par ma présence. De surcroît, vous m'avez avoué le lendemain que votre frère me considérait comme l'un de ces étrangers que vous appelez métèques. Ce fut le coup qui m'a achevé [33]. »

Une semaine plus tard, après avoir tenu quelques réunions au sein des Chaînons d'Or, il retourna à New York avec cette ferme résolution : « Ma relation avec cette femme doit être restreinte à l'esprit et à l'âme [34]. »

Dans le même temps, parut dans le journal *Mir'at al-Gharb* un nouvel article intitulé « Les Fils des dieux et les fils des singes [35] », un prolongement à son précédant article sur l'esclavage : soixante dix mille ans s'écoulèrent avant que l'humanité ne pût, par la force idéologique de ses dieux penseurs, se libérer des rois, des prêtres, des idoles, des ténèbres et donner naissance à une nouvelle génération de dieux. Tandis que d'autres encore demeurent enlisés dans les cavernes, dans la turpitude et la soumission. Et tels des vipères et des insectes, « ces descendants des singes » croupissent dans l'esclavage[36]. Sur le même thème il écrivit dans un manuscrit : « Le jour viendra où ses fils refuseront de se réclamer de nous comme nous refusons de nous réclamer de la classe des singes. Le jour viendra où si l'un dit : "Dans la haute antiquité les hommes se mariaient, se faisaient la guerre et couraient après l'or", l'autre lui répondra : "Ce sont des traditions que l'Histoire n'atteste point[37]". »

En avril, le lendemain de la tragédie du *Titanic*, Gibran ne dormit que trois heures : « L'air était si lourd à cause de cette horrible tragédie en mer. » De surcroît, il devait recevoir dans son atelier une grande personnalité spirituelle pour un portrait : « De l'eau froide et du café fort, et voilà que la lumière est dans mes yeux, écrivit-il à Mary. Une heure plus tard, Abdul-Baha était là, accompagné d'une vingtaine de personnes. Une demi-heure plus tard, nous commencions à travailler. Tous étaient silencieux et leurs regards, assoiffés. Après une heure le portrait était terminé. Le noble Abdul-Baha m'a souri. Ses compagnons, hommes et femmes, sont venus vers moi pour me féliciter en me serrant la main. Certains disaient "c'est un miracle", d'autres "vous étiez inspiré" et d'autres encore "vous avez vu l'âme du Maître". Puis Abdul-Baha m'a dit en arabe : "Ceux qui œuvrent avec l'Esprit réussissent dans leur travail. Vous avez la puissance d'Allah en vous." Par la suite, il a cité Mahomet : "Les prophètes et les poètes voient avec la lumière du Seigneur." De nouveau, il m'a souri, et dans son sourire il y avait le mystère de la Syrie, de l'Arabie et de la Perse. »

Gibran ajouta dans sa lettre à Mary : « J'ai aimé le portrait, car il était l'expression réelle de mon meilleur moi. Il était aussi bien réussi que celui de Rodin, peut-être même mieux dans une certaine mesure[38]. »

Qui était donc ce Maître ? Un mouvement islamique prit naissance dans les milieux chiites d'Iran au début du XIXᵉ siècle. Leur chef fut surnommé le Bab (« porte [menant à la vérité] »). Il reçut par révélation le titre de *mahdi*, qui serait le messie attendu par les chiites. Un puissant mouvement populaire s'ensuivit. Les musulmans sunnites le condamnèrent, et le gouvernement perse le réprima. Le fondateur fut arrêté et exécuté, et ses disciples persécutés. Il fut par la suite enseveli au mont Carmel en Palestine. Avant de mourir, Bab passa son autorité spirituelle à son ardent disciple, Baha' Ullah (« Splendeur d'Allah »). Celui-ci fonda le baha'isme. Ses disciples voyaient en lui une figure divine, la nouvelle révélation après celles des grandes figures prophétiques du monde sémitique et du monde indo-européen. Après sa mort en 1892, à Saint-Jean-d'Acre, à Baha' Ullah succéda son propre fils Abd al-Baha' (« Serviteur d'Allah »). Les écrits et les paroles de ces trois figures forment la littérature sacrée de cette religion syncrétiste. Le baha'isme appelle à l'instauration d'une foi universelle fondée sur le dépassement des conflits raciaux, religieux et sociaux. Il enseigne des préceptes moraux appelant à la paix universelle, à l'égalité des sexes ainsi qu'au refus de la prêtrise et de toute pratique rituelle, élevant au niveau de prière et d'adoration le travail accompli dans un esprit de service.

Lorsque Gibran rencontra Abd al-Baha', celui-ci était septuagénaire et venait à peine de répandre ses vues religieuses et de recruter des adeptes à travers l'Europe et les Etats-Unis. Gibran ne tarda pas à inviter ce maître spirituel à prononcer un discours sur l'unicité des religions au sein des Chaînons d'Or[39].

Au début du mois de mai, Abd al-Baha' donna une conférence à New York. Après y avoir assisté, Gibran confia à Mary son objection totale sur les longs discours dépourvus de tout esprit de renaissance : « Il y avait beaucoup d'orateurs, et la "paix" était l'unique sujet. Paix ! Paix mondiale ! Paix universelle ! C'était lassant, illogique, plat et insipide. La paix est le désir du vieil âge, et le monde est encore si jeune pour avoir un désir pareil. Je dirais plutôt : qu'il y ait des guerres, que les Enfants de la Terre se combattent entre eux jusqu'à ce que soit versée la dernière goutte du sang impur et bestial. Pourquoi l'homme devrait-il parler de paix lorsqu'il y a un excès de malaise dans son système qui doit éclater d'une manière ou d'une autre ? N'est-ce pas la maladie de la paix qui s'infiltre dans les nations orientales et qui cause leur effondrement ? C'est parce que nous ne comprenons pas la Vie que nous avons peur de la Mort, et la peur de la Mort nous rend terrifiantes la lutte et la guerre. Ceux qui vivent, ceux qui connaissent le sens de l'existence, ceux qui ont compris le sens de la Vie dans la Mort, ne doivent point prêcher pour la paix, mais plutôt pour la Vie. Mon unique désir, Mary, est d'*être* et peu m'importe comment, où et quand. Il n'est point de paix dans l'art d'*exister*[40]. »

Il poursuivit dans une autre lettre à Mary : « Pourquoi ne doit-on pas briser l'hypocrite paix du monde ? J'espère que cette guerre des Balkans provoquera le démembrement de l'Empire ottoman, ainsi au Moyen-Orient pourront revivre les pauvres nations écrasées, ainsi la mère Syrie pourra rouvrir ses tristes yeux et regarder à nouveau le soleil. Je suis partisan du règne de l'Absolu, Mary, et l'Absolu n'a pas de patrie, mais mon cœur brûle pour la Syrie... Je suis en train d'écrire un article qui soulèvera tout le monde arabe contre moi. J'y suis préparé et je commence à m'habituer à être cloué sur la croix [41]. » Cet article portera le titre de « Lettre ouverte d'un poète chrétien aux musulmans » et ne sera publié qu'un an plus tard.

Trois mois après la parution des *Ailes brisées*, Gibran écrivit à Mary une lettre dans laquelle il lui fit état de la réaction de la presse arabe levantine envers son dernier livre. La majorité des critiques s'accordèrent à louer l'auteur pour la valeur littéraire de son ouvrage. Toutefois, « ils avaient des opinions divergentes sur son esprit ou sa philosophie. Salma Karamé [l'héroïne] qui est à moitié Béatrice et à moitié Francesca [deux héroïnes de *La Divine Comédie* de Dante] a été analysée de deux différentes façons : les radicaux l'ont vue en femme noble et les conservateurs en cruelle. Le neuvième chapitre dans lequel j'ai tenté de rapprocher le Christ d'Ishtar [Astarté] a été considéré par certains comme "remarquablement beau" et par d'autres "absolument immoral et irréligieux" [42]. »

A travers *Les Ailes brisées*, Gibran visa la réforme du mariage : « Le mariage de nos jours est un commerce aussi bien comique que dramatique. Ses rênes sont tenues par les jeunes hommes ainsi que les pères des jeunes filles. Les prétendants y gagnent dans la plupart des cas, alors que leurs beaux-pères sont toujours perdants. Quant aux jeunes filles, telles des marchandises, elles passent d'une maison à l'autre. Elles perdent leur joie de vivre au fil des jours et, comme de vieux meubles, elles seront délaissées dans les coins obscurs des maisons, vouées à un lent anéantissement.

Il est vrai que la civilisation d'aujourd'hui a quelque peu développé les connaissances de la femme, mais elle a par contre augmenté ses souffrances, en laissant le champ libre à toutes les convoitises de l'homme.

Dans le passé, la femme était une servante heureuse ; aujourd'hui c'est une dame malheureuse. Elle marchait, aveugle, dans la lumière du jour ; les yeux ouverts, à présent elle marche dans les ténèbres.

Elle était belle dans sa simplicité, vertueuse dans son ignorance et forte dans sa faiblesse même. Elle est devenue laide par ses artifices, superficielle dans sa compréhension des choses et loin du cœur par sa préciosité.

Viendra-t-il le jour où seront réunis en la femme la beauté et la connaissance, l'artifice et la vertu, la faiblesse du corps avec la force de l'âme[43] ? »

Au début de l'année il disait à Mary : « J'envie les gens qui sont capable de se reposer. Je ne peux le faire. Je suis pareil à un ruisseau qui veut toujours courir, chercher et murmurer[44]. » Il aimait à dire : « Travailler et manger ne vont pas de pair. » Il prenait une orange ou un morceau de pain pour le petit déjeuner et du café turc tout au long de la journée ; le soir, il se contentait d'un dîner plutôt frugal[45]. Toutefois, comme il mangeait très peu et s'épuisait au travail, sa santé s'en trouva à nouveau troublée. Le 26 mai, il avoua à Mary : « Je ne me sens pas bien, chère Mary. L'esprit fait encore montre de bonne volonté, mais le corps est exténué. Tout mon être brûle de se trouver dans un coin de verdure où je pourrais aimer Dieu, la Vie et l'Absolu. Lorsqu'on sait que le printemps gambade parmi les collines, comment peut-on rester dans un coin sombre ? Il fait si beau à l'extérieur, mais physiquement je n'ai pas assez de volonté pour m'habiller et sortir me promener. Vous devriez être fatiguée, vous aussi. Non, vous n'êtes jamais fatiguée, jamais malade.

Votre corps est pareil à votre esprit, toujours vif, toujours leste. Vous êtes, comme le cèdre du Liban,
emplie de puissance embaumée. J'aimerais que mes
visiteurs ne viennent pas cet après-midi. J'aimerais que
vous et moi, nous soyons ensemble dans les bois, parlant, tout en marchant et cueillant des baies [46]. »

Une semaine plus tard, Gibran recouvra quelque peu
ses forces et retourna à Boston. Il refusa de s'installer
pour quelques nuits chez Mary, préférant être auprès
de sa sœur bien que le quartier où elle habitait ne l'ins-
pirât guère [47].

Le 7 juin, ils firent une promenade à pied jusqu'à
Cambridge en empruntant le Harvard Bridge. Gibran
aimait beaucoup ce pont avec ses tours. Arrivé à son
milieu, il s'exclama devant Mary : « Construire un
pont ! Voilà ce que j'aimerais faire, un pont si solide
que l'on puisse le traverser pour toujours [48]. » Dès lors
cette métaphore le poursuivra dans toute son œuvre
artistique et littéraire. Sa vie se forgeait de jour en jour
en ce projet de pont qui relierait l'Occident et l'Orient.

Trois jours plus tard, ils se promenèrent dans un jardin public, lisant et relisant des passages d'*Ainsi parlait Zarathoustra* [49]. Arrivé au milieu du chapitre « Le
Grand Désir », Gibran s'arrêta sur ce passage : « O
mon âme, je t'ai tout donné et mes mains sont vidées
de ton fait. Et maintenant souriante et pleine de mélancolie, tu me dis : Qui de nous doit dire merci ? N'est-
ce pas le donateur qui doit dire merci que le preneur ait
pris ? Prodiguer, n'est-ce pas une pressante nécessité ?
Prendre, n'est-ce pas faire grâce [50] ? » Il fit alors remarquer à Mary : « Vous avez toujours dit cela ! » Puis il
poursuivit : « Ce chapitre est le chant le plus solitaire
qui ait jamais été écrit après le discours du Christ lors
de la cène [51]. » Nous retrouvons la trace de cette lecture

dans le chapitre du « Don » dans *Le Prophète* : « Est-il un mérite plus grand que celui qui réside dans le courage et la confiance, dans la charité même, de recevoir [52] ? »

Par ailleurs, Gibran confia à Mary : « La période la plus importante de ma vie en ces dernières années est celle où j'ai acquis une nouvelle conception de Nietzsche [53]. » Et il ajouta que dès son adolescence il avait subit l'influence de Nietzsche ; la beauté de la forme l'avait d'abord envoûté, puis il avait compris qu'il aimait également le sens profond de l'ouvrage parce que fond et forme sont inséparables : « Son style m'a toujours charmé, dit-il à Mary. Mais j'ai pensé que sa philosophie était terrible et toute fausse. J'étais un adorateur de la beauté et la beauté était pour moi l'amabilité des choses et leur harmonie ainsi que leurs qualités musicales et lyriques. Ce que j'avais écrit avant l'âge de vingt-trois ou vingt-quatre ans [1907] était fluide et musical. Je n'avais pas appris à saisir le grand rythme de la vie qui l'inclut tout entière ; aussi je pensais que sa philosophie de destruction était toute fausse... Quand j'étais à Paris, j'appréciais son style et sa forme, tous deux merveilleux, ainsi que la variété de son esprit, mais je n'avais pas saisi la totalité de l'homme. Graduellement, je suis parvenu à réaliser que quand nous acceptons le style d'un homme, nous acceptons aussi sa pensée, que nous le sachions ou pas. Car ils sont inséparables. » Mary ajouta dans son journal que Gibran partageait avec Nietzsche l'idée du retour cyclique des expériences non pas identiques mais similaires : « Le retour s'opère toujours avec une forme différente, lui expliqua-t-il. Il est toujours un retour du printemps, mais jamais deux printemps ne sont identiques [54]. »

Pour Gibran, Nietzsche était « probablement

l'homme le plus solitaire du XIXᵉ siècle et sûrement le plus grand. Il n'a pas seulement créé comme Ibsen, mais aussi il a détruit. Ce qui est nouveau chez lui n'est pas le concept de Surhomme mais le degré de réalisation du Surhomme. Ibsen a également écrit avec, dans l'esprit, l'idée du Surhomme. Le Christ était un Surhomme... Nietzsche était l'esprit occidental le plus proche du Christ ; il détestait le christianisme parce que ce dernier était pour la mollesse[55]. »

Pour que l'Univers soit bon, le manuscrit que Gibran portait avec lui au collège de la Sagesse ainsi que durant son séjour parisien, fit à nouveau surface durant ces lectures nietzschéennes. Gibran changea le titre de son futur *Prophète* pour le baptiser du nom de *Dieu de l'île* et décida que l'exil prométhéen du héros de son livre se déroulerait dans une île au lieu d'une montagne : « Je peux mettre une montagne dans une île, mais je ne peux mettre une île sur une montagne, expliqua-t-il à Mary. Une île offre nombre de possibilités, notamment si elle est assez proche de la terre ferme et qu'une ville en est visible. Dans le prélude du livre, l'espace est déterminé par ce départ d'une cité à une île ; quant au temps, il est fixé par un mois *[Ayloul]* qui signifierait en arabe la naissance d'une nouvelle lune. A la fin de sept mille ans, du rivage près de la cité il embarque seul, et le peuple prend conscience de la raison pour laquelle il avait quitté les dieux pour devenir un exilé parmi la foule, et comprend pourquoi il doit quitter à présent les gens de la ville pour un exil vers le pays de la solitude, car il doit attendre une nouvelle race qui sera capable d'accepter le feu. » Mary ajouta dans son journal : « "Son Livre" est de jour en jour composé à partir de ces mots récoltés des lèvres de cet exilé[56]. »

Par ailleurs, Mary revint à la charge et l'informa qu'elle s'était renseignée sur des moyens contraceptifs pour leurs éventuels rapports sexuels. Il lui rétorqua avec simplicité : « Qu'il nous suffise de nous toucher, de parler l'un à l'autre, d'être tout juste intimes. Cette intimité est la chose la plus précieuse. La Vie est une perpétuelle union charnelle[57]. »

Pendant cette période, Gibran entretenait des relations très intimes avec la talentueuse pianiste Gertrude Barrie. A la mort de notre auteur le nom de cette femme ne fut jamais mentionné dans ses papiers, agendas ou correspondances. Il fallut attendre 1974, l'année où furent révélées les lettres de Gibran à Gertrude Barrie grâce à la nièce de celle-ci[58]. Ainsi Gibran tenait à garder dans le secret le plus total sa relation avec cette femme qui était en quelque sorte la lune mystérieuse de sa vie. D'ailleurs, il était subjugué par une lampe en forme de lune dans la chambre de Gertrude qui veillait sur l'ardeur de leur rencontre[59]. Quant à Mary, qui nous a légué un volumineux journal, regorgeant de lumières sur la vie de notre auteur, elle en était le soleil. Soleil et lune peuvent-ils se rencontrer ? N'avait-il pas écrit cette maxime dans *Le Sable et l'Ecume* : « Même l'esprit le plus ailé ne peut échapper au plaisir charnel[60] » ?

Au début du mois de juillet, Mary rejoignit son Sierra Club. Et Amin al-Rihani rentra au Liban. Quant à Charlotte, elle emménagea dans un nouvel appartement, au nord de Manhattan ; elle lia connaissance avec le Dr Béatrice Moses Hinkle, qui fut la fondatrice de la première clinique psychothérapeutique en Amérique et qui collaborait avec le célèbre Carl Gustav Jung[61].

En septembre, en rentrant de vacances, Mary passa

par New York. Comme Charlotte n'habitait plus le quartier de Greenwich Village, Mary loua une chambre d'hôtel près de l'appartement de Gibran. Il ne fut plus question de rapports sexuels mais plutôt d'une sublime affection : « Kahlil me fait sentir mille fois plus aimée qu'auparavant [62] », commenta-t-elle dans son journal.

Elle le questionna sur l'évolution de son travail : « Comment va votre livre, l'homme de l'île, Mousta-pha ? » Il lui répondit : « Je pense travailler dessus pro-bablement encore cinq ans. Toutefois, à présent, dans mon esprit sa structure est complète. Je vais d'abord sortir deux ou trois livres entre-temps [63]. »

Cependant, Charlotte tomba amoureuse d'un jeune journaliste diplômé de l'université de Harvard, Gilbert Hirsch. Dans la même période elle rencontra Jung qui était en visite de travail à New York et elle écrivit sur lui un long article dans le *Times*. Le 16 octobre, elle se maria avec Gilbert Hirsch et pour leur lune de miel ils effectuèrent un voyage à travers l'Europe [64]. Dès lors Gibran soupira à Mary : « Depuis le mariage et le voyage de Charlotte, nos rencontres sont devenues bénies [65]. »

Par ailleurs, il lui confia : « Des tas de choses pèsent sur mon esprit. C'est le fait d'être dans deux mondes : la peinture et l'écriture, la Syrie et les Etats-Unis... Je suis dans l'entre-deux, et l'attente est pesante [66]. »

En fait ces « deux mondes » furent à quatre têtes : bilinguisme et double don. Ses inspirations furent tiraillées entre la peinture et l'écriture. La peinture fut son gagne-pain américain alors qu'elle ne fut qu'un art mineur aux yeux des Syriens. L'écriture lui permit de se frayer un chemin vers la célébrité dans le monde arabophone ; toutefois sa plume arabe fut ignorée par les Américains, quant à sa plume anglaise, elle n'était que balbutiement. Il peignit avec des yeux d'Oriental des personnalités occidentales. Il s'exerçait à écrire en anglais ses pensées en langue arabe. Son vieux pays subissait la famine et le joug, alors qu'il vivait dans un pays neuf, prospère et libre.

Durant les douze années à venir, Mary continua à se dévouer pour alléger cette « attente pesante ». Elle persista à armer notre auteur intellectuellement et linguistiquement afin qu'il pût bâtir un pont entre ces « deux mondes », les rebouter ou les remembrer, ce qui nous rappelle le sens même du nom Gibran en arabe. En quatre ans, il allait réussir à publier son premier livre en anglais.

Après le retour de Mary à Boston, Gibran souffrit de terribles maux de dents. Il prit la décision de se faire arracher toutes ses dents qui étaient en piteux état et celles qui n'étaient que cariées : au total six dents. Il projeta par la suite de fixer des bridges. Ce ne fut qu'à la fin du mois d'octobre qu'il fut totalement soulagé[67].

Durant cette période, il imagina dans un texte une visite faite à un dentiste pour le prier de lui arracher une dent cariée. L'homme de science va convaincre le patient qu'il est possible de remédier au mal ; il se penche sur son malade, lui nettoie la dent, l'évide, l'asperge d'un produit analgésique, l'enrobe d'or et affirme qu'elle est maintenant plus solide que les dents saines. Une semaine plus tard, le narrateur doit voir un autre chirurgien, parce que le mal n'avait pas été enrayé. Il compare alors le remède provisoire apporté par le médecin à la dent atteinte, aux remèdes sociaux apportés par les gouvernants chaque fois que la catastrophe se présente, toujours après coup, jamais avant[68].

Dans le même temps, il publia dans *Mir'at al-Gharb*

un article apparenté au sujet précédent, qu'il intitula
« Les Soporifiques et les Scalpels[69] ».

En cet automne 1912, l'académicien Pierre Loti vint
à New York pour la production de sa pièce de théâtre,
La Fille du Ciel. Gibran, qui l'avait vu une première
fois à Paris, le rencontra à nouveau le 26 septembre.
Leur entretien porta sur l'« Orient chéri » de Loti.
Celui-ci avoua à Gibran qu'il était au courant des *Ailes*
brisées et le critiqua d'avoir été « moins oriental » dans
son dernier livre. Gibran lui répondit : « J'aime mon
pays à tel point que je refuse d'être comme ses autres
fils. » Par ailleurs, Loti refusa de se laisser peindre par
Gibran ou par tout autre peintre : « Oh, non, non,
objecta-t-il. Que je pose devant un artiste ? *Jamais* [en
français], *abadan* [en arabe]. Tout sauf cela. Cela me
tuera ! » Notre auteur en fit alors un portrait par écrit :
« Loti est si délicat et si sensible ; son âme artistique
est pétrie de bienfaisantes maladies orientales. Il a
soixante-deux ans, le visage magnifiquement poudré,
fardé de rouge et les yeux dessinés au crayon. Il apparaît pitoyablement bien plus jeune. J'aimerais bien le
revoir, je me sens bien en présence d'un tel rêveur de
rêves ombreux, d'un tel Occidental orientalisé[70]. »
Un mois plus tard, il le revit à la fin de la représentation de sa pièce : « Loti était dégoûté du vacarme de
New York et du manque de raffinement des Américains. Il ne peut se réjouir que dans les vagues ombres
du passé. D'ailleurs, il est retourné vivre à l'ombre
d'un certain temple en Orient. » Ce jour-là, Loti lui
promit de poser pour lui dans le cas où il se rendrait
en France. Ses derniers mots adressés à Gibran furent :
« Laissez-moi vous dire au nom de la Syrie : sauvez-
vous en regagnant l'Orient ; votre place n'est pas en
Amérique[71]. »

Mary aurait bien voulu financer un voyage en France, voire au Liban, si Gibran l'avait désiré. Toutefois, c'était en travaillant qu'il trouvait satisfaction. Mary, qui savait qu'il était bel et bien à présent « candidat à la tuberculose pulmonaire[72] », lui proposa à ses propres frais d'aller se ressourcer dans le Vermont, au nord-est du pays. Toutefois il déclina l'offre[73].

Au début du mois de novembre, Mary lui demanda si elle pouvait venir le voir à New York. Il lui répondit : « Une heure avec vous dans mon humble demeure est meilleure qu'une semaine au mont Liban... Au revoir [en français] ma bien-aimée[74]. »

Quatre jours plus tard elle frappa à sa porte à huit heures du matin. Comme sa maison était très mal chauffée, il grelottait de froid et avait mal à la gorge. Elle se précipita sur sa valise et en sortit son propre kimono chinois, de couleur bleue avec le dessin d'un dragon, et lui en fit cadeau. Outre « le manque de chauffage central, l'absence d'eau chaude, les tapis non secoués », Mary remarqua que Gibran « vieillissait vite, son visage témoignait d'une tension nerveuse ». Il lui répondit : « Rien ne peut arrêter mon travail. Je pourrais perdre ma santé, mais mon travail doit persister[75]. »

Le 1er décembre, Gibran attrapa un gros rhume. Mary le pria de chercher un autre appartement moins humide quitte à payer un loyer plus cher[76]. A la veille de Noël, il se rendit à Boston pour passer les fêtes de fin d'année auprès de Mariana et Mary[77].

Cette année-là, une figure féminine importante, une autre Miryam, fit son entrée dans la vie de Gibran, à la manière d'un brouillard éthéré ; sa tendresse effleurait l'âme de notre auteur, et les lettres de celui-ci allaient

au plus profond du cœur de son égérie d'outre-mer.
C'était l'écrivain libanaise Marie dite May Ziyadé, la
George Sand de l'Orient arabe, qui vivait en Egypte.
Salim Sarkis les mit en contact[78], celui-là même qui
présenta Gibran à Gertrude Barrie presque dix ans
auparavant. Gibran entretint avec May une riche correspondance, dont le contenu était orienté vers la littérature et l'appel à la révolte arabe contre le Grand
Turc. Cependant, au fil des années cette relation allait
se muer en un amour platonique.

L'amour qui allait les unir fut unique en son genre.
Leur passion dura presque vingt ans, jusqu'à la mort
de Gibran, qui fut la cause du déclin tragique de May.
Pourtant ils ne s'étaient jamais rencontrés : plus de dix
mille kilomètres les séparaient ; elle vivait au Caire, il
habitait New York. Ils ne furent présents l'un à l'autre
que dans la « rencontre » épistolaire, dans la « nébuleuse » de l'imagination.

Il y avait au départ une admiration intellectuelle
réciproque. May était impressionnée par les textes de
Gibran. Elle commença à lui écrire à propos de son
roman *Les Ailes brisées* pour lui affirmer son admiration et pour disserter avec lui sur le mariage et ses
exigences, sur l'amour et ses fluctuations. Pour Gibran,
c'était une occasion de nouer une relation avec le
monde littéraire arabe et de renouer avec l'Orient.

Née en 1886 à Nazareth, de père libanais et de mère
syrienne, May Ziyadé, fille unique, fit ses études chez
les sœurs en Palestine puis au Liban. En 1908, ses
parents émigrèrent au Caire où son père fonda un journal. Trois ans plus tard, elle publia un recueil de poésies en langue française, *Les Fleurs du rêve*, sous le
pseudonyme d'Isis Copia. Elle fut reconnue comme
excellente journaliste, femme de lettres, conférencière
et animatrice d'un salon littéraire qu'elle tenait dans

la résidence de ses parents, accueillant l'intelligentsia arabe, tel le libanais Chibli Schemeil, l'un des pionniers de la laïcité dans le monde arabe.

Nul doute, May aima Gibran d'un grand amour, et cela à la fleur de l'âge. Son admiration pour lui fut d'une intensité immédiate. Ce sentiment fut si envahissant qu'il éclipsa la cohorte des prétendants qui se présentaient à elle au Caire. A ses yeux, Gibran incarnait le chevalier des ses rêves, l'amour sublime de l'idéaliste qu'elle était.

May fut la première femme arabe à accéder à l'université cairote, en 1914. Elle avait à affronter une hostilité naturelle dans une société masculine, cela l'amena à demeurer sur ses gardes, sur la défensive. Elle avait toujours refoulé ses sentiments et ses instincts. Rien d'étonnant à ce qu'elle fût atteinte de dépression nerveuse, frisant même la démence après la disparition de Gibran [79].

1913

Au printemps dernier, Micheline avait présenté Gibran aux Morten. Les Morten étaient les promoteurs des grands artistes du pays ; leurs favoris furent Arthur Bowen Davies et Albert Pinkham Ryder.

En février, juste avant l'inauguration de l'Exposition internationale d'art moderne, Alexandre Morten conduisit Davies chez Gibran. Davies était le président fondateur de l'*Association of Americain Painters and Sculptors* et l'organisateur en chef de l'Exposition internationale [80].

Davies fut émerveillé par les peintures et les dessins de Gibran ; il avoua à Morten : « Cet homme va surprendre le monde comme il m'a surpris. » Davies et

Morten promirent à Gibran de parler avec MacBeth, le marchand de tableaux, afin d'organiser une exposition. Le lendemain Morten confia à Gibran : « Je n'ai jamais entendu Davies parler de quelqu'un comme il l'a fait de vous. Vous devez vous en réjouir[81]. »

Durant cette année, Gibran se lia d'amitié avec de nombreuses personnes du cercle de Charlotte, surtout par l'intermédiaire du Dr Béatrice Hinkle.

Morten l'introduisit dans le monde de l'art et le Dr Hinkle lui fit découvrir le milieu des psychologues jungiens. Une troisième relation allait à présent l'impliquer dans le monde des lettres. Julia Ellsworth Ford, épouse du propriétaire d'une chaîne hôtelière, Simeon Ford, et admiratrice des préraphaélites, commença à l'inviter à ses soirées littéraires. Ce fut là qu'il connut nombre de poètes et d'écrivains américains, tel Witter Bynner, poète aristotélicien et éditeur de *McClure's Magazine* qui jouera un grand rôle dans la carrière littéraire de notre auteur[82].

L'été précédent, Gibran avait écrit un nouvel article, « Le Fossoyeur[83] », qui ne fut publié que le 3 février dans *Mir'at al-Gharb*[84]. Le nihilisme de Gibran y était absolu. Le désespoir de l'auteur, désespoir lié à son incapacité de voir évoluer les esprits de ses compatriotes levantins, y atteignit son paroxysme. D'ailleurs, depuis la publication de cet article, les intellectuels syro-libanais qui prônaient une solution diplomatique pour se libérer du joug ottoman traitèrent notre auteur de « fossoyeur[85] ».

Le 14 février, Gibran informa Mary que l'appartement du dernier étage se libérait : il était plus spacieux et mieux éclairé. Intéressé, il lui demanda son avis si jamais il le louait[86].

Mary lui proposa un marché : elle lui donnait mille dollars et effaçait tout ce qu'elle lui avait prêté durant les cinq dernières années, dont le montant dépassait les sept mille dollars[87], en échange d'une collection de dix tableaux qu'ils baptisèrent *Haskell-Gibran Collection* sous condition de ne jamais les séparer. Plus tard Gibran insista pour que cette collection fût au nombre de quatorze tableaux[88].

Dans le même temps Gibran écrivit à son ancien éditeur, Amin al-Ghrayib, qui se trouvait à Beyrouth, le priant de renforcer les liens entre les écrivains émigrés et les milieux syro-libanais : « Dites aux jeunes Libanais et aux hommes honorés de Syrie que toutes nos pensées, nos sentiments et nos rêves ne quittent nos cerveaux et nos cœurs et ne prennent leur envol que pour aller vers eux... Dites-leur donc que nous nous occupons à donner et à jeter la semence en Amérique afin qu'ils la récoltent un jour au Liban[89]. »

Au printemps, poursuivant son projet de peindre les grands hommes de l'époque pour sa collection *Le Temple de l'Art*, Gibran se mit en contact avec l'inventeur de la lampe électrique et du phonographe, Thomas Edison. Et il réussit à rencontrer le grand psychiatre et psychologue suisse Carl Jung, qui venait de se séparer de son maître Freud. Ce fut par l'intermédiaire du Dr Béatrice Hinkle, l'amie de Charlotte, que leurs multiples rencontres eurent lieu à New York. Après avoir posé pour un portrait, Jung invita Gibran à passer deux semaines chez lui à Zurich. Dans la même période, il rencontra le philosophe français Henri Bergson. Le premier contact entre les deux hommes eut probablement lieu dans l'une des sociétés ésotériques de New York. Bergson avait un goût prononcé pour la théoso-

phie, et sa sœur, Mme Mac Gregor, avait restauré au
début du siècle le culte d'Isis à Paris [90]. Bergson promit
à Gibran de lui permettre de faire son portrait s'il
acceptait de venir le voir à Paris : il s'apprêtait à
voyager et le tour qu'il avait fait aux Etats-Unis l'avait
exténué [91].

Le 6 avril, Mary se rendit à New York et Gibran lui
remit la collection de tableaux. A midi, ils mangèrent
ensemble dans l'appartement de Gibran. Il lui lut
d'abord quelques passages de ce qu'il avait écrit dernièrement en arabe, sans toutefois les traduire. Puis il
alla à la cuisine et revint avec un plateau garni de « fromage syrien [de chèvre], olives, pain graham [noir],
beurre de cacahouètes, œufs et vin ». Le vin fut servi
dans une cruche, celle-là même que sa mère, Kamila,
lui avait remplie de miel à la veille de son départ pour
Beyrouth, quinze ans auparavant.

Devant Mary, Gibran se prévalut de ses nombreux
amis dont les Winch, Griffen, MacChesny, Morton et
Sterner qu'il rencontrait une ou deux fois par semaine :
« Ce sont des gens cultivés et sympathiques. Ils sont
réalistes, chaleureux et véritablement attentifs. Que de
fois leur ai-je rendu visite, mes connaissances étant
vagues ; en les quittant j'avais des idées plus claires et
des connaissances plus précises [92]. »

A son retour à Boston, Mary décrivit dans son journal
les dernières heures qu'elle avait passées à New York :
« Kahlil me prend contre lui et, sans faire l'amour, il
m'offre la joie d'être désirée, aimée et caressée. Ce que
j'ai gardé le plus de cette nuit était cette nouvelle plénitude d'attouchement. Il m'a pris beaucoup de temps
pour savoir jusqu'à quelles régions au-delà des attouche-
ments m'ont conduite ses caresses [93]. »

Dans le même mois parut à New York un nouveau

périodique d'expression arabe, *Al-Founoun*, « *Les Arts* », dont le propriétaire était le jeune Nassib 'Arida, originaire de Homs en Syrie. Par sa double vocation littéraire et artistique ce journal était tout indiqué pour la diffusion du double don de Gibran. Celui-ci ne tarda pas à y collaborer en publiant des poèmes en prose et des articles ainsi que des illustrations. Il entreprit également une série de portraits d'imagination des plus grands penseurs arabes, tels les illustres maîtres soufis Ibn al-Farid, al-Ghazali et al-Ma'arri, suivis du sociologue Ibn Khaldoun, d'Ibn al-Mouqaffa' connu pour ses fables et enfin d'Avicenne ; il accompagna chacun de ces portraits d'une note biographique [94]. Par la suite, il fit appel à Amin al-Rihani pour collaborer à la rédaction de ce journal [95].

Le 1er mai, Gibran emménagea au quatrième et dernier étage du même immeuble, situé au 51, West 10th Street, dans un appartement plus large que le précédent, environ soixante-dix mètres carrés, avec cinq fenêtres orientées nord-sud [96]. Il garda cet appartement jusqu'à la fin de sa vie, et ce fut là qu'allait naître la plus grande partie de sa production littéraire et artistique. Ses amis libanais et syriens se plaisaient à appeler cette nouvelle demeure : « l'Ermitage [97] ». De son ancien appartement, il dit avec nostalgie : « Je me souviendrai toujours de son esprit silencieux ; je m'en souviendrai toujours avec amour [98]. » Par ailleurs, il le qualifiait de « ma petite cage » et, une fois installé dans le nouveau, il soupira : « A présent, je peux étendre mes ailes [99]. » En outre, comme Gibran était somnambule, il avoua à Mary que le nouvel appartement était assez grand pour qu'il pût l'arpenter dans son sommeil sans chercher à en sortir, comme ce fut parfois le cas dans l'ancien [100].

D'autre part, il continuait à édifier sa collection *Le Temple de l'Art*. Le 13 mai, il rencontra Sarah Bernhardt à la fin de sa pièce : « En un mot elle était gracieuse. Elle m'a parlé avec une grande joie de ses voyages en Syrie et en Egypte, et elle m'a avoué que sa mère parlait l'arabe et que la musique de cette langue vivait et continuait à vivre dans son âme [101]. » Deux semaines plus tard, il dessina le portrait de cette célèbre tragédienne française, âgée alors de soixante-neuf ans. Le lendemain il décrivit à Mary par écrit la scène de leur rencontre : « Enfin, j'ai pu saisir la divine Sarah Bernhardt ! Le portrait que je lui ai fait hier est un vrai succès, bien qu'il ne fasse pas apparaître son âge réel. Toutefois, si je devais faire la même expérience avec toutes les autres grandes personnalités, il vaudrait mieux que j'abandonne l'art pour devenir diplomate ! Elle a voulu que je m'asseye loin de telle façon que je ne puisse pas voir les détails de son visage. Mais en réalité je les ai vus. Elle a voulu que j'efface certaines rides, et elle m'a même demandé de changer la forme de sa bouche lippue ! Sarah Bernhardt est difficile à satisfaire, à comprendre, il est difficile d'être en sa compagnie. Elle est soupe au lait. Il faut la traiter comme une reine sacrée, sinon on est fichu. Je pense l'avoir comprise hier et je me suis comporté en fonction de cela ; peut-être est-ce la raison pour laquelle elle m'a quelque peu apprécié, car lorsque j'ai voulu m'en aller, elle m'a tendu sa main gauche pour la baiser. On dit qu'elle n'accorde un tel honneur qu'à ceux envers lesquels elle éprouve un certain penchant [102]. »

En juin Mary se rendit à New York. Elle remarqua : « Le nouvel appartement est parfait... Kahlil mangeait et dormait mieux d'une part et d'autre part il consommait moins de cigarettes et de café... Le soir il somnola pour un court moment et s'abandonna à une rêverie : "J'étais en train de pousser un sphinx, un énorme sphinx noir, beau et brillant[103]." »

Cet énorme sphinx n'était autre qu'un épineux problème auquel Gibran devait faire face. A Paris allait avoir lieu un congrès réunissant les Arabes de la Péninsule et les Syriens de la Grande Syrie, en vue d'étudier un plan d'autonomie pour leurs pays. On demanda à Gibran d'y participer en tant que représentant des Syriens d'Amérique. Toutefois, il refusa de s'y rendre, car il était contre leurs idées qui consistaient à faire appel aux puissances européennes et à obtenir l'autonomie par diplomatie. Gibran voulait la révolution. Il s'apprêta même à mettre sur pied un autre congrès à New York. De surcroît, par l'intermédiaire de Mrs Ford[104], il se lia d'amitié avec un général francmaçon, Guiseppe Garibaldi, alors âgé de trente-trois ans. Celui-ci était le petit-fils du célèbre Garibaldi, le pionnier de l'unité italienne. Il venait de commander une brigade dans l'armée grecque pendant les guerres balkaniques et participa plus tard à la Première Guerre mondiale auprès des Italiens. Gibran et Garibaldi travaillaient ensemble sur un plan consistant à proclamer une révolte de grande envergure en Syrie contre la Sublime Porte. Leur représentant en Syrie aurait été soit Housni al-Barazi soit Abd al-Ghani al-'Raysi[105] ; le premier était de Damas, membre du Bloc national et l'un des plus grands leaders syriens et le second, propriétaire du journal beyrouthin *al-Moufid*, fut pendu deux ans plus tard par les Turcs.

Durant son séjour à New York, Mary écrivit dans son journal : « Kahlil veut la révolution. La force militaire des Arabes est suffisante pour une révolte. Tout ce dont ils ont besoin est de s'organiser. Même si la révolte échoue, elle finira par conduire à l'autonomie et si elle réussit, elle libérera la Syrie et l'Arabie. Le pire qu'il puisse leur arriver est de se trouver sous la protection de l'Angleterre ou de la France... Kahlil voit que cette affaire ne doit pas être portée devant les gouvernements européens, mais devant les peuples des pays européens. Ce sont les peuples qui soutiendront la révolution, alors que les gouvernements n'hésiteront pas à s'y opposer [106]. »

L'éditeur Najib Dyab du journal *Mir'at al-Gharb* traita Gibran de « fou » parce qu'il refusait de partir pour Paris afin d'assister au Congrès de paix. « D'autres aussi me traitent de fou, ajouta Gibran. Puisque je le suis, je dois agir seul. Que soient bénis les grands dieux miséricordieux qui m'ont doté de cette belle folie [107]. » Najib Diab et Amin al-Rihani finirent par se rendre à Paris, représentant les émigrés syro-libanais des Etats-Unis [108].

Ainsi le congrès eut lieu sans la présence de Gibran. Le 10 juillet, il écrivit à Mary de retour à Boston : « J'ai pris la décision de rester seul. Je ne peux pas me mettre d'accord avec quiconque, si ce n'est en abandonnant les neuf dixièmes de mes pensées... Celui qui veut travailler en harmonie avec ces gens doit être aussi patient qu'eux. Toutefois la patience, ô Mary, était et reste encore jusqu'à nos jours la malédiction des peuples orientaux. En général ceux-ci croient au fatalisme... Ils luttent contre la passion, croyant qu'ils pourront ainsi se dominer, alors qu'en fait ils ne domineront que leur propre être et personne d'autre. La passion, ô Mary, est la seule chose qui peut créer la nation. Sans elle, il ne peut y avoir aucune forme de justice. Tout ce que recherchent les Syriens est justement la justice. Toutefois, ils ne pourront pas l'avoir sans cet élément ardent de la Vie : la passion. La passion est

Dieu en mouvance [109]. » Cette métaphore nous rappelle celle du chapitre « La Raison et la Passion » du *Prophète* : « Quand l'orage menace, que le vent impétueux ébranle les arbres et que les tonnerres et les éclairs proclament la majesté du ciel, dès lors laissez votre cœur dire avec une crainte révérencielle : "Dieu se meut dans la passion [110]." »

A la fin du mois d'août, rentrant à Boston de ses vacances en Californie, Mary fit halte à New York. Elle écrivit dans son journal que Gibran vivait dans deux mondes : la Syrie et l'Amérique ; mais il ne se sentait chez lui dans aucun des deux : « Il est libre lorsqu'il est seul [111]. » Trois mois auparavant Gibran se lamentait, disant : « Ah ! Si je pouvais avoir deux vies, l'une que je consacrerais à la Syrie et l'autre à réaliser mes propres rêves étranges [112]. »

Gibran montra à Mary un article qu'il venait d'écrire en arabe et le lui traduisit [113]. Cet article fut publié plus tard sous le titre « Satan ». Il imagina, dans ce récit tiré de la littérature fantastique, la rencontre du prêtre et du diable ; d'un côté, un parangon de savoir, au courant des questions spirituelles et liturgiques, dispensant les prescriptions susceptibles de guérir les âmes de leurs maladies et de leurs vices, et de l'autre, le genre de l'intrigant à la figure modeste, « un saint homme » de diable, l'apparence cachant roublardise et imposture. Le diable a pour mission d'éclairer le prêtre.

L'archange Michel combattit Satan et, le croyant mort, s'en retourna au ciel. Le diable était simplement blessé, blessé à mort, mais vivant encore ; il appela à son secours le père Sim'an (« Simon ») et lui parla ainsi : « Tu blasphèmes contre moi à l'heure de ma défaite, alors que je fus et ne cesse d'être cause de ton repos et de ton bonheur. Méconnais-tu mes faveurs et renies-tu

mes bienfaits, toi qui vis dans mon ombre ? N'as-tu pas
fait de mon existence une industrie, et de mon nom le
modèle de tes actions ?... Quel métier ferais-tu si les
vents venaient à effacer mon nom ? Depuis vingt-cinq
ans, tu tournes dans les villages de cette montagne pour
mettre en garde les gens contre mes ruses, pour les éloigner de mes malheurs, et les naïfs achètent tes sermons
avec leur argent et leur récolte ; que t'achèteraient-ils
demain, s'ils apprenaient que leur ennemi, le diable, est
mort et qu'ils sont désormais à l'abri de ses embû-
ches ?... Ne sais-tu pas, toi le théologien subtil, que c'est
l'existence du diable qui fit exister ses ennemis les prêtres et que la vieille haine qui sépare le diable et les prêtres apparaît comme une main mystérieuse qui transfère
l'or et l'argent des poches des fidèles aux poches des
prédicateurs et des directeurs de conscience ? Ne sais-tu
pas, toi l'expert docte, que si la cause vient à disparaître,
l'effet n'est plus. »

Il est permis, chez les chrétiens orientaux, à un
homme marié et père de famille de devenir prêtre,
quand il s'agit de vocation tardive ; le brave père
Sim'an, convaincu par ces arguments enrobés de logique et ayant peur de ne plus pouvoir faire vivre sa
femme et ses enfants, sauve le diable agonisant, trouvant sa justification pertinente et, par le même fait, le
moyen de calmer sa conscience : « Tu dois vivre, parce
que si tu meurs et que les gens l'apprennent, ils n'auront plus peur de l'enfer, ils ne prieront plus, ils se
vautreront dans le péché [114]. » L'enfer n'est-il pas pavé
de bonnes intentions ?

A l'heure de midi, Gibran et Mary, partant déjeuner,
virent sortir des usines un flot d'ouvriers. Il qualifia
cette scène de « procession d'esclaves ». Pour lui, les
riches devenaient encore plus riches parce qu'ils fai-

saient exécuter les travaux pour des salaires minimes. Si la natalité était surveillée, les femmes auraient moins d'enfants, il y aurait moins d'employés. Ceux-ci devraient alors travailler davantage, les patrons seraient obligés d'augmenter les salaires et l'esclavage de diminuer [115].

Le lendemain, ils se rendirent au restaurant Gonfarone's dans East 8th Street [116] où ils allaient souvent manger. Parlant de l'évolution de son projet de livre, *Le Dieu de l'île*, Gibran avoua à Mary avec un demi-sourire : « Nietzsche prit les mots de mon esprit ; il cueillit les fruits de l'arbre vers lequel je me dirigeais. Il se survivra à travers son œuvre trois siècles durant ; je vais faire un arbre et en cueillerai les fruits pour les six siècles à venir. » Toujours à table, Mary lui demanda ce qu'il aurait aimé exercer comme métier s'il avait été ouvrier ou scientifique ; il lui répondit pour le premier « maçon ou charpentier » et pour le second « chimiste ou géologue [117] ».

Dans le même restaurant, le lendemain soir, ils dînèrent ensemble autour d'une bouteille de vin blanc, celui que Gibran préférait. Mary était quelque peu jalouse de voir Mrs Ford prendre une place prépondérante dans la vie artistique de son bien-aimé protégé. Elle dit alors à Gibran avec une voix qui montrait une certaine irritation : « Les gens riches usent de leur influence sur tous les artistes au moyen de leurs richesses ; les pauvres et les professionnels n'ont pas d'opportunité, faute de moyens matériels... Nous deux nous vivons dans le même cas ; je ne peux garder le contact avec vous qu'à travers l'argent. » Dès lors Gibran s'enflamma : « Dites-moi à présent quel a été votre but réel en me donnant de l'argent, et je saurai à quoi m'en tenir. Répondez-moi avec une vérité simple pour que je ne sois pas fourvoyé. Etait-ce un don, un prêt ou un moyen pour raffermir nos relations ? Quelle que soit votre intention, votre attitude, j'essaierai de l'accepter et de m'en réjouir. Mais je ne peux endurer l'incertitude... Vous avez dit des tas de choses contradictoires avec un égal sérieux, et vraiment je ne sais plus laquelle croire. Des mois durant j'en ai terriblement souffert. »

Le jour suivant elle l'invita à un déjeuner de réconciliation, en lui promettant de ne plus jamais évoquer le mot argent dans leur conversation [118]. La tension fut étouffée mais l'événement à venir aurait pu être évité.

Quelques mois auparavant, au cours de l'Exposition internationale d'art moderne, Mary avait lié connaissance avec Davies [119], l'organisateur. Le 2 septembre, Mary répondit à l'invitation de Davies, qui désirait faire son portrait. Ce grand artiste, âgé alors de cinquante et un ans [120], demanda à son modèle de poser nue ; elle fut surprise mais point choquée. Elle se conforma à l'injonction et avoua cependant dans son journal : « L'étonnement m'a saisie une fois la demande faite, et il ne m'est pas venu du tout à l'esprit de lui proposer de patienter, en attendant de faire plus ample connaissance. Mon comportement me semblait complètement impersonnel. Je dis "oui" [121]. »

Conséquente avec elle-même, Mary révéla à Gibran la scène ; dépitée ou peut-être encore sous l'effet de l'étonnement, elle lui expliqua qu'elle ne réalisait pas ce qu'elle disait quelques jours auparavant quand elle lui avait fait part de son désir d'être « mariée ou plutôt libérée sexuellement comme les actrices [122] ». Saisi d'émotion, Gibran se figea sous le choc de la nouvelle. Puis se reprenant, il expliqua à Mary qu'elle avait exagéré dans son oubli d'elle-même : « Nous avons à connaître le monde, lui dit-il, et à l'affronter avec nos propres armes. Nous ne devons pas être ses victimes ou ses martyrs, mais nous devons le dominer. »

Conseillée par Gibran, Mary écrivit une lettre explicative à Davies dans laquelle elle lui fit comprendre qu'elle acceptait encore de poser pour l'artiste, mais qu'elle ne voudrait plus avoir de relations personnelles avec l'homme, même si, pendant une heure, elle lui avait accordé ses faveurs [123]. D'ailleurs elle ne se rendit plus chez lui qu'en compagnie de Gibran.

Le lendemain, ressassant ce dernier incident et repensant au rappel indélicat par Mary des sommes d'argent qu'elle lui avait avancées pour son voyage d'études à Paris et pour ses dépenses tant à Boston qu'à New York, Gibran fit à Mary un aveu dépouillé de tout artifice : « Vous m'avez meurtri comme nul autre ne l'avait fait auparavant... Vous m'avez fait souffrir plus que quiconque dans ma vie aurait pu le faire. Mais je connaissais la bonté de votre essence et j'ai patienté [124]. »

Mary aimait les plaisirs de la vie, les exigences du corps. Le contact avec les femmes la laissait sexuellement sur sa faim [125] ; elle souhaitait être prise par Gibran, elle rêvait d'une possession complète. Elle s'offrit à lui plus d'une fois. Cette hantise sexuelle la troubla longtemps. Toutefois, Gibran refusa toujours les avances de Mary ; pourtant elle le poursuivait de ses assiduités. Mary révéla cependant à plus d'une reprise : « Nous n'avons jamais fait l'amour [126]. » Aurait-elle voulu volontairement le vexer en parlant de son argent dépensé pour lui et le rendre jaloux en se dénudant devant un grand artiste, afin de l'acculer à franchir la porte des rapports sexuels ?

Mary rentra à Boston, et durant plus d'un mois Gibran lui transmit par écrit ses tristes épanchements : « Ces derniers temps je n'arrive pas à travailler mais à penser. En fermant les yeux, je pense à mon Fou [projet de livre en anglais] que j'aime et respecte. Il est une consolation, un refuge. Je fais appel à lui chaque fois que je suis malade ou fatigué. Il est ma seule défense en ce monde équipé d'un étrange arsenal...

Je me sens comme un oiseau impuissant dans une cage, tandis que le temps à l'extérieur est extrêmement beau. Il se peut que j'aille m'asseoir dans le parc pour contempler la laideur et la fatigue sur les visages des hommes. Sans doute, j'ai dans mes yeux des mondes hideux, parce que je vois des visages laids, sans âme et sans vertu, des visages sans marques ni traits...

Je suis fatigué du monde... J'aimerais bien être un ermite. Le véritable ermite doit aller dans les terres reculées non pas pour se perdre mais pour se retrouver. On peut retrouver son soi partout. Mais dans les grandes cités, il faut lutter avec une épée afin de voir l'ombre de son soi [127]. »

A la fin du mois d'octobre, Mary dut être « soignée secrètement [128] », ce qui la contraignit à ne plus répondre aux lettres de Gibran ni à rédiger pendant quelque temps son journal [129]. Dans sa dernière lettre, Gibran exprima son anxiété et se préparait à quitter New York pour Boston, quand il fut, coup sur coup, rassuré par deux télégrammes de Mary : « Je remercie Allah, lui écrivit-il, de savoir que vous allez mieux... Toute ma vie j'ai dû lire entre les lignes... Quand les gens me parlent, j'écoute ce qu'ils ne veulent pas dire... Mais je vous promets de ne lire que ce que vous m'écrirez, car je sais à présent que vous ne me dissimulerez pas la vérité, si amère soit-elle [130]. »

Gibran fut touché au plus profond de lui-même, mais la bonne nature de Mary, qui fut si sensible et pourtant si sensuelle, allait sauver leurs relations. Le 16 novembre, après avoir retrouvé ses esprits et recouvré ses forces, Mary prit sa plume consolatrice et écrivit une lettre, l'une des plus belles qu'elle eût jamais adressées à Gibran :

« Je suis consciente de vos souffrances, même si vous ne m'en parlez pas. Lorsque je pense aux multiples fardeaux que vous portez, au travail laborieux et épuisant comme les douleurs de l'accouchement, et que je pense à votre double don artistique [écriture et peinture] et linguistique [anglais et arabe], aux deux mondes [Orient et Occident], aux deux ères, le présent et le futur, à la solitude et aux handicaps, quand je pense à toutes ces choses à travers lesquelles vous devez mener votre vie qui dépasse celle de deux génies ! Lorsque je pense au manque de moyens et de bonne santé, au manque d'aide familiale, de formation, à l'absence du milieu d'origine, au peu de chances qu'a l'un des dons de refléter sa lumière sur l'autre et que je pense à la présence des coups de poignard occasionnels qui surgissent de l'obscurité confiante, comme ce dernier choc brutal, de telle sorte que votre vie se meut d'une peine à une autre, une autre plus grande. Quand j'y pense, tout cela me blesse d'une marque plus profonde qu'une plaie. Et à la fin j'invoque Dieu.

Le plus digne d'être reconnu est cette force, cet amour démesuré ! Il est sans limites comme vos peines et aussi vaste que l'étendue de vos travaux que vous sentez grandir en vous. Les souffrances sont infimes comparées à ce qui va naître. Le fruit de ce que vous pouvez réaliser comme travail va au-delà de cette génération, et peut-être il persistera durant maintes générations ; seul l'avenir pourra témoigner de sa portée.

Car il est on ne peut plus certain que cet Homme grandira jusqu'à épouser la stature qui est à présent vôtre. Vous êtes sûrement créé pour Lui. Vous êtes un guide pour les travailleurs du futur. Les fardeaux que vous por-

tez, aujourd'hui, ne seront plus demain surhumains. Et
en ce demain où l'homme situera le XXᵉ siècle comme
période embryonnaire de sa propre évolution, il en
appellera à vous comme s'il s'agissait de lui. Mais vous,
ce jour-là, vous continuerez toujours à créer des lende-
mains. Peut-être ce sera avec moins de peines, nous n'en
savons rien.

Aujourd'hui ce que vous écrivez et peignez exprime
quelques fragments de votre vision. Mais avec le temps
toute la vision se fera jour ; car l'homme apprendra à
voir, à entendre et à lire. Et votre travail ne se résume
pas à des livres et à des peintures, qui n'en sont que
des parcelles. Votre travail, c'est Vous, ni moins que
vous ni une partie de vous. Et Vous n'avez nul besoin
de vous abandonner à lui, vous ne pouvez pas le faire,
car vous êtes votre travail. Les jours où vous "ne pouvez pas travailler" sont en train d'accomplir ce travail,
sont une partie de lui, comme les jours où vous "pouvez travailler". Il n'est point de séparation. Les deux
ne font qu'un. Ce que vous vivez est tout de lui, et
toute chose en moins est une partie de lui.

Un jour, on lira vos silences avec vos écrits, votre
obscurité sera partie intégrante de la Lumière... Que
Dieu vous bénisse [131]. »

Gibran lui répondit : « Que vous êtes douce, bien-
aimée Mary... Votre lettre a apporté de la lumière et
de la clarté dans ma vie. Je veux être certain que tout
va bien pour vous, c'est tout ce dont j'ai besoin. Mais
je veux connaître la vérité. Voyez-vous, Mary, j'ai peur
que vous ne m'ayez pas tout dit. J'ai peur que vous
vouliez m'épargner de la souffrance, et cela me fait
imaginer toute sorte de choses et surtout les pires
durant les longues nuits [132]. »

Pour connaître quelle vérité Gibran insistait-il ?
Deux mois avant que Mary ne fût « soignée secrète-

ment » eut lieu l'incident avec Davies où Mary aurait posé nue et davantage, ce qui l'obligea plus tard à réparer son « oui impersonnel ».

A la fin du mois de novembre, consciente de la peine qu'elle lui avait causée, Mary réserva à Gibran et à sa sœur des billets de voyage aux Bermudes ainsi qu'une chambre d'hôtel [133]. Il lui répondit par écrit : « Lorsque l'hiver approche, on veut réfléchir et travailler sans regarder comment on se sent. En outre, il est insensé de penser à changer d'endroit ; j'aurais l'impression de laisser ma réalité derrière moi. Même en été, j'aime rester où se trouvent mes toiles et mes livres. Peut-être est-ce une forme de paresse physique [134]. »

Par ailleurs Mary offrit à Gibran le livre *Larger Aspects of Socialism* de William Walling, le beau-frère de sa sœur. Après l'avoir lu, il commenta : « A mes yeux le socialisme est le mouvement humain le plus intéressant en ces temps modernes. Cela ne signifie pas que j'y adhère dans tous ses détails... Je crois qu'il subira beaucoup de changements avant d'atteindre une forme d'Etat [135]. »

A la mi-décembre, dans le journal bi-hebdomadaire *Al-Sa'ih* (« *Le Pèlerin* »), dont le propriétaire était Abd al-Massih Haddad, Gibran publia un article intitulé « Lettre ouverte d'un poète chrétien aux musulmans ». Il s'y définit comme un poète chrétien, libanais, syrien, levantin et oriental, aimant et respectant l'islam. Son message fut d'inciter les Syriens musulmans à se révolter contre les Turcs bien que ceux-ci fussent musulmans ; car selon lui, l'Etat turc était responsable de toute la décadence de la civilisation musulmane. La création d'un Etat libre doit passer par une révolution interne et non pas dans l'attente de l'aide d'une force étrangère :

« Je suis libanais et fier de l'être. Je ne suis pas ottoman et suis fier de ne pas l'être.

J'appartiens à une nation dont je chante les splendeurs, mais il n'est d'Etat auquel je puisse appartenir, où je puisse me réfugier.

Je suis chrétien et fier de l'être. Cependant, j'aime le prophète arabe et j'en appelle à la grandeur de son nom ; je chéris la gloire de l'Islam et crains qu'elle ne s'étiole.

Je suis levantin et quoique exilé je reste levantin de tempérament, syrien de tendances et libanais de sentiments...

Je suis oriental et l'Orient a une civilisation ancienne, d'une beauté magique et d'un goût exquis, parfumé. Bien que j'admire l'état actuel de la civilisation occidentale et le haut degré de développement et de progrès qu'elle a atteint, l'Orient demeurera la patrie de mes rêves et le théâtre de mes désirs et soupirs.

Dans les contrées qui s'étendent du cœur de l'Inde jusqu'au sein du Maghreb et du golfe Persique aux monts du Caucase, dans ces pays qui ont engendré rois et prophètes, héros et poètes, dans ces terres saintes mon âme navigue aux quatre vents, répétant les chants de la gloire d'antan, scrutant l'horizon où se profile une gloire nouvelle.

Certains d'entre vous me traitent de renégat, car je hais l'Etat ottoman et souhaite sa disparition. Et je leur réponds : "Je hais l'Etat ottoman, car j'aime l'Islam et je souhaite que l'Islam retrouve son éclat..."

J'aime le Coran et je méprise ceux qui l'utilisent à dessein d'empêcher tout soulèvement musulman [contre la Sublime Porte], comme je dédaigne ceux qui manipulent les chrétiens au nom de l'Evangile.

Qu'est-ce qui vous séduit en l'Etat ottoman, alors qu'il a détruit les édifices de vos gloires ? N'est-ce pas la mort qui convoite votre existence ? La civilisation islamique n'est-elle pas morte dès la naissance des conquêtes ottomanes ? Les princes arabes n'ont-ils pas subi une régression dès la progression des sultans mongols ? Le drapeau vert ne s'est-il pas voilé derrière le brouillard lors de l'apparition du drapeau rouge sur un amoncellement de crânes ?

Le chrétien, que je suis, et qui a logé Jésus dans une moitié de son cœur et Mahomet dans l'autre moitié, vous promet que si l'Islam ne réussit pas à vaincre l'Etat ottoman, les nations européennes domineront l'Islam. Si nul d'entre vous ne se soulève contre son ennemi intérieur, avant la fin de cette génération, le Levant sera entre les mains de ceux dont le visage est pâle et les yeux, bleus [136]. » Il entendait par là les Occidentaux, français et anglais. Cinq ans plus tard, en septembre 1918, les Alliés réussirent à entrer en Syrie.

Quelques mois plus tard, lorsque cette lettre put parvenir jusqu'en Syrie, Gibran reçut des menaces anonymes : « En écrivant cette lettre vous avez signé de votre main votre propre mort [137]. »

13

Le Fou
New York : 1914-1918

« Il n'est que deux personnes qui puissent briser les lois humaines : le fou et le génie. Ils sont les plus proches du cœur de Dieu[1]. »

1914

Plusieurs lettres furent échangées depuis 1912 entre May Ziyadé et Gibran, mais il semble que May en prît ombrage par la suite, trouvant un reflet de « mauvaises » intentions dans les lettres de notre auteur. Le fil était coupé, et le voilà renoué à l'aube de cette année 1914, grâce à une lettre faisant allusion à la rupture passée et à une nouvelle ère d'amitié.

May en Egypte était le modèle de la femme émancipée. Chez elle se rencontraient intellectuels, savants, écrivains et journalistes, attirés dans ses filets comme disaient leurs femmes. Dans ses lettres à Gibran, elle était tout autre : conservatrice, pudique, prétentieuse. Gibran tenait à sa relation avec elle pour deux raisons : d'abord parce qu'il gardait le contact avec son Orient natal, ses souvenirs d'enfance, et avec une Orientale rêveuse dont il pourrait suivre le cheminement intellec-

tuel ; d'autre part, May serait son porte-parole en
Egypte, la capitale de la littérature arabe en ce temps-
là. A travers elle, il pouvait faire entendre sa voix à
tous ceux qui se réunissaient dans les salons littéraires
qu'elle tenait[2].

Le 2 janvier, il lui écrivit : « Ma santé est plutôt
comparable à une conversation d'ivrognes... Je suis
pâle et maigre, poursuivant mes activités à New York
et luttant contre les rêves. Ces rêves étranges qui
m'élèvent jusqu'au sommet des montagnes pour me
précipiter ensuite dans les profondeurs des vallées.
C'est avec joie que j'ai appris que vous avez apprécié
la revue *Al-Founoun*, c'est en effet la meilleure revue
du genre qui soit parue en langue arabe. L'éditeur
[Nassib 'Arida], qui est un jeune homme d'un naturel
agréable et d'un esprit aigu, est aussi l'auteur d'une
belle prose et d'une poésie originale... J'admire chez
ce jeune écrivain l'étendue de sa connaissance en littérature étrangère...

J'aime la musique avec autant de passion que la vie
même... Si j'en ai le temps, j'écrirai un mémoire sur
l'évolution puis l'influence de la musique arabe et persane. Je suis attiré par la musique d'Occident tout
autant que par celle d'Orient, et il ne se passe pas une
semaine sans que je me rende une ou deux fois à
l'Opéra. Cependant, je préfère la simplicité musicale
des symphonies, des sonates et des cantates qui fait
défaut à l'opéra et qui, seule, me satisfait pleinement.

Maintenant, permettez-moi d'envier le *'oud* [luth],
lorsque vous le prenez dans vos bras, et de vous sup-
plier de m'évoquer toutes les fois que vous interprétez
le *nahawand* [mode de la musique arabe classique].
C'est un thème que j'affectionne beaucoup et sur
lequel j'ai une opinion semblable à celle de Thomas
Carlyle sur le prophète Mahomet [*Les Héros et le Culte*

des héros publié en 1841]. Puissé-je aussi vous prier d'avoir une pensée pour moi face à la majesté du Sphinx[3]. »

Le 10 janvier, Mary se trouvait à New York ; Gibran, qui venait de rêver de Jésus, lui raconta sa dernière « rencontre » avec lui. Au départ il était en compagnie du frère Miguel, le carme, qui fut l'ami de son grand-père maternel, le père Istfan. Tous deux étaient à Bcharré, près d'un vestige phénicien. Le frère Miguel s'employait à abattre un noyer avec une hache ; à chaque fois qu'il tapait contre l'arbre, Gibran entendait un retentissement de cloche. Puis il vit Jésus qui montait vers lui par un chemin ombragé : « C'était le même visage comme toujours, un visage de type arabe, le nez aquilin, les yeux noirs, profonds et grands, cependant pas aussi faibles que les grands yeux le sont d'habitude, mais aussi virils que possible, avec ses sourcils noirs et droits. Sa peau brune et saine, avec ce beau teint légèrement coloré... Il avait une barbe fine comme les Arabes, et sa chevelure était abondante et noire, mais pas bien entretenue, sa tête nue comme toujours. Il portait la même robe marron, flottante, avec une corde autour de la taille, et une petite déchirure au bas ; il chaussait le même genre commun de sandales rugueuses, lourdes et grandes à ses pieds, elles étaient comme d'habitude légèrement poussiéreuses. Mais il ne marchait pas comme d'habitude. Sa canne était plus longue que dans mes précédents rêves. Il marchait avec fierté, la tête levée et la poitrine bombée... Une fois dans la tombe phénicienne, nous avons parlé longuement, et avec sa canne il traçait quelques traits sur le sable... Les seules paroles dont je me souvienne sont celles qu'il m'a dites en arabe : "Oui, cela résonne comme le *nhas* [cuivre en arabe]"... Il n'y avait rien de frappant dans notre conversation. Nous avons simplement parlé[4]. »

Dix jours plus tard, Alexander Morten conduisit William MacBeth à l'atelier de Gibran. Toutefois, bien que ce marchand de tableaux montrât de l'intérêt pour l'œuvre picturale de Gibran, il avoua qu'il ne pouvait en organiser une exposition à cause de l'omniprésence des figures nues qui pourrait choquer le public. Dans une lettre, Gibran fit part à Mary de sa déception, disant : « Non, je n'en suis pas malade... Je pense qu'à la fin de cet hiver, votre Kahlil sera plus calme et plus libre[5]. »

Au début du mois de février, Mary et Mariana dînèrent ensemble ; le lendemain, dans une lettre, Mary fit état à Gibran de la maladie de sa sœur : « Votre vieux médecin syrien lui a prescrit des remèdes efficaces contre, à ce qu'il paraît, une infection douloureuse de l'utérus due à son surmenage lorsqu'elle soulevait les malades du temps où elle travaillait à l'hôpital comme aide-soignante... Pauvre fille,... si elle avait négligé sa maladie pendant encore un an, elle aurait été atteinte de tuberculose[6]. » Ainsi non seulement Gibran, mais Mariana également fut candidate à la tuberculose, et elle aurait même été stérile. Gibran qui ne voulait pas se marier et Mariana qui ne pouvait pas enfanter, leur famille se réduisit à leur propre vie.

Grâce à Mrs Ford, Gibran réussit à faire le portrait du dramaturge Percy MacKaye et de la danseuse Ruth Saint Denis ainsi que du juge Thomas Lynch Raymond, maire dans le New Jersey[7]. Dans la même période, le 27 février, au cours d'un dîner donné par Mrs Ford, il rencontra Josephine Peabody Marks. A présent elle était mère de deux enfants et toujours aussi bien ancrée dans le monde de la poésie[8]. Une semaine

plus tard, Gibran rencontra à nouveau Yeats à la table
des Ford. Il le trouva charmant mais sombre et rapporta
qu'ils étaient en désaccord au sujet de Tagore [9], lequel
venait de recevoir le prix Nobel.

En mars, trois mois après avoir publié sa fameuse
« Lettre ouverte », il revint à la charge. Il écrivit dans
le journal *Al-Sa'ih* un nouvel article intitulé « Le Début
de la révolte » sous forme de dialogue entre Ahmad
Baik, le musulman et Farid Effendi, le chrétien. A la
fin du dialogue Ahmad dit : « Je respecte le christianisme en tant que religion, toutefois je n'arrive pas à
concilier l'enseignement du christianisme avec la
conduite des chrétiens [européens envers la Syrie occu-
pée]... Je réitère les propos de Nietzsche : "Il y eut un
seul chrétien et il fut crucifié" et ceux de Gibran : "Si
Jésus de Nazareth retournait en ce monde, il mourrait
de faim et de solitude [10]." »

Le 26 avril, Mary étant à New York, Gibran lui
confia qu'il projetait de publier un recueil composé de
quatre longs poèmes en arabe qu'il venait d'écrire :
« Satan » (évoqué en août dernier), « Sit Balkis » (la
reine de Saba, jamais publié), « Le Poète [11] » et « Lazare et sa bien-aimée ». Elle remarqua dans son journal
qu'elle ignorait quand réellement il avait pu écrire
Lazare ; parlant du personnage, elle ajouta : « C'est le
Lazare de la Bible et les trois jours durant lesquels il
était mort. Il était alors dans le propre monde de son
âme où il a rencontré la femme qu'il aimait et il a vécu
avec elle. Mais le pouvoir du dieu-monde l'a contraint
à revenir sur terre et à la vie terrestre [12]. »

En fait, *Lazare et sa bien-aimée* ne fut pas un long
poème mais plutôt une pièce de théâtre composée d'un
seul acte, que Gibran écrivit en arabe et qu'il dut traduire en anglais quinze ans plus tard pour une lecture

publique [13]. Cette pièce ne fut publiée en anglais qu'en 1973, par le filleul de Gibran, sculpteur habitant Boston, dénommé Kahlil Gibran.

Deux principaux protagonistes animent cette pièce : l'un visible, Lazare, et l'autre invisible, Jésus. Celui-ci a cédé aux pleurs d'une mère et aux instances de deux sœurs et a ramené Lazare de la mort, avant qu'il ne soit rappelé lui-même à Dieu. Après ces trois jours dans la tombe ou dans un ailleurs, trois jours qui lui « semblent maintenant plus doux que trois siècles, que trois ères », Lazare n'a plus de goût pour la vie sur terre ; il a hâte de repartir, de remourir afin de pouvoir retrouver sa bien-aimée, son autre moitié qui l'attend dans le vrai monde, le monde *post mortem.*

Qui est donc cette bien-aimée qu'il a retrouvée par-delà la mort ? Gibran expliqua à Mary : « Au Proche-Orient, il est une croyance qui dit que tout poète a une muse, une *djinnia* [féminin de djinn]... qui est sa véritable épouse [14]. » Ne s'est-il pas inspiré des traditions musulmanes qui promettent, à tout bon croyant, non seulement le paradis, mais aussi la joie d'y rencontrer des houris, des beautés célestes qui ont le blanc et le noir des yeux très tranchés [15] ?

Nous rappelons ici cette maxime de Gibran : « Tout homme aime deux femmes : l'une est création de son imagination, l'autre n'est pas encore née [16]. »

Après deux tentatives vouées à l'échec avec Davies et MacBeth afin d'organiser une exposition de l'œuvre de Gibran, Alexander Morten n'en démordit pas. En juin, il invita N. E. Montross à l'atelier de Gibran. Montross lui proposa d'exposer ses tableaux pour la période de fin d'année dans sa galerie d'art située dans la 5th Avenue, contre vingt-cinq pour cent sur le bénéfice. Au cours de leur entretien, Montross demanda à

Gibran à combien espérait-il vendre l'une de ses plus grandes toiles, *Let me go*. Gibran, qui avait auparavant estimé cette toile avec Mary à sept cent cinquante dollars, lui répondit : « Quinze cents dollars. » Montross lui suggéra : « Nous pourrons faire mieux [17]. »

Le 20 juin, Mary retourna voir Gibran à New York. Il lui annonça la nouvelle de l'exposition et lui montra une toile qu'il venait de finir, la plus grande qu'il ait jamais peinte. Ce fut en quelque sorte la « Sainte Famille » de Gibran : Kamila entourée de ses deux filles et un petit enfant dans ses bras. Il confia à Mary : « C'est le portrait de l'âme de ma mère sans aucun artifice [18]. »

La guerre mondiale fut déclarée le 28 juillet ; tout en secouant les consciences des citoyens américains, cette guerre ne semblait pas troubler leurs dirigeants. A la suite de la bataille de la Marne, Mary fut outrée par l'atrocité des combats : « Les douleurs des femmes, des enfants et des soldats vivent en moi. Il est en moi quelque chose qui pleure tout le temps et m'incite à mettre fin à tout [19]. » Gibran lui répondit dans une lettre : « L'homme fait partie de la nature, et tous les ans les éléments de la nature se déclarent la guerre entre eux. Le conflit de chaque hiver pour un nouveau printemps est infiniment plus terrible et plus douloureux que toute guerre humaine... L'homme doit lutter et mourir pour ce qu'il n'a pas totalement bien compris... Ceux qui travaillent pour une éternelle paix ne sont point différents des jeunes poètes qui aspirent à un éternel printemps. L'homme doit combattre pour une pensée, pour un rêve. Qui peut dire que les pensées et les rêves ne font pas partie de ces éléments qui jadis surgirent tous ensemble pour former cette planète ? Cette guerre en Europe, chère Mary, est aussi naturelle que toute tempête hivernale mais pas aussi terrible ni aussi destructrice pour la vie. Les civilisations primitives avaient l'habitude de pleurer sur la mort d'Adonis-Tammouz, et se réjouissaient lors de son retour à la vie. Adonis, comme vous le savez, est la Nature ou le Dieu des champs. Aujourd'hui nous ne pleurons point à l'arrivée de l'hiver, ni ne dansons lors de son départ. Cependant, certains parmi nous aiment plus l'hiver que le printemps...

Si Dieu la puissance, Dieu la raison, Dieu le subconscient de la Vie est présent dans toutes les luttes qui se manifestent sur cette planète, Il devra être également présent dans cette guerre entre nations. Il est cette guerre comme il est toutes les guerres. Lui, le Tout-Puissant, se bat pour un moi plus puissant, plus clair et plus élevé.

La conscience de ce monde n'est pas libre de son corps ; le corps lutte pour plus de vie, et la conscience lutte également pour avoir plus de vie, plus de conscience... Il n'est rien sur cette planète qui ne soit pas une lutte pour la vie. Chaque mouvement physique ou mental, chacune des vagues de la mer, toute pensée ou tout rêve émanant de nous est une lutte pour davantage de vie [20]. »

Après la parution des *Ailes brisées*, Nassib 'Arida proposa à Gibran de sélectionner certains articles publiés dans la rubrique intitulée « Larme et Sourire » du journal *Al-Mouhajir* et de les éditer sous forme d'un livre portant le même titre que la rubrique. Gibran lui répondit en vers :

– Ce fut une période révolue de ma vie qui se berça entre adulation et lamentation.

– Certes, mais elle demeure présente dans la vie de tes admirateurs, lui rétorqua Nassib 'Arida.

– Le jeune homme qui a écrit ces articles a été enseveli dans la vallée des rêves. Pourquoi veux-tu l'exhumer ?

– Ce jeune homme a psalmodié un chant céleste avant sa mort, il est de notre devoir de conserver ce chant afin qu'il ne soit pas manipulé par les mains de l'oubli.

– Fais ce qu'il te semble bon, mais n'oublie pas que l'âme de ce jeune homme s'est incarnée dans le corps d'un homme qui aime aussi bien la détermination et la force que la beauté et la grâce, qui aspire aussi bien à la destruction qu'à la construction, qui est aussi bien l'ennemi que l'ami des gens[21].

En cet été parut le livre *Larme et Sourire*, comprenant une cinquantaine d'articles qui reflétaient la vie de l'auteur jusqu'à la période parisienne. Il y ajouta deux textes sous forme de prologue et d'épilogue, dont voici quelques extraits :

« Mon plus fervent espoir est que ma vie continue à être larme et sourire : une larme qui préserve la pureté de mon cœur et me dévoile les mystères de la vie, un sourire qui me rapproche de la quintessence de mon être et qui symbolise ma glorification des dieux ; une larme avec laquelle je partage les malheurs de tous les cœurs meurtris, un sourire par lequel j'exprime ma joie d'exister...

Il est en moi un ami qui me console à chaque fois que les maux m'accablent et les malheurs m'affligent. Celui qui n'éprouve pas d'amitié envers lui-même est un ennemi public, et celui qui ne trouve pas de confident en lui-même mourra de désespoir. Car la vie fuse du for intérieur de l'homme et non point de ce qui l'entoure.

Je suis venu pour dire un seul mot, et ce mot je le dirai. Mais, si la mort devait m'en empêcher, alors il sera dit demain. Car demain ne laissera aucun secret dans le livre de l'Eternité[22]. »

Dans ce livre l'éditeur Nassib 'Arida le présenta ainsi : « Gibran est né à Bcharré, au Liban. L'on dit aussi qu'il est né à Bombay, en Inde[23]. »

A Mary Gibran dédicaça à la main un exemplaire de ce livre : « A celle qui est le premier zéphyr de la tempête de ma vie, au noble esprit qui aime les zéphyrs et court après les tempêtes[24]. »

A la fin du mois de juillet, il retourna pour une courte durée à Boston auprès de sa sœur. Le 7 août, il écrivit à Mary qui était à San Francisco : « Sans doute j'ai quelque chose. Je ressemble de plus en plus à mon Fou. Chaque fois que je suis entouré de gens, aussi bonnes soient leurs âmes, je ressens une impatience démoniaque, une sorte de désir de les blesser mentalement. Et, quand ils parlent, mon esprit se met à s'agiter frénétiquement, tel un oiseau aux pattes attachées par une corde[25]. » Plus tard il ajouta : « En mon Fou, il y a quelque chose d'étrange... Parfois j'ai l'impression qu'il est un être vivant. C'est moi qui l'ai créé et pourtant il est à présent plus grand que moi et je ne cesse de le découvrir encore et encore... Mon Fou détruit les voiles et les masques, et il rit des absurdités ; il dénonce folie, fausseté, stupidité et lâcheté, et il dit toujours : je suis ici, je suis partout, je suis maintenant. Je suis la vie[26]. » Dès la veille de la guerre mondiale, Gibran vivait en fait le personnage de son futur livre *Le Fou*, un archétype prophétique, qui le poursuivra durant la guerre et ne sera publié que lors de l'armistice.

De retour à New York, Gibran passa l'été à travailler pour son exposition, malgré la « chaleur torride... et l'air qui sentait le sang[27] » de la guerre. A la fin du

mois d'août, Mary rentra de vacances et fit une halte
d'une semaine à New York. Elle fixa sur la *'abaya*,
habit oriental, de Gibran une ceinture et des boutons
en argent importés de Paris. Depuis cette date-là, cette
'abaya devint son inséparable vêtement de maison. En
réponse à Mary qui lui demandait quels livres il préférait, il cita : « L'œuvre de Shakespeare, le *Livre des
morts* et la Bible, plus particulièrement le livre de
Job. » Ils travaillèrent ensemble sur le choix des
tableaux à exposer ainsi que sur son manuscrit en langue anglaise, *Le Fou*, notamment sur deux textes : « La
Nuit et le Fou [28] » et « La Mer suprême [29] ». A l'origine
« La Mer suprême » fut rédigée en arabe [30].

Quatre jours plus tard ils travaillèrent cette fois-ci
sur le futur *Prophète.* Une fois de plus Gibran en changea le titre : *au Dieu de l'île* fut substitué *Pour le bien
commun.* Il désirait qu'il fût un livre court : « Je crois
que les livres les plus réels sont les plus courts, tel le
livre de Job dans la Bible. » Et parlant du chapitre
« Crime et Châtiment », il dit : « Qu'un homme resti-
tue au monde autant de vie que son crime a détruit...
Qu'un homme qui a tué un fermier ajoute à son propre
travail celui que le fermier aurait pu produire s'il était
toujours en vie, ou un équivalent... Cela est si simple
et si réel que l'on pourrait le qualifier de démentiel [31]. »

En octobre, Micheline célébra son mariage avec
Lamar Hardy dans la demeure même de leur grand ami
John Mitchell, le maire de New York. Quant à Charlotte, elle rentra aux Etats-Unis avec son époux après
avoir passé plus d'un an en Allemagne, en France ainsi
qu'en Angleterre où ils se lièrent d'amitié avec
Yeats [32].

Quelques jours avant l'inauguration de l'exposition,
Gibran eut peur d'attraper la grippe. Mary lui expédia

des fortifiants et l'abreuva de lettres d'encouragement[33].

La veille de l'exposition il écrivit à Mary : « Je viens
de finir les dernières toiles et j'en ai fini avec elles.
Elles n'appartiennent plus à mon âme, mais à mon
passé. Elles vont être des moyens de subsistance. Tout
mon être est orienté vers un commencement pétri de
fraîcheur. Cette exposition est la fin d'un chapitre de
ma vie[34]. »

Le lundi 14 décembre, quatre ans après son retour
de Paris, Gibran inaugura sa première exposition. Elle
eut donc lieu à la Montress Gallery dans la 5th Avenue.
Il y exposa quarante-quatre tableaux. La première
semaine fut marquée par la vente de cinq tableaux,
dont le montant dépassait les six mille dollars. Parmi
les acheteurs, outre Morten qui fut à l'origine de la
rencontre entre Gibran et Montress, figuraient quatre
femmes, la célèbre portraitiste Cecilia Beaux, la femme
de lettres Rose O'Neill et Mrs Ford ainsi que Mrs Gib-
son[35]. Plusieurs revues et journaux new-yorkais consa-
crèrent des critiques peu ou prou favorables à cet
événement artistique : *Herald Tribune, Sun, American,
Evening Post, Times* et *Evening Sun*[36].

Mary était là, à observer chacun des gestes de
Gibran en ce jour de gloire : « J'ai ressenti qu'il déga-
geait de tous ses pores une délicatesse envers autrui.
De pied en cap sa sensibilité était à fleur de peau. Je
comprends à présent pourquoi il me disait qu'il lui fallait trois heures pour retourner à lui-même et retrouver
sa propre quiétude après une heure passée avec les
gens[37]. »

Le soir, Gibran invita Mary à dîner, fêtant ainsi sa
conquête artistique de New York. A leur retour au 10th
Street, Mary décida de se dénuder le cœur et le corps
devant Gibran. Elle lui révéla en détails ses précé-

dentes relations sexuelles avec des femmes, « faute
d'homme à mon goût » ; mais aussi elle se dévêtit pour
la première fois devant Gibran, dix ans après leur première rencontre, lui dévoilant ses formes. Etonné de la
voir « joliment bien proportionnée », il posa les mains
sur son cou et l'embrassa sur la poitrine. Puis elle se
rhabilla, car « nous voulions éviter toute complication
que le sexe pourrait engendrer ». Durant trois nuits
Mary, qui venait d'avoir quarante et un ans, rêva de ce
bref instant, de cette caresse fugitive [38].

A la fin de l'exposition, Gibran se rendit à Boston.
Lui et Mary passèrent deux jours entiers, mais en vain,
à la recherche d'une galerie d'art qui accepterait de
prolonger cette exposition [39].

Le soir du réveillon de la Saint-Sylvestre, Mary se
blottit dans les bras de Gibran en les qualifiant
d'« âtre ». Et les mains de notre artiste d'explorer son
corps : « Ses mains tantôt se reposaient sur moi immo-
biles et tantôt arpentaient mon corps, nous confia Mary
dans son journal. Et de temps à autre, il me baisait le
cou, les mains ou les yeux ; et finalement il imprima
avec passion un baiser sur mes lèvres. Puis il frémit et
devint pâle [40]. »

1915

Si au Levant, Gibran était reconnu comme écrivain
depuis déjà dix ans, à présent dans la société new-yorkaise, son titre d'artiste peintre fut confirmé. Cependant il continua à élargir son cercle de connaissances.
Il s'agit souvent de personnalités, des gens de familles
influentes ou d'autres ayant un goût pour l'art, dont il
voulut faire des portraits, des pierres pour son *Temple
de l'Art*, des tremplins pour sa propre célébrité. De tous

les noms connus de Gibran à cette époque se détachait celui du célèbre peintre américain Albert Ryder, l'une des rares personnalités qui lui furent chères jusqu'au bout. Il le connut par l'intermédiaire d'Alexander Morten. Ryder était présent à l'exposition de Gibran à la fin de l'année 1914 ; il vint l'encourager[41]. Voici ce qu'il en dit à Mary : « Le grand homme dans ce pays est Ryder. J'espère pouvoir faire son portrait et l'inclure dans ma collection [*Le Temple de l'Art*], mais je dois l'aborder avec beaucoup de tact... Il a une tête qui ressemble tout à fait à celle de Rodin, mais ses cheveux ne sont pas peignés[42]. » La méfiance ne tarda pas à se dissiper et Gibran le prit en amitié. Il était solitaire comme lui et portait dans l'âme un poids de douleur[43].

Entre Ryder et Gibran, il n'y avait pas de relation pécuniaire, comme ç'avait été le cas avec Mary ou jadis avec Day ; c'était une relation entre deux artistes qui, libérés de la matière, vivaient dans les privations. Gibran, qui avait souffert des droits que les autres croyaient avoir sur lui parce qu'ils lui épargnaient les soucis matériels, trouva en Ryder un homme qui s'intéressait à lui sans rien lui demander, le traitant d'égal à égal.

Gibran admettait toutefois que Ryder était un prédécesseur et qu'il était bien enraciné dans le monde de l'art. Quelques mois après leur première rencontre, leur amitié était déjà assez solide pour que Gibran envoyât à Mary, le 11 janvier, un poème en anglais où il rendait hommage à son ami : « Ryder est un peintre que je respecte de tout mon cœur. Ce poème est le seul moyen dont je dispose pour exprimer l'amour et la considération que je lui porte[44]. » Deux semaines plus tard il imprima ce poème sur un papier luxueux avec une lettrine et des motifs couleur orange[45].

Au début du mois de février, Gibran rendit visite à

son ami et le trouva dans une chambre, à demi chauffée, d'un des plus misérables bâtiments dans la 16th Street : « Il mène une vie de Diogène, une vie misérable, sale, indescriptible ; mais c'est le genre de vie qu'il souhaite. Bien qu'il possède l'argent nécessaire, il n'a jamais pensé à ce sujet. Désormais il ne vit plus sur cette planète, mais plutôt au-delà de ses rêves [46]. »

Gibran lui lut son poème, et Ryder eut les larmes aux yeux puis lui dit : « C'est un magnifique poème. C'est trop pour moi. Je ne le mérite pas, non, je ne le mérite pas... Je ne savais pas que vous étiez aussi bon en poésie qu'en peinture. Quand je suis allé voir votre exposition, personne ne m'avait dit que vous étiez poète [47]. »

Dans le même temps, le journal *Al-Sa'ih* publia une entrevue avec Gibran sur l'avenir politique du Levant. Dans cet article intitulé « Entrevue avec le génie des Syriens », il déclara qu'il aimerait que la « Syrie devienne une république » et dans le cas contraire il préférait la voir « rattachée à un éventuel royaume arabe plutôt que d'être une colonie française [48] ».

Au mois de mars, il fut introduit à la *Poetry Society of America* où il lut les derniers textes qu'il avait écrits pour son prochain livre *Le Fou*. Parmi les membres fondateurs figurait Mrs Corinne Roosevelt Robinson, la sœur de Theodore Roosevelt [49] qui fut le président des Etats-Unis entre 1901 et 1909. Par ailleurs il rencontra Henry James, le grand romancier américain [50].

Un mois plus tard, Mary se rendit à New York ; elle remarqua que Gibran était pâle et avait des palpitations cardiaques. Après le dîner, ils travaillèrent ensemble sur *Le Fou* [51]. Le lendemain Gibran lui rapporta : « Ryder a soixante-quatre ans mais on lui en donne facilement quatre-vingts... Dans le passé il était plutôt un

dandy, toujours bien peigné, bien habillé avec une prédilection pour le blanc. C'était une des figures les plus
connues de la 5th Avenue. Mais il a aimé une femme
mariée maltraitée par son mari. Elle a été considérée
par les amis de Ryder comme indigne de lui. Aussi
l'ont-ils éloigné d'elle en le poussant à voyager à
l'étranger. Quand il est revenu, la femme avait disparu.
Dès lors il n'a plus été lui-même ; peut-être aussi n'a-
t-il pas pris de bain depuis. » Ryder dormait sur trois
chaises couvertes par des vêtements usés. Les fenêtres
de son appartement étaient brisées ; toutes ses affaires
étaient entassées autour de lui. Il s'adonnait à l'alcool
pour oublier son passé [52].

Si Day était la perversion, Ryder était le retour aux
sources : deux tendances qui partagent toujours la
société américaine. Ces deux personnages qui marquèrent la vie de Gibran résumaient en eux le dualisme de
l'Occident : le premier fut un photographe partagé
entre les hautes sphères de la théosophie et le terre à
terre des plaisirs du corps et le second, un artiste peintre qui, par suite d'une blessure amoureuse, devint un
mystique fou à la manière de *Majnoun Layla* [53].

En juin, Gibran se rendit à Boston et loua pour quelques jours une chambre. Il alterna ses soirées entre
Mariana et Mary [54]. Encore sous l'influence de l'état
de Ryder mais aussi du personnage de son *Fou*, Gibran
parla à Mary de l'existence du monastère de Saint-
Antoine-de-Qozhaya dans la Vallée sainte. C'était un
lieu de pèlerinage où l'on exorcisait les possédés de
toutes religions confondues. Il est un proverbe libanais
qui dit : « Je ne suis pas de Qozhaya pour rendre la
raison aux fous. »

Gibran raconta à Mary que lors de ses études à Beyrouth, il avait visité la grotte de ce monastère transfor-

mée en asile : « Les aliénés étaient très mal soignés. Mais il y eut quelques guérisons... Un jour, accompagné d'un prêtre, je me rendis à la grotte. Sur le chemin j'ai vu un fou aux pieds enchaînés. Il avait un visage remarquable. A cette époque une querelle au sujet du Cantique des Cantiques sévissait dans la montagne. L'Eglise disait que le livre était un symbole mystique du Christ et que l'Eglise était sa bien-aimée. D'autres prétendaient que le livre était de la pure poésie. Lorsque le fou s'approcha de nous, il s'écria : "Gibran ! Va dire à l'évêque que Salomon a aimé une femme réelle comme toi et moi. Je connais bien cette Sulamite !" Puis il s'en alla. J'en étais médusé [55]. »

Puis avec Mary il révisa ses derniers écrits en langue anglaise [56], dont « Le Monde parfait [57] » qui sera le prologue du *Fou* et une nouvelle parabole intitulée « Les Deux Ermites [58] ».

En parallèle au *Fou* et au futur *Prophète*, à la fin du mois de juin, Gibran entreprit un nouveau projet de livre, *Les Dieux de la terre* [59], qu'il ne publia qu'à la fin de sa vie.

Le 6 août, Gibran écrivit à Mary : « Ryder est très malade. Il a été transporté à l'hôpital. Il est affaibli, corps et âme. Mais j'aime m'asseoir auprès de lui et je trouve du plaisir à lui parler [60]. » Au début de l'année 1918, Ryder rend l'âme [61]. Gibran s'en souvint, disant : « Il avait un véritable magnétisme. C'était un homme gentil, courtois et modeste... Dans son art, il y avait une magie unique en son genre [62]. »

A la fin de l'année, Gibran reçut de Mary en cadeau un livre sur la vie de Nietzsche [63] et quelques ouvrages sur l'astronomie qu'il lut avec passion [64].

1916

A l'aube de ses trente-trois ans, il reçut de Mary, en cadeau d'anniversaire, une robe de chambre et un foulard. Il les porta et écrivit : « Il est une voix qui se forme dans mon âme, et je suis en attente des "mots". Mon seul désir à présent est de trouver la bonne forme, le vêtement adéquat, qui saura retentir dans les oreilles des humains. Le monde a faim, Mary. Et si ces "mots" peuvent être, un jour, du pain, ils se nicheront dans le cœur même du monde... Que c'est beau de parler de Dieu à l'homme[65]. »

Quelques jours plus tard, il ajouta : « Cette perception, bien-aimée Mary, cette nouvelle connaissance de Dieu m'accompagne nuit et jour. Je ne puis penser à rien d'autre. Je ne puis rien faire sinon rester avec elle et être mû par elle. Quand je dors, une chose en moi reste éveillée pour que je la suive et que je reçoive d'elle et à travers elle. Mes propres yeux semblent conserver cette image du lent développement de la naissance de Dieu. Je le vois s'élevant telle la brume par-dessus les mers, les montagnes et les plaines. Moitié né, moitié conscient, Il s'éleva. Lui-même ne se connaissait pas pleinement alors. Des millions d'années se sont écoulées avant qu'Il ne se mût par Sa propre volonté, et qu'Il ne cherchât davantage de Lui-même par Sa propre puissance et à travers Son propre désir. Et l'homme vint. Il rechercha l'homme, comme l'homme et l'âme de l'homme Le recherchaient. L'homme Le rechercha d'abord sans conscience et sans connaissance. Ensuite l'homme Le rechercha avec conscience mais sans connaissance. Et maintenant l'homme Le recherche avec conscience et connaissance.

Dieu n'est pas le créateur de l'homme. Dieu n'est pas le créateur de la terre. Dieu n'est le régent ni de l'homme ni de la terre. Dieu désire que l'homme et la terre deviennent comme Lui, et une part de Lui-même. Dieu croît dans Son désir ; l'homme, la terre, et tout ce qui est sur la terre s'élèvent vers Dieu par la force du désir. Et le désir est la puissance inhérente qui transforme toute chose. C'est la loi de tout ce qui est matière et de tout ce qui est vie [66]. »

Il s'avère qu'en cette année Gibran était en pleine métamorphose spirituelle ; dix jours après sa confidence à Mary sur sa nouvelle connaissance de Dieu, il lui décrivit sa joie de revivre : « Je vis, Mary, dans une profonde extase. Les jours et les nuits sont enveloppés d'un ravissement flamboyant. La seule chose que mon cœur désirait ardemment est à présent en moi. J'aime la Vie et tout ce qui est en Elle. Et vous savez, Mary, que je n'avais jamais beaucoup aimé la Vie. Durant vingt ans je ne possédais rien d'autre que cette soif persistante de ce que je ne savais pas. Aujourd'hui, c'est différent. Où que j'aille, quoi que je fasse, je vois la même grandiose puissance, la même grandiose loi, qui fait fleurir les éléments en âmes et transforme les âmes en Dieu...

L'âme recherche Dieu, de même que la chaleur recherche les hauteurs, ou que l'eau recherche la mer. La force et le désir de rechercher sont les propriétés inhérentes de l'âme. L'âme ne s'écarte jamais de son chemin, pas plus que l'eau ne risque de couler vers les sommets... L'âme garde sa conscience, sa soif d'un accroissement d'elle-même, et son désir de ce qui reste devant elle... Quand l'âme atteint Dieu, elle prend conscience... que Dieu, aussi, croît, cherche et se cristallise [67]. »

En février, Gibran fit un portrait d'imagination du prophète Mahomet et le publia dans le journal *Al-Sa'ih* [68] ; quatre mois plus tard, dans le journal *Al-Founoun*, il publia un portrait d'imagination de l'imam Ali, le père des chiites, suivi d'un article élogieux sur la sagesse de cet imam [69]. Il est utile de signaler que, dans la religion mahométane, la représentation picturale de ces deux pionniers de l'islam n'est pas autorisée.

Le premier jour du printemps, Gibran se rendit à Boston. Pour la première fois il évoqua auprès de Mary le nom d'Al-Moustapha : « Peut-être ne publierai-je jamais *Pour le bien commun*, excepté si je mets ses mots dans la bouche d'Al-Moustapha [70]. » Or, ce nom finira par être celui du héros du livre *Le Prophète*, sachant que le surnom ésotérique, cher aux soufis, du prophète Mahomet est justement Al-Moustapha, signifiant « celui qui a été élu et purifié [71] ».

Le soir même, il avoua à Mary : « On me surnomme souvent aujourd'hui le fossoyeur. Et certains croient que je suis violent et destructeur. Mais je ne puis construire sans détruire. Nous les humains, nous sommes comme les noix : nous devons être brisés pour nous ouvrir. Le papier émeri peut remplir cette mission mais il lui faut beaucoup de temps, car les caresses légères ne peuvent réveiller les gens [72]. »

A son retour à New York, Gibran fut invité par l'Association des religions américaines à parler du « prophète de l'islam » dans leur salle de conférences située sur Madison Avenue. Il commença son allocution par ces mots : « Il n'est de divinité qu'Allah et Mahomet est le messager d'Allah. Ces paroles furent dites pour la première fois il y a treize siècles par une voix qui s'éleva du cœur de l'Arabie. A présent elles sont répétées par trois cents millions de voix. Et ces millions de personnes continueront à les répéter jusqu'à ce que la

terre devienne des grains de poussière dispersés aux
quatre vents [73]. »

Pendant la première guerre, le Liban subit la sinistre
activité des cours martiales. La sympathie pour les
Alliés et le patriotisme libanais étaient, dès qu'ils se
manifestaient, punis de mort. Plus durement encore
que la brutalité turque, la famine frappa le pays. L'in-
curie de l'administration, le blocus des Alliés, une
invasion de sauterelles provoquèrent une terrible
disette. Une épidémie de typhus apparut. Les affamés
affluèrent à Beyrouth où la maladie terrassait plus de
quarante personnes par jour. Les autorités turques
assistaient impassibles à l'agonie d'un peuple [74].

Dans une lettre à Mary datée du 26 mai, Gibran
expliqua les raisons de la grande tragédie des siens :
« Mon peuple du mont Liban meurt de faim à la suite
d'un plan élaboré par les Turcs... Ce qui se passe au
mont Liban n'est qu'une répétition de la même tragédie qui s'est déroulée en Arménie. Et comme le mont
Liban est une région chrétienne, il doit souffrir plus
que les autres régions du Moyen-Orient. Pouvez-vous
imaginer ce que j'endure maintenant ? Tous les Syriens
souffrent comme moi. Nous essayons de faire l'impossible afin de sauver ceux qui sont encore vivants. Cela
est insupportable. Priez pour nous [75]. »

En juin Gibran fut nommé secrétaire du Comité
d'aide aux sinistrés de Syrie et du mont Liban, alors
que Amin al-Rihani en fut le vice-président [76]. « C'est
une grande responsabilité, mais je dois la porter, écrivit
Gibran à Mary. Les grandes tragédies élargissent le
cœur des hommes. Je n'ai jamais eu l'occasion de servir mon peuple par un moyen de ce genre. Je suis heureux de pouvoir l'aider. Je sens que Dieu m'aidera

aussi [77]. » Mary ne tarda pas à lui envoyer une contribution de quatre cents dollars [78].

Gibran dépensa tout son zèle pour susciter un mouvement de solidarité et d'aide dans la communauté syro-libanaise de New York et de Boston. Mais il se heurta au refus du gouvernement turc de faire parvenir l'aide alimentaire aux sinistrés du mont Liban [79]. Il pensa que les Américains résidant en Syrie pourraient distribuer plus facilement cette aide aux nécessiteux [80]. Le 5 novembre, la marine américaine mit un navire à la disposition du comité. Gibran put le faire appareiller grâce à la Croix-Rouge américaine. La somme de l'aide alimentaire atteignit les sept cent cinquante mille dollars [81].

Pour ce faire il fit appel à la générosité de ses compatriotes vivant en Amérique dans diverses conférences et articles, dont le plus poignant fut intitulé « Mon peuple est mort », publié en octobre dans *Al-Founoun* [82] :

« Les miens se meurent, et moi, vivant encore, dans ma solitude je les pleure...

Les miens sont mourants, et les vallées de mon pays ruissellent de larmes et de sang...

Certains sont terrassés par l'épée et d'autres par la faim alors que je suis en ce pays lointain, au milieu de gens heureux dans leurs lits moelleux... Et une terrible tragédie s'enflamme dans le giron de mon âme...

Hélas ! Je ne suis ni un épi de blé dans les champs de la Syrie, ni un fruit mûr dans les vallées du Liban. Et c'est bien là le malheur qui me rend méprisable vis-à-vis de moi-même et des fantômes de la nuit...

Les miens se meurent sur la croix, les mains tendues vers l'Orient et vers l'Occident, et les yeux rivés dans les ténèbres du firmament.

Ils se meurent en silence, car l'humanité s'est muré les oreilles, lassée de leurs cris...

Ils se meurent de faim dans la terre qui autrefois regorgeait de lait et de miel...

Ils se meurent parce que les vipères et les enfants des vipères ont déversé leur poison dans le ciel embaumé jadis par l'haleine des cèdres et les parfums des roses et du jasmin...

Que pourrions-nous faire pour ceux qui agonisent encore ?

Nos lamentations n'apaiseront point leur faim et nos larmes ne sauront étancher leur soif...

O mes frères syriens, le sentiment qui vous incite à donner une parcelle de votre vie à celui qui risque de perdre la sienne est la seule vertu qui vous rende dignes de la clarté du jour et de la quiétude de la nuit.

La pièce que vous donneriez à ceux qui nous tendent la main est l'unique maillon d'or qui relie l'humain en vous au surhumain [83]. »

Par l'intermédiaire du Dr Béatrice Hinkle, Gibran fit la connaissance d'un jeune poète américain, James Oppenheim. Celui-ci avait un an de plus que notre auteur. Orphelin de père à l'âge de six ans, et diplômé de la Columbia University, Oppenheim enseignait dans une école hébraïque ; il avait publié plusieurs recueils de poèmes imprégnés d'un fervent idéalisme social. Lorsqu'il fit la connaissance de Gibran, il fut impressionné par son approche littéraire originale et non conformiste. A cette époque, Oppenheim s'apprêtait à lancer sa nouvelle revue littéraire, *The Seven Arts,* « *Les Sept Arts* ». Son programme stipulait ceci : « Notre croyance comme celle d'autres personnes est que nous sommes en train de vivre les premiers jours d'une nouvelle renaissance... Nous n'avons pas de tradition à poursuivre et nous n'avons pas d'école ni de style à construire. Ce que nous demandons à l'écrivain est tout simplement d'être personnel et de n'imiter personne. »

En juillet, il demanda à Gibran de faire partie du comité de rédaction formé d'une dizaine de personnes américaines du monde des arts. Notre auteur y fut le seul représentant de « l'antimatérialisme proche-oriental ». Après avoir conçu la couverture de la revue, Gibran commença à publier poèmes et paraboles en langue anglaise[84], dont notamment « La Nuit et le Fou » ainsi que « La Mer suprême[85] ».

La revue *The Seven Arts* fut pour Gibran le premier moyen utilisé pour entrer en contact avec le monde américain dans sa propre langue. Elle lui permit de tisser des liens avec les pionniers de la poésie américaine moderne. Grâce à cette revue, le nom de Gibran, en tant que poète, fut connu pour la première fois dans les milieux littéraires de New York et notamment parmi les membres de la *Poetry Society of America*.

En septembre, il loua un cabanon à Jerusalem Road dans un village portuaire, Cohasset, situé à quarante kilomètres au sud de Boston, où il invita sa sœur Mariana. Ce fut là qu'ils se réjouirent de leurs premières vacances ensemble[86].

Au début du mois suivant, Gibran accompagna sa sœur à Boston. Mary fut choquée par l'état de sa santé : « Plus de quarante ans sont gravés à présent sur son visage qui n'en a que trente-trois. Même ses mains paraissent plus vieilles qu'elles ne devraient l'être. Son épaule gauche, accidentée depuis l'enfance, est presque paralysée[87]. » Pour distraire Gibran, elle le questionna sur son intérêt grandissant pour l'astronomie ; leur discussion aboutit à une mutuelle croyance en la vie extra-terrestre : « Supposons, lui dit-il, que les poissons croient qu'au-delà de la mer la vie n'existe pas ; car ils ne connaissent d'autre forme de vie que celle de leur milieu aquatique. Ce serait aussi naturel, et non pas plus raisonnable, que de croire qu'il n'y a pas de vie dans les éléments stellaires [88]. »

En cet automne, Gibran se lia d'amitié avec un compatriote, Mikhaël Nou'aymé. Si Gibran est né à Bcharré au pied du plus haut sommet du mont Liban, Mikhaël, lui, est né à Baskinta au pied de Sannine, le deuxième plus haut sommet du Liban. Mikhaël était de six ans le cadet de Gibran.

A l'époque, chaque communauté libanaise se faisait protéger par une puissance européenne. La France, par exemple, était ce qu'on appelle la « tendre mère » des maronites, la Russie celle des orthodoxes. Aussi ne doit-on pas être surpris d'apprendre que Mikhaël, l'orthodoxe, avait fréquenté l'école russe de Baskinta puis un séminaire en Russie, en passant par l'Ecole normale à Nazareth. En 1911, Mikhaël revint au Liban pour se rendre ensuite aux Etats-Unis, où il sera licencié en droit et en lettres à l'université de l'Etat de Washington au nord-ouest du pays, grâce à l'assistance de ses deux frères [89].

Après avoir terminé ses études universitaires, il vint s'installer à New York. Ce fut dans les bureaux de la revue *Al-Founoun* qu'il connut Gibran avec « son costume gris et son chapeau noir ainsi que son inséparable canne à pommeau d'argent [90] ». En fait les deux hommes s'étaient rencontrés, intellectuellement parlant, bien avant, dans les pages d'*Al-Founoun*. Trois ans auparavant, après avoir lu *Les Ailes brisées*, Mikhaël envoya une critique sur ce livre au journal *Al-Founoun*. Ce fut d'ailleurs le premier article publié de la vie littéraire du futur illustre romancier du monde arabe, Mikhaël Nou'aymé[91].

« Deux à trois jours après la première rencontre, rapporta Mikhaël, en compagnie de Nassib Arida et Abd al-Massih Haddad [propriétaires respectifs d'*Al-Founoun* et d'*Al-Sa'ih*], j'ai rendu visite à Gibran dans son atelier, dans sa "cellule", comme il se plaisait à l'appeler : des escaliers en bois crissent sous les pieds au point de faire tressaillir celui qui les emprunte, une porte sombre, puis à l'intérieur se trouvent un canapé rustique, deux vieilles chaises, une antique tenture avec le dessin du Crucifié, de longs rideaux noirs, un semblant de poêle, un quinquet à gaz qui diffuse un éclairage pâlissant au fur et à mesure que la nuit s'avance... Nous étions quatre, mais nous ne formions qu'un tout[92]. »

Dans son journal Mary fit état en novembre d'une rencontre avec Micheline qui venait d'avoir une fille qu'elle nomma Béatrice[93]. Ce prénom nous rappelle la comparaison faite par Gibran entre Béatrice dans *La Divine Comédie* de Dante et Salma Karamé dans les *Ailes brisées*[94], qu'il écrivit en grande partie à Paris.

En décembre, Gibran rencontra Rabindranath Tagore ; celui-ci était alors plus âgé que notre auteur de vingt-deux ans : « Il est beau à voir et il est agréable d'être en sa compagnie, écrivit-il à Mary. Mais je suis déçu par sa voix ; elle manque de vigueur et se prête mal à la déclamation de ses poèmes qui, de ce fait, sonnaient faux[95]. » Il ajouta dans une autre lettre, critiquant cette fois-ci la pensée du poète indien : « Il condamne le nationalisme alors que ses écrits ne reflètent ni n'expriment une conscience universelle. Certes, il a toute la beauté et tous les charmes de l'Inde en lui. Et bien qu'il soit sensible à la béatitude de la vie, il ne la voit pas comme une force en perpétuelle croissance. Pour Tagore, Dieu est un Etre parfait. Tous les sophistes insistent sur la perfection de Dieu. Pour ma part, Mary, la perfection est synonyme de limitation, et je ne peux pas concevoir la perfection sans délimiter l'espace et le temps[96]. »

Si Mary réussit à rendre Gibran compréhensif envers le saphisme[97], il se montra néanmoins intolérant envers les mœurs pédérastiques. L'écrivain Frank Harris lui dédicaça en cette année son livre *La Vie d'Oscar Wilde et ses aveux...* Après l'avoir lu, il avoua à Mary : « Je n'ai jamais imaginé qu'un tel bain de saletés puisse exister. Je ne savais pas que Wilde était si dégradé. Harris est sale-sale du début jusqu'à la fin. » Toutefois, un an plus tard, Gibran n'avait plus tout à fait la même attitude. « Aujourd'hui j'ai vu, raconta-t-il à Mary, une scène entre deux pédérastes qui, d'habitude, m'inspirait le plus grand mépris et le plus grand dégoût. Mais maintenant cela m'étonne seulement sans que je puisse le comprendre ; je ne condamne pas et me contente de constater. » Afin d'élargir ses connaissances en ce domaine, Mary, délurée, lui envoya un livre sur la sexualité. Il commença à le lire et l'abandonna aussitôt[98].

Si à l'aube de cette année, Gibran reçut une certaine révélation, « une nouvelle connaissance de Dieu », à son crépuscule il reçut un fragment de l'univers. A l'occasion des fêtes de fin d'année, Mary offrit à Gibran un authentique petit morceau de météorite[99] qu'il qualifia ainsi : « C'est le plus magnifique cadeau que j'aie reçu de ma vie. Il nourrit mon imagination, fait voyager mes pensées dans l'espace et rend l'infini plus proche et moins étrange à mon âme. Chaque jour je le prends dans la main, et à chaque instant je vous bénis de tout mon cœur[100]. »

1917

Gibran continua à envoyer ses contributions littéraires à la revue *The Seven Arts*. Il n'y publiait aucun article, poème ou parabole sans le faire passer d'abord dans les mains de Mary pour les dernières retouches et la dernière bénédiction : « Je continue d'aller à votre école, lui écrivit-il... Mon anglais reste très limité, mais je peux apprendre[101]. » Mary lui répondit aussitôt que son « anglais est créatif, car vous l'apprenez du Génie anglais[102] [Shakespeare]. »

Au début de cette année, pour mieux gérer ses expositions et les publications de ses articles, il fit installer le téléphone chez lui : « Je n'ai plus besoin de courir toute la journée, de monter et de descendre. Mon numéro est 9549 [standard du quartier] Chelsea[103]. »

Du 29 janvier au 10 février, Gibran fit une autre exposition également dans la 5th Avenue mais cette fois-ci dans la galerie de Knoedler & Co. Il y exposa quarante aquarelles, dont les thèmes principaux étaient les centaures, les mères-enfants et les danseuses[104]. Les critiques de la *Tribune* et du *Times* furent très favorables à l'égard de cette exposition. La critique la plus élogieuse émanait de *The Seven Arts*, écrite par Alice Raphaël Eckstein, l'amie intime du Dr Béatrice Hinkle[105].

A la suite de cette exposition, grâce au poète Witter Bynner, qu'il rencontra quatre ans auparavant dans les salons littéraires de Mrs Ford, Gibran fit le portrait du poète de la Cour anglaise de l'époque, John Masefield, et du dramaturge anglais Lawrence Housman. Par ailleurs il dîna avec Frederick MacMonnies qui n'était autre que le sculpteur de la *Bacchante* de la Boston Public Library. Nous rappelons ici que vingt-deux ans auparavant cette *Bacchante* inspira le premier dessin du jeune Gibran[106].

Du 16 au 28 avril, dans la galerie Doll and Richards à Boston, Gibran exposa les trente aquarelles restantes de la dernière exposition à New York. Les critiques des *Boston Evening Transcript, Christian Science Monitor* et *Boston Sunday Herald* furent influencées par le dernier article d'Alice Raphaël Eckstein dans *The Seven Arts*[107].

Le 4 avril, le président américain Woodrow Wilson décida enfin d'entrer en guerre. Quelques jours plus tard, Gibran écrivit à Mary : « Je travaille pour la Syrie. Depuis le jour où les Etats-Unis ont fait cause commune avec les Alliés, les Syriens et les Libanais d'Amérique ont décidé de rejoindre les rangs de l'armée française, qui est prête à débarquer en Syrie. Avec l'aide de quelques Syriens, j'ai organisé ce comité de volontaires. Je devais le faire[108]. »

L'idée de recourir aux armes pour participer, aux côtés des Alliés, à la libération de la Syrie et du mont Liban du joug de la Sublime Porte, fut lancée par Amin al-Rihani[109]. Dans une lettre d'Amin al-Rihani adressée à Gibran, il l'entretint du programme du comité, du but qu'il poursuivait, en exploitant tous les moyens afin de libérer le Liban et la Syrie du joug ottoman : « Ainsi, le pays serait dirigé par un gouvernement national exempt de toute considération confessionnelle. Il aurait pour tâche de réformer la situation culturelle et économique, et d'attiser la prospérité du pays sous le contrôle du gouvernement français. Lorsque la Syrie et le Liban seraient déclarés capables de se gouverner, le mandat français atteindrait son terme [110]. »

Malgré ses multiples appels à la révolte, Gibran prit conscience qu'en Syrie la peur, la famine. le spectre de la mort collective, le drame des martyrs pendus, avaient paralysé toute éventuelle insurrection massive. Séduit par la lettre d'Amin et l'idée d'un gouvernement national et laïc, Gibran adhéra donc au Comité des volontaires de la Syrie et du mont Liban. Ayoub Tabit en fut le président, Amin al-Rihani le vice-président, Gibran secrétaire de la correspondance anglaise et Mikhaël Nou'aymé secrétaire de la correspondance arabe. Abd al-Massih Haddad et Nassib 'Arida en furent des membres actifs à travers leurs journaux [111].

Le 14 juin, les objectifs de ce comité furent publiés dans *Al-Sa'ih* : « S'efforcer, par l'intermédiaire des Alliés, d'obtenir la libération de la Syrie et du Liban du joug turc et de toute autorité effective ou nominale ; appeler les Syriens et les Libanais d'outre-mer à s'engager dans les armées des Alliés [112]. » En septembre, le nombre de ces volontaires atteignit environ quinze mille soldats [113] ; la plupart d'entre eux s'engagèrent dans les rangs de la légion d'Orient de l'armée française installée alors à Chypre [114].

A la suite de sa participation à ce comité, Gibran reçut plusieurs lettres d'agents turcs, le menaçant de mort s'il poursuivait ses activités. Cela ne le troubla pas outre mesure [115].

Cependant les jeunes poètes américains du comité de rédaction de la revue *The Seven Arts* dénonçaient vigoureusement la prise de position du gouvernement américain dans la guerre. La revue afficha franchement et publiquement une attitude pacifiste [116]. Gibran se trouva alors en porte à faux. Il était en principe contre la violence, mais il voulait la libération des siens du joug ottoman.

A la fin du mois de juillet, il avoua à Mary : « Vous savez que j'aime bien Oppenheim, bien que ma position soit contraire à la sienne au sujet de l'action à mener dans cette guerre... Je suis contre la guerre, mais c'est pour cette raison que j'utilise cette guerre. Elle est mon arme. Je suis pour la justice et c'est pour cela que j'utilise cette grande injustice... Oppenheim sait bien ce que je ressens, je lui ai expliqué ma position ; toutefois les gens de *The Seven Arts* veulent conserver mon nom dans la colonne du comité de rédaction. Je ne veux pas leur faire de mal, mais mes amis syriens n'aiment pas la revue et ne comprennent pas pourquoi je continue à figurer dans la liste du comité de rédaction depuis qu'elle a publié ses récents éditoriaux [117]. »

Pris sous deux feux, Gibran finit par démissionner du comité de rédaction. Sa collaboration avait duré exactement un an. La plupart des poèmes et des paraboles du futur livre *Le Fou* furent publiés dans cette revue. Dès lors Gibran envoya ses écrits en langue anglaise à la revue *The Dial* qui n'avait pas pris une position aussi critique et aussi pacifiste que celle de *The Seven Arts* [118].

A la fin du mois de juillet, Gibran se rendit à Boston et travailla avec Mary sur des nouvelles paraboles et sur *Pour le bien commun*. Mary commenta dans son journal que le style de Gibran en anglais se voulait « universel, à structure si simple et aux mots si purs qu'il lui était coutumier de puiser dans le style biblique ». Il lui expliqua la raison de son attachement à ce style : « *The Bible* [version King James] est de la littérature syriaque traduite en anglais. C'est l'enfant d'une sorte de mariage. Il n'est pas d'autres langues qui correspondent à l'anglais biblique. Et le chaldéo-syriaque est la plus belle langue qu'un homme ait parlé, bien qu'elle ne soit plus utilisée [119]. »

En hommage à Rodin qui venait de rendre l'âme en novembre, Gibran écrivit un poème en arabe, intitulé « Maître de l'argile » et le traduisit par la suite en anglais [120] : « Vers quel autre élément plus pur avez-vous dirigé vos mains habiles ? Vers quelle forme plus noble que l'homme vos yeux perçants sont-ils attirés à présent ? Quels rêves plus nobles, plus audacieux faites-vous aujourd'hui ?... O Maître de l'argile, si vous étiez resté plus longtemps ! Si vous aviez attendu au milieu de cette nuit grondante la seconde aube de la terre ! Si vous vous étiez attardé pour voir le visage plus parfait de la France, pour adapter sa forme la plus libre afin que l'homme puisse contempler ce visage dans l'image de son moi le plus intime et le plus libre [121] ! »

1918

Seize ans auparavant, à la veille de sa mort, Kamila, la mère de Gibran, avait révélé à son fils, comme nous l'avons mentionné, ces propos visionnaires concernant son futur *Prophète* : « Certes tu finiras par écrire ce livre ; toutefois ce n'est qu'à l'âge de trente-cinq ans [1918] que tu commenceras à l'écrire... C'est vrai qu'aujourd'hui tu t'es trouvé toi-même, mais il faut que tu vives plus longtemps pour trouver l'Autre. C'est alors seulement que tu écriras ce qu'Il te dictera [122]. »

Le 6 janvier, le jour de son trente-cinquième anniversaire, Gibran dit à Mary : « La mère de Jésus savait probablement que son fils était une source d'ennuis et qu'il était un homme bon. Il se pourrait qu'après la

mort de son fils et surtout grâce à sa mort et à la dévotion de ses disciples, il lui ait semblé beaucoup plus
doux à son cœur que quand il était en vie.

Jésus parlait le chaldéo-syriaque, c'est-à-dire la langue du peuple, alors que les lettrés parlaient l'hébreu.
Il y avait aussi un grand mélange de sangs dans la
haute région [Galilée] dont Jésus était originaire : des
Chaldéens, des Grecs et d'autres. Il ne fait aucun doute
que ce mélange d'éléments dans la vie autour de lui ait
exercé une très profonde influence sur sa personnalité ;
mais au tréfonds de son esprit, ces éléments n'ont rien
affecté.

La mort du Christ aussi bien que sa vie ont produit
un admirable effet sur ses disciples. Le jour viendra où
nous ne penserons qu'à la Flamme, qu'à la plénitude
de la Vie qui brûlait en lui. Les relations entre Socrate
et ses disciples étaient mentales, celles de Jésus avec
les siens étaient plutôt sentimentales. Ses disciples le
sentirent plus qu'ils ne sentirent aucune de ses idées.
Regardez ce qu'il a fait d'eux : Jean est devenu un
merveilleux poète et Paul un excellent agent de publi-
cité bien qu'il eût œuvré aussi bien en faveur qu'en
défaveur du vrai Christ [123]. »

Tout le mois de janvier, Gibran fut invité à lire ses
poèmes en anglais et à parler de la Syrie, tantôt dans
le New Jersey, tantôt à New York devant les membres
de la *Poetry Society of America* ou dans les salons littéraires de Mrs Corinne Roosevelt Robinson [124]. De cette
éminente hôtesse Gibran dit : « C'est une personnalité
remarquable et utile en tout ; elle déborde de vie et
d'énergie [125]. » Chez elle, il rencontra également son
frère, l'ex-président des Etats-Unis, ainsi que l'écrivain
et sénateur Henry Cabot Lodge, le général Leonard
Wood, chef d'état-major de l'armée américaine et

enfin le Dr Lambert, chef des médecins-chirurgiens de la Croix-Rouge [126].

En février, il envoya le manuscrit du *Fou* à la maison d'édition Frederick Stokes. L'éditeur, Mr Morrow, refusa la publication du livre car il pensait que ce petit recueil de paraboles et de poèmes en prose ne se vendrait pas suffisamment. Un mois plus tard, Gibran envoya le manuscrit à une autre maison d'édition, Macmillan Company. Il se heurta au même refus pour les mêmes raisons [127].

En mars, il fit le portrait de l'ambassadeur de France à Washington, Pierre de Lanux, avec lequel il discuta du rôle de la France en Syrie. Par la suite Pierre de Lanux se proposa de traduire en français son manuscrit, *Le Fou* [128].

A la fin du mois, Gibran lut à Mary, qui se trouvait chez lui à New York, un petit poème qu'il avait écrit la veille et qu'elle recopia aussitôt dans son journal [129]. Ce poème deviendra le cœur même du chapitre du « Mariage » dans *Le Prophète* :

« Aimez-vous l'un l'autre, mais ne faites pas de l'amour une alliance qui vous enchaîne l'un à l'autre.

Que l'amour soit plutôt une mer qui se laisse bercer entre vos âmes, de rivage en rivage.

Emplissez chacun la coupe de l'autre, mais ne buvez pas à une seule et même coupe.

Partagez votre pain, mais du même morceau ne mangez point.

Dans la joie chantez et dansez ensemble, mais que chacun de vous soit seul, comme chacune des cordes du luth est seule alors qu'elles frémissent toutes sur la même mélodie [130]. »

Mary lui apprit qu'elle avait été sollicitée pour diriger la Cambridge School, fondée en 1886 par Arthur et Stella Gilman, les pionniers dans l'éducation des

femmes. Elle devait donc se préparer à quitter définitivement Boston pour s'installer à Cambridge [131].

En avril, Gibran passa quelques jours de vacances
dans un domaine à Buzzards Bay près de Boston, chez
Mrs Garland, une femme de lettres, en compagnie de
l'éditrice Rose O'Neil et du poète hindou Dhan
Mukerji. Dans la journée, il put découvrir la campagne
environnante à cheval et la nuit, il cogita sur la structure de son futur *Prophète*. Durant son séjour, il
demanda à sa sœur Mariana de lui envoyer du halva et
des cigarettes [132].

Avant de regagner New York, Gibran fit halte à
Boston où il raconta ses vacances à Mary et surtout
l'inspiration qu'il avait eue sur le défilement de l'histoire concernant son projet, *Pour le bien commun* : un
homme, poète, ermite, devin, prophète vit dans une cité
entre plaines et mer. Un jour, un navire surgit de l'horizon et se dirige vers la cité afin de transporter cet
homme. Les gens se mettent à le questionner sur
l'Amour, les Enfants, l'Amitié... Dieu, environ vingt-
quatre thèmes. A la fin il embarque dans le vaisseau et
disparaît dans la brume [133]. Ainsi, en ce printemps de
sa trente-cinquième année, Gibran finit par échafauder
son livre, et les propos de Kamila commencèrent à se
réaliser.

En outre, il changea le titre *Pour le bien commun*
pour le remplacer par *Les Conseils* ; toutefois il avoua
à Mary : « L'anglais m'enchaîne toujours... Je continue
à penser en arabe [134]. » La conquête de l'anglais classique, entreprise qui réussira en grande partie grâce à la
patience et à l'amour de Mary, sera le résultat d'un
travail long et assidu. Ce livre ne sera publié que cinq
ans plus tard, lorsqu'il sera sûr d'y avoir exprimé tous
les pouvoirs messianiques qui bouillonnaient en son
âme.

En mai, Oppenheim publia un livre aux éditions Knopf. Cette maison d'édition, qui n'existait que depuis trois ans, était dirigée par le jeune Alfred Knopf, avide d'écrivains au talent inhabituel. Celui-ci donna un banquet à l'occasion de la sortie de ce nouveau livre d'Oppenheim, *The Book of Self*, « *Le Livre du Soi* ». Y furent invités Gibran et le poète Witter Bynner ainsi que l'ambassadeur de France, Pierre de Lanux. Ce fut grâce aux recommandations de ces deux derniers et à celles d'Oppenheim qu'Alfred Knopf décida de prendre rendez-vous avec Gibran afin de publier *Le Fou*, son premier livre en langue anglaise [135].

Le 20 juin, le jour où Gibran signait son contrat avec Knopf, Mary emménageait à Cambridge. Il s'empressa de partager sa joie avec elle, en lui annonçant la bonne nouvelle par écrit : « Plus je vois Alfred Knopf plus je l'aime... Il n'est pas philanthrope. Il est honnête. Il ne laisse rien au hasard. J'aimerais bien que le livre soit un succès commercial dans l'intérêt de Knopf ; cela favoriserait la publication de mon prochain livre *Les Conseils*. Il y aura dans *Le Fou* trois dessins qui devraient le rendre plus attrayant [136]. » Quant à Mary, elle quitta son école du 314, Marlborough Street, à Boston, emmenant avec elle ses élèves et ses enseignants pour le 36, Concord Avenue à Cambridge où elle rebaptisa son nouveau établissement scolaire du nom de Cambridge-Haskell School [137].

En août, après la défaite de la Serbie contre les Empires centraux, Gibran publia un poème, intitulé « Défaite, ma défaite », dans la revue *Kossovo* [138]. Il y donna le témoignage de cette fraternité qui réunit les nations opprimées dans leurs souffrances, et il sut encourager les vaincus qui croyaient avoir failli à leur devoir patriotique :

« Défaite, ma défaite, ma solitude et ma sagesse. Tu es à mes yeux plus chère que mille triomphes, plus douce à mon cœur que le monde et ses gloires réunies.

Défaite, ma défaite, sonde de mon être, fer de lance de mon défi. Grâce à toi je sais que je suis encore si jeune et trop lestes sont mes pas. C'est toi qui m'as appris à ne pas être convoité par des lauriers flétris, et en toi j'ai découvert la solitude et la joie d'être rejeté et dédaigné.

Défaite, ma défaite, mon glaive étincelant et mon bouclier chatoyant. Dans tes yeux j'ai lu qu'être compris, c'est être avili, que celui qui se proclame roi est esclave de lui-même et que celui qui est enchaîné est celui-là même qui sait empoigner la plénitude. Et dans tes prunelles j'ai vu ce fruit qui annonce sa chute, qui interpelle tout affamé.

Défaite, ma défaite, ma compagne vaillante. Tu entends mon chant, mes cris et mes silences. Et nul autre que toi ne pourrait me parler de ces battements d'ailes et ne saurait décrire ces mers en furie ou ces montagnes qui fulminent la nuit. Toi seule, tu es digne de gravir les chemins rocheux et escarpés de mon âme.

Défaite, ma défaite, mon courage immortel. Toi et moi rirons ensemble avec la tempête. Et de nos mains nous creuserons des tombes pour tout ce qui meurt en nous. Debout face au soleil nous nous tiendrons tel un mur d'airain et nous serons dangereux [139]. »

Pendant l'été, il s'isola dans le même cabanon à Jerusalem Road dans Cohasset et il entama un nouveau projet de livre, cette fois-ci en arabe, *Les Processions* [140], s'engageant par là dans un art qu'il avait peu exercé : un recueil de poésies selon la métrique arabe classique.

Le 1er septembre, Gibran expliqua à Mary qui se

trouvait à New York : « *Les Processions* représentent les aspects de la vie selon la vision d'une personne double formée d'un soi civilisé [citadin] et d'un soi spontané et ingénu qui caractérise les jeunes bergers du Proche-Orient, c'est-à-dire l'homme qui chante la vie en harmonie avec elle sans analyser ou douter, ni encore débattre ou définir. Les deux se rencontrent pour parler là où leurs deux mondes aussi se rencontrent : sur un bout de terre juste hors de la cité et à la lisière de la forêt [141]. »

A la mi-octobre parut *The Madman*, « *Le Fou* », avec trois dessins originaux de l'auteur. Le prix du livre fut fixé par Knopf à un dollar et vingt-cinq cents. Sur la quatrième de couverture nous pouvons lire : « Il n'est pas étrange que Rodin eût mis tant d'espoir en ce poète arabe. Car dans les paraboles et les poèmes que Kahlil Gibran nous livre en anglais, il semble qu'il ait voulu interpréter ce que Rodin exprima à travers le marbre et l'argile... *Le Fou* comprend des réminiscences qui remontent à Zarathoustra et à Tagore [142]. »

Gibran en envoya un exemplaire à Mary avec cette dédicace à la fois simple et équivoque : « A MEH, Kahlil Gibran, *Le Fou*, cela aussi je vous le dois [143]. »

La parabole la plus citée par les critiques fut celle qui porte le titre « Les Somnambules » qu'on qualifia d'« inspiration jungienne [144] » :

« Dans la ville où je naquis vivaient une femme et sa fille qui étaient toutes deux somnambules.

Par une nuit, alors que le silence venait de ceindre le monde et les bras de Morphée de gagner la mère et la fille, celles-ci se levèrent et marchèrent.

Arrivées dans un jardin à voile de brume, la mère parla et dit à sa fille : "Enfin, enfin, mon ennemie ! Toi par qui ma jeunesse fut flétrie, tu as érigé ta vie sur les ruines de la mienne. Ah, si seulement je pouvais te tuer !"

Et la fille de rétorquer : "Arrière, vieille et égoïste ! Cesse de t'interposer entre moi et l'être le plus libre en moi. Toi qui voudrais faire de ma vie un écho de ta propre vie décrépite. Ah, si tu mourais, aujourd'hui avant demain !"

A ce moment-là un coq chanta et les deux femmes se réveillèrent. La mère s'enquit alors d'une voix douce : "Tout va bien, ma chérie ?" Et la fille de répondre : "Oui, tendre mère [145]." »

Le 11 novembre, Gibran fit un dessin d'une femme tenant un fanion, intitulé *La Syrie libre*. Trois jours plus tard le journal *Al-Sa'ih* le publia en première page avec ces mots de notre auteur : « Sur les décombres du passé, un passé de geôles et de tombes, nous allons bâtir le temple de notre avenir. Ses piliers seront faits de justice et son toit, de liberté. Nous élèverons en son milieu un autel pour la vertu nationale. Et la vertu nationale ne peut naître qu'à travers la vertu indivi-duelle. Nous nous y rendons les yeux clarifiés par les larmes, en levant les mains purifiées par le feu, chan-tant la mémoire de cinq mille ans d'existence [146]. »

Le comité chargé d'envoyer des volontaires en Syrie et au mont Liban, dont Gibran faisait partie, changea alors de nom pour devenir le Comité de libération de la Syrie et du mont Liban. Un télégramme signé par Ayoub Tabit, président du comité et par Gibran, secré-taire de la correspondance anglaise, fut envoyé à Chou-kri Ghanem, président du Comité central syrien dont le siège était à Paris. Ils lui demandèrent de les repré-senter à la conférence de la paix tenue à Versailles, afin d'obtenir la création d'une « Syrie intégrale [avec] des gouvernements autonomes fédérés, mais réunis sous [une] administration centrale, sous [la] protection unique et [la] direction [de la] France [147] ». Nous relevons ici l'attachement de Gibran à la Grande Syrie, fédérant un gouvernement libanais et un autre palestinien, sous une administration centrale syrienne et le tout sous la coupe d'un mandat provisoire de protectorat français.

A la signature de l'Armistice, Gibran s'écria dans une lettre à Mary : « C'est le jour le plus sacré depuis la nativité de Jésus... Le monde a franchi l'un des mille voiles de lumière qui le séparent de Dieu et, de ce fait, il est plus proche du Seigneur [148]. »

S'il fallut au monde quatre ans pour que la folie de la guerre cessât, il fallut également à Gibran quatre ans de lutte pour s'imposer en tant qu'écrivain de langue anglaise, engendrant ainsi son *Fou*.

14

Le Précurseur
New York : 1919-1922

« Tu es ton propre précurseur. Ces tours que tu as érigées ne sont qu'une première pierre posée dans ton moi géant. Et ce moi sera, à son tour, une pierre angulaire[1]. »

1919

Mary invita Gibran à tenir une conférence dans sa nouvelle école à Cambridge. Le 10 janvier, il lut des passages de son *Fou* et quelques extraits de son manuscrit *Les Conseils*[2].

Par ailleurs les lettres entre Gibran et May Ziyadé, l'égérie au pays du Nil, avaient dû s'interrompre durant presque cinq ans ; la raison en était la guerre ou encore un malentendu. Au début, leurs lettres reflétaient une réserve, une distance. Puis en cette année, le ton évolua de l'affection et de l'admiration à l'intimité et à l'amour. Mais cette évolution ne fit pas sans heurts. Les malentendus, les accrocs, les tiraillements, les tensions ne manquèrent pas. N'est-ce pas là le propre de la dialectique amoureuse qui va de la joie à la souffrance, de l'harmonie au conflit, du bord de la rupture à la réconciliation ?

Gibran constata que « sept mille miles » les séparaient, puis il ajouta qu'il vivait, en tout cas, « loin du monde des mesures et des poids ». Ce qui les séparait réellement, ce n'était pas les deux bouts de la terre, mais le fait que May renfermait son bonheur et ses soucis, sa modestie et sa passion dans un « coffret en or », alors que Gibran les plaçait dans une « cassette éthérée[3] ». Toutefois quand il reprit la plume, le 7 février, il oublia le temps perdu et écrivit à celle qui avait une place dans son cœur : « Que te dirais-je des sombres cavernes de mon esprit ? Cet antre qui t'effraie est l'asile où je me retire chaque fois que je suis las des chemins larges des gens, de leurs champs fleuris, de leurs forêts touffues. Je pénètre dans les cavernes de mon esprit chaque fois que je ne trouve pas un lieu où appuyer ma tête. Et si ceux que j'aime avaient le courage d'entrer dans un tel lieu, ils n'y trouveraient qu'un homme prosterné, priant... L'indépendance est le souffle qui inspire et qui anime les esprits, et les chênes et les saules ne peuvent croître les uns à côté des autres[4]. »

Par ailleurs, Gibran envoya un exemplaire du *Fou* à sa secrète soupirante, Gertrude Barrie, accompagné d'une lettre en réponse à la sienne. Elle qui cherchait à l'interroger sur la finalité de leur relation reçut en réplique une déclaration d'amour pour le travail, dénotant probablement un changement de registre dans leurs relations : « Chère Gertrude, tu me demandes quelle serait la chose qui mériterait d'être poursuivie. Ma réponse est que le travail, tout travail, est la seule chose qui est digne de notre quête[5]. »

Nous verrons qu'à partir de cette année, Gibran commença à s'éloigner progressivement de Mary et de

Gertrude pour s'adonner corps et âme à des projets littéraires, pierres de gué pour son *Prophète* ; dans le même temps il se rapprocha de plus en plus de May par des « rencontres » épistolaires, cherchant en cette relation un pont d'inspiration qui le relierait à l'Orient d'où émanerait la voix de son futur Prophète.

A la fin du mois de mars, parut dans la rubrique littéraire de l'*Evening Post* de New York une longue interview de Gibran, intitulée « Un poète arabe à New York », recueillie par Joseph Gollomb[6]. Au début de son article celui-ci établit un parallèle entre Gibran et Tagore, disant :

« Tous les deux utilisent le style des paraboles dans leurs écrits et maîtrisent aussi bien l'anglais que leurs langues natales respectives. Et chacun d'eux est un artiste dans d'autres domaines que celui de la poésie.

Toutefois les ressemblances s'arrêtent là pour laisser la place à ce qui les différencie l'un de l'autre, comme en premier lieu leur apparence extérieur. Tagore, avec sa barbe, ses longs cheveux longs et son ample robe, paraît comme l'un des mystiques religieux dessinés par Sir Frederic Leighton. Quant à Gibran, on croirait qu'il est de Broadway, de Copley Square, du Strand ou de l'avenue de l'Opéra : il est correctement habillé selon la mode des cosmopolites occidentaux. Il a les sourcils et la moustache noirs, les cheveux légèrement bouclés, le front large ainsi que les yeux marron clair. Son regard est pensif sans qu'il soit abstrait. Ses vêtements pratiques, dénotant une certaine élégance dénuée de toute excentricité, me laissent penser qu'il est du genre à s'adapter facilement à son milieu, tel un caméléon. Dans son atelier situé West 10th Street, il est un habitant apprécié de Greenwich Village. Cependant, si je l'avais rencontré dans un congrès d'économistes, dans un café à Vienne, ou dans sa Syrie natale, je suis certain qu'il aurait eu la même apparence dans chacune de ces différentes circonstances. Cela ne dénote point un manque d'individualité chez lui, mais au contraire un sens commun et une sympathie inhabituels qui transcendent les différences et qui lui permettent de comprendre si bien chaque environnement dans lequel il se trouve qu'il ne se sent jamais ni n'apparaît comme un étranger...

Gibran s'estime un citoyen du monde, tout en se sentant lui-même syrien. A ses yeux il n'est pas de contradiction dans cette affirmation. Il œuvre pour un monde animé d'une grande solidarité et d'une mutuelle compréhension et sympathie. "Toutefois dans ce grand processus, précise-t-il, le devoir de chaque peuple ne consiste pas à renier son propre caractère national mais à l'utiliser comme une contribution au succès de ce processus.

Le peuple arabe, poursuit-il, a beaucoup donné au monde et promet de donner encore davantage. Dès lors que la littérature arabe commencera à être connue par le monde occidental, on pourrait la reconnaître comme la plus riche, avec le Coran comme chef-d'œuvre par excellence. Même dans la période pré-islamique, que l'on nomme Période de l'Ignorance, il existait une grande poésie imbue de vision gigantesque et qui a dû influencer le monde occidental. Le Livre de Job est une œuvre arabe [araméenne] avant qu'elle n'ait été traduite et adaptée par les Hébreux... Le sonnet a été copié par les Italiens sur les Arabes en passant par l'Espagne. Un siècle après Mahomet, les Arabes savaient que la terre était ronde, bien avant Galilée. Leurs tours étaient truffées de télescopes et plus tard, à l'arrivée des Espagnols, ils les ont remplacées par des clochers... Lorsque l'Europe vivait dans des siècles de ténèbres,

entre le VIIIe et le Xe siècle, les Arabes avaient une école
de traducteurs travaillant sur les œuvres des philoso-
phes grecs. La plupart d'entre étaient des Syriens ; ils
bâtirent un pont entre la culture grecque et la renaissance de la culture arabe... Les chants du sud de la
Russie peuvent être appréciés par mon peuple, car leur
origine est très probablement arabe. Tchaïkovski et
Verdi ont ressenti cette influence. *Aïda* est composé à
partir de motifs arabes italianisés. Debussy m'a avoué,
un jour, qu'il avait emprunté quelques-uns de nos
motifs pour composer certaines de ses œuvres musicales... Si notre peuple pouvait obtenir l'autodétermination... un important échange de culture se produirait ;
il a beaucoup de choses à donner : des tas de livres
mystiques et autres *Mille et Une Nuits* jamais encore
traduits... Lorsque tout ce trésor fera partie de la
culture du monde, on comprendra mieux la contribution d'un grand peuple." »

L'article conclut par cette interrogation émise par le
journaliste américain : « Kahlil Gibran représente-t-il
l'émergence de la citoyenneté d'un nouveau monde ou
la voix et le génie du peuple arabe [7] ? »

Le 14 avril, selon le journal de Mary, le titre de
son livre fut une fois de plus changé. *Les Conseils* fut
remplacé par ce titre définitif : *Le Prophète* [8].

Un mois plus tard, parut son sixième livre en langue
arabe, *Les Processions*, aux éditions de la revue *Mir'at
al-Gharb* [9]. Les précédents livres arabes de Gibran
dénotaient généralement une frustration sur le plan
affectif ou socio-politique, alors que le ton de ce dernier livre reflète le début de sa nouvelle période philosophique et méditative. Ce recueil de poésie classique,
d'environ deux cents vers, constitue un hymne à la
nature et à l'unicité de l'existence, sur le refrain d'un

nay, d'une flûte en laquelle s'unissent bois et souffle, corps et âme. Il semble que Gibran ait adopté le genre du quatrain dans la plupart de ces chants, à la manière de 'Omar al-Khayam. Quant au fond, il adopta la méthode des maximes en vers, comme s'il avait voulu s'exercer pour son *Prophète*. En voici un des vers les plus révélateurs de l'état mystique de Gibran en cette période de sa vie : « On saisit l'amour dans l'esprit et non dans le corps, de même que le vin est tiré pour l'inspiration et non pour l'enivrement[10]. »

Le jour même de la parution des *Processions*, le 10 mai, Gibran en envoya un exemplaire à May[11]. A sa réception, elle publia une critique sur ce livre dans la revue égyptienne *Al-Hilal*[12] et mit en contact le propriétaire libanais de cette revue, Emile Zaydan, avec Gibran.

Un mois plus tard, en rentrant d'un séjour à la campagne, Gibran trouva sous sa porte trois lettres de May. Aussitôt il lui répondit : « Qu'elles sont belles et attrayantes tes lettres, May ! C'est une rivière de nectar qui descend des hauteurs et coule dans la vallée de mes rêves. Elles sont aussi comme la lyre d'Orphée qui rapproche le lointain et éloigne le proche. Elles transforment par leurs vibrations magiques les pierres en flammes ardentes et les branches sèches en ailes frémissantes. Le jour qui m'apporte une lettre de toi est un jour dont les précieuses vertus sont comparables aux cimes d'une montagne. Que dire alors du jour qui m'apporte trois lettres de toi ? Ce jour-là je m'écarte des chemins du temps pour flâner dans la merveilleuse cité d'Iram aux Colonnes [ville antique citée dans le Coran[13]]. Que répondre à tes questions ? Comment poursuivre le dialogue lorsque quelque chose au fond de mon être résiste et se dérobe à ma plume ? Mais je

m'obstinerai, afin de tout transmettre car je le sais :
rien ne t'échappe de ce que je tais.

Tu dis dans ta première lettre : "Si je m'étais trouvée
à New York j'aurais visité ton atelier d'artiste." Ne
l'as-tu jamais visité au travers des voiles apparents du
souvenir ? Ne gardes-tu pas dans ta mémoire un corps
enfoui ? Mon studio est mon temple, mon paradis, mon
enfer. C'est une forêt d'où s'échappent les cris répétés
de la vie. C'est un désert aride au cœur duquel je m'arrête pour ne voir qu'une mer de sable et d'éther. Mon
bureau est une demeure sans murs et sans toit, mais il
recèle maints objets que j'aime et conserve précieuse-
ment. Je suis passionné d'antiquités et c'est pourquoi
je garde au coin de cette demeure une petite collection
de pièces uniques : statuettes et tablettes égyptiennes,
grecques et romaines, verreries phéniciennes, faïence
persane, vieux manuscrits, dessins italiens et français.
Et des instruments de musique qui, dans leur silence
apparent, continuent de chanter. Il faut que j'acquière
un jour une statue chaldéenne de pierre noire. J'ai une
attirance irrésistible pour tout ce qui est chaldéen, pour
les légendes de ce peuple, pour sa poésie, son architecture, son rituel religieux et je dirais même pour la
moindre trace de ses arts conservée par le temps. Tout
cela éveille en moi des échos très lointains et me
ramène vers un passé révolu. J'aime les vestiges anti-
ques : ils me passionnent, car ils sont le fruit de la
pensée humaine, surgissant à grande allure des ténèbres vers la lumière, cette pensée éternelle qui sub-
merge l'art dans les profondeurs de la mer pour le
relever aussitôt aux confins de la Voie lactée...

Ton appréciation pour *Les Processions* l'a rendu
cher à mes yeux. Je me soumets à ta décision d'apprendre ses vers. Ta mémoire mérite des poèmes plus
nobles et plus accomplis que ceux des *Processions*...

Tu dis vouloir connaître ce que pensent les Occidentaux de moi. Mille mercis pour cette sollicitude et cette ardeur nationale. Ils ont dit bien des choses, exagérant souvent leurs propos, extrémistes dans leurs jugements, ils s'illusionnaient à trouver le chameau dans le terrier du lapin...

Je t'envoie, sous un autre pli, des coupures de presse, dans lesquelles tu pourras voir combien les Occidentaux se sont lassés d'eux-mêmes, de leurs propres images, pour s'attacher ensuite à l'étrange et à l'insolite, surtout quand il est oriental. Ainsi fut le peuple grec après son âge d'or...

Il peut arriver que l'ami absent soit plus proche que l'ami présent. La montagne ne paraît-elle pas plus imposante, plus visible à celui qui marche dans la plaine qu'à celui qui l'habite [14] ? »

Emile Zaydan proposa à Gibran de lui envoyer une sélection de ses poèmes en prose publiés dans les journaux new-yorkais d'expression arabe afin de les rassembler et de les éditer en un livre [15]. Il s'avéra qu'à cette période Gibran venait de recouvrer sa santé ; il répondit à Emile Zaydan : « Ma santé demeure néanmoins comme une lyre aux cordes brisées. Les circonstances m'imposent un travail de dix heures, et je ne puis en faire plus de quatre ou cinq. Il est on ne peut plus difficile d'avoir une âme qui veut, dans un corps qui ne peut. » Il était tourmenté par l'idée que tout ce qu'il avait écrit jusque-là et tout ce qu'il avait dessiné n'était qu'un pâle début, que le chemin était long et la montée ardue, la force lui faisait défaut : « Je sens, poursuivait-il, et je ne suis point modeste, que j'en suis encore au début de la montée. Les vingt années que j'ai passées écrivant ou dessinant n'étaient qu'une période d'aspiration et de préparation. Jusqu'à présent, je n'ai rien accompli qui soit digne de perdurer devant la face du soleil. Mes pensées n'ont produit que du raisin encore vert et mon filet est toujours englouti dans les eaux [16]. »

Le 12 juillet, Gibran rassembla une trentaine de poèmes en prose qu'il révisa et envoya en Egypte à Emile Zaydan, en baptisant cette anthologie *Les Tempêtes* [17], en souvenir probablement de sa furie à la vue des tempêtes dans sa prime enfance à Bcharré.

Deux semaines plus tard, il écrivit à nouveau à May en Egypte : « Pas un seul instant, tu n'as quitté mon esprit, j'ai passé de longues heures pensant à toi, déchiffrant tes mystères et scrutant tes secrets. C'est avec un extrême étonnement que, souvent, j'ai senti ta présence éthérée dans ma demeure, épiant mes gestes, m'entretenant et jugeant mes travaux.

A toi, bien sûr, de tels propos doivent sembler étranges, et je m'étonne moi-même d'éprouver le besoin de te les écrire. Comme j'aurais aimé connaître le secret obscur, enfoui derrière ce besoin pressant !

Une fois tu m'as dit : "N'y aurait-il pas une communication entre les esprits et un échange d'idées qui échappent à toute perception sensorielle ? Qui donc pourrait nier une telle communion entre les enfants d'une même patrie ?"

Cette belle pensée contient une vérité première, que je connaissais par syllogisme, et que l'expérience me confirme maintenant. Je viens de réaliser l'existence d'un lien spirituel, subtil, fort, étrange, différent par sa nature et son influence de tout autre lien. Un tel lien est indéfiniment plus solide, plus puissant, plus durable que les liens du sang ou même que les liens que tisse une morale commune. Il n'est pas un seul fil de ce lien qui n'existe dans la trame des jours et des nuits défilant du berceau au tombeau. Il n'est pas un seul de ces fils qui ne soit aussi tissé par les desseins du passé, les désirs du présent ou les aspirations de l'avenir. Un tel lien pourrait exister entre deux êtres que n'a réunis ni le passé ni le présent, et que ne réunirait pas le futur.

Il y a, ô May, en ce lieu, en telle affection, en telle communion, des espérances plus étonnantes et plus merveilleuses que tout ce qui pourrait émouvoir le cœur humain : des rêves poursuivant d'autres rêves à l'infini. Il y a en cette communion une mélodie profonde et sereine que nous écoutons dans le silence de la nuit et qui nous emporte au-delà de la nuit et du jour, au-delà de l'éternité. Dans une telle affection, May, les sanglots douloureux se répercutent, mais ils nous sont chers. Même si nous le pouvions, nous ne les céderions pas pour les gloires et les délices les plus insensés.

J'ai tenté, par ces paroles, de te communiquer un sentiment indicible, pareil au tien. Si je venais de révéler un secret déjà connu de toi, je serais, parmi les élus de la vie, admis devant le trône blanc. Mais si je viens de révéler un secret propre à moi seul, tu pourras jeter cette lettre au feu.

Je te supplie, ô mon amie, de m'écrire et de le faire avec un esprit absolu, abstrait, ailé qui survole les chemins foulés par les humains. Toi et moi connaissons bien des choses sur les hommes, sur les affinités qui les rapprochent et les mobiles qui les éloignent. Ne pourrions-nous pas, ne serait-ce qu'une fois, quitter ces sentiers battus pour contempler ce qui est au-delà de la nuit et du jour, au-delà du temps et de l'éternité ? Que Dieu te protège, ô May, et qu'il te garde à jamais [18] ! »

Au début du mois d'août, Gibran se rendit à Cambridge. Au lieu de travailler avec Mary sur *Le Prophète*, il lui montra une nouvelle série de paraboles qu'il voulait inclure dans un nouveau projet de livre qui sera intitulé *Le Précurseur*[19]. A son retour à New York, les lettres de Gibran à Mary se firent rares.

Dans le cadre de l'association Les Chaînons d'Or, Gibran publia en octobre dans la revue *Fatat Boston* un article intitulé « A la jeunesse américaine d'origine syrienne[20] ». Il invita les jeunes Syriens nés sur le sol américain à continuer l'œuvre de construction du Nouveau Monde, tout en rappelant qu'ils étaient les fils et les petits-fils des bâtisseurs des diverses civilisations orientales et anciennes. C'était à ce titre qu'ils devaient manifester à la fois leur fidélité à leurs traditions et leur appartenance à la nouvelle civilisation :

« Je crois en vous et en votre destinée.

Je crois en votre contribution à cette nouvelle civilisation.

Je crois en l'héritage de vos aïeux, en leur ancien rêve, leur chant et leur prophétie que vous pouvez fièrement déposer dans le giron de l'Amérique, en signe de gratitude.

Je crois en votre capacité de dire aux fondateurs de cette nation : "Me voici, jeune arbre déraciné des collines du Liban, et me voilà profondément enraciné ici. Demain je porterai des fruits."

Je crois en votre pouvoir de dire à Abraham Lincoln, le bienheureux : "Jésus de Nazareth effleurait vos lèvres quand vous parliez et il guidait votre main quand vous écriviez. Et moi, je ferai respecter tout ce que vous avez dit et tout ce que vous avez écrit."

Je crois en votre faculté de dire à Emerson et à Whitman ainsi qu'à James : "Le sang des poètes et des sages d'antan coule dans mes veines, et mon désir est de venir à vous pour recevoir, mais je ne viendrai pas les mains vides."

Je crois en vos pères qui sont venus dans ce pays

pour chercher fortune comme je crois en vous qui y êtes nés avec le dessein de produire des richesses par votre intelligence et votre labeur.

Je crois en votre aptitude d'être de bons citoyens. Mais quelles sont les qualités qui permettent de l'être ?

C'est de reconnaître d'abord les droits des autres avant de proclamer les vôtres, mais sans jamais cesser d'être conscients de vos propres droits.

C'est d'être libres dans vos paroles et vos actes, mais de savoir que votre liberté est limitée par celle d'autrui.

C'est de créer de vos propres mains l'utile et le beau, et d'admirer ce que d'autres ont créé avec amour et avec foi.

C'est de produire par le travail, et rien que par le travail, et de dépenser moins que ce que vous gagnez afin que vos enfants n'aient pas à être dépendants de l'Etat, lorsque vous ne serez plus de ce monde.

C'est de lever la tête vers les tours de New York, de Washington, de Chicago et de San Francisco en proclamant : "Je suis le descendant des bâtisseurs de Damas, de Byblos, de Tyr et de Sidon ainsi que d'Antioche, et je suis ici pour bâtir à vos côtés et avec bonne volonté."

C'est de se sentir fiers d'être américains, mais aussi d'être fiers que vos parents soient venus d'un pays sur lequel Dieu a posé Sa main gracieuse et duquel Il a élevé Ses messagers.

Jeunes Américains d'origine syrienne, je crois en vous [21]. »

Jusqu'à nos jours nous trouvons ce texte sous forme d'affichette dans nombre de maisons de familles d'origine syro-libanaise vivant aux Etats-Unis.

Le 8 novembre, Mary étant à New York, Gibran lui confia : « *Le Prophète* est le plus grand pari de ma vie.

Tous ces trente-six ans se sont écoulés pour le mettre
au monde. J'ai la version originale du *Prophète* écrite
en arabe, sous sa forme élémentaire. Je l'avais esquissé
à l'âge de seize ans. Il est pétri de tout ce qu'il y a de
plus suave dans ma vie intérieure... Il est toujours en
moi, mais je ne peux pas l'enjoindre de presser le pas.
Je ne peux finir de l'écrire plus tôt qu'il ne le faut [22]. »

Le lendemain, il écrivit à May les mêmes propos
mais avec une verve plus levantine : « *Le Prophète* est
un ouvrage auquel je pense depuis mille ans... C'est
pour moi une seconde naissance et mon premier baptême. C'est l'unique pensée qui me rend digne de me
dresser face au soleil. Ce Prophète m'a mis au monde
avant que je n'aie cherché à le concevoir, il m'a
modelé avant que je n'aie pensé à lui donner forme et
il m'a enfin ordonné de marcher muet derrière lui, sept
mille lieues durant, avant qu'il ne s'arrête pour me dic-
ter ses penchants et ses visées...

Cet "élément transparent" devant lequel s'évanouis-
sent la distance, les limites et les obstacles est entré
dans mon intimité. L'âme nostalgique ne se réchauffe
que dans une telle intimité, la seule qu'elle invoque et
appelle à son secours...

J'ai passé les mois de l'été dans une demeure isolée
qui s'élève comme dans un rêve entre mer et forêt.
Chaque fois que j'égarais mon âme dans la forêt, j'allais vers la mer et je la retrouvais. Les forêts de ce
pays sont différentes de toutes les autres ; elles sont
d'un vert éclatant, touffues, luxuriantes, elles renvoient
à des temps révolus, au commencement, quand le
verbe était Dieu... Tandis que notre mer, c'est la vôtre,
et la voix ailée que vous entendez sur les rivages
d'Egypte, nous l'entendons sur ces rivages, et ce
refrain solennel qui vous emplit de la majesté de la vie
et de sa grandeur nous comble ici aussi. J'ai toujours

écouté la mélodie de la mer, en Orient comme en Occident elle demeure partout la même : c'est le chant éternel qui monte et descend dans l'âme pour susciter en elle tantôt la mélancolie, tantôt la sérénité...

Je te prie de demander à mon compagnon et mon aide "l'élément transparent" de te conter le récit de ce Prophète. Adresse-toi à elle dans le repos de la nuit quand l'âme se libère de ses entraves et se débarrasse de ses voiles. Elle te révélera alors les secrets de ce Prophète et les mystères de tous les prophètes qui l'ont précédé.

Je crois, ô mon amie, qu'il y a un pouvoir tel dans "l'élément transparent" que si l'on en mettait un atome sous une montagne, il la déplacerait. Je sais que nous sommes capables de tendre un tel "élément" comme un câble reliant les pays et nous permettant de savoir tout ce que nous voulons et d'obtenir tout ce que nous désirons.

J'ai tant à dire sur "l'élément transparent", ainsi que sur d'autres éléments mais je dois rester muet. Je demeurerai muet en attendant que la brume se dissipe, et que s'ouvrent les portes du destin, et que l'ange du Seigneur dise : "Parle ! Le temps du silence est révolu. Avance ! Tu t'es trop attardé à l'ombre de la perplexité [23]." »

Le 2 décembre, avec la participation de Witter Bynner, Gibran donna une séance de lecture de son *Fou* et un choix de nouveaux contes et paraboles au MacDowell Club à New York [24]. Quelques jours auparavant, il envoya à May, en Egypte, une carte d'invitation du club. En marge il avait écrit ceci en anglais : « Comme j'aurais souhaité que tu sois là, afin de prêter des ailes à ma voix et transformer mes murmures en hymnes. Cependant, je lirai mes paraboles avec la certitude que parmi les "étrangers" il y a une "amie" invisible qui m'écoute et me sourit avec autant de douceur que de tendresse[25]. »

A la fin de l'année, Gibran édita une collection picturale chez Knopf, qu'il intitula *Twenty Drawings*, « *Vingt Dessins* ». Il y rassembla dix-neuf aquarelles et une peinture à l'huile ; le premier dessin, baptisé *Vers l'infini* ; n'est autre que le visage de Kamila, et représente « ses derniers instants dans ce monde, ses premiers instants dans l'au-delà[26] ». Comme Alice Raphaël Eckstein fit une critique élogieuse et pertinente de ces vingt dessins dans la revue *The Dial*, Knopf ajouta cette critique au livre en guise de préface[27] : « A la frontière de l'Orient et de l'Occident, du symbolisme et de l'idéalisme, l'œuvre de Gibran se présente comme un nouveau genre dans notre conception de la peinture[28]. »

Il nous est difficile de classer le style de sa peinture dans l'une des écoles de l'art pictural. Car son style se place à la fois en deçà de l'art par la simplicité de ses dessins et au-delà par la portée de leurs messages. Toutefois cette qualité de simplicité instinctive rend sa peinture clairement apparentée à l'art de la sculpture. Dans toute l'œuvre picturale de Gibran le corps nu est omniprésent car à ses yeux le corps nu est lui-même vêture, le voile qui donne forme à l'âme. De ce fait, l'on pourrait dire que son art est une tentative de peindre l'esprit.

1920

May accusa Gibran de manquer de sincérité, de lui adresser dans ses lettres un « hymne lyrique » ; il lui répondit qu'il détestait les railleries et la préciosité[29].

Dans une autre lettre, il révéla qu'il continuait à souffrir de cette fausse accusation :

« Si l'on disait à une mère portant son enfant sur les épaules : "Ce que vous portez avec tant de précaution n'est que mannequin de bois", que répondrait-elle, que ressentirait-elle ?

Passèrent les mois et l'expression "hymne lyrique" creusait mon cœur... J'ai fini par désespérer et rien n'est plus amer que le désespoir. Il n'y a rien de plus pénible dans la vie que de s'avouer vaincu ! Le désespoir, ô May, est le reflux qui succède à tout flux émanant du cœur. C'est un sentiment muet. Aussi m'étais-je assis devant toi, ces mois derniers, contemplant longuement ton visage sans que mes lèvres enfantent mot. Aussi n'avais-je plus écrit, en me disant : "Mon rôle est fini." Mais au cœur de chaque hiver il est un printemps qui frémit, et derrière le voile de chaque nuit, un matin qui sourit[30]. »

Puis il lui parla de sa mère et de sa communication spirituelle avec elle, l'invita à éperonner les consciences des écrivains arabes et enfin lui dévoila à nouveau sa foi en « l'élément transparent » au moyen duquel s'établit secrètement son contact avec elle :

« Aujourd'hui encore, plus qu'avant son départ pour l'au-delà, je sens la proximité de ma mère, son influence et son aide... Si un jour nous nous rencontrons, je t'apprendrai bien des choses sur elle. Je ne doute guère que tu l'aimeras. Tu l'aimeras parce qu'elle t'aime. Les âmes qui voguent dans l'au-delà aiment les belles âmes qui marchent ici-bas. Ne t'étonne pas May, toi, belle âme, si je te dis qu'elle t'aime...

Je me demande pourquoi tu n'apprendrais pas aux écrivains et poètes d'Egypte à suivre des voies nouvelles ? Tu es la seule capable de le faire, qui t'en

empêche ? Tu es, May, parmi les filles de l'aube nouvelle, pourquoi n'éveilles-tu pas les somnolents ? Une
fille douée vaut mille hommes talentueux. Nul doute
que si tu exhortais ces âmes égarées, perplexes, asser-
vies par l'habitude, tu les rendrais à la vie, à la volonté,
au désir d'atteindre les sommets. Fais cela et sois sûre
que celui qui verse l'huile dans sa lampe emplit sa
maison de lumière. Le monde arabe n'est-il pas ta
demeure et la mienne ?

Tu regrettes de n'avoir pas assisté à l'exposition
artistique à laquelle je t'ai invitée, et cela m'étonne
beaucoup ! As-tu oublié que nous y sommes allés
ensemble ? Que nous nous déplacions d'un tableau à
l'autre ? Que nous circulions lentement dans cette
vaste salle, recherchant, critiquant, sondant les symboles, les sens et les intentions derrière les lignes et les
couleurs ? T'en souviens-tu ? Il apparaît que "l'élément transparent" qui est en nous accomplit bien des
actes à notre insu. Il vogue, ailes battantes, de l'autre
côté de la terre pendant que nous lisons les journaux
du soir dans une petite chambre. Il rend visite aux amis
lointains tandis que nous bavardons avec les proches.
Il marche, invisible, à travers champs et forêts magiques alors que nous servons le thé à une dame qui nous
décrit les noces de sa fille.

Ah, May ! Qu'il est étrange "l'élément transparent" ! Notre ignorance à son égard est grande. Mais
que nous le sachions ou non, il est notre espoir et notre
raison d'être, notre destin et notre perfection ; il est le
divin qui nous habite. Cela dit, je suis convaincu que
tu te rappelleras notre visite à l'exposition au moindre
effort de mémoire [31]. »

Durant cet hiver, Gibran fut amené à lire certains
passages de son *Fou* et de son futur *Précurseur* dans

des cercles littéraires. Reflétant les idées socialistes qui étaient alors à la mode, il fit la lecture d'une parabole sous le titre « Le Capitaliste », lecture qui ne fut pratiquement suivie que par un silence réprobateur[32] :

« Alors que je me promenais sur une île, je vis un hybride à tête d'homme et aux sabots ferrés. Il mangeait tout ce qui vivait sur terre et en mer avec un appétit d'ogre.

Je le regardai longuement. Puis je m'approchai de lui pour lui demander : "N'en as-tu jamais assez ? Ta faim n'est-elle jamais assouvie et ta soif jamais étanchée ?"

Et il me répondit : "Oui, je suis repu, je suis même lassé de manger et de boire. Mais je crains que demain il n'y ait plus de terre à manger ni de mer à boire[33]." »

Lorsque Gibran intégra cette parabole dans *Le Précurseur*, il en changea le titre pour « Le Ploutocrate », qui est un personnage très riche, exerçant par son argent une influence politique.

Sur le plan artistique, il fit le portrait de Johan Bojer, le grand conteur et romancier norvégien, qui venait de publier *La Grande Faim.* En regardant son portrait, celui-ci s'exclama : « Vous êtes un sculpteur, vous devriez travailler sur du marbre ! Il y a du Michel-Ange et du Rodin dans votre dessin[34]. » Gibran finit, par ailleurs, de réaliser le dessin de la *Mère céleste* qui figurera à la fin de son livre *Le Précurseur*[35].

Durant tout l'hiver Gibran n'écrivit aucune lettre à Mary. Au début du printemps, Mary lui demanda si elle pouvait lui rendre visite. Le 10 avril, il lui répondit positivement, ajoutant : « J'ai passé un hiver terrible sur tous les plans. Lorsque je me sens tel un petit poisson désespéré dans un lac trouble, je ne peux me dire que ceci : "L'air qui est au-delà de l'eau n'est pas trou-

ble. Je ne peux pas perdre ma foi en l'élément-
Dieu[36]." »

Une semaine plus tard, Mary arriva chez lui. Si la
rareté des lettres de Gibran à Mary laissait entendre
une moindre dépendance sentimentale envers elle, la
nouvelle qu'il lui annonça affichait de surcroît son
indépendance matérielle. Il lui apprit que le nouveau
propriétaire de l'immeuble voulait augmenter les
loyers, jusqu'à en tripler le montant. Alors Gibran réunit les onze autres artistes locataires et tous décidèrent
d'acheter l'immeuble[37]. Il s'en réserva quarante
parts[38].

Tout travail contribue à faire un homme en même
temps qu'une œuvre : « A présent tout mon être est
dans *Le Prophète*, confia Gibran à Mary. Il doit être
ma vie jusqu'à ce qu'il soit publié. Tout ce que j'ai
fait auparavant est déjà derrière moi ; ce n'était qu'une
période d'apprentissage. Cependant, dans *Le Prophète*
j'ai confiné certains idéaux, et mon désir est de vivre
ces idéaux. Mon intérêt ne réside pas dans le fait de
les écrire ; cela me semble faux, si c'est uniquement
pour les coucher sur du papier. Je ne peux les recevoir
qu'en les vivant... J'ai commencé à penser au *Prophète*
dès l'âge de quinze ans, et ce n'est qu'aujourd'hui que
je prends conscience de ses vérités. Il est la maturation
de toute ma vie[39]. » Ainsi Gibran ne considérait pas
son livre comme un message simplement théorique,
mais plutôt sa manière de vivre et d'être, en un mot
son credo. Quelques mois plus tard, il confia à Mary :
« *Le Prophète* est ma religion, la chose la plus sacrée
de ma vie[40]. »

Il continuait à travailler sur *Le Prophète*, et plus pré-
cisément sur le chapitre « Crime et Châtiment » :
« C'est un sujet qui m'est très cher, avoua-t-il à Mary.
Je ne peux jamais désunir ma personne de celle du

criminel... Quand je lis une information sur une fraude, je sens que je suis le faussaire, ou sur un meurtre, je sens que, moi aussi, j'ai commis ce meurtre. Si l'un de nous fait quelque chose, nous sommes tous ses associés, et ce que la société humaine fait, chacun de nous y est associé [41]. »

Puis il lui lut en entier l'épilogue du *Précurseur*, intitulé « La Dernière Veillée ». Et Mary de commenter dans son journal : « Je ne l'ai jamais entendu lire ainsi. Tout dans cette lecture est passé à travers mon cœur et mon esprit ; j'en étais métamorphosée. » Par ailleurs elle remarqua qu'il n'avait pratiquement plus besoin de ses corrections, ajoutant : « L'anglais de Kahlil est le plus raffiné que je connaisse ; il est créatif et merveilleusement simple [42]. »

« La Dernière Veillée [43] » est le texte le plus long et le plus poignant du livre ; il constitue le chant d'amour du *Précurseur*. Gibran confia plus tard à Mary : « *Le Fou se* termine avec ce qu'il a de plus amer, *Le Précurseur* avec ce qu'il a de plus doux [44]. » A la fin de sa lecture, Gibran se retourna vers Mary et la vit en pleurs. Elle lui dit : « Ne faites pas attention à mes larmes. » Il lui répondit : « Mary, ne croyez pas que vos larmes me troubleraient. Il est probable que personne au monde n'ait pleuré plus que moi. Ah ! Si vous saviez combien j'ai dû pleurer ici même dans ma solitude [45]. »

Ce fut le dernier texte qu'il publia en anglais avant la parution du *Prophète* ; l'amour « encore plus grand... immortel » qu'annonçait *Le Précurseur* à la fin de son discours trouvera son écho dans le premier chapitre des conseils du *Prophète* : « Parle-nous de l'Amour ».

Durant le séjour de Mary chez Gibran, tous deux

apportèrent les dernières retouches au manuscrit du
Précurseur avant de le remettre à l'éditeur[46].

Une semaine après le retour de Mary à Cambridge,
le 28 avril, Gibran fonda en compagnie d'une pléiade
d'écrivains syro-libanais dans son appartement new-
yorkais une autre association à caractère moins occulte
et plus littéraire que celle des Chaînons d'Or. Il la baptisa Al-Rabita al-Qalamiya, « La Ligue de la Plume ».
L'impact de cette ligue fut si prépondérant qu'il contribua à la renaissance de la littérature arabe, en la déli-
vrant de sa léthargie.

Cette académie des belles-lettres arabes sera la mère
de celles d'Alep, du Caire, de Damas, de Beyrouth et
de Tripoli. Sa devise fut : « Foi, Amour et Labeur[47] ».

Gibran en fut le *'amid*, « doyen », Mikhaël
Nou'aymé le conseiller et William Catzeflis le tréso-
rier. Les autres membres furent : Nassib 'Arida, propriétaire d'*Al-Founoun*, 'Abd al-Massih Haddad,
propriétaire d'*Al-Sa'ih,* Nadrah Haddad, Rachid
Ayoub, Elias 'Atallah, Ilya Abou Madi, et Wadi'
Bahout[48]. Quant à Amin al-Rihani, il n'en fut membre
que pour une courte durée.

Gibran conçut le logo de cette association à partir
de cette citation du *hadith* coranique : « Et il est à
Allah des trésors sous le trône, dont les clefs ne sont
autres que les langues des poètes[49]. »

Aussitôt Gibran publia un long article intitulé
« L'Avenir de la langue arabe[50] » dans lequel il déve-
loppa l'aspect théorique de la réforme entreprise par
cette association.

La Ligue de la Plume durera onze ans et disparaîtra
avec son président. Elle constituera le plus grand mouvement rénovateur de la littérature arabe, déclenchant
une révolte contre le classicisme des anciens et leurs

imitateurs, innovant le vers libre, et incitant à la traduction en arabe des chefs-d'œuvre de la littérature occidentale.

En août parut au Caire *Les Tempêtes* aux éditions Al-Hilal[51] (« Le Croissant de lune »). Après avoir publié un livre en arabe et créé une association culturelle au service des lettres arabes, Gibran devait se retourner à présent vers sa production littéraire en langue anglaise. Du 20 août au 17 septembre, il se rendit à Boston, auprès de sa sœur Mariana, mais aussi tout près de Cambridge. Durant son séjour, ses visites chez Mary furent on ne peut plus fréquentes et productives.

Un jour, il lui confia que durant les dix dernières années il avait écrit près de cinq cents maximes, en majorité en arabe, et qu'il projetait d'en traduire une grande partie pour en faire un livre : *Le Chemin des sept jours*[52]. En fait, ce livre verra le jour mais bien plus tard et sous un autre titre : *Le Sable et l'Ecume.* Toutefois certaines de ces maximes servirent pour *Le Prophète*[53].

Il désirait que *Le Prophète* fût un livre court : « Je crois que les livres les plus réels sont les plus courts, comme le Livre de Job[54] », dit-il à Mary. En ce qui concerne les figures poétiques, il lui révéla : « Je veux employer des images et des symboles qui sont universels[55]. » Quant au discours du Prophète, il voulait qu'il fût à la manière du Nazaréen : « La chose la plus significative que le Christ ait dite se résume en ces mots : "Il vous a été dit... mais en vérité je vous dis[56]." »

Toujours s'adressant à Mary, il ajouta : « Le christianisme s'est beaucoup écarté de l'enseignement du Christ. Au iie ou iiie siècle, les gens n'étaient pas assez vigoureux pour prendre la puissante nourriture que le Christ leur a donnée ; ils mangèrent uniquement la faible nourriture dans les Evangiles ou ce qu'ils avaient pensé trouver en eux... Ils ne pouvaient pas comprendre le moi géant dont le Christ a parlé... Le plus grand enseignement du Christ est le Royaume des Cieux qui est en vous. Un homme qui a le Royaume des Cieux en lui peut-il être pauvre[57] ? »

En parlant de Dieu il lui dit : « Il est une solitude en chaque homme. On ne peut l'aider à considérer l'invisible. Cela prendra longtemps avant qu'il puisse prendre conscience de Dieu. Dieu ne peut être démontré. Je n'ai jamais essayé de prouver Son existence. L'idée de Dieu est différente en chaque homme, et nul ne peut donner à quelqu'un sa propre religion[58]. »

Le 7 septembre, ou le « septième jour de *Ayloul* [septembre] », Gibran retourna voir Mary à Cambridge. Il venait de finir le prologue du *Prophète* dans lequel justement il avait fixé la date de l'arrivée du vaisseau au 7 septembre. Mary lui fit une remarque, concernant la répétition du pronom personnel « il », désignant al-Moustapha. Il lui répondit : « Je crois que je vais citer le nom d'al-Moustapha une et une seule fois dans tout le livre, ce sera le premier mot du livre et tout au long du récit il ne sera mentionné que par "il"[59]. » Il en va de même pour le mot « prophète » qui est prononcé une seule fois dans tout le livre par al-Mitra, toujours dans le prologue, lorsqu'elle l'interpelle ainsi : « Prophète de Dieu[60]. » Puis il lui expliqua la signification du nom al-Moustapha : « Ce nom a un sens très spécial en arabe, il est l'élu et le bien-aimé à la fois, et entre les deux[61]. »

Or, *Le Prophète* s'ouvre par cette phrase : « Al-Moustapha, l'élu et le bien-aimé, cette aube qui commençait à poindre à la rencontre de son propre jour. » *Al-Moustapha* signifie en arabe « l'élu » et désigne l'un des attributs de Mahomet chez les soufis. Quant au « bien-aimé », c'est la traduction du mot *al-*

Khalil qui, lui, désigne selon les musulmans l'attribut d'Abraham et qui est également le prénom adopté en Occident par notre auteur.

Par ailleurs, dans le chapitre de la transfiguration de Jésus selon l'Evangile de Luc, nous notons cette voix qui venait d'une nuée divine, disant : « Celui-ci est mon Fils, l'Elu, écoutez-le [62]. » Quant à Matthieu et Marc, ils parlent plutôt du « Bien-Aimé » [63]. Al-Moustapha, selon Gibran, serait-il alors entre Mahomet, l'Elu, et Abraham, le Bien-Aimé, c'est-à-dire chronologiquement Jésus, et en même temps tous les trois réunis ? Le Prophète de Gibran serait-il donc le fils de tous les prophètes de l'Orient qui le précédèrent ?

Durant toute cette période où Mary suivait de près l'évolution du *Prophète*, elle fut de plus en plus émerveillée par le progrès de celui qui était son « élève » : « Il connaît l'anglais mieux que quiconque, car il a conscience de la structure de la langue et de tout ce qui gravite dans son univers. Il recrée l'anglais [64]. ».

Par ailleurs, Gibran et Yeats se revirent à nouveau à Cambridge, au siège de la Société des arts et des sciences. Yeats était accompagné de sa jeune femme. Gibran admira celle-ci pour son dévouement à son époux et l'assistance qu'elle lui apportait dans sa vie pratique et la trouva vivante, amusante et bien informée [65], comme s'il enviait le poète irlandais.

Quelques jours après son retour à New York, Gibran reçut une lettre de Mary, l'informant que certains élèves et parents avaient été choqués par les personnages nus de ses tableaux accrochés dans son bureau à l'école. Il lui répondit par écrit : « Les racines [nues] d'un arbre ne sont pas moins nobles que la plus élevée des branches [66] [feuillues]. » Nous retrouvons cette

métaphore sous une forme très similaire au chapitre
« Crime et Châtiment » dans *Le Prophète* : « La pierre
angulaire du temple n'est pas plus noble que la pierre
la plus basse de ses fondations [67]. »

Par la suite, Mikhaël Nou'aymé vint le voir, un jour,
pour lui lire un article qu'il venait d'écrire sur *Les
Tempêtes* et qu'il voulait publier dans *Al-Sa'ih* sous le
titre « La Tempête des tempêtes ». Gibran en fut ému.
Puis il proposa à son invité de boire du whisky qu'il
venait d'acheter au marché noir [68].

En cet automne, Gibran fut invité à un banquet en
présence de Tagore. Toutefois cette rencontre se solda
par une altercation entre les deux hommes. Le poète
indien avait attaqué l'Amérique en la qualifiant de
« terre qui s'agrippe à l'argent dénuée de toute
vision ». Et Gibran de défendre son pays d'accueil,
rétorquant : « L'esprit peut se manifester à travers la
machine. Le spirituel et le matériel ne sont pas contradictoires, car l'esprit se trouve partout là où il y a de
la vie [69]. »

A la mi-octobre parut *The Forerunner*, « *Le Précurseur* », son deuxième livre en anglais, toujours aux éditions Alfred Knopf [70], avec cinq dessins originaux de
l'auteur. Il semblerait que Gibran eût voulu suivre un
fil conducteur à travers les héros de ses ouvrages : Jean
le Fol dans *Les Nymphes des vallées*, Khalil l'impie
dans *Les Esprits rebelles, Le Fou, Le Précurseur* qui
n'est autre que le surnom de Jean-Baptiste, celui qui
annonça le Christ ; tous ces personnages constitue-
raient des petits prophètes qui pavent la voie devant le
grand, pour aboutir plus tard à al-Moustapha dans *Le
Prophète* et parachever l'œuvre par *Jésus Fils de
l'Homme*.

Après neuf mois de rupture de liens épistolaires entre Gibran et May, celle-ci finit par renouer le contact avec une lettre « douce » à laquelle Gibran s'empressa de répondre, le 3 novembre, en lui envoyant un exemplaire du *Précurseur* :

« Mon dernier silence ne fut que de perplexité et de confusion. Maintes fois... j'ai voulu te parler et te blâmer, mais je n'ai rien trouvé à dire. Si les mots m'ont manqué, ô May, c'est que j'ai eu l'impression que tu n'avais laissé voie au dialogue, que tu aurais voulu rompre ces fils cachés que la main du mystère étend afin de rapprocher les pensées et les âmes. Je me suis souvent assis dans cette chambre, et j'ai regardé longtemps ton visage sans mot dire. Tandis que tu me fixais et hochais la tête en souriant, comme si tu te plaisais à embarrasser et à tracasser ton vis-à-vis.

Que dire maintenant que ta douce lettre est devant moi ? Cette lettre sublime a changé ma perplexité en gêne. Je suis honteux de mon silence, de ma peine, de l'orgueil qui m'a mené à poser les doigts sur les lèvres, et à me taire. Hier je te considérais "coupable" ; aujourd'hui que je perçois ta bonté et ton indulgence s'enlacer comme deux anges, c'est moi qui me sens fautif.

Ecoute-moi, ô amie, laisse-moi te faire part des raisons de mon silence et de ma peine. Je mène deux vies : si je consacre l'une à l'étude, au travail, à la fréquentation des gens, à leur confrontation, à l'exploration de leurs secrets les plus cachés, je passe l'autre dans un lieu aux extrêmes lointains, lieu calme, majestueux, féerique, hors l'espace et le temps. L'année passée, dès que j'atteignais un tel lieu je me trouvais auprès d'une âme seconde avec qui je partageais les plus subtiles des pensées et les plus profondes des sensations. D'abord j'ai attribué cela à des considérations simples et communes. Mais au bout de deux mois, je fus convaincu qu'il y avait là un mystère qui sortait de l'ordinaire. Le plus étrange c'est qu'au retour de ces voyages intérieurs je sentais une main comme de brume effleurer mon visage, et, parfois, j'entendais une voix aussi douce qu'une respiration d'enfant onduler à mes oreilles.

Certains prétendent que j'appartiens aux "imaginatifs". Je ne sais pas ce qu'ils entendent par là. Mais je sais que je ne laisse pas aller mon imagination jusqu'à mentir à moi-même. Même si je l'avais souhaité, mon âme n'aurait jamais cru à mes propres mensonges. L'âme, ô May, ne tient compte que de ce qu'elle voit ; elle ne retient que ce que lui apprend l'expérience. L'âme est un arbre dont les branches sont faites des choses qu'elle éprouve. Ce que j'ai vécu, l'année passée, était chose maintes fois éprouvée, jamais imaginée. Je l'ai éprouvée en moi-même, par mon esprit, par mon âme et mes sens...

Que dire d'un homme que Dieu plaça entre deux femmes, l'une dissipant ses rêves, l'autre effaçant sa réalité ? Que dire d'un cœur hésitant entre deux lumières ? Tel homme serait-il sombre ? Je ne sais. Mais je suis sûr que l'égoïsme n'est pas voisin de sa mélancolie. Serait-il heureux ? Je l'ignore. Mais je sais que l'égoïsme n'approche pas sa félicité. Serait-il étranger en ce monde ? Je l'ignore encore. Mais je te demande si tu aimerais qu'il demeure pour toi étranger. Serait-il étranger au point que nul ne reconnaisse un mot de son langage intérieur ? Ne voudrais-tu pas t'adresser à lui dans le langage que tu es le plus apte à parler ?

N'es-tu pas toi aussi étrangère ici-bas ? N'es-tu pas étrangère à ton milieu, à tes aspirations, à ses manières, à ses origines, à ses fins ? Dis-moi, ô May, s'ils sont nombreux ceux qui saisissent ton langage intérieur.

Combien de fois as-tu rencontré quelqu'un qui écoute ton silence et te comprenne dans ton mutisme même ? Qui circumbule avec toi autour du Saint des Saints de la vie, en même temps que tu restes assise devant lui dans une demeure parmi les demeures ?

Toi et moi sommes de ceux à qui Dieu accorda un cortège d'amis, d'admirateurs, de disciples. Mais y a-t-il un seul de ces zélés et fidèles à qui nous pourrions dire : "Eh toi ! Porte ma croix rien qu'un jour" ? Est-il un seul qui sache qu'au-delà de nos hymnes, il est un chant que pas une voix ne captive, pas une corde ne fasse vibrer ? Est-il un seul capable de discerner la joie dans notre mélancolie, et la tristesse dans notre gaieté ?...

Je suis une brume, et dans la brume se trouvent mon isolement, ma solitude et mon ennui, ma faim et ma soif. Mon malheur est que la brume, ma vérité, aspire à entendre une voix qui lui dise : "Vous n'êtes point seul, nous sommes deux. Et je sais qui vous êtes[71]." »

A May qui voulait s'informer de sa vie quotidienne : sa santé, son travail, ses costumes, ses cigarettes, sa maison, il répondit :

« Je n'ai pas pensé ces derniers jours à l'état dans lequel je me trouve. Toutefois, je tends à croire que je suis bien malgré les complications, grandes et petites, de ma vie quotidienne...

J'écris une ou deux lignes entre soir et matin. Je dis bien entre soir et matin car je passe le plus clair de mes jours à peindre de grands tableaux que je dois achever avant la fin de l'hiver. Sans ces peintures et le contrat qui me lie, j'aurais passé l'hiver entre Paris et l'Orient...

Je suis toujours à l'œuvre, même en dormant, même si je suis inerte comme un roc. Dans les profondeurs de mon âme, ô May, il est un mouvement indépendant de la parole, des lignes et des couleurs. Le travail pour lequel je suis né échappe à la plume et au pinceau...

Il est dans mes habitudes de porter deux costumes tout ensemble : l'un tissé et façonné, l'autre de chair et d'os. Mais aujourd'hui je porte un seul costume, à longue traîne, ample, taché d'encre et de couleurs ; il ne diffère pas trop des robes des derviches, sinon qu'il est moins propre. Quant au costume de chair et d'os, il est étendu dans la chambre contiguë, car je préfère m'adresser à vous, loin d'un tel habit...

Il est des jours, ô May, où l'on fume pour fumer. Aujourd'hui j'ai fumé plus de vingt cigarettes. Fumer pour moi est un plaisir, non une habitude despotique. Il m'arrive de rester toute une semaine sans fumer. Oui, aujourd'hui j'ai trop fumé à cause de vous ; si j'étais seul dans cette "vallée", je n'aurais point fumé...

Ma maison est encore sans toit ni murs ; qui de nous souhaiterait être prisonnier ? Les mers de sable et les océans d'éther sont toujours comme ils furent : profonds, agités et sans rivage. Le navire sur lequel je traverse de telles mers vogue mais lentement. Qui donc souhaiterait ajouter une voile à mon navire ?...

Quant aux dessins, faïences, verreries, livres anciens, instruments de musique, statuettes égyptiennes, grecques, gothiques, ce sont, comme vous le savez, des traces de l'âme éternelle, des paroles éparpillées du livre de Dieu. Que de fois me suis-je assis devant de tels objets, pensant à l'ardent désir qui les fit naître. Que de fois les ai-je fixés jusqu'à ce qu'ils disparaissent de ma vue, cédant la place aux spectres du passé, migrant du monde invisible au monde des apparences... Un ami anglais se trouvant en Iraq avec l'expédition britannique m'a promis de me ramener une statuette chaldéenne, de pierre noire [72]. »

Le 1ᵉʳ septembre, la France par la voix du général Gouraud, haut-commissaire au Levant, proclama officiellement l'indépendance du Liban. Ainsi le plan établi, un an auparavant, par Clemenceau et le patriarche maronite, ainsi que Emile Eddé, futur président du Liban, commença à se cristalliser. Ce plan consistait à créer un Grand Liban regroupant les chrétiens de la région dans un seul Etat. Quelques années plus tard, la Grande-Bretagne entama un plan similaire, regroupant cette fois-ci les juifs européens en un Etat détaché de la Syrie ottomane, qu'on nommera Israël.

Gibran était contre tous ces plans ; son rêve politique se résumait à la création d'un Etat laïc au pays du Levant, ou plutôt à la renaissance de la Syrie d'antan, dont les frontières se calqueraient sur celles de la Syrie ottomane, voire byzantine, qui s'étendait d'Urfa jusqu'à Gaza, englobant ainsi le sud de la Turquie actuelle, la Syrie, le Liban, la Jordanie et la Palestine, en somme un Etat à peine plus grand que la moitié de la France, dont la région Provence-Alpes-Côte d'Azur serait le Liban. A une certaine époque, il espérait même englober l'Arménie chrétienne et la Mésopotamie, berceau d'Abraham. Son objectif consistait à réunir toutes les confessions religieuses de cette contrée du monde sous la même bannière, celle de la laïcité. Toutefois son rêve se trouva émietté, comme ce fut le sort de cette contrée ; même Urfa, chère à notre auteur, où naquit la traduction araméenne de la Bible et des Evangiles, ainsi qu'Antioche, où le mot « chrétien » fut lancé par les apôtres, furent toutes deux détachées de la Syrie et offertes, à la veille de la deuxième guerre, par la France à la Turquie.

Dans un de ses manuscrits Gibran interpella les chefs religieux de la Syrie : « Vous dites que vous n'avez fondé que des religions et que vous n'avez brillé qu'en des discussions théologiques. Certes, mais je vous demande pourquoi avez-vous créé de nos religions le confessionnalisme, les conflits, les scissions et les massacres ? Pourquoi avez-vous élevé pour notre Dieu des temples et des autels dans lesquels vous priez avec abondance afin qu'il vous aide à triompher sur vos frères et vos cousins, alors que vos frères et vos cousins prient eux aussi pour votre défaite[73] ? »

Dans un article écrit en 1916, il s'écria : « Quel individu syrien ne déteste pas le fanatisme religieux ; toutefois quelle communauté religieuse en Syrie ne traite pas une communauté autre que la sienne d'impie et d'hérétique ? Est-il une force au monde qui puisse réunir sous son ombre le maronite avec l'orthodoxe, et ceux-ci avec le protestant, le druze, le sunnite, le chiite, le juif et l'alaouite[74] ? »

Le 8 novembre, deux mois après la proclamation de l'indépendance du Liban, Gibran publia son célèbre article « Vous avez votre Liban, j'ai le mien[75] ». La formule utilisée dans le titre de l'article est très probablement inspirée d'une citation du prophète Mahomet : « Vous avez votre religion, j'ai la mienne. »

Cet article fut reproduit par plusieurs journaux et magazines new-yorkais, beyrouthins et cairotes. Toutefois la censure franco-libanaise interdit sa diffusion en déchirant les pages de cet article de tout organe de presse écrite distribué au Liban et en Syrie. Cependant le nom de Gibran ainsi que le titre accrocheur de son article figuraient toujours dans le sommaire, « de ce fait, commenta Gibran, les gens sont plus déterminés à le lire que s'il n'avait pas été censuré par le gouvernement[76] ».

Dans ce texte régi par une série d'antithèses, Gibran opposa sa vision du Liban à celles des politiciens. Pour lui, le Liban n'est pas une réalité politique, mais un pays de rêves, de beauté et de prière. A la suite de cet article, il se désolidarisa de plus en plus de toute action politique pour se consacrer au seul monde de l'intériorité. Voici donc quelques extraits du testament politique, voire « prophétique », de Gibran :

« Vous avez votre Liban avec son dilemme. J'ai mon Liban avec sa beauté.

Vous avez votre Liban avec tous les conflits qui y sévissent. J'ai mon Liban avec les rêves qui y vivent...

Votre Liban est un nœud politique que les années tentent de défaire. Mon Liban est fait de collines qui s'élèvent avec prestance et magnificence vers le ciel azuré.

Votre Liban est un problème international tiraillé par les ombres de la nuit. Mon Liban est fait de vallées silencieuses et mystérieuses, dont les versants recueillent le son des carillons et le frisson des ruisseaux...

Votre Liban est un gouvernement-pieuvre aux nombreux tentacules. Mon Liban est un mont quiet et révéré, assis entre mers et plaines, tel un poète à mi-chemin entre Création et Eternité...

Votre Liban est un échiquier entre un chef religieux et un chef militaire. Mon Liban est un temple que je visite dans mon esprit, lorsque mon regard se lasse du visage de cette civilisation qui marche sur des roues.

Votre Liban est un homme qui paie tribut et un autre qui le perçoit. Mon Liban est un seul homme, la tête appuyée sur le bras, se prélassant à l'ombre du cèdre, oublieux de tout hormis de Dieu et de la lumière du soleil...

Votre Liban n'est qu'une fourberie qui se masque d'érudition empruntée, une tartuferie qui se farde de maniérisme et de simagrées. Mon Liban est une vérité simple et nue ; comme elle se mire dans le bassin d'une fontaine, elle ne voit que son visage serein et épanoui...

Votre Liban se détache tantôt de la Syrie, tantôt s'y rattache ; il ruse des deux côtés pour aboutir dans l'entre-deux. Mon Liban ne se détache ni ne se rattache, et ne connaît ni conquête ni défaite.

Vous avez votre Liban, j'ai le mien.

A vous votre Liban et ses enfants, à moi mon Liban et ses enfants.

Et qui sont les enfants de votre Liban ?

Dessillez donc vos yeux pour que je vous montre la réalité de ces enfants.

Ce sont ceux qui ont vu leur âme naître dans des hôpitaux occidentaux...

Ce sont ces verges moelleuses qui fléchissent çà et là sans le vouloir, et qui tressaillent matin et soir sans le savoir.

Ils sont ce navire qui, sans voile ni gouvernail, tente d'affronter une mer en furie alors que son capitaine est l'indécision et son havre n'est autre qu'une caverne d'ogres. Et toute capitale européenne ne serait-elle pas une caverne d'ogres ?

Ils sont forts et éloquents entre eux. Mais ils sont impuissants et muets face aux Européens.

Ils sont libéraux, réformateurs et fougueux, dans leurs chaires et leurs journaux. Mais ils sont dociles et arriérés devant les Occidentaux...

Voilà ce que sont les enfants de votre Liban !

Qui d'entre eux représenterait la force des rocs du Liban, la noblesse de ses hauteurs, le cristal de ses eaux ou la fragrance de son air ?...

Est-il un seul parmi eux qui oserait dire : "Certes, ma vie était une goutte de sang dans les veines du Liban, une larme dans ses prunelles, ou un sourire sur ses lèvres ?"

Voilà ce que sont les enfants de votre Liban !

Combien grands sont-ils à vos yeux, et infimes sous mes yeux.

Arrêtez-vous un instant et ouvrez grand les yeux pour que je vous dévoile la réalité des enfants de mon Liban.

Ils sont ces laboureurs qui transforment les terres arides en jardins et vergers.

Ils sont ces bergers qui mènent leurs troupeaux d'une vallée à l'autre afin qu'ils s'engraissent et se multiplient en chair et en laine pour garnir votre couvert et couvrir votre corps.

Ce sont ces vignerons qui pressent le raisin pour en faire le vin et en tirer le raisiné.

Ils sont ces pères qui veillent sur les mûriers et ces mères qui filent la soie.

Ils sont ces hommes qui récoltent le blé et dont les épouses en ramassent les brassées.

Ce sont ces potiers et ces tisserands, ces maçons et ces fondeurs de cloches.

Ce sont ces poètes qui versent leur âme dans de nouvelles coupes, ces poètes innés qui chantent des complaintes et des romances levantines.

Ce sont eux qui quittent le Liban démunis, ils n'ont que de la fougue dans le cœur et de la force dans les bras. Et quand ils y reviennent, leurs mains sont inondées des richesses de la terre et leur front ceint de lauriers.

Ils sont vainqueurs où qu'ils s'installent, et charmeurs où qu'ils se trouvent.

Ce sont ceux qui naissent dans des chaumières et qui meurent dans les palais du savoir.

Voilà les enfants de mon Liban...

Que pourra-t-il bien rester de votre Liban et de ses enfants à la fin de ce siècle ?

Dites-moi, que léguerez-vous à cet avenir sinon des belliqueux, des fabulateurs et des ratés ?...

Je vous le dis, et la conscience de l'univers m'écoute...

Je vous le dis, vous ne valez rien. Et si vous le saviez, mon dégoût pour vous se transformerait en pitié et en tendresse. Mais vous n'en savez rien.

Vous avez votre Liban, j'ai le mien.

Vous avez votre Liban et ses enfants, alors contentez-vous-en. Ah, si vous parvenez à vous convaincre de cet amas de bulles vides !

Quant à moi, je suis convaincu de mon Liban et de ses enfants, et dans ma conviction règnent fraîcheur, silence et quiétude [77]. »

Le dessin qui illustre ce texte est celui d'une femme dessinée de profil, intitulé « Le visage de ma mère est le visage de ma *matrie* [78] [mère-patrie] ». Qu'il nous soit permis de suggérer deux interprétations pour ce dessin : la première est que le contour de ce visage ressemblerait de près aux frontières de la carte géographique du pays du Levant ou de la Syrie d'antan auquel rêvait Gibran et la deuxième interprétation est que par le titre de ce dessin il aurait voulu établir un parallèle généalogique entre sa mère et sa patrie, entre les origines islamo-chrétiennes de la première et le multiconfessionnalisme de la seconde.

Le 12 décembre, Gibran écrivit à Mary : « Ces derniers temps, je me suis égaré dans ma propre brume ; lorsque je me sens ainsi, je me remets à écrire de la poésie arabe. Retourner à ses sources est un bon moyen pour trouver une autre aube [79]. »

Une semaine plus tard, Mary vint le voir. Il venait de terminer d'écrire une pièce de théâtre en langue arabe et d'inspiration soufie, intitulée *Iram aux Colon-*

nes[80] qui constitue l'apogée de ses écrits mystiques. Elle le vit, par ailleurs, préoccupé de finir ses articles sur la Ligue de la Plume pour le numéro spécial d'*Al-Sa'ih*[81]. En outre, il lui exprima son désir de lire certains extraits du manuscrit de son *Prophète* dans une église[82]. Et voilà que, de nos jours, certains passages de ce livre sont souvent lus lors des baptêmes, des mariages ou des funérailles aussi bien aux Etats-Unis qu'en France.

1921

Le 6 janvier, le jour de son trente-huitième anniversaire, Gibran, qui se trouvait à Boston, finit une nouvelle toile, représentant le profil du Christ. Il vint la montrer à Mary à Cambridge[83].

Cinq jours plus tard, il reçut une lettre de May. En réponse, il lui écrivit : « Si l'on ne m'avait pas réexpédié mon courrier [de New York à Boston], j'aurais eu à attendre encore dix jours avant de lire ta lettre, laquelle défile mille nœuds de mon esprit et change le désert de l'attente en jardins et vergers. L'attente, ô May, creuse les ornières du temps, et je suis toujours en attente. Il me semble par moments que je passe ma vie à guetter un événement qui n'advient pas, à l'instar de ces aveugles et handicapés immobilisés près du bassin Beth Hesda à Jérusalem, car un ange descendait parfois et remuait l'eau et le premier qui s'y baignait guérissait.

Aujourd'hui voici que l'Ange a remué mon bassin et que j'ai trouvé qui me jetterait dans l'eau, je marche dans ce lieu vénérable et ensorcelé, les yeux inondés de lumière, le pas décidé. Je marche à côté d'une ombre plus belle et plus nette que tous les êtres réels.

Je marche avec, dans ma main, une main soyeuse mais forte et résolue, des doigts tendres mais capables de soulever les poids et de briser les chaînes. D'un instant à l'autre, je me retourne et je vois une paire d'yeux étincelants et des lèvres caressées par un sourire au charme poignant.

Je t'ai dit une fois que ma vie était double : je vis soit entre le travail et le monde, soit dans la nébuleuse. Ce fut ainsi jadis. Maintenant ma vie est une : je travaille et fréquente les gens tout en étant dans la nébuleuse ; je dors, rêve et me réveille sans la quitter. C'est une ivresse entourée du froufrou des ailes ; en elle la solitude n'est plus solitude, et la douleur de la nostalgie pour l'inconnu est plus agréable que tout ce que j'ai connu. C'est une évanescence divine, ô May ! Une évanescence qui rapproche le lointain, dévoile le caché et inonde toute chose de lumière. Je sais maintenant que la vie sans cette attraction de l'âme n'est que pelures sans pulpe. Et j'affirme que toutes nos paroles, actions et pensées n'égalent pas une seule minute passée dans notre nébuleuse.

Et toi, tu tiens toujours à ce que l'expression "hymne lyrique" continue à creuser mon cœur ! Ainsi te venges-tu d'un être épuisé. Laissons-la creuser encore et encore, appelons les autres hymnes lyriques assoupis dans l'éther, répandons-les dans ces vastes pays pour que s'étendent les canaux, se dessinent les routes, s'édifient les châteaux, les tours et les temples, pour que les terres incultes deviennent jardins et vignes. Car un peuple de titans y a élu patrie. Et toi, May, tu fais partie de ce grand peuple de titans conquérants, et tu demeures en même temps une fillette de sept ans riant au soleil, pourchassant les papillons, cueillant les fleurs, sautillant entre les rigoles. Rien ne m'est plus délicieux que de courir derrière cette jolie petite fille,

de l'attraper et de la porter sur mes épaules pour la
ramener au foyer et lui conter des histoires merveilleuses, fabuleuses jusqu'à ce que le sommeil couvre ses
paupières et qu'elle s'endorme, paisible, céleste[84]. »

Le 5 février, Mary vint le voir à New York ; elle ne
l'avait jamais vu aussi exténué, malingre et chétif :
« Ses habits tenaient à peine sur son corps. » Il eut
même quelques troubles d'hypertension. Ses activités
pour la Ligue de la Plume étaient la cause principale
de son surmenage. « Je n'arrive plus à retrouver mes
rêves dans mon sommeil, lui dit-il... Je dois lutter tout
le temps. La vie dans cette ville n'est pas facile. Je
dois lutter contre les femmes, car je ne veux pas de
femme dans ma vie. Et je dois lutter contre les hommes, car ils sont tous critiques. Et il y a la vie que je
dois mener en tant que Syrien, que vous méconnais-
sez[85]. »
Trois jours plus tard, il se sentit mieux et commença
à lui parler du Nazaréen : « Jésus avait deux conceptions principales : le Royaume des Cieux et une prise
de conscience aiguë, à la fois critique et constructive.
Aujourd'hui on l'appellerait bolchevique et socialiste.
Les grands prêtres l'ont tué parce qu'il les a critiqués.
Il a d'abord perçu le Royaume des Cieux dans le propre cœur de l'homme, le monde de la beauté, du bien,
de la réalité et de la vérité ; et pour cette prise de
conscience, il a voulu mourir parce qu'il croyait que
sa mort amènerait cette prise de conscience aux gens.
Il n'a jamais dit qu'il était le roi des Juifs, mais quand
ils virent son formidable pouvoir personnel, certains
Juifs déraisonnables lui attribuèrent toutes leurs vieilles
prophéties, concernant ce conquérant qui s'élèverait
parmi eux et gouvernerait le monde ; les prêtres utilisè-
rent l'éloge que lui faisait le peuple comme un pré-

texte. Jésus aurait probablement pu se sauver,
simplement en expliquant qu'il ne recherchait nullement les honneurs. Mais s'il avait refusé de mourir, et
s'il n'avait pas par la suite accompli l'espoir des Juifs
concernant le roi conquérant, il aurait perdu bon
nombre de ses disciples ; alors que s'il se donnait à la
mort, ses disciples ne renonceraient pas à sa mémoire
et à ses enseignements... Je crois qu'il avait une prise
de conscience complète de cela et la décision de mourir
fut atteinte après une grande lutte avec lui-même. Il est
mort pour que le Royaume des Cieux soit prêché, pour
que l'homme puisse atteindre cette prise de conscience
de la beauté, du bien et de la réalité en lui-même. Jésus
est la plus puissante personnalité de l'Histoire [86]. »

En parlant du trait caractéristique de certains peuples, il avoua à Mary : « La plus grande ambition du
Russe est d'être un saint, celle de l'Allemand est d'être
un conquérant, celle du Français est d'être un grand
artiste, celle d'un Anglais est d'être un grand poète et
enfin la plus grande ambition d'un Levantin est d'être
un prophète [87]. »

Le 1er avril, il publia un article en arabe, intitulé « La
Nouvelle Ere [88] » dans la revue cairote *Al-Hilal* [89]. Si
l'article « Vous avez votre Liban, j'ai le mien » constitue un testament politique écrit avec véhémence et destiné aux concepteurs du Grand Liban étatique, ce
nouvel article est aussi un testament mais plutôt social,
écrit avec une tendance optimiste et destiné à tous ceux
qui continuaient à se considérer intimement comme
Levantins.

Cinq jours après la parution de cet article, il écrivit
à May au Caire, l'informant qu'il venait d'acquérir un
télescope : « Chaque nuit je passe une heure ou deux
à observer l'infini : si proche des extrêmes lointains,

tant effrayé par l'immensité cosmique. Voici minuit et Orion atteint le point qui correspond. Et toi, ô Marie [Marie est le prénom initial de May, lequel en est le diminutif], tu sais que la nébuleuse proche de la ceinture d'Orion est le plus beau et le plus imposant spectacle de l'espace. Lève-toi, ô amie, montons sur la terrasse ; admirons à travers les yeux des anges ce qui élève à l'émerveillement, la magnanimité et la connaissance.

La vie d'un homme est un désert tant que Dieu ne lui accorde pas une fille comme ma petite princesse. Celui qui n'a pas une telle fille doit en adopter une, car les mystères et les sens des jours se cachent au fond du cœur des petites filles. Ma petite, je l'appelle princesse car ses gestes, ses pauses, sa voix, ses sourires, ses jeux, ses inventions, tout en elle désigne la noblesse. Elle est si obstinément attachée à ses opinions, que nul ne peut la contraindre d'en changer. Mais son despotisme et son jugement arbitraire sont si doux, si agréables.

Ce n'est là qu'une courte, très courte lettre. C'est la première que j'écris depuis cinq semaines. Voudrais-tu y lire ce qui n'est pas transcrit ? Je t'écrirai de nouveau lorsque je quitterai le lit. Le printemps me prendra par le bras pour m'arracher à ces couvertures et me conduire dans la verdure, là où la vie renouvelle la force de ses enfants et change leurs soupirs et leurs halètements en chants et jubilations.

Je t'en prie, ô May, ne sois pas irritée contre moi. Aie pitié, bénis-moi un instant et je te bénirai toujours[90]. »

Quelques jours plus tard, Mary se rendit à New York. Gibran l'informa que son éditeur Alfred Knopf lui conseillait de choisir entre le projet du *Prophète* et ses activités pour le monde arabe, tout en le pressant de finir ce livre afin de le publier à l'automne prochain. Gibran lui répondit qu'il lui fallait encore au moins un an[91]. Au retour de Mary à Cambridge, Gibran tomba malade ; elle ne reçut aucune lettre de lui durant trois mois. A présent, elle s'était habituée à ses périodes de silence.

Par contre ses lettres à May se multiplièrent : « Ce faible corps reste sans loi ni cadence et encore moins de rime. Tu me demandes de quoi je me plains ? Je te cite textuellement [en anglais] le rapport du médecin : "Dépression nerveuse causée par un surplus de travail et un manque de nourriture. Désordre général du système. Les palpitations en sont le résultat inévitable. Le battement du pouls est de cent quinze par minute."

Depuis deux ans, j'ai poussé mon corps au-delà de ses capacités. Je peignais tant que durait le jour, j'écrivais jusqu'au matin ; je donnais des conférences et me mêlais à toutes sortes de gens. Cette dernière pratique est plus épuisante que fixer le soleil. A table, je ne faisais pas autre chose que parler et écouter jusqu'à ce qu'on servît le café que j'avalais et dont je me contentais comme boire et manger. Que de fois suis-je rentré chez moi après minuit et, au lieu de me soumettre à la loi divine qui régit notre corps, ai-je pris des bains froids et du café corsé afin de rester éveillé et de passer le bout de la nuit à écrire, à esquisser ou à porter la croix.

Ah ! Si j'étais semblable aux miens, les habitants du Nord-Liban, jamais le mal ne m'aurait si vite saisi. Ils sont grands de corps, robustes de constitution. Quant à moi, je suis au contraire faible, je n'ai pas hérité une seule des qualités physiques de ces gaillards... Dis-moi, ô May, ce que tu comptes faire cet été. Irais-tu aux sables d'Alexandrie ou au Liban ? Irais-tu seule à notre

Liban ? Quand donc vais-je y retourner ? Pourrais-tu me dire quand je me libérerai de ce pays [Etats-Unis] et des chaînes d'or que mes intentions ont tressées autour de mon cou ?...

Voici minuit et je n'ai point encore transcrit le mot que prononcent mes lèvres tantôt en chuchotant, tantôt à voix haute ; je dépose ce mot au sein du silence, car le silence préserve tout ce que nous disons, qu'il s'agisse de paroles tendres, tourmentées ou ferventes. Le silence, ô May, porte notre prière là où nous voulons, ou l'élève vers Dieu. Je vais au lit. Je dormirai longtemps cette nuit. Je te dirai en rêve ce que je n'ai pas pu coucher sur le papier[92]. »

Une dizaine de jours plus tard, il lui envoya une autre lettre : « Je me réveille à l'instant d'un rêve étrange. Tu me disais des paroles douces mais avec un accent douloureux. J'ai vu sur ton front une petite plaie qui saignait, et cela m'a beaucoup troublé. Rien n'invite tant à la réflexion que les rêves. Et moi, je suis de ceux qui rêvent beaucoup, mais j'oublie mes rêves sauf s'ils concernent ceux que j'aime. Je ne me souviens pas avoir eu un rêve aussi clair ; cela m'inquiète. Que signifie ce tintement de douleur dans tes belles paroles ? Et la plaie sur ton front ? Qui pourrait m'apprendre la raison de mon angoisse et de ma mélancolie ?

Je passerai la journée à prier pour toi dans le silence de mon cœur[93] ».

Il s'avéra qu'à l'heure où Gibran fit ce cauchemar, le père de May était victime d'un accident[94]. En outre, la plaie qui saignait du front de May pourrait être interprétée par la « démence » dont elle allait être frappée à la suite de la mort de Gibran.

Par ailleurs, juste avant l'accident de son père, May envoya à Gibran pour la première fois une photo d'elle, qu'il reçut quelques semaines après son rêve[95].

Au mois de juin, accompagné de trois de ses confrères de la Ligue de la Plume, Mikhaël Nou'aymé, Nassib 'Arida et 'Abd al-Massih Haddad, Gibran se rendit
dans une ferme au pied des monts Catskill dans l'Etat
de New York[96]. Durant dix jours, tous les quatre errè-
rent dans la nature, chantant des complaintes et des
romances levantines, composant des poèmes au pied
levé, chacun à tour de rôle ajoutant un vers. Autour
d'une cascade, leur extase se trouva redoublée par la
compagnie d'une bouteille d'arak[97].

A son retour à New York, se sentant revivifié par cette
escapade, Gibran se mit à travailler à un nouveau projet
de livre en langue arabe. Par l'intermédiaire de Emile
Zaydan de la revue *Al-Hilal*, Youssef al-Boustani, éditeur libanais installé au Caire, demanda à Gibran de lui
fournir une série d'articles déjà publiés dans la presse,
accompagnés de nouveaux textes afin de les rassembler
et de les éditer sous forme d'un livre. Gibran révisa donc
ses récents articles et rédigea quelques nouvelles, dont
la dernière fut intitulée « Un navire dans la brume[98] »,
relatant l'histoire d'un homme amoureux d'une compagne invisible[99]. Cette nouvelle fut en fait la dernière
qu'il écrivit avant sa mort.

Le médecin lui imposa de s'aliter et de s'abstenir
de toute activité trois mois durant. Du 12 juillet au
9 septembre, Gibran resta chez sa sœur à Boston.
Durant cette période si importante dans l'évolution du
Prophète il dut se rendre chez Mary à Cambridge à
treize reprises[100].

Au début de cette période, de sa correspondance
avec Mikhaël Nou'aymé, alors à New York, se détacha
une note amère : « Un divorce s'établit entre mon cœur
et cette brume que j'appelle moi. » On eût dit qu'il

vivait dans un monde de visions toutes les fois qu'il était forcé de lâcher prise et de taire ses pensées : « Il est en moi des images, des fantômes qui se pavanent, cheminent et procèdent pareils à la brume. Je ne puis les mouler dans une forme. Le silence serait peut-être préférable jusqu'à ce que mon cœur revienne à son état d'il y a un an. Le silence eût été préférable pour moi. Mais le silence est atroce et amer pour celui qui est habitué à parler et à harmoniser la portée des mots [101] ».

Son silence finit par être fécond. A la fin du mois d'août, il vint chez Mary et lui montra le discours d'adieu du *Prophète*. Elle nota dans son journal qu'à chaque fois qu'elle s'exclamait sur la beauté d'une phrase du manuscrit du *Prophète*, Gibran lui répondait : « Ce n'est pas moi, mais le Prophète [102]. » Ils apportèrent les dernières retouches à ce texte qui constituera l'épilogue du livre. Puis ils relurent l'ensemble du manuscrit.

Gibran considérait les premières pages du *Prophète* comme très importantes. Il s'y était étendu volontairement, alors que les chapitres thématiques se voulaient plus courts, et donc plus frappants par leur brièveté. Ecoutons-le s'expliquer à Mary sur ce point, pointant le doigt sur la différence entre Zarathoustra et al-Moustapha : « L'erreur d'écourter le début d'un livre a été souvent commise. Prenons comme exemple *Ainsi parlait Zarathoustra...* Il est vrai que j'aime ce livre... Toutefois Zarathoustra descend de la montagne. Sur son chemin, il parle deux ou trois minutes avec un vieil ermite, c'est tout. Puis il rencontre des gens de la ville qui s'apprêtent à assister au spectacle d'un funambule ; et dans cet état où se trouve la foule, il commence à leur parler, comme un dieu ou un surhomme. Il est certain qu'ils n'ont pas pu saisir ce qu'il voulait dire. Il y avait une certaine déformation dans sa façon d'agir

ainsi. Je trouve en Nietzsche un certain manque d'équilibre en tant qu'artiste. Il avait un esprit analytique...
et l'esprit analytique en dit toujours trop [103]. » Il ajouta
par ailleurs : « Le début, le milieu et la fin, chacune
des parties du *Prophète* a son propre poids ; si l'on
sous-estime l'une d'entre elles, l'harmonie de tout le
livre en souffrira [104]. » Ainsi Gibran insistait sur l'équilibre de son ouvrage qui comprend trois parties : le
Retour du vaisseau, les Conseils dispensés au peuple
et le Sermon d'adieu.

Puis il révéla à Mary que le nom du personnage al-
Mitra, l'héroïne du *Prophète*, était inspiré « de la
racine Mithras ». Quant à Orphalèse, la cité où vivait le
Prophète, il la composa à partir du nom « Orphée [105] ».

La clef de voûte qui relie le prophète au peuple
d'Orphalèse est une voyante, « une devineresse qui sort
d'un sanctuaire ». Et c'est elle qui l'interroge sur
l'amour et sur le mariage ainsi que sur la mort, et qui
à la fin reste seule à le contempler tandis que lui disparaît ; son nom est al-Mitra.

Mitra est l'une des plus grandes et des plus anciennes des divinités du panthéon védique et plus tard hin-
douiste. Ce dieu est doté d'un pouvoir magico-
religieux et personnifie le contrat juridico-social. Il est
le fils de la déesse Aditi, la non-liée, la libre, l'illimi-
tée. Et *mitra* en sanscrit signifie « l'ami ». Or, Gibran
voulait faire du *Jardin du Prophète*, œuvre posthume,
un livre traitant de la relation de l'homme avec la
nature, et de *La Mort du Prophète* un contrat entre
l'homme et Dieu. Mais la mort de Gibran fut plus leste
que ses ambitions : ces deux livres sont restés au stade
de projet. Toutefois *Le Prophète*, le premier livre de
cette trilogie, visait la relation entre l'homme et son
prochain, en quelque sorte un *Contrat social* propre à

Gibran, dont l'héroïne est une personne de médiation et dotée d'un pouvoir magique, une devineresse.

Mithra est aussi un dieu de l'ancien Iran, sans doute issu de l'Inde védique. Il fit son apparition au VIIᵉ siècle avant l'ère chrétienne, un siècle avant Zarathoustra. C'est un dieu solaire et un sauveur eschatologique ; son culte se répandit dans le monde hellénistique puis romain sous le nom Mithras. Il était l'objet d'un culte à mystères, à sept degrés d'initiation, surtout chez les soldats qui lui sacrifiaient un taureau. Sa fête, qui est à l'origine de celle de Noël, le 6 janvier, correspond à la fête de Noël selon le calendrier chrétien oriental.

Ainsi, Mitra l'Indien ou Mithra l'Iranien ou encore Mithras le Romain, tous sont des médiateurs entre les dieux et les humains ; chacun d'eux constitue l'« Alliance », le « Contrat », l'« Ami », de même qu'al-Mitra dans *Le Prophète* est la médiatrice entre al-Moustapha et le peuple d'Orphalèse.

Mitra, Mithra ou Mithras est donc un dieu, non une déesse. Or, comme Gibran voyait al-Moustapha tel un androgyne [106], il fit de son al-Mitra une femme devineresse.

Nous pourrions également établir une correspondance entre le nom al-Mitra et le mot *mêter* qui signifie « mère » en grec ou le mot *mêtra*, « matrice ». *Al* est l'article défini en arabe qui dérive de *el*, « divinité ». On pourrait même y voir une représentation de la Déesse-Mère.

Dans le prologue du *Prophète,* al-Mitra est qualifiée comme « la première à le [Prophète] deviner et à croire en lui dès qu'il arriva dans la cité d'Orphalèse ». Al-Mitra représenterait-elle la mère de Gibran qui fut « la première à le deviner et à croire en lui dès qu'il arriva dans la cité d'Orphalèse [la terre] » ? Ou al-Mitra serait-elle Mary Haskell, « l'Amie » qui a cru en

Gibran (al-Moustapha) dès le premier jour de son arrivée dans la cité d'Orphalèse (Etats-Unis) et qui a été
le « pont » entre lui et la société américaine [107] ?

Cette période marqua à jamais la fin des multiples
rencontres de travail entre Gibran et Mary. Plus tard,
celle-ci continuera à lire et à corriger ses manuscrits
mais jamais plus de vive voix. Par ailleurs, durant cette
période, Gibran avoua à Mary l'existence de May en
tant que femme-écrivain, sans la nommer [108].

Cinq semaines après le retour de Gibran à New
York, le 16 novembre, Louise Minis, la vieille cousine
de Mary, rendit l'âme. Mary dut partir pour Savannah,
dans le sud du pays, afin d'assister aux funérailles.
Durant les vacances de fin d'année, elle dut y retourner
pour être auprès du mari de sa cousine défunte, Jacob
Florance Minis [109]. Cet événement allait ouvrir une
nouvelle page dans l'histoire des relations entre Gibran
et Mary Haskell.

1922

A son retour de Savannah, Mary fut tentée par la
proposition que lui fit le veuf de sa cousine, Jacob
Florance Minis ; âgé alors de soixante-neuf ans, ex-
président de la compagnie ferroviaire *Southwestern
Railroad* et de la firme *Savannah Cotton Exchange*, il
invita Mary à venir vivre dans son luxueux domaine,
en tant que sa compagne et hôtesse des lieux. Le 5 janvier, partagée entre cette séduisante offre et son vieil
amour pour son école, elle demanda conseil à Gibran
qui était alors à Boston. Il lui répondit : « Attendez,
vous le saurez bientôt. La conscience collective se

préoccupe de vous, de moi et de tout un chacun. Cette conscience collective décidera ce qui est le mieux, dès lors vous le saurez. Peut-être n'aurez-vous pas à sacrifier l'école pour Jacob, ni Jacob pour l'école. Vous pourriez gardez les deux en les conciliant avec harmonie. Il suffit que vous n'ayez pas l'impression de précipiter votre décision, et cela viendra [110]. »

Le lendemain, le jour de son trente-neuvième anniversaire, Gibran écrivit un texte, « Mon âme m'a sermonné [111] », dénotant un grave tournant dans sa vie intérieure, d'une profondeur spirituelle sans égale dans toute son œuvre écrite. Six jours plus tard, il le publia dans le journal *Al-Sa'ih* [112].

Du 10 au 31 janvier, Gibran fit une exposition d'une quarantaine de tableaux au *Women's City Club* à Boston [113]. La veille de l'inauguration, en l'aidant à accrocher les tableaux, Mary relança la discussion sur Jacob Minis, demandant à Gibran de venir un jour avec elle à Savannah : « J'aimerais bien le voir mais si vous, vous le trouvez agréable, peu importe mon opinion sur lui [114]. »

Avant de regagner New York à la fin du mois, Gibran finit le chapitre sur le « Plaisir » du *Prophète* et vint le lire à Mary. Le soir, au moment où il franchit la porte pour partir, Mary se mit à la fenêtre et le regarda avec un pressentiment d'adieu. Il venait de manquer un taxi parce qu'il n'avait pas couru assez vite pour le rattraper. Elle commenta dans son journal : « Désormais il est déterminé à ménager son cœur [115]. »

Le 10 mars, Mary rendit visite à Gibran à New York. Elle le trouva encore plus faible et toujours souffrant de son cœur [116]. Ils passèrent ensemble trois soirées successives, dont la dernière se prolongea jusqu'à qua-

tre heures du matin. Ils se remémorèrent les larmes et
les sourires de leur passé, vieux de dix-huit ans. Au
terme du rappel de leurs souvenirs, Gibran lui avoua :
« Le cours de notre vie ensemble a été guidé, et les
relations sexuelles nous ont été épargnées... Sinon nous
nous serions séparés... Je vous aime pour l'éternité, et
je vous ai aimée bien longtemps avant que l'on se rencontre dans ce corps... Notre union spirituelle ne sera
jamais altérée, même si vous vous mariez sept fois
avec sept hommes différents [117]. »

Il venait de finir une nouvelle aquarelle qu'il baptisa
Silence, représentant une femme tenant ses deux doigts
sur les lèvres ; plus tard, il l'utilisera pour illustrer le
chapitre du Don dans *Le Prophète.* Il la montra à Mary
et lui dit : « Vous savez fort bien que je continuerai à
utiliser votre visage dans mes toiles [118]. »

Au printemps, Gibran avait l'intention de se rendre
en Orient, espérant faire halte en France et en Egypte,
sur sa route vers le Liban. Puis il se ressaisit en avouant
dans sa lettre à Emile Zaydan au Caire que ses travaux
accablants allaient le retenir encore pour deux années :
« Ma vie, poursuivait-il, s'est ramifiée jusqu'à devenir
trouble. Les petites pierres que j'ai taillées pour
construire la demeure de mes rêves se sont entassées
et métamorphosées en étroite prison. Toutefois, il est
indispensable qu'un jour je retourne au Levant. Ma
patrie me manque ainsi que les fils de ma patrie [119]. »

Son éditeur, Alfred Knopf, le pria de finir *Le Prophète* assez rapidement pour le publier au plus tard au
printemps prochain. Gibran lui répondit qu'il ne voulait pas bousculer le cours de son livre et qu'il préférait
le publier plutôt à l'automne de l'année suivante [120].

A la mi-avril, sentant que ses jours avec Mary
étaient désormais comptés, Gibran revint à Boston

pour deux mois. Il emporta avec lui le manuscrit du *Prophète*, et ne cessa de le lire et le relire, tout en se mettant à faire quelques petites sculptures en bois [121], comme s'il voulait s'en inspirer pour un meilleur découpage des paragraphes de son livre, une meilleure sculpture du galbe de son message.

« J'aimerais que les paragraphes, dit-il à Mary, soient aussi courts que possible et même que certains ne fassent qu'une ligne seulement. L'appel de l'œil et de l'esprit sera beaucoup plus simple et plus direct. » Il voulait adopter une forme de « vers libres sans excentricité [122] ».

L'espace blanc qui sépare la plupart des paragraphes et ce retour à la ligne au milieu d'une phrase sont donc volontairement insérés par Gibran dans son *Prophète* ; ce sont des pauses, des notes de silence dans la liturgie de ce livre-temple. « Chercheur de silences, voilà ce que je suis [123] », c'est ainsi que dans le prélude du Retour du vaisseau se qualifie al-Moustapha. Ces silences permettraient au lecteur de s'élever dans la pensée et de s'épanouir dans le cœur.

Cet espace blanc évoque également ce silence qui sépare une vague d'une autre. Ecoutons-le s'expliquer à Mary : « Les poètes doivent écouter le rythme de la mer. C'est le même rythme dans le Livre de Job et dans tous les magnifiques passages de l'Ancien Testament ; vous l'entendez dans sa double façon de dire les choses comme les Hébreux avaient l'habitude de le faire. C'est dit puis redit tout de suite après, mais légèrement différemment, tout comme les vagues de la mer. Vous entendez comment une grosse vague déferle ! Ouichch... Et comment elle apporte des galets qui viennent percuter contre leurs semblables sur le rivage ! Certains d'entre eux se retournent en arrière avec un bruissement plus léger, une sorte de mélodie de courant sous-marin. Puis une deuxième vague vient déferler par-dessus, plus petite que la première, ouichch..., et un moment de silence s'ensuit. Puis une autre vague plus grosse surgira et les mêmes choses se répéteront tout au long. C'est de cette musique que nous devons nous inspirer, ainsi que de la mélodie du vent et de celle des feuilles frissonnantes [124]. »

Dans ce témoignage se trouve l'une des clefs du mystère orphique dans la liturgie du *Prophète*. Chacune de ses pages est une illustration de ce rythme marin. La source de sa prose poétique ne se trouve point dans les procédés complexes de la prosodie anglaise, elle est purement naturelle et simplement maritime. L'idée y est dite et redite, et chaque fois avec une nouvelle image qui, loin d'alourdir le texte, l'enrichit de musique et de couleur, mais aussi de sagesse.

Mary continuait à hésiter à prendre une décision concernant la proposition de Jacob Minis, car si celui-ci pouvait lui assurer une richesse matérielle, il était incapable de comprendre la richesse de sa vie intérieure ; cependant Gibran se fit en quelque sorte le défenseur de son rival : « Les témoignages d'amour sont infimes comparés à la grande chose qui est en deçà. Jacob ne peut pas saisir que le témoignage de son amour est peu important. Peut-être ne peut-il pas apprendre à saisir cela. Cela appartient à un autre ordre d'existence. Il est en retard sur vous dans son évolution. Mais ne croyez pas que quelqu'un en retard soit indigne. Certaines personnes sont comme la graine de l'arbre de vie humaine. Mais l'écorce aussi est nécessaire. Tout l'arbre est pour la graine et toute la graine est pour l'arbre. Ils dépendent l'un de l'autre. Et si nous sommes comme la graine pour quelques personnes, nous sommes aussi comme l'écorce pour ceux-là qui nous ont dépassés [125]. »

Le 9 mai, il vint voir Mary à Cambridge et lui avoua : « Ma plus grande peine n'est pas physique... Il y a quelque chose de grand en moi et je ne peux pas l'extérioriser. C'est un grand moi silencieux, assis et regardant un plus petit moi faire toutes sortes de choses. Tout ce que je fais me semble faux ; ce n'est pas ce que je veux exprimer. J'ai toujours conscience d'une naissance qui va être. C'est comme si, depuis des années, un enfant voulait naître et n'y arrivait pas. Vous attendez toujours, et vous êtes toujours dans les douleurs de l'accouchement. Pourtant il n'y a pas de naissance. Mais si je meurs avant que cette chose ne naisse, je me réserve de continuer à revenir jusqu'à ce qu'elle soit née [126]. »

Le soir même, en rentrant chez sa sœur à Boston, une lettre en provenance du Caire l'attendait. May l'informait de son projet de se rendre en Europe, l'invitant implicitement à l'y rejoindre. Toutefois, dans sa réponse, Gibran en fit abstraction, certainement à cause de sa santé et probablement à cause de sa volonté de garder May dans sa vie, telle une figure nébuleuse et inspiratrice : « Tu trouveras surtout en Italie et en France tant de témoignages artistiques et techniques qui te raviront. Il y a là-bas des musées et des instituts, de vieilles églises gothiques, des vestiges de la Renaissance : celle du Trecento et du Quattrocento. Tu y trouveras les plus belles traces des nations vaincues et des civilisations oubliées. L'Europe, ma Dame, est la caverne d'un voleur expert qui apprécie les objets de valeur et sait se les procurer.

J'avais l'intention de rentrer au Levant... Mais, réflexion faite, j'ai trouvé plus commode d'être étranger parmi les étrangers, qu'exilé dans mon pays [127]. »

A la mi-juin, Mary partit pour un long voyage en Europe avec Jacob Minis [128]. Quant à Gibran, il rentra à New York pour quelques jours ; puis il prit sa palette et ses couleurs et retourna à Boston pour emmener sa sœur, Mariana, au sud de la ville, à Scituate, où il loua une maison spacieuse. Durant ces vacances, il y peignit vingt-six aquarelles ; parmi elles figuraient *L'Arbre céleste* qu'il intégra dans son futur livre *Jésus Fils de l'Homme*, mais aussi deux autres destinées à illustrer *Le Prophète : La Main de Dieu*, dernière illustration du livre et *L'Archer*, celle du chapitre sur les Enfants [129].

En septembre, à son retour de sa tournée en Europe, Mary couvrit Gibran de cadeaux : manteaux et cravates de Londres ; des couvertures de livre en cuir repoussé et une chaîne d'opales avec un pendentif de Paris. En contrepartie, Gibran lui dit : « Tous les dessins du *Prophète* seront à vous. » En plein échange de présents, elle révéla avec impassibilité ce que tous deux attendaient secrètement d'entendre :

– J'ai pris la décision de vivre avec Jacob.

– Je suis content parce que vous l'êtes. Je ne considère point votre décision comme une trahison.

– Jacob ne cesse de me demander si je l'aime le plus au monde.

– Tout amour est le meilleur et le plus cher au monde. L'amour n'est pas un gâteau que l'on couperait en grandes ou petites parts... Bien sûr, vous pouvez dire qu'il est pour vous le plus cher au monde.

Et ils se mirent à rire en toute sérénité [130] !

Un mois plus tard, Gibran finit de peindre d'autres aquarelles pour *Le Prophète.* Il vint voir Mary, et tous deux se mirent à classer les dessins en fonction des chapitres du livre. Il exprima un sentiment de prédilection pour celui du chapitre de la Douleur : « Cette femme aux bras ouverts, crucifiée sur la poitrine de deux hommes, c'est mon préféré. » Quant au dessin de *L'Archer* destiné au chapitre des Enfants, il lui confia qu'il allait être le plus populaire, car « les gens objectifs aiment les choses objectives [131] ».

Le signe zodiacal de Mary était justement le Sagittaire (11 décembre 1873) et les enfants sont vus par *Le Prophète* comme des « flèches vivantes » et dans le texte et dans le dessin qui l'accompagne [132]. Ce livre serait-il l'enfant de l'amour jamais consommé entre Gibran et Mary ?

Par ailleurs, quelques lettres nous apprennent qu'après avoir perdu l'espoir d'un éventuel retour de Gibran à elle, Gertrude Barrie, âgée alors de quarante et un ans, se maria, en octobre, avec Hector Bazzinello, un violoniste italien et l'un des pionniers de l'aviation [133]. Elle était la femme qui aima Gibran, en garda le secret et ne voulut pas être associée à sa célébrité artistique ou littéraire. Tout laisse à croire qu'elle était à l'opposé de ces femmes dont Gibran disait : « Elles aiment en moi le poète et le peintre et souhaitent en avoir une partie. Quant à moi, elles ne me voient, ne me connaissent, ni ne m'aiment [134]. »

En novembre, alors qu'il dessinait le portrait de Mikhaël Nou'aymé à New York, il lui livra son cœur : « Que Dieu nous sauve tous les deux de la civilisation et des civilisés, de l'Amérique et des Américains... Nous reviendrons aux collines pures du Liban et à ses vallées calmes. Nous mangerons de ses herbes et de ses raisins et nous boirons de son huile et de son vin. Nous coucherons dans ses champs, errerons avec ses troupeaux et veillerons au son des flûtes des bergers et au murmure de ses ruisseaux [135]. »

Si à ses débuts Gibran était prisonnier du manque

d'argent pour ses ambitions, à présent il était enchaîné à sa réputation et encore davantage à sa santé : « Je ne recouvrerai, ajouta-t-il à Mikhaël, la liberté de mes pensées et le repos de mon corps qu'au Liban. Si tu connaissais l'ermitage que je me suis choisi... C'est un ancien monastère déserté près de Bcharré, appelé Mar Sarkis. Il est situé en face de la vallée Kadicha, au pied des cèdres. »

Il songeait à y transférer les projets de la Ligue de la Plume. Aussi dit-il à Mikhaël : « Là-bas, isolés du monde, nous rêverons et écrirons. Nous aurons en notre possession une imprimerie complète, et par elle nous diffuserons aux mortels nos rêves. Nous ferons de la typographie un bel art. Et nous travaillerons la terre et transformerons l'aride en verdure et la sécheresse en fertilité. Les vents alors nous béniront, et le soleil sera joyeux de nous voir, et la vallée nous apportera son souffle inspirateur [136]. »

Le monastère Mar Sarkis était au XIIe siècle le siège de l'assemblée des missionnaires ; au XVIe, il abrita le consulat français et au début du XVIIIe, les pères carmes en firent un monastère [137], qu'ils désertèrent en 1911.

Gibran avoua à Mikhaël qu'il avait même chargé un avocat à Tripoli de le lui acheter, mais il craignait le refus des prêtres, car « comme tu sais je suis à leurs yeux un impie [138] ». Il s'agit de maître Youssef Rahmé, qui fut pendant longtemps le président du Comité national de Gibran. Quatre ans plus tard, celui-ci informa par écrit Gibran que les pères carmes acceptaient enfin de vendre le monastère avec la forêt mais à un prix exorbitant, deux mille cent livres anglaises, après avoir été convaincus de la célébrité de l'acheteur [139], lequel en fut découragé. Toutefois, après la mort de notre auteur les pères carmes, se trouvant à court d'argent, finirent par le vendre pour y recueillir ses cendres [140].

Si en cette période *Le Prophète* commençait enfin à prendre une forme définitive quant au texte et aux illustrations, le 4 décembre, celle qui vingt ans auparavant surnommait notre auteur le « jeune prophète », la poétesse Josephine Peabody, succomba à la suite d'une longue maladie [141], à l'âge de quarante-huit ans.

Ainsi, Josephine qui avait épousé Lionel Marks, l'ex-prétendant de Mary, et qui avait présenté celle-ci à Gibran, rendit l'âme au moment où Mary s'apprêtait à se marier, se séparant de Gibran, lequel allait enfanter son *Prophète*.

Gibran et Mary passèrent ensemble à New York le réveillon de la Saint-Sylvestre. A minuit sonnant, alors qu'il lisait à voix haute *Le Prophète*, il se leva et s'écria : « Jésus continue à vivre depuis deux mille ans et huit mille miles plus loin [142]. »

15

Le Prophète
New York : 1923-1925

« Alors que j'écrivais *Le Prophète*, le Prophète m'écrivait...

Etait-ce moi qui parlais ? N'étais-je pas aussi de ceux qui écoutaient[1] ? »

1923

Le dernier geste émanant de Mary, avant qu'elle ne partît définitivement s'installer à Savannah, fut de rassurer Gibran. Le 2 janvier, celui-ci lui confessa : « J'ai une certaine peur de mon anglais. J'y songe depuis des années sans jamais vous le dire. Mon anglais est-il moderne, Mary, ou plutôt vieux ? Car cette langue m'est toujours étrangère. Je continue à penser en arabe. Et je ne connais l'anglais qu'à travers Shakespeare et la Bible ainsi que par vous. » Et Mary de commenter dans son journal : « Je lui ai répondu par une simple vérité : "Votre anglais est aussi créatif que votre arabe. Il n'appartient à aucun temps, il vous est propre[2]." » En fait le style que Gibran adapta à ses œuvres anglaises est apparenté à celui de la Bible anglaise dans sa version dite *King James*[3].

Le 6 janvier, aux premières lueurs de ses quarante ans, il écrivit en arabe ce poème en prose : « Je suis né il y a quarante ans, et chaque jour je me vois renaître. J'ai aimé et j'ai souffert, et me voilà encore vivant. Et ce qui reste, quant à lui, continue à appartenir au monde occulte.

J'ai passé quarante ans à aimer, à me rebeller et à souffrir, mais aussi à écrire et à dessiner. Mon amour se portait en fait vers les gens et les choses et il a tant enrichi mes actes ! Ma souffrance, cette forme de plaisir et d'égoïsme, m'a tout appris, bien que j'aie écrit sur elle et l'aie dessinée. De ce que j'ai écrit et dessiné, je ne sais rien aujourd'hui ; peut-être le saurai-je après que la terre aura englouti ce qu'il y a en moi de terre et que l'air aura diffusé ce qu'il y a en moi d'éther.

N'oublie pas que toi et moi ainsi que tout un chacun sommes des lignes tracées par une main invisible sur une feuille pliée par une main invisible. Et nous ne serons diffusés que par cette même main, par cet esprit absolu et universel, et ne serons lus que par l'Œil occulte[4]. »

En février, la revue cairote *Al-Hilal* publia un entretien avec Gibran[5], où l'on trouve les prémices de ce qu'il écrivit plus tard sous forme de ces neuf commandements socio-politiques (le premier et le dernier sont toujours d'actualité, surtout au Liban) :

« Malheur à la nation qui regorge de croyances alors qu'elle est tarie de religion, qui abandonne le champ pour la ville et préfère la logique à la sagesse.

Malheur à la nation qui se vêt et se nourrit de ce qu'elle n'a pas tissé ni semé, et qui se grise d'un vin non tiré de ses propres pressoirs.

Malheur à la nation vaincue qui estime les fioritures

du vainqueur comme des marques de perfection, et sa laideur comme des signes de splendeur.

Malheur à la nation qui dans son sommeil méprise l'oppression et à son réveil vénère la soumission.

Malheur à la nation qui n'élève la voix que lors des funérailles, ne tire vanité qu'en plein cimetière, et ne se révolte que si elle se trouve entre glaive et billot.

Malheur à la nation dont le politicien est mi-renard et mi-pie, le philosophe un jongleur de mots, et l'artiste un maître en rafistolage et en contrefaçon.

Malheur à la nation qui accueille son conquérant en fanfare pour le renvoyer plus tard sous les huées et en acclamer un autre aux mêmes sons de trompettes.

Malheur à la nation où les sages sont rendus muets par l'âge tandis que les hommes vigoureux sont encore au berceau.

Malheur à la nation dont chaque communauté revendique pour elle-même le nom de nation[6]. »

Au début de l'année, parlant de l'avenir du Levant à Mary, Gibran avoua : « Le Proche-Orient est malade ; il est atteint par la maladie de l'imitation des pays de l'Ouest. Ses peuples veulent les imiter non pas dans leurs chemins de fer ou leur système éducatif mais dans leur mode vestimentaire et leur arsenal militaire. Ils prennent à cœur le fait que si l'on met face à face le plus grand philosophe du monde et l'arme la plus petite au monde, le philosophe n'a aucune chance. Ainsi la Syrie, l'Arménie, la Mésopotamie et la Perse veulent former une grande confédération et se renforcer au moyen des armements terrestres et navals comme en possèdent les puissances occidentales. Elles veulent être en sécurité. J'aimerais leur montrer qu'une pareille sécurité se transformerait en autodestruction.

Le Proche-Orient a été conquis d'une période à une autre... Ainsi ces peuples ont dû se plonger dans une vie encore plus contemplative. Ils ont développé une conscience de la vie, du soi et de Dieu, que l'Ouest n'a pas encore développée. C'est là leur véritable vie, leur vie créative, leur contribution naturelle [7]. »

Au printemps, après avoir remis le manuscrit du *Prophète* à son éditeur, il reçut les premières épreuves ; il les révisa et les envoya à Mary, lui demandant : « Elles ont besoin d'yeux plus perçants pour la ponctuation et d'autres subtilités... mais aussi de la dernière bénédiction de vos mains... Mary, je ne cesse de vous solliciter énormément, et à l'instar de la vie, vous ne cessez de me donner généreusement... Ah ! Si je pouvais vous donner quelque chose qui soit en quelque sorte autre que ce que vous m'avez donné. Notre histoire ressemble à celle de la rivière et de la mer [8]. » Et il l'informa qu'il venait de finir le dessin qui illustrera le frontispice du livre, la face d'al-Moustapha : « J'ai le pressentiment, Mary, que vous allez l'aimer plus que tout ce que j'ai dessiné de visages auparavant [9]. »

Ce fut ainsi qu'il lui décrivit quelques jours plus tard la gestation de la face du Prophète : « Tard dans la nuit, alors que je lisais dans mon lit, la fatigue rampait sur mon corps et refermait mes yeux. Soudain, je vis pleinement ce Visage. Je le fixai une ou deux minutes avec une parfaite clarté puis il disparut. C'était une tentative de reproduire la face de Jésus... Parfois, lorsque j'étais invité à dîner chez des amis, il arrivait que subitement ce visage se profile devant moi, et je brûlais d'envie d'ajouter un peu d'ombre par-ci et un trait par-là sur ma toile chez moi. Je priais Dieu pour qu'il pût me ramener le plus tôt possible à mon atelier. Et souvent, en pleine nuit, je me réveillais en sursaut pour ajouter ne serait-ce qu'une touche sur ce portrait. » Il ajouta qu'il pensait déjà au prochain livre qui allait compléter *Le Prophète* : « Si *Le Prophète* est le visage, le prochain en sera l'expression [10]. »

A la fin du mois de mai, Mary se rendit à New York. Elle trouva Gibran « maigre et plutôt pâle ». Elle le fit sortir pour dîner dans un restaurant grec, Athena [11]. Il lui raconta qu'il avait fait un rêve tout récemment dans lequel il se voyait d'une légèreté extrême en train de voler au-dessus de la multitude affairée. Puis il enchaîna sur un autre rêve qu'il avait fait l'hiver dernier. Il avait vu Jésus une fois de plus au Liban, près d'un ruisseau du temps de son enfance. Alors que Gibran cueillait du cresson, il apparut devant lui, le dos au soleil couchant, en une silhouette lumineuse. Il en refit pratiquement le même portrait que dans ses rêves précédents : « Le même visage, les yeux noirs, la chevelure épaisse, mais cette fois-ci elle n'était plus noire mais auburn, l'ossature solide, les sandales vieilles mais non usées... Je lui dis : "Maître, veux-tu bien un peu de cresson ?" Il en prit quelques brins et les mangea. Puis il sourit comme si mille ailes l'avaient transporté, et il s'exclama, disant : "Rien n'est plus beau que la verdure !" Ensuite il but de l'eau du ruisseau, et ses moustaches et sa barbe brillèrent de quelques gouttes d'eau qu'il n'essuya pas ; et avant de partir, il me sourit à nouveau [12]. »

Gibran dut rêver de Jésus au moment où il remit le manuscrit à son éditeur, quant au rêve de survol, il dut avoir lieu après avoir rendu les épreuves. Son subconscient le préparait-il aux ailes du succès béni par le sourire du Nazaréen ?

Puis il interrogea Mary sur sa vie à Savannah ; elle lui répondit que le mot mariage était souvent évoqué dans ses conversations avec Jacob. Gibran lui dit alors : « Pour les gens sensés, le principal fondement du mariage est l'amitié : partager de véritables intérêts et être apte à se battre ensemble pour des idées ainsi que comprendre les pensées et les rêves de l'un et de l'autre. Sinon le mariage finirait par devenir la cuisine de la vie [13]. »

Par ailleurs, comme Mary fit remarquer à Gibran qu'il avait maigri, il lui confia qu'il prenait un seul repas par jour, et qu'il se sentait plus dispos, plus créatif avant qu'après le repas. Régulièrement, il jeûnait environ deux jours successifs par mois, surtout quand il se sentait mal à l'aise : « La théorie de ce traitement, lui expliqua-t-il, est que les tissus malades et infectés sont plus faibles que le reste du corps. Une fois à jeun, le corps consomme une partie de lui-même... et la première chose qui disparaît est la partie la plus faible [14]. »

Au début du mois de juin, Gibran reçut du Caire son huitième livre en arabe, *Merveilles et Curiosités*, édité par Youssef al-Boustani [15]. Ce livre valut à Gibran la critique acerbe de l'homme de lettres jésuite Louis Cheikho. Celui-ci traita notre auteur de « francmaçon » et l'accusa d'avoir « en son cœur le microbe de l'irréligieux [16] ». En fait, ni le titre ni le choix de certains textes de ce livre n'auraient reçu l'approbation de Gibran [17].

Dans un sens, rien de tout ce qu'il avait écrit, en deux langues confondues, ne le concernait à présent, si ce n'est *Le Prophète*. Il dit à Mary : « Il est le premier livre de ma carrière, mon premier véritable livre, mon fruit mûr [18]. »

Le 23 juin, Mary était de retour à New York pour voir la reproduction des douze dessins destinés à illustrer *Le Prophète* que Gibran venait de recevoir [19]. Dix d'entre eux sont des aquarelles réalisées sans modèles [20] ; quant au dessin de la *Face du Prophète* et

celui de la *Main de Dieu*, placés au début et à la fin
du livre, ils sont faits au crayon.

Gibran informa Mary qu'il avait réussi à convaincre
son éditeur de fixer un bas prix pour *Le Prophète* :
deux dollars et vingt-cinq cents[21].

A présent Mary était soulagée de voir son protégé
bien-aimé réaliser enfin son rêve le plus cher. Elle
devait repartir pour Savannah auprès de Jacob, lequel
se montrait ces derniers jours jaloux de ses fréquentes
lettres et rencontres avec Gibran[22]. Mary ne put retourner à New York que quatre mois plus tard.

En août, Antonios Bachir, l'archimandrite de la
communauté d'émigrés syro-libanais de rite orthodoxe
en Amérique du Nord, se proposa de traduire *Le Fou*
et *Le Précurseur* en arabe. Gibran vint le voir à Boston
et lui donna son approbation pour ce projet[23] qui se
prolongera par la suite avec l'ensemble de l'œuvre
anglaise de Gibran. Celui-ci était naturellement à
même d'arabiser ses propres ouvrages anglais, mais il
avait probablement voulu au moyen de ce projet rapprocher la communauté des maronites de celle des
orthodoxes, tant en Amérique qu'au Levant.

A la fin du mois de septembre, « *ayloul*, le mois des
moissons[24] », *Le Prophète* vit le jour aux éditions
Alfred Knopf. Le nom de Gibran sera dès lors et à
jamais intimement lié au titre de ce chef-d'œuvre.

Ainsi notre auteur le porta en gestation depuis les
bancs du collège de la Sagesse à Beyrouth et les flancs
de la Vallée sainte jusqu'à la cité des mégalithes des
Temps modernes, en passant par le cœur de la France ;
il fallut un quart de siècle pour que la perle finît par se
former au fond de sa coquille. Il révéla l'ampleur de
ce long labeur par cette maxime : « Une perle est un

temple édifié par la douleur autour d'un grain de sable [25]. »

Ce dernier livre fut couronné d'un succès jamais égalé par ses œuvres antérieures. De grandes invitations furent lancées en son honneur par la famille Roosevelt et les notables syro-libanais d'Amérique [26]. Nombre d'émigrés syro-libanais achetaient cet ouvrage, l'offraient aux Américains et tiraient de l'orgueil du fait que l'auteur était leur compatriote [27].

Le doyen de l'université de l'Etat du Colorado adressa à Gibran une lettre, demandant la permission de graver sur la grande cloche de l'université cette phrase du *Prophète* [28] : « Hier n'est autre que la mémoire d'aujourd'hui, et le rêve d'aujourd'hui est demain [29]. »

La revue littéraire du *Chicago Evening Post* présenta *Le Prophète* en ces termes : « La vérité est là : une vérité exprimée avec toute la musique, la beauté et l'idéalisme d'un Syrien. Les mots de Gibran font retentir dans nos oreilles le rythme majestueux du livre de l'Ecclésiaste. Kahlil Gibran ne craint pas d'être un idéaliste dans une époque gorgée de cynisme où d'aucuns se recueillent devant l'exploit de leur compte bancaire. Les vingt-huit chapitres de cette petite Bible sont recommandés à ceux qui sont plus que jamais prêts à recevoir la vérité. » Le succès du livre s'envola par-delà l'Atlantique : le *London Times* qualifia ce livre de « synthèse de tout ce qu'il y a de meilleur dans la pensée chrétienne et la pensée bouddhiste [30] ». Par ailleurs, la reine de Roumanie lui écrivit une lettre, lui manifestant son admiration [31].

Dans une évocation du temps de sa jeunesse où il définissait sa mission et prévoyait son avenir, Gibran écrivait dans le prologue de son livre *Larme et Sourire* : « Ce qu'aujourd'hui j'accomplis dans la solitude,

demain la multitude s'en fera l'écho. Ce qui aujour-
d'hui n'est dit que par une seule langue, demain sera
dit par des milliers de langues [32]. » La prophétie se réalisa textuellement pour *Le Prophète*. Outre les millions
d'exemplaires de l'édition anglaise, sa voix sera répé-
tée en une quarantaine de langues à travers le monde.
Son public sera constamment renouvelé. De nos jours,
il est l'un des rares livres à continuer de figurer depuis
ce temps sur la liste des best-sellers internationaux.

Cinquante ans après sa parution, les éditions Alfred
Knopf célébrèrent en 1973 le quatrième millionième
exemplaire de *The Prophet* en sa version originale [33].

Si ses écrits en langue arabe lui attiraient la haine,
la jalousie et le mépris de ses concitoyens, *Le Prophète*
allait attirer dans les milieux américains la reconnaissance et l'admiration non seulement à son égard mais
aussi pour son pays et ses compatriotes.

A peine trois mois après la fin de la guerre du Golfe,
le 24 mai 1991, le président Bush, à la suite d'un projet
signé par la président Reagan, inaugura dans la capitale
américaine le Gibran's Memorial Garden, situé sur
l'avenue Massachusetts, à mi-chemin entre la cathédrale nationale et la grande mosquée de Washington.
Trois cèdres, hauts de dix mètres, furent acheminés
pour la circonstance depuis la forêt de Bcharré afin de
les planter au cœur même de ce jardin-mémorial, où se
dresse la statue de Gibran agrémentée de trois colom-
bes, d'une branche de pommier et d'une couronne tres-
sée de sarments de vigne. Autour de cette statue sont
placés six bancs de pierre sur les dossiers desquels ont
été gravées ces citations de Gibran : « Nous ne vivons
que pour découvrir la beauté ; toute autre préoccupa-
tion n'est qu'une forme d'attente » ; « Nous extrayons
tes éléments, ô Terre, pour fabriquer canons et obus ;
mais de nos propres éléments, toi tu crées lys et

roses » ; « La vie sans liberté n'est que corps sans âme, et la liberté sans esprit n'est que perdition »...

Se référant à ces citations, le président Bush déclara dans son allocution lors de l'inauguration : « Ces phrases, d'une éloquence et d'une beauté suprêmes, font écho à la bonne parole que Gibran a semée dans notre mémoire... Ce poète avait écrit un jour : "L'amour est un mot lumineux, tracé par une main illuminée sur une page de lumière." A mon tour je dis : "La main est la sienne, et nos cœurs sont la page sur laquelle ce mot lumineux a été tracé[34]." »

Ainsi, pour la première fois dans l'histoire occidentale, fut officiellement élevé sur le sol américain un édifice en l'honneur d'un homme du Levant.

Par ailleurs, il serait utile de signaler cette concomitance des événements : Gibran qui avait tant exprimé sa révolte contre le joug ottoman, le voilà vivant son jour de gloire grâce à son prophète qu'il baptisa al-Moustapha, au moment même où, en octobre 1923, Moustapha Kemal abolit le sultanat ottoman pour proclamer une république laïque turque, dont il fut élu président.

Le 2 octobre, deux jours après la parution du *Prophète* dans les librairies américaines, Mary, qui venait d'en recevoir un exemplaire, écrivit à Gibran une lettre dans laquelle nous nous sommes permis de décliner le vouvoiement, vu son ton on ne peut plus prophétique :

« *Le Prophète*, je l'ai reçu aujourd'hui même. En le tenant dans les mains pour la première fois sous forme de livre, j'ai senti qu'il réalisait l'au-delà de mes espoirs. Encore fermé, il ouvrait déjà au plus profond de mon être, très loin en moi, de nouvelles écluses de désir et d'imagination... Puis j'ai commencé à le lire, oublieuse de tout ce qui m'entourait.

La coupure des paragraphes est excellente ; cela permet aux pensées et aux versets de couler sans entrave. Lorsque j'ai vu les illustrations, mon cœur s'est mis à bondir. Elles sont merveilleusement bien reproduites... Le texte est encore plus beau que jamais, plus proche et plus révélateur dans sa façon de transmettre la réalité et d'apaiser les consciences. L'anglais, le style et le choix des mots ainsi que leur musicalité, tous sont exquis, juste pure beauté. Béni sois-tu pour avoir dit tout cela, pour avoir travaillé à apporter une forme et une expression à la vie intérieure, et pour t'être enfin doté de cette énergie et de cette patience de feu, d'air, d'eau et de roc.

Ce livre comptera parmi les trésors de la littérature anglaise. Il nous révèle les plus ténébreux et les plus faibles recoins de notre moi, et il dévoile la terre et le ciel en nous. Les générations ne se lasseront jamais de le lire ; les unes après les autres, elles y trouveront ce que de plein gré elles voudraient être. Il sera de plus en plus aimé au fur et à mesure que les hommes deviendront plus mûrs.

Il est le livre qui respire le plus d'amour jamais écrit. C'est ainsi, car tu es l'être qui as le plus aimé en écrivant... Ce feu de vie en toi est croisé avec une multitude de menues ardeurs qui émanent de tous ceux qui, ô combien nombreux, veillent sur toi. Et te voilà déclenchant un incendie ! Nombreux seront ceux qui t'aimeront au fil du temps, bien après que ton corps deviendra poussière. Ils continueront à te voir dans ton œuvre, car tu y es aussi visible que Dieu.

Adieu, très cher bien-aimé, Kahlil. Que le Seigneur te bénisse et continue à chanter Ses chants et les tiens encore et encore à travers tes lèvres [35]. »

Dans le même temps, Gibran reçut une lettre de May, dans laquelle celle-ci persistait à paraître tantôt expansive, tantôt réservée, lui faisant de plats reproches ou des accusations tendancieuses. Et pourtant il continuait à consacrer tant de temps et de patience à sa relation épistolaire avec elle, en se montrant conciliant et compréhensif voire paternel, essayant à maintes reprises de lui faire comprendre que leur relation était purement platonique, spirituelle, une sorte de sublimation littéraire et une rencontre dans ce qu'il appelait « l'élément transparent » unificateur.

Cette expression « hymne lyrique », qui s'était réellement incrustée dans son cœur, le faisait encore souffrir ; le 5 octobre, il lui écrivit qu'ils étaient condamnés à s'entendre et qu'ils ne pouvaient le faire qu'en ayant totalement confiance l'un en l'autre, ajoutant : « Je prends à témoin le ciel et la terre et ce qui les sépare que je ne suis pas de ceux qui écrivent des "hymnes lyriques" et les envoient en Orient et en Occident en guise de lettres intimes ; je ne suis pas de ceux qui parlent le matin de leur âme qui regorge de fruits pour les oublier le soir venu ; je ne suis pas de ceux qui touchent les objets sacrés avant de se purifier les doigts par le feu ; je ne suis pas de ceux qui trouvent dans leurs jours et leurs nuits des espaces libres pour les remplir de badinages amoureux ; je ne suis pas de ceux qui méprisent les mystères de leur esprit et les secrets de leur cœur au point de les semer à tout vent.

Je suis un homme aux activités multiples, comme d'autres le sont ; j'aspire au grand, au noble, au beau, au pur comme d'autres y aspirent aussi ; comme certains je suis un être solitaire, étranger, et dépaysé malgré soixante-dix mille amies et amis ; et comme d'autres encore je n'ai pas de penchant pour les jongleries sexuelles, que l'on désigne par de beaux attributs.

Je suis, ô May, semblable au plus humble de tes voisins et des miens, j'aime Dieu, la vie et les gens ; et jusqu'à présent il ne m'a pas été donné de jouer un rôle qui ne soit pas digne du plus commun des mortels...

Ah ! Si tu savais combien je suis las de ce qui ne mérite pas la lassitude. Comme j'ai besoin de simplicité. Comme elle est grande ma nostalgie de l'Absolu ! Absolu nu, Absolu dans la tempête, sur la croix, Absolu qui pleure sans cacher ses larmes, qui rit sans pudeur. Ah ! Si tu savais !

Et que vais-je faire ce soir ? Le soir n'est plus, il est deux heures du matin. Où veux-tu qu'on aille à cette heure tardive ? Mieux vaut rester là dans ce doux silence. Ici, nous pourrons, par la force de l'ardent désir, nous rapprocher du cœur de Dieu. Et par la force de l'amour, l'humanité nous ouvrira son sein.

Voici que le sommeil appose ses baisers sur tes yeux. Ne le nie pas : j'ai vu le sommeil embrasser tes yeux, comme ça, comme on embrasse. Pose ta tête ici, de ce côté, et dors. Dors, ma petite, dors. Tu es dans ta patrie. Quant à moi, je veillerai seul. Je resterai sentinelle jusqu'au matin. Je suis né pour cela. Que Dieu bénisse mes veilles et te protège pour toujours [36] ! »

En novembre, Mary remarqua dans les journaux que *Le Prophète* continuait à se tailler la place du meilleur best-seller dans l'ensemble du pays. La première édition de trois mille exemplaires était déjà épuisée [37]. Elle brûlait d'envie de voir Gibran pour le féliciter, mais elle fut retenue par des invitations lancées par Jacob. Elle ne put s'en libérer que le 26 du mois. Ce jour-là, elle courut le voir et ils s'enlacèrent longuement. Il lui avoua : « Trois personnes ont le plus grand mérite dans ma vie : ma mère de m'avoir donné la liberté, vous d'avoir cru en moi et en mon œuvre, et mon père d'avoir éveillé en moi l'esprit de révolte[38]. »

Puis il lui montra un paquet de lettres d'admiration envoyées par les lecteurs et l'informa que certains passages du livre avaient été lus dans une église, comme il l'avait tant souhaité auparavant. Ce fut à l'église anglicane Saint-Mark's in the Bowery, située au coin de la 1st Avenue et d'East 10th Street, tout près de l'appartement de Gibran, que l'acteur de théâtre Butler Davenport lut des passages du *Prophète*, lors d'une séance bénévole[39].

Par la suite, le pasteur de cette église, William Norman Guthrie, adapta une liturgie à partir de certains passages du *Prophète*, accompagnée d'un orgue. Ce pasteur, qui fut menacé d'être excommunié par son supérieur ecclésiastique, voyait en Gibran un « prophète moderne » et plus tard en *Jésus Fils de l'Homme* « l'évangile selon Gibran[40] ».

Cette église, l'une des plus vieilles de Manhattan, existe encore de nos jours. Des passages du *Prophète* continuent à y être lus mais en dehors des offices, dans des spectacles et des récitals de poésie.

Par ailleurs, il confia à Mary les grandes lignes de ses deux prochains livres qui constitueront une trilogie avec *Le Prophète*. Il s'agit du *Jardin du Prophète* et de *La Mort du Prophète*. « Il retourne dans son île, raconta-t-il, et passe un long moment dans le jardin de sa mère, conversant avec ses neuf disciples. Il leur parle de la parenté de l'homme avec l'univers. Il leur décrit comment les petites et les grandes choses de ce monde sont reliées les unes aux autres : la rosée et l'océan, le soleil et les lucioles... *Le Jardin du Prophète* parle de la relation de l'homme avec l'univers, comme *Le Prophète* traite de la relation entre l'homme et son prochain. Quant au troisième livre, le Prophète retourne dans son île et parle à différents groupes de gens qui viennent à lui. Il leur parle de l'air qui flotte entre la terre et les nuages, d'hier et de demain, des quatre saisons, de la naissance et de la croissance, de la lumière et des ténèbres, de la chute de la neige, du feu et de la fumée. Le Prophète sera mis en prison. Et une fois libéré il va sur la place du marché et sera lapidé [41]. »

Une seule phrase fut conservée de son projet jamais achevé qu'est *La Mort du Prophète* : « Al-Moustapha retournera à la cité d'Orphalèse. On le lapidera sur la grande place jusqu'à ce que mort s'ensuive. Il appellera d'un nom béni chaque pierre qu'on lancera sur lui [42]. »

Cinq jours plus tard, il reçut une lettre de May dont cette fois-ci la douce teneur fit à Gibran l'effet de baume sur son cœur ; il lui répondit par une longue lettre dans les trois jours : « Nous sommes, cette nuit, le plus près du trône de Dieu qu'en tout autre occasion passée... Tu te soucies de ma santé ! Voici que ma fillette s'est transformée en mère attentionnée. Je vais très bien. Le mal m'a quitté et m'a rendu à la force et à l'enthousiasme malgré les traces de blancheur sur les tempes... Après avoir constaté que les médecins étaient égarés en utopie, perdus dans les vallées des conjectures et des présomptions, je me suis alors soigné par moi-même : le maître de maison est le plus apte à savoir ce qu'elle contient...

Que répondre à tes propos concernant *Le Prophète* ? Ce livre n'est autre que la part intime de ce que je vois tous les jours dans les cœurs muets des hommes et dans les âmes désireuses d'expression. N'est pas encore né celui qui est capable d'apporter quoi que ce soit en tant qu'individu séparé de l'humanité entière...

Le Prophète, ô May, n'est que l'initiale d'un mot. J'avais cru jadis que tel mot était à moi, en moi, de moi. Aussi n'ai-je pu en épeler la première lettre. Cette incapacité fut à l'origine de ma maladie, voire d'une douleur et d'une brûlure dans l'âme. Par la suite, Dieu a voulu m'ouvrir les yeux, et j'ai vu la lumière ; Dieu a voulu m'ouvrir les oreilles et j'ai entendu les gens prononcer cette initiale que j'ai laissée se répéter sur mes lèvres. Je m'en fis l'écho heureux, réjoui d'apprendre en primeur que je ne suis rien sans les autres...

O May, ma petite, ma grande, tu m'aides à présent à capter la lettre seconde, à l'articuler et tu seras avec moi à tout instant.

Approche donc ton visage ! Dans mon cœur il est une fleur blanche à déposer sur ton front. Qu'il est doux l'amour quand il se dresse tremblant et confus en face de lui-même... Que Dieu garde ma petite bien-aimée et comble son cœur d'hymnes angéliques [43] ! »

Un jour Gibran écrivit cette maxime : « Lorsque Dieu me lança tel un caillou dans ce lac fabuleux, je troublai la surface de l'eau en d'innombrables ondes. Mais quand j'atteignis les profondeurs, je devins coi [44]. » Après avoir atteint l'apogée de son succès, il dut garder le silence pendant plusieurs années avant de publier d'autres livres en anglais. En arabe, il continua à écrire quelques articles, mais plus jamais d'ouvrages, comme s'il était repu des critiques des siens, gorgé de déception envers leur avenir.

La célébrité avec ce qu'elle contient comme encens d'admiration et d'honneurs peut anesthésier le cœur pour quelques jours, quelques mois, mais ne saurait étancher sa soif, ni calmer sa faim et encore moins devenir la compagne de sa solitude dans la quiétude de la nuit ou le vacarme du jour. Qu'en serait-il, si ce

cœur était celui d'un poète, celui d'un peintre et de
surcroît un cœur faible dans une poitrine frêle ?

1924

« Je commence à vivre par-dessus la terre. Dans le
passé je n'étais rien d'autre qu'une racine. A présent
je ne sais pas quoi faire avec cette abondance d'air, de
lumière et d'espace [45]. » C'est ainsi qu'il se décrivit au
début de cette année dans une lettre à Mary, après avoir
été invité dans plusieurs villes des Etats-Unis afin
d'exposer le message de son Prophète, ce qui le rendit
pour un certain temps oublieux de son mal physique et
spirituel.

Il continua cependant à prendre sa passerelle secrète
en direction de l'Orient. Il envoya à May, sous un
même pli, trois cartes postales représentant des fresques peintes par Puvis de Chavannes à la Bibliothèque
publique de Boston. Au verso il lui écrivit : « Je disais,
à mes débuts, que Puvis de Chavannes était le plus
grand peintre français après Delacroix et Carrière.
Maintenant que j'ai atteint la force de l'âge, je suis
amené à dire que Puvis de Chavannes est le plus grand
peintre du XIXe siècle. Il est le plus simple de cœur et
de style, car il est le plus pur d'intention. Il est aux
artistes ce que Spinoza est aux philosophes [46]. »

Deux jours avant de recevoir ces cartes, May lui
envoya une lettre dans laquelle elle lui révéla à demi-
mot son amour pour lui, mais un amour voilé par une
certaine appréhension [47].

Le 26 février, il lui répondit : « Tu me dis que tu
crains l'amour, pourquoi en avoir peur, ma petite ? Es-
tu effrayée par le flux de la mer, le lever de l'aube,
l'avènement du printemps ?... Je sais que peu d'amour

ne te satisfait pas. Moi non plus je n'accepte pas la parcimonie en amour. Le peu ne nous contente pas. Nous voulons toujours plus. Nous aspirons à la perfection... Vouloir c'est pouvoir. Si notre volonté projette une des ombres de Dieu, sans doute obtiendrons-nous une de ses lumières... Cédons à l'amour malgré la nostalgie et la souffrance, malgré la confusion et l'inconstance.

Je suis aujourd'hui prisonnier de désirs, nés avec ma venue au monde. Je suis enchaîné à une idée aussi ancienne que les saisons. Serais-tu capable de demeurer avec moi en prison jusqu'à retrouver la lumière du jour ? Resterais-tu à mes côtés jusqu'à briser nos chaînes et marcher enfin libres vers la cime de nos monts ?

Approche ton joli front, à présent, comme ça, voilà. Que Dieu te bénisse et te garde, compagne bien-aimée de mon cœur[48]. » Après cette lettre May garda le silence dix mois durant[49].

En mai, un notable libanais, Faris Ma'louf, proposa à Gibran de s'associer avec lui dans l'achat d'un immeuble à Marlborough Street à Boston. Notre auteur accepta et laissa la charge à son associé de rénover l'immeuble. Par la suite, ils le louèrent à une association féministe. Celle-ci fit faillite. Pour récupérer l'argent investi, Gibran devait poursuivre l'association en justice. Toutefois la présidente de cette association vint un jour le voir et brandit devant lui *Le Prophète*, disant : « Vous êtes bien l'auteur de ce livre ; qu'allez-vous faire maintenant ? » Malgré l'insistance de ses amis, il renonça à l'idée du procès : « Si je l'avais fait, avoua-t-il, je n'aurais jamais pu réouvrir ce petit livre[50]. » Il écrivit alors sur un bout de papier cette maxime : « Celui qui essuie ses mains souillées sur

ton habit, fais-en-lui don. Lui risque encore d'en avoir
besoin. Toi, tu n'en as nul besoin[51]. »

Comme Jacob avait attrapé la grippe, Mary ne put
se libérer qu'à la fin du mois de mai. Elle fit halte à
deux reprises à New York, sur son chemin pour Boston
ainsi qu'à son retour. Gibran lui exprima son désir de
retrouver la paix, se sentant rongé par le tourbillon du
succès de son livre et les sollicitations incessantes des
gens : « Je suis sociable plus qu'aucun autre dans le
monde. Mais la vie sociale est un vrai problème si l'on
reste longtemps en un seul lieu[52]. » Le seul moment
où il parvenait à savourer la quiétude était lorsque,
juste avant de dormir, il empoignait avec ferveur le
morceau de météorite que Mary lui avait offert[53].

Le 18 juin fut la date à laquelle prit fin le journal
que Mary consacrait spécialement à sa relation avec
Gibran et à l'évolution de sa carrière artistique et littéraire. Ce journal, constitué de vingt-sept carnets, for-
mant en tout environ cinq mille pages, se trouve
actuellement à la bibliothèque de l'université de Caroline du Nord[54].

La dernière déclaration de Gibran retranscrite par
Mary fut : « Il y a une poignée d'âmes dans ce monde
qui paraissent ne pas appartenir à cette terre, mais qui
ont dû être déviées de leur trajectoire sur leur chemin
vers une autre planète, un autre monde[55]. »

En juillet *The Century Magazine* publia une entrevue avec Gibran. Le journaliste fut impressionné par
sa voix et l'atmosphère de sa maison : « J'ai passé des
heures avec le poète et l'artiste peintre à écouter sa
voix musicale, qui rend l'anglais aussi sonore que peut
l'être l'italien. Kahlil Gibran paraît davantage comme
un Français cultivé qu'un Syrien. Toutefois dans son

domicile, il plie ses jambes instinctivement sur le divan pour siroter son café épais et il sait mettre les invités à leur aise. Tout ce qui est occidental est oublié dès que l'on entre chez lui. Tout sentiment d'empressement s'en trouve banni. Le jour semble plus long et les heures plus lentes[56]. »

Hanna al-Chidiac, un Bcharriote, rendit un jour visite à Gibran, lui racontant les nouvelles de son village natal. A son retour au pays, al-Chidiac le décrivit ainsi : « Quand il n'est pas chez lui, il paraît si élégant qu'on le prendrait pour un lord anglais. Dans son appartement, il est vêtu de son *'abaya*, assis les jambes croisées sur un coussin, et devant lui un brasero surmonté de la cafetière orientale[57]. »

Ainsi son aspect extérieur était donc occidental et son intérieur, tout oriental ; il savait allier son orientalisme essentiel à son occidentalisme existentiel. Chez les Ford, par exemple, il était un « lord », chez lui un fakir ou un bédouin. Il donnait à l'Occident ce qui est à César et à l'Orient ce qui est à Dieu.

Le romancier anglais Arnold Bennett visitait en cette année les Etats-Unis afin de raconter ses impressions sur ce pays dans un ouvrage intitulé *This is America*. Il y mentionna notre auteur en ces termes : « C'est un sujet de gloire pour les Arabes que Kahlil Gibran, dans ses ouvrages anglais, rappelle à l'Amérique matérialiste la Bible, les Psaumes de David et les enseignements du Christ. » Dans un article paru dans la revue *Asia*, Arnold Bennett évoqua sa rencontre avec Gibran, l'homme aux « apparences troublées autant qu'il est calme d'esprit... Kahlil Gibran représente le mysticisme cultivé[58] ».

Durant l'été, Gibran fut invité dans la maison de campagne de Corinne Roosevelt Robinson à Herkimer dans l'Etat de New York ; il y fit la connaissance de toute la famille Roosevelt, dont Franklin qui cinq ans plus tard fut élu gouverneur de l'Etat de New York. Il en dit : « Le génie des Roosevelt réside dans la simplicité et le caractère sain de leur vie de famille [59]. » Après la mort de Gibran, Franklin Roosevelt, alors président des Etats-Unis, qualifia notre auteur de « première tempête orientale qui ait envahi l'Amérique... Que de roses a apporté cette tempête [60] ! ».

A son retour à Manhattan, Gibran écrivit le dernier article à caractère socio-politique, « Vous avez votre idéologie, j'ai la mienne [61] », destiné à ses compatriotes au pays du Levant qu'il publia dans la revue cairote *Al-Hilal* :

« Votre idéologie croit que la gloire des peuples revient à leurs héros conquérants et se gonfle la poitrine à chaque fois qu'elle se remémore Nabuchodonosor, Ramsès, Alexandre, César, Hannibal ainsi que Napoléon.

Mon idéologie voit l'héroïsme en Confucius, Lao Tseu, Socrate et Platon ainsi qu'en Ali, Ghazali et Roumi, sans oublier Copernic ni Pasteur.

Votre idéologie attribue la grandeur d'un Etat à l'effectif de ses troupes militaires, à l'efficacité de son arsenal satanique et à l'ingéniosité de ses armements chimiques. Mon idéologie stipule qu'il n'est de force qu'en justice, et qu'il n'est de fermeté qu'en faveur de la vérité. Quelque longue que soit la période où règnent les victorieux aux muscles surgonflés de technicité, à la fin ils seront tous voués à la perdition...

Vous avez votre idéologie, j'ai la mienne... »

1925

A la fin de l'année précédente, Gibran à deux reprises écrivit à May, l'interrogeant sur son mutisme : « Tu es la seule à connaître la raison de ton silence. Moi je l'ignore. Il n'est pas juste que telle ignorance perturbe mes jours et mes nuits[62]. » « Qu'il est étrange le silence de ma petite bien-aimée. Un silence long comme l'éternité, profond comme le rêve des dieux. Nulle langue humaine ne peut le traduire... Me voici déposant un baiser dans ta paume droite et un autre dans la gauche[63]. » A l'occasion de son anniversaire, Gibran finit par recevoir d'elle ce qu'il qualifia d'« un petit mot doux[64] ».

Le 6 février, il lui envoya une reproduction de *Sainte Anne* de Léonard de Vinci. Au verso il écrivit : « Jamais je n'ai vu une œuvre de Léonard sans sentir en moi circuler sa force magique, sans sentir une parcelle de son âme s'infiltrer dans la mienne. J'étais petit quand j'ai vu pour la première fois quelques reproductions des œuvres de cet homme étonnant ; je me souviendrai à jamais de cet instant, comparable à la boussole orientant un navire égaré en haute mer dans le brouillard[65]. »

Un mois plus tard, elle l'informa qu'elle avait coupé ses cheveux. Il lui répondit aussitôt : « Que sont devenues ces belles mèches ondulées, noir de jais ? Que puis-je te dire ? Quel reproche t'adresser maintenant que les ciseaux ont accompli leur œuvre[66] ? »

Le sentiment de Gibran envers May devint, à la fin, profondément imprégné de paternalisme et de tendresse. Cette dernière évolution est peut-être due à l'excessive pudeur de May.

Ce qui caractérisa cet amour fut la métaphore de la

« nébuleuse », mot qui revenait souvent dans les lettres
de Gibran avec les mots « brouillard » et « brume ».
Leur amour ne fut jamais dit littéralement. Ils n'en
approchaient que par allusions et avec précaution.
Comme s'il s'agissait de quelque chose d'insaisissable,
d'inexprimable dans sa vérité et son mystère. Le style
imagé et mythique de Gibran correspondait parfaitement à l'esquisse d'un sentiment aussi éthéré.

L'on pourrait toutefois dire que Gibran considérait
May, non pas comme l'amante, non pas comme l'Autre en passion, mais plutôt comme l'amie, la bien-
aimée, l'inspirée, l'âme sœur, le trait d'union avec
l'Orient, la patrie absente. En May il aima l'intelligence et l'écriture ; il lui révéla son admiration pour
son œuvre ; il apprécia en elle l'incarnation de la
femme orientale prête à se libérer des entraves sociales
par la voie de la littérature.

Les sentiments de Gibran à l'égard de May Ziyadé
différaient radicalement de ceux qu'il éprouvait pour
Mary Haskell et Emilie Michel. Gibran eut une reconnaissance fidèle pour Mary qui prit soin de lui depuis
qu'il était jeune et l'encouragea moralement et matériellement. Tandis que Micheline, cette belle institutrice française à la Haskell's School, ne représenta
qu'une aventure éphémère, éclair qui embrasa ses sens,
avant de s'éteindre très vite. Alors que May était à
l'image de la lointaine patrie ; elle était à la mesure de
sa nostalgie d'expatrié. Le sentiment qui le lia à elle
comportait une dimension nationale à la hauteur de ses
préoccupations pour un avenir plus inventif, novateur,
qui libérerait l'Orient arabe asservi par sa propre tradition et par son retard historique. Pour ces raisons, le
sentiment de Gibran pour May pourrait paraître plus
authentique, moins intéressé [67].

Plus tard, après de multiples hésitations feintes,

l'amour de May devint explicite. On la trouva torturée d'impatience dans l'attente d'une lettre de Gibran[68]. Mais ce fut trop tard, Gibran était cette fois-ci complètement lassé des tergiversations de son égérie au pays du Nil. Dès lors, ses lettres devinrent purement et simplement amicales.

La forêt continuait à représenter pour Gibran un lieu idéal, privilégié par la présence de l'esprit et de la communion du poète avec la nature. Deux raisons majeures durent l'empêcher de revenir au Liban pour vivre sur les flancs de la Vallée sainte, comme il le souhaitait : tout d'abord la raison politique. Il ne se sentait pas capable de faire de la politique comme le voulaient ses amis au Liban : « Si je rentrais au Liban *Le Prophète* en main et demandais à mes compatriotes de vivre à sa lumière, leur enthousiasme à mon égard ne tarderait pas à s'évaporer, car je ne suis pas un politicien et je ne voudrais pas l'être. Non, je ne saurais accomplir leurs désirs[69]. »

La deuxième raison fut sa santé. Gibran était de plus en plus souvent malade. Il souffrait tantôt de la grippe, tantôt de maux de tête, tantôt de troubles digestifs. Se sentant déprimé, maigre, pâle, il croyait qu'il avait une maladie de cœur, alors que les médecins lui disaient qu'il n'en était rien et lui recommandaient uniquement du repos. Ce fut une oscillation continue entre douleur et joie, chute et élévation.

Au fur et à mesure que sa santé régressait, la nostalgie du retour au pays s'amplifiait dans son esprit. Il espérait se délivrer un jour de la cage qu'il s'était faite, et de ces créatures new-yorkaises, rapaces, irascibles et infatigables qui rongeaient ses jours. Il écrivit à May :

« Il y a deux ans, je vivais dans la paix et la tranquillité. Mais aujourd'hui ma tranquillité s'est transformée en clameurs et ma paix en luttes. Les gens dévorent mes jours et mes nuits... Que de fois j'ai fui cette terrible ville pour un lieu éloigné afin d'éviter les gens mais aussi les fantômes de mon âme.

Les Américains sont un peuple puissant qui n'abandonne jamais ; ils ne sont jamais fatigués, ils ne connaissent ni sommeil ni rêve. S'ils détestent quelqu'un, ils le tuent par négligence et s'ils l'aiment, ils le noient sous leur affection. Celui qui veut vivre à New York doit être muni d'une épée effilée dans un fourreau de miel : l'épée pour repousser ceux qui sont désireux de tuer le temps, et le miel pour satisfaire les affamés.

Le jour viendra où je pourrai m'enfuir pour le Levant. Ma nostalgie pour mon pays va m'étrangler. S'il n'y avait cette cage dont j'ai consolidé de mes mains les barreaux, j'aurais pris le premier bateau en partance vers l'est. Mais qui peut donc quitter un édifice après avoir passé toute sa vie à en tailler les pierres et à les disposer, fût-ce même une prison ! Il ne pourrait ni ne voudrait s'en libérer en un jour [70]. »

Quant à Mary, elle partit passer quelques mois de vacances en Allemagne avec Jacob. Durant ce voyage, elle décida de l'épouser et de fixer la date du mariage pour le mois de mai de l'année suivante. A partir de ce moment-là, évitant d'exciter la jalousie de son futur mari, à chaque fois qu'elle voulait mentionner le nom de Gibran dans son propre journal intime elle écrivait tantôt en anglais tantôt en allemand d'une façon presque illisible, en utilisant les initiales C. J., si proches de K. G. [71].

En cette année *The Prophet* fut traduit en allemand et édité à Munich [72]. En outre, une poétesse new-yorkaise, Madeline Mason Manheim, dont Gibran avait illustré un recueil de poésies trois ans auparavant, se proposa pour traduire en français *The Prophet*. Un an plus tard, en juin 1926, sa version fut publiée à Paris aux éditions du Sagittaire[73].

Au lendemain de la parution du livre à New York, dans l'enceinte de l'église anglicane Saint-Mark's in the Bowery, alors que l'acteur de théâtre Butler Davenport lisait des passages du *Prophète*, une assemblée pieuse suivait attentivement les paroles d'al-Moustapha ; la fluidité des mots, la profondeur du sens et la piété de l'ambiance envoûtèrent l'une des fidèles : Barbara Young. A l'époque, celle-ci croyait que l'auteur de ce livre vivait en terre des Prophètes ou n'était plus de ce monde.

En mars 1925, quelle ne fut pas sa surprise quand elle sut qu'il habitait Manhattan même ; elle prit sa plume et écrivit à l'ermite célèbre, lui demandant un rendez-vous. Quelques jours plus tard, lui parvint une invitation en guise de réponse.

Henrietta Boughton, née Breckenridge, vivait séparée de son mari avec son unique fille et gagnait son pain en écrivant des poèmes et des critiques littéraires pour le compte du *New York Times*. Elle laissa une production fleuve sous différents pseudonymes, dont celui de Barbara Young, qui brilla particulièrement, éclipsant tous les autres.

Barbara Young était l'aînée de Gibran de quatre ans. Outre la poésie, elle avait en commun avec lui la croyance en la réincarnation : elle était convaincue d'avoir été une Africaine dans une vie antérieure[74].

Hala enfouie dans le vieux passé de Bcharré, Josephine morte, Charlotte à Paris, Micheline et Gertrude auprès de leurs maris, May toujours au Caire, Mary près de se marier : Gibran, à quarante-deux ans, était seul, et Barbara Young vint lui proposer ses bons offices. Elle devint sa secrétaire dévouée six ans durant, écrivant puis tapant à la machine ce qu'il lui dictait, arrangeant ses papiers et ses affaires, mais elle n'entra jamais dans le secret de son cœur. Une grande amitié liait les deux poètes, où il n'était pas question d'amour charnel. Par sa collaboration, Barbara Young vouait une très grande admiration à Gibran, à la différence de Mary Haskell ou de May Ziadé, qui la première aimait l'homme au-delà de ses œuvres et la seconde au-delà des mers, dans la « nébuleuse » épistolaire. A la mort de Gibran, Barbara sera la disciple zélée qui dévouera sa vie à chanter son maître.

Dans son livre *This Man from Lebanon*, Barbara Young nous raconta comment, quelques semaines après sa première visite chez Gibran, prit naissance sa relation de travail avec lui :

« Un dimanche après-midi, je me rendis chez Kahlil Gibran pour une heure ou deux... Ce jour-là, comme à l'accoutumée, la porte était entrouverte. Je frappai et entrai. Il était assis à son bureau, la plume à la main. Je ne dis mot, pris mon siège habituel et attendis.

Après un moment de silence, il me salua et dit : "Je compose un poème. C'est l'histoire d'un poète aveugle." Puis il se leva, arpenta la pièce et revint s'asseoir à son bureau pour écrire quelques lignes.

Dans ma sage attente, j'admirais ses allées et venues. Et voilà qu'une idée me traversa l'esprit. J'attendis le moment où il se leva encore une fois pour m'installer à son bureau. A peine s'était-il retourné, sa plume était déjà dans ma main alors que l'étonnement vint se dessiner sur son visage. Et je lui dis :

– Vous déclamez le poème et moi, je l'écris.

– Non, non. Vous ne devriez pas écrire pour moi. Il faut que vous composiez vos propres poèmes.

– Mais j'aimerais tant écrire vos paroles. Voyez comme c'est simple, vous arpentez la pièce en parlant, et moi je transcris ! C'est un jeu !

– Je ne pourrai jamais travailler avec quelqu'un, comme cela.

– Faites semblant que je ne suis pas quelqu'un, juste une petite machine mécanique.

– Vous, vous êtes une femme très têtue, dit-il, le visage presque blême.

– Je n'y peux rien, j'étais justement très têtue dans mon enfance !

Il s'empourpra, comme s'il allait laisser libre cours à sa colère. Puis brusquement, il rit. Nous rîmes tous les deux, et l'affaire fut réglée. Il marchait tout en déclamant le poème, et moi assise, j'écrivais. Ce fut ainsi que la toile de notre relation de travail se mit à se tisser de jour en jour.

Il compléta le poème intitulé *Le Poète aveugle* tout doucement, avec de longues pauses entre les vers, car il le déclamait d'abord en arabe, comme il avait l'habitude de le faire, puis le traduisait soigneusement en anglais. A la fin il soupira : "J'ai toujours dit que je ne pourrais pas travailler avec quelqu'un. C'est pour cette raison que je ne voudrais pas de secrétaire ici lorsque je suis en plein travail." Après quelques instants de silence il poursuivit : "Nous sommes des amis, je ne veux rien de vous et vous ne voulez rien de moi. Nous partageons la vie." Et cela me rappela un passage du *Prophète* qui dit : "Qu'il n'y ait point de but dans l'amitié si ce n'est l'approfondissement de l'esprit[75]." »

Ce poème fut publié dans la revue *The New Orient*[76] avec un dessin intitulé *Le Poète aveugle et sa mère* :

« J'ai été aveuglé par la lumière. Ce même soleil qui vous donne le jour me donne la nuit, qui est plus profonde que le rêve. Pourtant je suis un voyageur, alors que vous restez tapis là où la vie vous a enfantés, jusqu'à ce que la mort vienne à vous et vous gratifie d'une nouvelle naissance. Pourtant je poursuis mon chemin avec ma lyre et ma canne, alors que vous demeurez assis, égrenant votre chapelet... Et bien que mes pieds trébuchent, ma chanson s'élèvera, battant ses ailes pardessus le vent.

J'ai été aveuglé à force de scruter les profondeurs et les hauteurs. Qui ne sacrifierait pas ses yeux pour la vue de ces cimes et de ces abîmes ? Et qui ne soufflerait pas ses deux bougies décharnées et vacillantes pour une vision fugitive de l'aube ?

Vous dites : "Pitié pour lui, il ne peut voir les étoiles ni les boutons d'or dans les champs." Et je dis : "Pitié pour eux, ils ne peuvent toucher les étoiles ni entendre ce que murmurent les boutons d'or. Pitié pour eux, ils n'ont pas d'oreilles dans leurs oreilles. Pitié, pitié pour eux, ils n'ont point de lèvres au bout de leurs doigts [77]." »

L'éditeur indien Syud Hossain demanda à Gibran d'être membre du comité directeur du *New Orient Society*. Gibran en fut indubitablement honoré. En s'y engageant, son aspiration à être un citoyen du monde s'en trouva raffermie. Sa collaboration à cette société et à sa revue trimestrielle fut précieuse parce qu'il avait su réaliser par son mode de vie, par ses idées et ses écrits, une synthèse des deux courants oriental et occidental.

Dans le comité directeur, il retrouva Julia Ellsworth Ford et Witter Bynner et fit la connaissance d'un éminent orientaliste, Arthur Upham Pope. Parmi les membres il retrouva également Charles Fleischer, le rabbin suisse qu'il avait rencontré en 1902 chez Josephine, et le philosophe John Dewey, l'ancien professeur de Charlotte à l'université de Chicago [78].

Et parmi les collaborateurs les plus actifs de la revue figuraient le Mahatma Gandhi et Annie Besant, ainsi que le philosophe britannique Bertrand Russell, l'ancien pasteur John Haynes Holmes, le philosophe cinghalais Ananda Coomaraswamy, et la poétesse indienne Sarojini Naidu. De nombreux journalistes gravitaient autour de cette société, tels Claude Bragdon et Alma Reed, qui surent asseoir la notoriété de Gibran et encouragèrent d'éventuels lecteurs à se pencher sur l'œuvre de celui qu'ils considéraient comme un prophète [79].

Par l'intermédiaire d'Annie Besant, présidente de la Société théosophique dérivant de la franc-maçonnerie, Gibran connut Krishnamurti. Celui-ci, membre du comité exécutif de la Société théosophique, se rendait souvent chez Gibran pour lui demander conseil à propos de l'affaire soulevée par Annie Besant, laquelle tentait de persuader Krishnamurti de se proclamer l'incarnation du Christ tant attendu.

Krishnamurti avait alors trente ans. Gibran lui conseilla de patienter, de s'adonner à la contemplation et de chercher Jésus à l'intérieur de lui-même. Krishnamurti finit par rejeter l'offre d'Annie Besant et refusa même de paraître à la cérémonie de la proclamation. Annie Besant considéra que ce refus équivalait à la tentation de Jésus dans le désert par le démon, puis elle essaya de le subjuguer, mais n'y parvint pas [80].

16

Jésus Fils de l'Homme
New York : 1926-1931

« Jésus était un homme et non un dieu ; et c'est là que résident notre émerveillement et notre étonnement...

Il était le Fils de Dieu comme nous-mêmes sommes les enfants de Dieu ; il est né d'une vierge, comme nous naissons tous de la terre sans époux [1]. »

1926

Pendant que le Prophète dictait silencieusement à notre auteur le livre du *Prophète*, des « miettes de ses paroles seraient tombées du festin de son esprit ». Gibran les ramassa en poignées de « sable » et d'autres d'« écume [2] ».

Au début de cette année, Gibran s'attela à un nouveau livre en anglais, *Le Sable et l'Ecume*. Six ans auparavant il avait projeté avec Mary de composer un pareil livre mais sous un autre titre, *Le Chemin des sept jours*. Pour ce faire, il lui fallait tamiser ses quelques centaines de maximes arabes et anglaises dans lesquelles il dut puiser pour la composition de certains chapitres du *Prophète*.

Dans le passé il disait à Mary : « Où que je sois, je porte sur moi de quoi écrire et de tout ce que j'ai écrit je n'ai rien jeté. Ainsi, j'ai une pile de petits mots, je les conserve soigneusement pour vous [3]. »

Mary n'étant plus là, ce fut Barbara Young qui l'aida à classifier « des bouts de programmes de théâtre, des morceaux du fond d'un paquet de cigarettes, des enveloppes déchirées sur lesquelles il avait couché ses pensées [4] », ainsi que des « petits carnets écrits en anglais et des bouts de papiers en arabe [5] ». Et le petit volume fut ainsi constitué.

Le 7 mai, le « oui » qu'attendait Gibran en 1910 Mary le proféra à l'église de Savannah, lors de la cérémonie de son mariage avec Jacob Florance Minis. Elle avait cinquante-trois ans, et son époux vingt de plus. Quelques jours plus tard ils embarquèrent pour l'Europe en voyage de noces [6].

Gibran se vit contraint de remettre le manuscrit de *Sand and Foam, Le Sable et l'Ecume*, à son éditeur Alfred Knopf sans pouvoir le faire lire par Mary ; ce fut le seul livre en anglais qu'elle n'eut pas l'occasion de corriger. Gibran inséra dans son ouvrage sept reproductions de ses dessins et des petites illustrations en forme de frise entre chaque maxime, se remémorant ses premiers travaux dans la maison d'édition de Day [7].

Après avoir traduit *Le Prophète* en arabe, qui fut publié au Caire en septembre [8], l'archimandrite Antonios Bachir se proposa d'en faire autant pour *Le Sable et l'Ecume*. En décembre, Gibran préfaça la version arabe en ces termes :

« Ce petit livre n'est qu'une poignée de sable et une autre d'écume. Bien que dans ses grains de sable j'aie semé les semences de mon cœur et que sur son écume j'aie versé la quintessence de mon âme, ce recueil est, et restera à jamais, plus près du rivage que de la mer, du désir limité que de la rencontre qui ne peut être limitée par les mots.

Dans le cœur de tout homme et de toute femme, il est un peu de sable et un peu d'écume. Mais certains d'entre nous livrent ce qui demeure caché dans le plumage de leur cœur, d'autres en éprouvent de la honte. Quant à moi, je n'en rougis point[9]. »

Dans son ouvrage *This Man from Lebanon*, Barbara Young nous invite à vivre les moments les plus éthérés durant lesquels Gibran se mit à composer son livre *Jésus Fils de l'Homme* :

« Gibran portait depuis fort longtemps en son cœur le désir d'écrire ce livre. Souvent il disait : "Un jour, nous écrirons l'histoire de Notre Ami et Notre Frère. Dans cinq ans, ou peut-être dix ans."

Puis, sans aucun préalable, le soir du 12 novembre 1926, arriva ce moment qui restera gravé dans ma mémoire aussi longtemps qu'elle demeurera une force vivante.

Gibran arpentait inlassablement la pièce et parlait d'une voix entrecoupée du livre qui le préoccupait le plus à ce moment-là, *Le Jardin du Prophète*. Soudain, ses pas se figèrent, son visage s'assombrit. J'assistai à une curieuse métamorphose, qui, je le savais par expérience, présageait une prophétie fulgurante et surprenante. La pièce fut emplie d'intenses vibrations. Il pencha la tête et je vis un visage hagard et vieilli ; son éclat et sa beauté se ternirent en un contour anguleux, grisâtre et pitoyable. Sa tête balançait comme celle d'un vieillard inconsolable. Puis, j'entendis une voix, non pas celle de Gibran, mais une voix tremblotante, faible et cassée. Sa douleur et son désespoir me fendirent l'âme.

Cette voix proféra ainsi ses premiers mots : "Cela fait cinquante ans ce soir. Le souvenir est comme un scorpion dont le dard transperce mon cœur. Il est telle une coupe plus amère que le fiel. Il a noirci toutes mes aurores. Mille fois j'ai été visité par le retour de cette nuit."

Puis il se tut. Il reprit ses pas, tout en répétant ces paroles. Et je les notais. Assise, j'étais comme médusée, tandis que la voix étrange et tragique continuait à s'élever avec une lamentation si terrible et si angoissée que mon cœur s'en trouva meurtri à l'égard de cet être humain dont j'ignorais l'identité, mais dont l'agonie me paraissait inexplicablement familière.

Ensuite, aussi brusquement qu'il s'était métamorphosé en cette étrange créature, Gibran revint s'asseoir en silence et ferma les yeux. Lorsqu'il les rouvrit, il me regarda d'un air parfaitement naturel et me dit : "Savez-vous... qui j'étais ?" Je lui répondis par la négative.

Il ajouta d'une voix rêveuse et distante : "J'étais Judas. Pauvre Judas... Imaginez qu'il n'ait pas mis fin à ses jours et qu'il ait vécu cinquante ans de plus, quelle aurait été sa vie ?"

Puis il se mit debout, le corps droit et immobile. Son visage reflétait l'expression d'un ange tourmenté ; la détresse et l'exaltation s'y mêlaient. Saisi d'une illumination éblouissante, il s'écria : "Je peux commencer à écrire ce livre dès ce soir !"

Et ce soir-là vit le début de *Jésus Fils de l'Homme*. Le premier chapitre qu'il me dicta n'était pas l'histoire de Judas, mais l'histoire de Jacques fils de Zébédée. Tout en arpentant la pièce, il parlait lentement en pesant chaque mot en anglais, mais ce n'étaient pas sa voix ni sa manière habituelles. Ce fut ainsi qu'il composa le premier chapitre de son livre. En réalité, il

ne le composait pas seulement, il le vivait. Il racontait
l'histoire comme s'il était véritablement Jacques, citant
les paroles de son Seigneur :

"Penses-tu que j'ai descendu les marches du temps
pour régner sur une fourmilière le temps d'une journée ? Mon trône est un trône au-delà de ton regard.
Celui dont les ailes ceignent la terre ira-t-il chercher
refuge dans un nid abandonné et oublié ?... Trop nombreux sont les vers qui grouillent autour de mes pieds
et je ne leur livrerai point bataille... Votre grand prêtre
et votre empereur veulent mon sang. Ils auront satisfaction avant que je ne parte d'ici. Je ne veux changer le
cours de la loi et je ne veux gouverner la folie. Que
l'ignorance se reproduise jusqu'à ce que sa propre des-
cendance lui répugne... Mon royaume n'est pas de ce
monde. Mon royaume se trouve là où deux ou trois
d'entre vous se rencontreront dans l'amour, en admiration devant la beauté de la vie, et dans l'allégresse, en
souvenir de moi [10]."

Il s'ensuivit d'autres chapitres. Et quand il entama
l'histoire de Judas, il choisit non point de dépeindre
l'homme qui traversa une éternité d'années hideuses,
mais plutôt celui qui se jeta du Grand Roc.

Une fois de plus, je vous dis que cette nuit du
12 novembre fut une nuit inoubliable. Notre labeur se
poursuivit dix-huit mois durant... Chacun des soixante-
dix personnages vit le jour dans cette pièce. Chacune
de leur voix parla à travers les lèvres de cet Homme
du Liban [11]. »

1927

Durant cette année, Gibran dut se rendre à plusieurs
reprises à Boston. Tout près du 76, Tyler Street où

habitait Mariana, se trouvait l'église maronite, Notre-Dame-des-Cèdres. Il allait souvent voir Mgr Istfan al-Douayhé, le curé de la paroisse, afin de l'interroger sur certaines paraboles évangéliques. Il lui demandait également de lui chanter quelques hymnes syriaques, particulièrement celles de saint Ephrem [12].

Au fur et à mesure que ses jours se prolongeaient loin de son pays, il prenait goût à compenser cette nostalgie, en lisant à haute voix de l'arabe classique pour le pur plaisir d'entendre la mélodie de cette langue et les mystères qu'elle recèle dans son ancienneté. Que de fois, en présence de Barbara, prenait-il sa Bible en version arabe et commençait-il à lire des passages du Livre de Ruth, d'Isaïe et d'autres prophètes. Et il commençait à traduire au pied levé en comparant sa version à celle de l'anglais. Barbara constatait des nuances très subtiles dans la version traduite de l'arabe par Gibran. Et il ne cessait de lui dire que Jésus parlait en araméen.

« Souvent, ajouta Barbara, il se laissait emporter par un flot de mots arabes qui déferlaient spontanément de ses lèvres tout au long de la gestation de *Jésus Fils de l'Homme* et ceci avec beaucoup de passion. La raison en est que la langue anglaise ne concordait pas avec une parfaite exactitude au sens de la pensée qu'il voulait exprimer ; et il disait à cet égard : "Il est quarante mots en arabe pour donner l'expression des différentes facettes du mot amour." Cette richesse linguistique de la langue arabe, qui était la sienne, et cette passion qu'il éprouvait pour elle l'incitaient à sonder le mot qui correspondait le mieux en anglais, toujours dans un style simple et limpide [13]. »

Barbara Young nous raconta dans son livre *This Man from Lebanon* comment elle vécut la naissance du portrait de Jésus qui sera placé en frontispice de l'ouvrage :

« Un soir, Gibran prit une toile, assez large pour une tête de grandeur nature et la plaça sur le chevalet. Ses gestes étaient surprenants, il semblait manier un être vivant. Je le regardai d'un air interrogateur... Il me montra un bout de crayon, à peine cinq centimètres de long, et désigna la toile. Ensuite, plaçant ses deux doigts sur les lèvres, invitation à garder le silence, il commença par le haut de la toile et avec une agilité et une rapidité étonnantes surgit la belle ligne, claire et définie, du profil de ce visage. Le portrait était ébauché.

La toile demeura sur le chevalet plusieurs jours et plusieurs nuits. De temps à autre, il se tenait devant, la frôlant avec son crayon, l'effleurant avec son petit bout de gomme noire, la façonnant avec son pouce. Puis il se remettait à marcher et à raconter la suite du récit de son livre.

Parfois les allées et venues, les haltes et les reprises continuaient pendant des heures et des heures, jusqu'au plus profond de la nuit. Et combien de fois Gibran, jetant un coup d'œil vers la lucarne, s'écriait avec surprise : "Regardez, la vitre est toute blanche !" En effet, l'aube commençait à poindre et nous avions travaillé toute la nuit durant.

Puis il s'exclamait : "Vous êtes encore là ! Suis-je en train de vous raconter ces histoires depuis tout ce temps ? Pardonnez-moi. Vous devez être recrue de fatigue."

Je l'étais, mais je feignais toujours le contraire, disant : "Non, je ne suis pas du tout fatiguée. Mais vous ?"

"Moi, je suis déjà mort", disait-il, le charme rompu. Le regard blafard se transformait en un sourire las mais radieux. Alors il se laissait choir, tout habillé, sur le large divan, en se libérant de ses pantoufles. A peine la tête posée sur l'oreiller, le voilà qui sombrait dans le sommeil. Je le bordais d'une grande couverture, bien douce, pour réchauffer ses rêves. Jamais il ne m'entendait fermer la porte pour me faufiler, au lever de l'aube, à travers les rues de New York, où nul ne semblait respirer si ce n'est le silence palpitant... Sur mon chemin je contemplais l'aurore naissante, le ciel de Manhattan et la brume sur Washington Arch ; j'avais l'impression de les avoir tous à moi seule et d'en avoir reçu une bénédiction après un service de dévotion...

Plusieurs mois s'écoulèrent ainsi, jusqu'au jour où le portrait et le manuscrit furent achevés. Il y eut cependant un incident qui fut embarrassant sur le moment, mais qui permit de rendre le portrait de Jésus dessiné par Gibran familier à des centaines, à des milliers d'hommes et de femmes à travers le monde.

Lorsque le tableau fut porté chez l'éditeur, les maquettistes en furent déçus. La ligne de la tête dans la partie supérieure du tableau était incomplète, autrement dit, la toile ne contenait pas totalement la tête. » En fait Gibran voulait que la tête du Christ dépasse volontairement la toile, car la grandeur d'âme de ce sublime personnage ne pouvait être totalement contenue dans un tableau ni limitée par un cadre.

« Le tableau dans la main, poursuivit Barbara, Gibran rentra chez lui, disant d'une étrange voix voilée : "Ils prétendent que le dessin n'est pas assez grand pour notre Jésus." Il fut atteint au cœur de sa sensibilité artistique. De surcroît, il était impossible de modifier le dessin, même s'il l'avait désiré. Il dessina alors un nouveau portrait, celui qui figure dans l'ouvrage. En s'attelant à refaire ce portrait, sa main était tendue et l'ironie pointait dans sa voix.

Le premier, l'original, Gibran continua à l'appeler *Notre Jésus*. Le second est totalement dépourvu de cette touche incendiaire par laquelle le premier vit le jour. Il n'est pas vivant. C'est une copie dénuée de toute grâce d'inspiration.

J'étais amèrement furieuse et voulais me battre contre les maquettistes. Mais Gibran ne voulait pas. Les lèvres souriantes, mais les yeux brûlants d'un feu ardent, il me dit : "Je vous fais cadeau du premier portrait. Il vous importe peu que la tête dépasse le cadre, n'est-ce pas !"

Ainsi, le plus grand trésor de sa collection entra en ma bien reconnaissante possession. Plus tard, il traversa l'océan avec moi et fut exposé devant des centaines de personnes à Londres ainsi que dans nombre de villages britanniques. Et partout, les réactions étaient les mêmes : "C'est ainsi qu'Il devait être." En France, quand la nouvelle de la présence de ce tableau dans la capitale fut répandue, mon petit appartement, rue Michel-Ange, fut envahi par les visiteurs.

De retour aux Etats-Unis et au cours de mes voyages dans de nombreuses villes américaines, le tableau avait toujours le même impact sur ceux qui venaient le contempler. Finalement le tableau fut offert à la International House dans le Riverside Drive, à New York City...

En relisant le livre ces derniers jours [1944], je suis à nouveau emportée par la première stupéfaction qui me saisit lorsque je l'écoutai toutes ces journées et toutes ces nuits durant sa composition. J'entends les mots déclamés à haute voix et j'entends aussi la voix du poète s'exclamer, comme il le faisait souvent après avoir prononcé une parole fulgurante : "Mon Dieu, je ne savais pas que j'allais dire tout cela[14] !" »

Il semblerait que Gibran était non seulement capable de sérieux mais aussi d'enfantillages et de ludisme : « Derrière ce grand homme se dressait de temps à autre un lutin, raconta Barbara. Parfois après de longues heures de création, épuisé par le fardeau de son propre génie, en un clin d'œil il se transformait en un lutin. Il se levait de sa chaise, quand il était assis, ou bien il virevoltait, quand il arpentait la pièce ; et avec un sourire qui venait fendre son visage aux traits métamorphosés, il disait : "Maintenant, je vais composer quelques vers de poésie américaine moderne." Et le voilà chantant des vers de mirliton. Puis nous riions à gorge déployée jusqu'à en pleurer. Ou bien encore, il se mettait à danser, les mains sur les hanches en faisant des pirouettes à la manière d'une ballerine. Ainsi, avec un brin de comédie pleine d'esprit, il réussissait à nous réconforter après des heures de labeur [15]. »

Toujours selon Barbara, Gibran prenait souvent chez lui des soupers frugaux : « du pain noir, des olives, du fromage syrien qu'il accompagnait d'un vin blanc... mais aussi de la soupe dont il aimait faire un petit jeu. C'était une autre façon pour lui d'apaiser les esprits. Il disait : "En Orient, il est de coutume de manger dans un grand plat commun. Prenons cette soupe ce soir dans le même bol." Il y avait toujours beaucoup de croûtons dans sa soupe, plutôt sa purée. Nous nous attablions avec cérémonie puis, avec la cuillère il traçait une ligne imaginaire au milieu de la soupe et disait d'une voix grave : "Ceci est votre moitié de la soupe et des croûtons, et cette autre moitié est ma part. Veillons à ce que personne n'empiète sur la soupe et les croûtons de l'autre." Et nos éclats de rire fusaient [16]. »

Par ailleurs il était souvent invité chez des amis levantins qui, durant le dîner rendu festin en son honneur, faisaient assaut de convivialité. Pendant les jours qui suivaient ces invitations, il faisait « un petit jeûne pour compenser ce qu'ils m'avaient témoigné comme affection [17] ».

Outre « la maladie du travail », comme il aimait à dire, il avait aussi la maladie de la générosité et de l'altruisme. Il faisait souvent des dons à des personnes malheureuses. Parfois l'on abusait de sa générosité, mais il le savait fort bien [18]. Il répétait alors cette maxime du *Sable et l'Ecume* : « Etrange façon de faire plaisir ! Il m'arrive de désirer être trompé et dupé à dessein, de rire aux dépens de ceux qui croient que j'ignore que je suis trompé et dupé [19]. »

Nombreux furent ceux qui l'interrogèrent sur son double don : « Lequel de vos deux dons est à vos yeux l'art le plus grand ? Lequel aimez-vous le plus, l'écriture ou la peinture ? » Il répondait en souriant par une autre question : « Supposons que vous soyez le père de deux jumeaux, duquel des deux pourriez-vous dire qu'il est plus proche de votre cœur [20] ? »

« Maintes fois après avoir terminé de peindre un tableau ou un portrait, nous rapporta Barbara, Gibran le laissa sans signature. Quand on lui recommandait de le signer, il souriait, disant : "Non ! Pourquoi devrais-je le faire ? On saura toujours qu'il est de Gibran, quand je reposerai dans la bonne terre noire sous les cèdres."

Le mot "terre noire" était cher à ses lèvres. Il adorait la terre et toute chose qui s'élève d'elle. Il accordait aux arbres une sorte de révérence et de dévotion ; il en disait : "S'il ne restait qu'un seul arbre dans le monde, les peuples de toutes les nations y viendraient faire leur pèlerinage pour s'agenouiller devant lui et le vénérer." Il aimait toucher le bois naturel. Un morceau de branche coupée, ramassée dans une forêt ou un bosquet, était entretenue par lui comme si c'était un trésor pour le sculpter plus tard. Il aimait aussi collectionner les galets ramassés sur les plages et il se plaisait à les caresser...

Un jour il me dit : "Nous avons attelé notre terre aux coursiers en feu de la science et les voilà entraînant notre planète vers un enfer de machines." Il était par ailleurs contre l'invention de l'avion, surtout à usage militaire, et tout ce qu'il en résulta comme malheurs pendant la première guerre : "Si je pouvais, je détruirais tout avion en vol et tout souvenir de ce mal qui bat l'air dans la mémoire des gens... Parce que l'homme n'est pas un être de l'air, il a été mis sur terre ; celle-ci est sa maison et son royaume, qu'il soit d'abord totalement maître de ce royaume. Tous les anges et les archanges ainsi que tous les hôtes du monde supérieur prendront leur vengeance contre l'homme, s'il n'abandonne pas le trouble malsain qu'il cause au libre éther. Laissons seulement l'esprit ailé de l'homme voler vers les hauteurs invisibles."

Il poursuivit, disant : "Ah ! Si je pouvais construire une cité sur une île, et à l'entrée de son havre j'érigerais une statue, non pas pour la Liberté mais pour la Beauté ; car au pied de la Liberté, les hommes se sont toujours battus. Cependant, devant le visage de la Beauté, tous les hommes se tendraient la main comme des frères[21]." »

Par ailleurs, Barbara nous révéla que Gibran était reconnu pour « la puissance légendaire de ses mains. Toutefois il ne s'en vantait pas. Souvent je remarquais que certains visiteurs, si robustes soient-ils, grimaçaient de douleur lors d'un échange de serrement de main avec lui ».

Toujours d'après Barbara, les manifestations de

colère chez notre auteur étaient terribles, mais peu fréquentes. Elle nous raconta qu'un jour un homme se rendit chez lui sans invitation préalable et commença à lui parler d'un projet qui semblait être malsain, une affaire de gros sous. Il le laissa parler sans lui proposer de s'asseoir. Lorsque l'homme se tut, Gibran, le visage blême de colère, se jeta sur un annuaire téléphonique. Le visiteur sauta alors en arrière, croyant qu'il allait être la cible d'une éventuelle attaque. Toutefois Gibran prit l'annuaire entre ses deux mains, le déchira par le milieu et jeta à terre les deux morceaux, criant : « J'ai fait cela pour ne pas vous fracasser. Et maintenant, dehors ! »

Cependant sa petite taille l'embarrassait et il s'en lamentait. Selon Barbara, « il mesurait 1,63 m ; toutefois son endurance physique y suppléait de loin [22] ». Qu'il nous soit permis de citer à cet égard un proverbe iranien qui dit : « Ce qui manque à l'homme de petite taille est enraciné dans la terre. » D'ailleurs Gibran, à la fin d'un texte intitulé « La Terre » dans *Merveilles et Curiosités*, alla jusqu'à s'y confondre, à la manière du maître soufi Hallaj qui, lui, se confondit avec la Vérité : « Tu es moi, Terre ! Si je n'existais pas, tu ne serais pas là [23]. »

En cette année, *Le Prophète* continuait à conquérir les esprits du Vieux Continent. Il fut traduit en danois et édité à Copenhague [24]. Dans le même temps, Gibran reçut d'Amsterdam un acompte sur la publication du *Prophète* en version hollandaise. Il s'exclama devant Barbara : « Je ne leur ai jamais demandé de royalties [25] ! » En outre, Isaac Horowitz, un ami juif new-yorkais, le traduisit en hébreu [26]. Par ailleurs l'archimandrite Antonios Bachir réalisa une anthologie en langue arabe à partir de l'œuvre de Gibran, les deux langues confondues. Cette anthologie intitulée *Les Paroles de Gibran* fut publiée au Caire[27].

Le 11 décembre, jour de l'anniversaire de Mary, elle reçut le manuscrit de *Jésus Fils de l'Homme*. En le tenant en main elle dut se rappeler tous les rêves que Gibran lui racontait jadis sur le Nazaréen. Toutefois elle devait le cacher et attendre à chaque fois que son mari dorme pour le lire et le corriger[28].

1928

Attendant les corrections de Mary, Gibran se remit au projet du *Jardin du Prophète*. Il voulut que l'héroïne de cet ouvrage fût Karima[29], qui serait le prolongement d'al-Mitra dans *Le Prophète*. Karima signifie en arabe « Généreuse » ; ce mot nous suggère trois interprétations : la première serait le sens de ce mot que l'on pourrait attribuer à la générosité de Mary ; la deuxième est que Karima et Kamila sont deux prénoms phonétiquement apparentés ; et la dernière est que le mot Karima aurait pu être tiré de la racine du mot Karma.

En composant ce livre, il révéla à Barbara Young : « Comment peut-on concevoir un paradis au-delà de ce qui s'étend ici, même bien longtemps avant nous ? Cette Terre créée, qui n'a d'égale, est faite de l'essence du rêve le plus vaste que Dieu ait jamais rêvé. Toute chose qui pousse de cette terre noire, chaque racine, arbre et branche, chaque bourgeon, baie et brin d'herbe, tous sont mes enfants et mes bien-aimés[30]. »

Selon Barbara, tous ces écrits furent conservés dans des cahiers d'écolier de sa couleur préférée : le marron. A chaque fois qu'il entamait un nouveau cahier, il écrivait cette phrase en arabe : « Aide-nous, ô Seigneur, à écrire dans ce cahier Ta vérité étreinte par Ta beauté[31]. » Par ailleurs, quand il se sentait fatigué de travailler, il se mettait à sculpter de petits objets en bois « pour, dit-il, reposer moi-même de moi-même[32] ».

En cette année, il fit un portrait imaginaire de Socrate. Parlant des titans des âges, Gibran dit à Barbara : « Socrate, Jésus, Jeanne d'Arc et Lincoln, ce sont les quatre plus beaux êtres que le monde ait jamais connus et que le monde ait mis à mort. A l'heure de leur disparition, un sourire se dessinait sur les lèvres du ciel[33]. »

Discutant de l'art avec elle, il lui révéla : « L'artiste grec possédait un regard plus perçant que les artistes chaldéens ou égyptiens, ainsi qu'une main plus habile ; mais en réalité, il lui manquait le troisième œil que l'on trouvait chez les deux autres. La Grèce avait emprunté des dieux aux pays de Chaldée, de Phénicie et d'Egypte ainsi qu'autres choses à l'exception de cette vision, cette perspicacité, cette perception particulière des choses qui est plus profonde que les profondeurs et plus élevée que les hauteurs. Elle avait emprunté à Byblos et à Ninive la cruche et la coupe, mais point le vin. Bien sûr, il lui était possible de transformer les formes simples de la cruche et de la coupe en deux récipients dorés, agréables à regarder, mais elle ne les avait remplis que de réalisme à l'état liquide...

Prométhée est certes la plus grande figure de la mythologie grecque, mais il ne faut pas oublier que le premier porteur de lumière était chaldéen et non grec. Il était connu en Asie occidentale deux millénaires avant l'expédition de Trajan [IIe siècle de l'ère chrétienne]... Toutefois très peu de gens aiment l'art grec plus que moi, mais je l'aime pour ce qu'il est et non ce qu'il n'est pas. J'aime le charme, la fraîcheur, la beauté et la gloire physique de tout ce qui est grec, mais je n'arrive pas à voir en cela le Dieu vivant. Je n'y vois que l'ombre de Son ombre [34]. »

Le 12 octobre parut le cinquième livre en anglais de Gibran, *Jesus the Son of Man*, « *Jésus Fils de l'Homme* », aux éditions Alfred Knopf [35] avec quatorze dessins de l'auteur dont deux en couleurs. Cet « évangile selon Gibran » fut le plus long ouvrage jamais entrepris par notre auteur.

Comme dans *Le Prophète*, Gibran utilisa une formule originale et appropriée : au lieu de raconter la vie de Jésus au fil d'une narration longue et pesante, il fit parler soixante-dix-sept de ses contemporains dont chacun le décrivit comme il le connut.

Parmi ces personnages, certains furent créés par lui et d'autres empruntés aux Evangiles canoniques et apocryphes. Certains aimèrent ou adorèrent Jésus, comme sa mère, sa grand-mère et ses disciples, et d'autres le regardèrent passer avec une légère curiosité, ou avec une froide indifférence, ou encore avec de la haine. Malgré les positions et les sentiments divers et parfois contradictoires de ces narrateurs, l'image de Jésus reste harmonieuse et fascinante. Car Gibran mit très habilement dans la bouche des ennemis de Jésus les arguments les plus chétifs, les descriptions les plus pâles qui, au lieu de ternir son image dans l'esprit du lecteur, servent au contraire à la rehausser. C'est pour les amis de Jésus que Gibran réserva ses émotions communicatives et la magie de son art. Il est impossible de résister à la ferveur avec laquelle Pierre évoqua sa première rencontre avec Jésus, ou à l'ardeur avec laquelle Marie-Madeleine décrivit la beauté gracieuse du corps du Nazaréen.

Ces témoins ne sont que les personnifications de

Gibran lui-même. A travers eux, il voulut révéler ses propres conceptions de Jésus. Il fit dire à l'un de ses personnages : « L'homme ici, en Syrie, est comme l'homme de partout ailleurs. Il regarde dans le miroir de son entendement et là, il trouve sa divinité. Il façonne ses dieux à sa propre image et il adore le reflet de son propre visage. »

Les modifications qu'il apporta à l'image du Maître, telle qu'elle ressort de l'Evangile, visent à rapprocher Jésus de notre humanité, tout en le maintenant assez supérieur à nous pour inspirer notre exaltation et notre adoration. Le Jésus de l'Evangile naît d'une vierge : il est le fruit d'un miracle qui le place au-dessus de nous comme un être surnaturel. Le Jésus de Gibran naît d'un homme et d'une femme : c'est un être humain comme vous et moi.

Le Jésus de l'Evangile connaît occasionnellement les larmes et la faiblesse. Le Jésus de Gibran est souriant et au-dessus de toute faiblesse. Il se comporte avec la maîtrise altière du surhomme : « Il ne prononça pas un seul mot et n'exhala aucun gémissement, quand on lui enfonça les clous dans les mains et les pieds. Et son corps ne frémit pas sous les coups du marteau. » Mais en même temps, son âme n'en déborde pas moins de tendresse envers les délaissés et les vaincus de ce monde : « Je l'ai vu maintes fois se courber pour toucher les brins d'herbe. Et dans mon cœur je l'entendais dire : "Petites choses vertes, vous serez près de moi dans mon royaume, avec les chênes de Beyssane et les cèdres du Liban." »

Le Jésus de l'Evangile accomplit des miracles qui dépassent les limites de la nature et proclament ainsi sa divinité. Le Jésus de Gibran est le miracle des miracles par son existence même : « J'ai parlé de ces miracles que je considère insignifiants à côté du grand miracle qui est l'Homme lui-même. » Ses actes sont la convergence de son pouvoir personnel avec le pouvoir inconnu de la nature : « On dit qu'il rendit la vue aux aveugles et fit marcher les paralytiques. Peut-être la cécité n'est-elle qu'une pensée obscure qui peut être dominée par une pensée lumineuse. Peut-être la paralysie d'un membre n'est-elle qu'une indolence qu'on peut réveiller par une force animée. »

Dans son livre, Gibran réinterpréta le dessein de l'humanité. Son Jésus apparaît entre les prophètes de l'Ancien Testament et les autres figures sublimes de l'humanité, comme Adonis, Pan et Prométhée. Pour Gibran, Jésus est l'incarnation finale de toutes les figures de l'histoire du monde ancien, et c'est en ce sens qu'il faudrait comprendre sa résurrection.

Tout comme *Le Prophète* est un livre qui fait aimer la vie, *Jésus Fils de l'Homme* est un livre qui fait aimer Jésus, compagnon des rêves de notre auteur, son modèle de libération [36].

A la parution de ce livre, les critiques favorables de la presse américaine furent unanimes. Le journal *Springfield Union* écrivit : « L'anglais de Gibran est marqué par une beauté et une clarté telles qu'il pourrait servir d'inspiration à d'autres écrivains dont l'anglais est la langue natale [37]. »

Gibran fut l'un des rares écrivains qui parvint à s'exprimer avec une ferveur et une douceur égales dans deux langues : celle de ses ancêtres et celle du pays d'accueil. Ce magicien du verbe arabe se révéla aussi un remarquable artisan de la langue anglaise. Il révolutionna aussi bien la langue de Shakespeare que celle du Coran ; son style en anglais atteignit un degré de perfection tel que Gibran fut considéré par *The Man-*

chester Guardian comme étant « l'un des six plus grands écrivains en langue anglaise [38] » de l'époque.

« Je ne suis qu'un hôte, disait-il, dans la demeure de la langue anglaise et je ne fais que lui témoigner mon respect. Je ne me hasarderai point à prendre des libertés avec elle, comme se le permettent certains de ses enfants [39]. »

Le critique littéraire du *Manchester Guardian* écrivit ceci : « Le lecteur blasé, après avoir erré dans les forêts infinies des livres qui ont surgi autour des quatre Evangiles, éprouve une très vive joie lorsqu'il découvre un ouvrage d'une originalité particulière et d'une beauté sensuelle : *Jésus Fils de l'Homme : ses paroles et ses actes rapportés par ceux qui l'ont connu*, par Kahlil Gibran. Ce n'est pas une autre *Vie de Jésus* à la manière de Renan et de Farrar, ou encore de Sanday et Headham. Il s'agit plutôt d'une reconstruction imaginative de sa vie, dans laquelle l'esprit du grand poète a utilisé les matériaux tirés des Evangiles, sans se limiter à eux.

Kahlil Gibran a vu Jésus et aide les autres à le voir. Même les voix hostiles contribuent à l'interprétation subjective de la figure du Christ, car elles révèlent les forces qui le menèrent à sa fin. "C'était un magicien qui élaborait des intrigues et ourdissait des trames", lance un jeune prêtre de Capharnaüm d'un ton hargneux. "Il jonglait avec les paroles de nos prophètes et les mots sacrés de nos aïeux..."

Mais naturellement ce sont ses amis qui sont ses véritables interprètes. Romanos, un poète grec, avoue : "Autrefois, je me considérais aussi comme un poète. Mais lorsque je me trouvai en sa présence, en Béthanie, je sus ce que c'était que de jouer d'un instrument à une seule corde devant celui qui maîtrise tous les instruments." Ce livre est destiné à ceux qui savent lire avec compréhension [40]. »

L'ancien pasteur John Haynes Holmes présenta le livre dans la revue *The New Orient* en ces termes : « Kahlil Gibran a tenté une expérience unique, voire audacieuse... Si un homme était capable de se lancer dans une telle aventure, c'est bien Gibran... C'est comme si un contemporain de Jésus avait pris sa plume, à une heure tardive, pour écrire un nouvel Evangile [41]. »

Le *Times*, qui fut l'un des rares journaux à ne pas consacrer un article lors de la parution du *Prophète*, présenta *Jésus Fils de l'Homme* en tête de sa rubrique littéraire, deux jours avant Noël [42].

En novembre, Ayoub Tabit, ancien camarade de classe au collège de la Sagesse, et président du Comité de libération de la Syrie et du mont Liban dont Gibran était le secrétaire, devint alors ministre de l'Intérieur et de la Santé avant d'être nommé président de la République. Il demanda à Gibran, au nom du gouvernement libanais, d'assumer la responsabilité d'un portefeuille ministériel. Il refusa cet honneur, préférant gouverner les royaumes des visions sur les collines d'Orphalèse : « J'ai dit au peuple du mont Liban, écrivit-il à Mary, que je n'éprouvais pas le désir de rentrer et de les gouverner. Ils m'ont demandé de le faire. Mais vous savez, Mary, j'ai la nostalgie du pays ; mon cœur brûle de revoir ses collines et ses vallées. Cependant il est préférable que je reste ici. Je peux travailler dans cette pièce étrange et vieille comme nulle part ailleurs [43]. »

Noyé dans une nébuleuse de projets de toiles et d'écrits, sevré des plaisirs de la vie, sans épouse ni pays, Gibran ne trouvait de repos que dans des rêveries nourries de nostalgie. Il avait le corps aux Etats-Unis et l'âme au Liban, ses yeux à New York et sa vision à Bcharré : « Se souvenir, écrivit-il, c'est en quelque sorte se rencontrer[44]. » Si l'homme se pavanait dans les grands salons littéraires et artistiques, le poète flânait avec les bergers, parmi les collines du Liban. Il voulait revoir le Liban, terre, air et eau, et non le Liban des Libanais. N'avait-il pas dit : « Le Liban n'est point le nom d'un mont mais une expression poétique... une vision dans un rêve entre éveil et réveil[45] » ?

Si le café rappelait à Gibran le goût de l'Orient et la fumée des cigarettes, la brume de la Vallée sainte, l'alcool, lui, le transportait dans le monde éthéré des langueurs. Ce fut le seul moyen pour lui d'échapper à la souffrance. Sa santé était la « croix » qu'il dut porter toute sa vie. Ses douleurs ne cessèrent de l'assaillir, il but alors à l'excès. Alors que la prohibition battait son plein, dans chaque lettre envoyée à sa sœur Mariana, il lui demandait de lui trouver de quoi étancher sa soif : « New York est un désert aride... Pas une seule goutte d'arak. » Pour Mariana, les désirs de son frère étaient des ordres ; malgré ses inquiétudes sur sa santé, elle chargeait un parent, dénommé Assaf Georges, de lui en procurer dans les distilleries clandestines de Chinatown à Boston[46].

Se remémorant son ami Albert Ryder, mort fou et ivre de son amour pour une femme qui le quitta, se rappelant aussi son père à Bcharré, mort noyé dans sa bouteille d'arak et les abysses de la solitude, Gibran écrivit : « Ma soif pour le vin dépasse celle de Noé, d'Abou Nouas et de Debussy ainsi que de Marlowe[47]. »

Par ailleurs il ajouta : « Bois le vin de ta coupe seul, même s'il a le goût de ton sang et de tes larmes, et loue la vie de t'accorder le don de la soif. Car, sans sa soif, ton cœur n'est que le rivage d'une mer stérile,

privée de chant et de marée. Bois ton vin seul et fais-
le avec enthousiasme. Lève ta coupe bien haut au-
dessus de ta tête et vide-la jusqu'à la lie, à la santé de
ceux qui, eux aussi, boivent seuls[48]. »

1929

Le 5 janvier, à la veille de son quarante-sixième
anniversaire, ses confrères de la Ligue de la Plume
organisèrent un dîner à l'hôtel McAplin à New York,
en témoignage de ses vingt-cinq ans (1904-1929) au
service des belles-lettres arabes.

Le lendemain, il fut honoré à nouveau. Le célèbre
peintre mexicain José Clemente Orozco organisa dans
son atelier un banquet à l'occasion de l'anniversaire
de notre auteur. Parmi les invités figuraient certains
membres de la *New Orient Society* et quelques élites
intellectuelles du pays, lesquelles sollicitèrent Gibran
de leur lire quelques passages de ses livres. Ce soir-là,
il eut un malaise.

A la fin du même mois, il se rendit à Boston auprès
de Mariana en quête de repos. Sur l'insistance de sa
sœur, il fit un examen aux rayons X qui révélèrent
une hypertrophie alarmante du foie. Mariana cria alors
d'une voix hystérique, en se remémorant le spectre de
la mort qui plana jadis dans leur jeunesse[49].

Il fut soumis à un traitement par rayons et radium.
Pendant les moments de répit, il reprenait espoir et
s'acharnait sur son travail, plume et pinceau à la main,
afin de donner corps aux pensées et aux ombres qui
l'assiégeaient dans son lit lorsqu'il avait été souffrant.
Les médecins lui conseillèrent de subir une opération ;
au début il accepta, mais en dernier lieu il s'abstint,
disant · « Que le destin exécute sa volonté[50]. »

Dans ses lettres à ses amis new-yorkais il se montrait insouciant, désirant cacher la gravité de sa maladie. En mars, il écrivit à Mikhaël : « Que penses-tu d'un livre formé de quatre nouvelles : Michel-Ange, Shakespeare, Spinoza et Beethoven ? Et si chaque nouvelle était le résultat déterminé de ce que comporte le cœur humain comme souffrance, ambition, exil et espoir [51] ? » Il resta chez sa sœur neuf mois durant, la cirrhose continuant à le ravager [52].

A la fin du mois d'octobre, en plein krach boursier de Wall Street, il retourna à New York, rénova son appartement en le faisant repeindre et mit de l'ordre dans ses écrits arabes et anglais ainsi que dans son atelier [53], comme si, sentant ses jours comptés, il voulait se réorganiser à dessein d'achever ses projets.

La crise économique fit multiplier les ventes du *Prophète*. Jour après jour, de nombreux affligés de la vie grimpaient les longues marches de son escalier pour lui livrer leur fardeau de désespoir, alors que ses propres peines excédaient de loin celles de ses visiteurs. Pourtant il ne les évitait pas. Selon Barbara Young, « sa rapide compréhension ne se trompait jamais ; il trouvait le moyen de résoudre le problème ou du moins de renouveler l'endurance et le courage de ces affligés. Il les consolait avec beaucoup de simplicité, un brin de vérité intemporelle, quelques lois de la vie qui étaient loin de ressembler à des dogmes ou à des doctrines mais à un pansement pour des plaies invisibles... Par la suite il se sentait épuisé, me disant : "Leur amour et leurs peines me sucent le sang. J'aurais aimé tout laisser pour partir vivre dans un ermitage... Mais le fait même que j'y pense n'est pas bien [54]". »

Barbara nous rapporta qu'un jour, après avoir lu le chapitre consacré au « Mariage » dans *Le Prophète* à la demande de ses visiteurs, une femme parmi ceux-ci lui demanda : « Dites-nous pour quelle raison vous ne vous êtes pas marié ? » Il répondit en souriant : « Si j'étais marié et que je voulais continuer à travailler aussi ardemment sur mes écrits et mes toiles, je devrais tout simplement oublier l'existence de ma femme pour quelque temps. Et vous savez qu'une épouse, aussi aimable soit-elle, ne pourrait supporter longtemps un mari pareil. »

Et la femme de le relancer sur une autre question : « Mais n'avez-vous jamais été amoureux ? » Il se leva et, d'une voix troublée par l'impertinence de cette femme, il dit : « Je vais vous dire une chose qu'il se peut que vous ignoriez. Les êtres les plus hautement sexués sont les créateurs, les poètes, les sculpteurs, les peintres, les musiciens... Et cela depuis la nuit des temps. Chez eux, le sexe est un don sublime. Le sexe est toujours beau et toujours timide... Je ne connais rien au monde qui ne soit pas charnel. Les petits cailloux dans les lits des fleuves et les grains de sable que disperse le vent par-dessus les rivages sont peut-être les seuls qui ne soient pas charnels. »

Lorsque les invités s'en allèrent, il soupira une maxime en arabe. Ne comprenant pas ce qu'il murmurait, Barbara s'enquit : « Comment, Kahlil ? » Il se retourna, surpris, car il croyait qu'il était seul et lui dit d'une voix douce : « Le silence est l'un des mystères de l'amour [55]. »

Par ailleurs, quand on lui demandait : « Qu'est-ce qu'un mystique ? » il souriait, disant : « Rien de très secret ni de formidable, c'est juste quelqu'un qui a écarté un voile de plus. » Et lorsqu'on le questionnait sur l'Immaculée Conception il répondait : « Toute conception n'est-elle pas un miracle [56] ? »

Un jour, un visiteur lui demanda conseil sur les

règles et les lois fondamentales qu'il faudrait suivre pour mener une vie ordonnée et harmonieuse. Il répondit : « Je ne fais étalage d'aucune règle de conduite. Faites ce que vous voulez aussi longtemps que vous pourrez le faire avec beauté[57]. »

Dans d'autres circonstances, on l'interrogea sur la religion. Il répondit : « Religion ! Que peut-elle être ? Moi, je ne connais que la vie. La vie est le champ [bonnes pensées], la vigne [bonnes paroles] et le métier à tisser [bonnes actions]... L'Eglise est en vous, et vous êtes votre propre prêtre[58]. »

Nulle religion traditionnelle, semblerait-t-il, n'attirait notre auteur. « Quand un ecclésiastique fervent, raconta Barbara, cherchait à le convaincre des grandes valeurs d'un credo ou d'un dogme particulier, il lui répondait : "Oui, tout est sur le même chemin." Et en son cœur il répétait une vieille maxime des Upanishads : "Ne cherche pas à arguer avec celui qui n'a vécu qu'une seule vie[59]." »

Barbara précisa que Gibran croyait en ce qu'il appelait « la continuité de la vie, alors que les théosophes et les rosicruciens l'appellent "réincarnation" ; toutefois, ce mot n'a jamais été prononcé par lui... Gibran n'appartenait à aucune secte et n'aimait guère les "isme"... Il me disait : "Si l'on doit absolument me donner un attribut, que l'on dise que je suis *life-ist* [vitaliste][60]" ».

1930

Devant une fortune à son midi et une vie à son crépuscule, Gibran demanda à son ami banquier Edgar Spayer de gérer ses affaires et lui confia son testament. Voici la traduction littérale du texte officiel tel qu'il fut signé par Gibran le 13 mars :

« Tout l'argent liquide en ma possession [53 000 $] et les actes authentiques de droit que M. Edgar Spayer eut l'amabilité de conserver chez lui, je les lègue à ma sœur Mariana Gibran habitant actuellement 76, Tyler Street, à Boston.

Je possède également quarante actions à la Société immobilière de l'atelier sis 51, West 10th Street, se trouvant dans mon coffre de dépôts à Manhattan Bank Trust Co., 31, Union Square, NYC. Je lègue aussi ces actions à ma sœur.

Il existe en sus deux carnets d'épargne à West Side Saving Bank, 422, 6th Avenue, NYC ; ces deux carnets se trouvent dans mon appartement. Je désire que ma sœur transporte cet argent dans mon village de Bcharré afin de l'y dépenser en œuvres charitables.

Je lègue aussi à Bcharré les revenus de mes livres ; à ma connaissance, mes héritiers pourront jouir de mes droits d'auteur vingt-huit ans après ma mort.

Tous les dessins, toiles, livres, objets artistiques et autres se trouvant dans mon atelier, je les lègue à ma mort à Mary Haskell Minis, habitant actuellement à Gaston Street, Savannah City, Georgie. Toutefois j'invite Mme Minis, si elle le juge convenable, de les envoyer plus tard, entièrement ou en partie, dans mon village[61]. »

En juillet il termina le manuscrit des *Dieux de la Terre* et l'envoya à Mary puis se rendit à Boston[62]. Non loin de la ville, à Squantum, il loua une maison au bord de la mer et y séjourna durant deux mois en compagnie de sa sœur, travaillant dans la douleur sur un nouveau projet de livre, *L'Errant*. Le jour de son retour à New York, il confia à Mariana de l'argent pour acheter un appartement confortable hors du quartier chinois[63]. Ce fut la dernière fois qu'il la vit.

Pressentant l'approche de la mort, il en parla avec quiétude : « Savez-vous que jamais je n'ai songé à ce départ que les mortels appellent la mort, sans trouver un étrange plaisir et ressentir une immense nostalgie [64] », écrivit-il à May qui venait de perdre son père au Caire. Toutefois l'idée de partir de ce monde avant d'avoir exprimé « ce mot » le tourmentait encore. La vérité sur sa vie intime, les données de son état spirituel ne pouvaient être reflétées avec plus de sincérité qu'elles ne le furent dans cette lettre écrite durant cet été, la dernière qu'il adressa à May :

« Les remèdes des médecins pour mon malaise sont pareils à l'huile pour la lampe. Je n'ai pas besoin de remèdes ni de médecins, et encore moins de repos et de quiétude. Ce dont j'ai ardemment besoin est de quelqu'un qui me soulage de ce fardeau, d'une saignée morale, d'une main qui recueillerait ce dont regorge mon âme, d'une tempête qui ébranlerait mon arbre pour laisser choir mes fruits et mes feuilles...

Je suis, ô May, tel un volcan dont on a scellé le cratère. S'il m'était donné, aujourd'hui, d'écrire quelque chose de beau et de grandiose, je serais complètement guéri. Si je pouvais crier fort, je recouvrerais la santé...

Pour l'amour de Dieu, ne me dites pas : vous avez tant chanté, et ce que vous avez chanté jusqu'ici était magnifique. Ne me parlez pas de mes écrits, car leur souvenir me ferait souffrir, leur futilité rendrait mon sang lave en fusion, leur sécheresse réveillerait ma soif, leur puérilité déclencherait un séisme en moi. Pourquoi donc ai-je écrit tous ces articles et tous ces contes ? Pourquoi n'ai-je pas patienté ? Pourquoi n'ai-je pas retenu ces gouttes d'eau pour les rassembler en un ruisseau ? Je suis venu au monde pour écrire un livre, un seul petit livre. J'étais né pour vivre et souffrir afin de prononcer un seul mot vivant et ailé. Mais j'étais impatient ; j'aurais dû garder le silence jusqu'à ce que la Vie pose sur mes lèvres ce mot. Hélas ! J'étais plutôt bavard. Et quelle honte ! J'ai continué à parler jusqu'à ce que mon verbiage eût affaibli ma force. Et lorsque j'ai été capable de prononcer la première lettre, je me suis trouvé gisant sur le dos avec une pierre massive dans la bouche. Cependant, ce mot demeure toujours dans mon cœur ; ce mot vivant et ailé, force lui est d'être prononcé. Sa portée effacera toutes les fautes commises par mon verbiage. Il faut absolument que l'étincelle jaillisse [65]. »

1931

Le 14 mars parut *The Earth Gods*, « *Les Dieux de la Terre* », aux éditions Alfred Knopf[66]. Ce livre constitue un dialogue entre trois dieux qui représentent trois grandes tendances du cœur humain. Le premier est dégoûté de la vie et souhaite son propre anéantissement : la vie ne vaut pas la peine d'être vécue ; les valeurs ne sont que choses vaines. Le deuxième est rempli d'une volonté de puissance. Son existence donne un sens à l'effort humain. Son but est de dominer l'homme et d'en tirer hommage, honneur et louange. Le troisième prêche l'amour, seul sens de la vie. Les deux premiers dialoguent sans prêter l'oreille au troisième qui finit par triompher, après les avoir conduits sur le chemin de la beauté pour leur rendre l'amour accessible.

En fait Gibran avait commencé à l'écrire en 1915[67] ; ces trois divinités pourraient être la projection de son « moi » dans une évolution à trois étapes, durant ses quinze dernières années.

Barbara Young nous révéla qu'il avait un sentiment

particulier pour ce livre qui fut « écrit dans mon enfer et dont la composition était une gestation et un accouchement ». « Quand il le reçut, ajouta Barbara, il commença à le feuilleter d'un air songeur et à lire à voix haute et d'une façon posée : "Nous allons à la rencontre du crépuscule, peut-être pour nous réveiller à l'aube d'un autre monde. Cependant l'amour restera ; ses empreintes ne seront point effacées [68]". »

Le 16 mars, il en envoya un exemplaire à Mary accompagné d'un autre manuscrit, *Le Derviche* [69], qu'il baptisa finalement *L'Errant*. Voici donc la dernière lettre qu'il adressa à Mary, dont l'ultime mot fut un verbe aimant : « Je suis toujours à New York, et j'y resterai encore quelques petites semaines... J'espère que les illustrations des *Dieux de la Terre* vous ont plu. Je prépare un autre livre, *L'Errant*, ainsi que les dessins qui l'illustreront. C'est un recueil de paraboles. Mon éditeur espère le publier en octobre prochain... J'ai à lui remettre le manuscrit avec les dessins dans un mois. Je ne sais si cela vous intéresse de lire ce manuscrit avec vos yeux clairvoyants et vos mains savantes avant qu'il ne soit livré à l'éditeur. Que Dieu vous aime [70]. »

Le 3 avril, à l'aube du Vendredi saint, il acheva les trois dessins destinés à illustrer *L'Errant* avec une nouvelle combinaison de nuances dans les couleurs, utilisant des ombres couleur sépia. Ils les baptisa : *Joie et Tristesse, La Danseuse* et enfin *Souhaiter l'éternité* [71]. Le troisième dessin, qui fut sa dernière production artistique, représente une tentative de dessiner un esprit, sous forme d'un corps féminin éthéré, entouré de huit personnes aux corps opaques [72]. Ce jour-là comme tous les Vendredis saints, il le passa seul [73].

Le 6 avril, le lundi de Pâques, 'Abd al-Massih Haddad, l'éditeur du journal *Al-Sa'ih*, vint chez lui avec une pile de journaux à la demande de Gibran, et le décrivit en ces termes : « Pour la première fois j'ai entendu la mort dans sa voix et l'ai vue sur son visage. Nous avons parlé de diverses choses ; mais il m'a entretenu surtout de notre Ligue de la Plume et de nos confrères. Il les a passés en revue et a mis son cœur à nu comme s'il souhaitait les voir réunis autour de lui, pour leur faire ses adieux. Quand il m'a demandé des nouvelles de ma famille, il a prononcé les noms de mes enfants un à un, m'a donné de l'argent et m'a chargé d'acheter un bouquet de fleurs en son nom à leur mère [74]. »

Le jeudi 9 avril, la concierge, Anna Johansen, qui lui apportait tous les matins son petit déjeuner, le trouva agonisant. Elle courut prévenir la voisine de palier, Leonebel Jacobs, laquelle appela un médecin. Celui-ci conseilla à Gibran d'être hospitalisé, il refusa. Sur l'instance du médecin, il finit par accepter d'aller à l'hôpital, mais le lendemain. Il voulait passer encore une nuit chez lui. Le jour suivant, le Vendredi saint selon le calendrier oriental, Barbara Young le trouva évanoui dans son ermitage. Elle le transporta d'urgence à l'hôpital Saint-Vincent [75].

A 22 heures 55 [76], le mot qu'il avait tant aspiré à proférer fut enfin soufflé avec son dernier soupir.

Dans la nuit du 9 au 10 avril, nous pourrions imaginer Gibran relire « Le Mourant et le Vautour » de son livre *Le Précurseur* :

« Attends encore un peu, mon ami impatient.

Je ne céderai que trop tôt cette chose usée, dont l'agonie décrépite, et désormais inutile, abuse de ta patience.

Et je ne désire pas faire attendre ta noble faim ; mais cette chaîne, bien que faite d'un souffle, est difficile à briser.

Et la volonté de mourir, bien plus forte que tout ce

qu'il y a de plus fort, est bridée par une volonté de vivre plus faible que tout ce qu'il y a de plus faible.

Pardonne-moi camarade ; je m'attarde trop.

C'est la souvenance qui retient mon esprit : une procession de jours lointains, une vision de jeunesse vécue dans un rêve, un visage qui supplie mes paupières de ne point se refermer, une voix qui persiste dans mes oreilles, une main qui empoigne la mienne.

Pardonne-moi de t'avoir fait attendre si longtemps.

A présent tout est fini, tout s'est flétri : le visage, la voix et la main ainsi que la brume qui les a tous rassemblés ici. Le nœud est dénoué et la corde est coupée. Plus de goût, plus d'ouïe, toute chose semble être évanouie.

Approche, mon camarade affamé, la table est servie ; le frugal et le fade sont offerts avec amour.

Viens et plonge ton bec ici, du côté gauche, et arrache de sa cage cet oisillon qui ne peut plus battre de l'aile ; ô combien j'aimerais qu'il soit élancé avec toi vers les cieux.

Viens vite mon ami. Je suis ton hôte ce soir et toi, mon invité d'honneur [77]. »

Rêvons sa mort :

En cette aube du 10 avril 1931, les premières lueurs de ma dernière aurore hérissent ses épines, et les crocs de mes douleurs fléchissent devant mon jour suprême.

Les lèvres de mes yeux frémissent en sourires et larmes au diapason de ces ultimes battements de cœur. Je tente de priser toutes mes langueurs pour enfin soupirer la mort, le tribut de la Beauté extrême.

Ces palpitations perdent leur trajectoire dans mon cœur, dans cet univers dont l'au-delà est chair et dont les étoiles filantes sont sang. Un petit instant encore, et leurs cadences s'épancheront dans l'intemporel.

Quarante-huit fois j'ai tourné autour du soleil et

j'ignore combien de fois la lune a gravité autour de moi. Mais je sais que j'ai vécu quatre saisons de douze années, et chaque saison fut couronnée de printemps.

En ce jour printanier du 10 avril 1931, le sort de mon corps défie la nature en faisant virevolter ses feuilles mortes. Les vents de l'âge saccagent ses jardins.

Par-delà cette fenêtre, je perçois le réveil de New York, son vacarme naissant. En deçà de mes yeux, m'interpelle un rêve assourdi de paix. Et je m'enquiers :

« Serait-ce l'heure où mon âme achève de graver son passage sur terre, laissant une empreinte, mon corps ? »

Voilà que mon âme s'affaire en dénichant son trousseau et pose un baiser sur mes lèvres scellées de béatitude. Je la contemple s'émanant dans les airs de ma demeure et caressant mes livres et mes toiles. Puis elle vogue sur mon bureau. Et soudain elle s'enfile dans ma plume, et de sa pointe elle prend son élan en rugissant, telle une sirène qui annonce le départ d'un vaisseau.

« Que l'ancre soit levée », s'écrie le Commandant Esprit.

Ma vision se vrille alors dans une gigantesque spirale. A chaque tournant se trouve un panneau, un titre de mes livres dans une de mes toiles. Le voyage est jalonné d'écritures et de peintures, stèles de mon ancienne vie.

Me voici, me voilà propulsé dans la course des éthers. Me voilà, me voici empoigné par la main de l'univers pour être rejeté dans l'œil du cyclone, nourri de vents d'esprits, attendant qu'une main terrestre me tire des entrailles d'une nouvelle mère, attendant que mes yeux se dessillent devant une nouvelle vie.

17

Le retour du vaisseau

« Et toi, mer immense, mère toujours en éveil, toi
seule qui accordes paix et liberté à toute onde... je
viendrai vers toi, telle une infime goutte éperdue
rejoignant un océan aux horizons perdus...

Dès à présent, les marins n'auront plus à attendre.
Je suis prêt. La rivière a rejoint la mer, et une fois
de plus la sublime mère étreint son fils contre son
sein [1]. »

Le cercueil en bois de cèdre enveloppé de deux dra-
peaux américain et libanais [2] fut transporté au Liban à
bord du bateau *Sinaï*. Le dimanche 10 janvier 1932, il
fut déposé au monastère de Mar Sarkis [3]. Blotties au
pied des Cèdres, à l'ombre d'un rocher, face à la Vallée
sainte, reposent les cendres de Gibran.

En 1908, à mi-chemin de sa vie, il écrivit un poème
en prose et le montra à Mary ; ce fut la première fois
que tous deux travaillèrent sur un texte [4]. Ce poème
intitulé « La Beauté de la mort » aurait pu être la voix
de Gibran lors de ses cortèges funèbres à Boston, New
York, Beyrouth et Bcharré :

« Laissez-moi dormir, mon âme est ivre d'amour.

Laissez-moi sommeiller, mon esprit est repu de nuits et de jours.

Allumez les bougies et faites brûler l'encens tout autour de mon lit. Jetez à la volée des pétales de roses et de narcisses sur mon corps. Saupoudrez mes cheveux de musc. Versez les fragrances sur mes pieds. Puis regardez et lisez ce que la main de la mort a inscrit sur mon front.

Laissez-moi sombrer dans les bras du sommeil, mes prunelles se sont lassées de cet éveil.

Jouez de la cithare et laissez les notes de ses cordes en or chanceler dans mes oreilles.

Soufflez dans les flûtes et les *nays* et tissez de leur douce mélodie un voile à l'entour de mon cœur qui a hâte de ne plus battre.

Chantez les hymnes [syriaques] d'Urfa et laissez répandre leurs sens féeriques pour que mes sentiments s'y étendent. Puis contemplez la lumière d'espoir dans mes yeux.

Etanchez vos larmes, mes compagnons, levez la tête comme les fleurs relèvent leurs tiges à l'approche de l'aube. Regardez la sirène de la mort dressée comme une colonne de lumière entre ma couche et l'espace. Retenez votre souffle et tendez l'oreille un instant et écoutez avec moi le froufrou de ses ailes blanches.

Venez me dire adieu, ô fils de ma Mère ! Embrassez mon front avec des lèvres souriantes. Que vos paupières baisent mes lèvres et que vos lèvres baisent mes paupières.

Que les enfants s'approchent de mon lit et laissez-les effleurer mon cou avec leurs doigts suaves d'une roseur lactée. Laissez approcher les vieillards afin qu'ils bénissent mon front de leurs mains flétries et transies. Laissez les filles du quartier s'approcher et regarder l'ombre de Dieu dans mes yeux et écouter les échos de la mélodie de l'éternité qui se propagent précipitamment en compagnie de mes soupirs.

Me voici au sommet de la montagne, et voilà que mon esprit vogue dans l'espace de la liberté.

Je suis loin, très loin, ô fils de ma Mère. Les fronts des montagnes ont été dissimulés à mes yeux par la brume. Les entrailles des vallées ont été englouties dans la mer du silence. Les rues et les ruelles ont été effacées par les mains de l'oubli. Les prairies et les forêts ainsi que les collines ont disparu derrière des fantômes rouges pareils au voile du soir.

Les chants des vagues se sont étouffés, la mélodie des rivières s'est étiolée, les voix des gens se sont tues, je n'entends que l'hymne de l'éternité accompagnant la trajectoire de mon esprit.

Débarrassez mon corps de ce linceul en toile de lin. Et ensevelissez-moi dans du lys et du jasmin.

Retirez mes restes de ce cercueil d'ivoire, et déposez-les sur une nappe de fleurs d'oranger et de citronnier. Ne me pleurez pas, fils de ma Mère, mais chantez un chant de jeunesse et d'allégresse. Ne pleure pas ô fille des champs, chante plutôt les romances des jours de la récolte et du pressoir.

N'inondez pas ma poitrine de lamentations et de sanglots, dessinez plutôt sur elle avec le doigt le symbole de l'amour et le signe de la joie.

Ne troublez pas le repos de l'éther avec les oraisons funèbres et les derniers sacrements, laissez plutôt votre cœur acclamer avec moi des louanges pour la survivance et la pérennité.

Ne portez pas de noir lors de mes funérailles, mais du blanc comme à des fiançailles.

Ne parlez pas de mon départ avec des larmes dans la voix, fermez plutôt les yeux et vous me verrez parmi vous aujourd'hui et demain.

Etendez-moi sur des branches feuillues, portez-moi sur vos épaules et à pas feutrés, emmenez-moi vers un berceau de verdure dans des terres reculées.

Ne m'emmenez pas dans un cimetière, car la foule troublerait mon repos et le rongement des ossements ravirait la quiétude de mon sommeil.

Emportez-moi dans une forêt de cyprès et creusez-moi une tombe dans cette terre où se côtoient les violettes et les coquelicots.

Creusez une tombe profonde pour que les torrents n'emportent pas mes ossements dans les vallées.

Creusez une tombe spacieuse pour que les esprits de la nuit me tiennent compagnie.

Otez mes vêtements et enterrez-moi tout nu dans le cœur de la Terre, et tout doucement étendez-moi sur le sein de ma Mère.

Couvrez-moi de poignées de terre et d'autres de graines d'iris, de jasmin et d'églantines. Elles germeront sur ma tombe et aspireront les éléments de mon corps ; ainsi elles grandiront en répandant dans les airs le parfum de mon cœur et en révélant face au soleil les secrets de mes mains, et elles se pencheront avec la brise en rappelant au passant le passé de mes penchants et de mes rêves.

Laissez-moi maintenant, ô fils de ma Mère. Laissez-moi seul et partez en marchant comme la quiétude marche dans les vallées non habitées.

Laissez-moi seul et dispersez-vous en silence, comme les fleurs d'amandier et de pommier se laissent effeuiller par les souffles d'avril [mois de sa mort].

Regagnez vos demeures, vous y trouverez ce que la mort n'a pas pu prendre ni de vous ni de moi.

Quittez ce lieu ; celui que vous réclamez est à présent loin, très loin de ce monde [5]. »

De l'amour impossible (Josephine) à l'amour maternel (Kamila), de l'amante (Gertrude) à la bien-aimée
(Mary), de l'assistante (Barbara) à l'inspiratrice (May),
de l'amie (Charlotte) à la sœur (Mariana), la femme
pour Gibran fut toujours un moyen d'ascension, un
moyen de transport dans les deux sens du terme.

Derrière tout grand homme il est une femme aussi
sublime ; et derrière tout prophète se trouve une
myriade de femmes de génie. En signe de reconnaissance, Gibran leur éleva ces mots en guise de testament :

« Je dois à la Femme toute ma vie, je lui dois ce moi
qui est né d'un cri, je lui dois tous mes écrits. La
Femme m'a dessillé les yeux, m'a descellé l'âme. Sans
la femme-mère, la femme-sœur et la femme-amie, j'aurais dormi comme tous ceux qui dorment et ronflent
dans la béatitude du monde[6]. »

Dans le discours d'adieu prononcé à la fin du *Prophète*, Gibran révéla : « Si ma voix doit s'éteindre dans
vos oreilles et mon amour s'évanouir dans votre
N1mémoire, alors je reviendrai. Et c'est avec un cœur
plus enrichi et des lèvres encore plus offertes à l'esprit
que je parlerai... Un petit instant, un moment de repos
sur le vent, et une autre femme me portera à nouveau
en son sein[7]. »

Entre ciel et terre, sur les vents des éthers serait-
il toujours en attente qu'une autre femme l'enfante ?
Saurait-il s'incarner cette fois-ci dans le corps d'une
femme qui sera elle aussi à l'écoute d'une voix invisible, celle d'une Prophétesse ?

ANNEXES

Arbre généalogique paternel de Gibran*

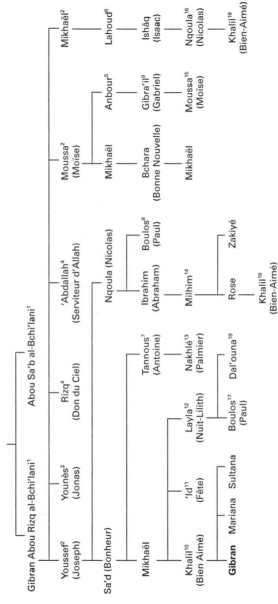

* Nous avons établi cet arbre à partir de celui réalisé par Gibran lui-même à l'âge de huit ans (*His Life*, p. 13) et de celui établi par le père Francis Rahmé (*Tarikh Bcharré*, II, p. 1153), selon Boulos Tauq, *La Personnalité de Gibran*.

1. L'ancêtre Gibrân, surnommé Abou Rizq al-Bchi'lani, fut exécuté par les Ottomans ainsi que son frère Abou Sa'b al-Bchi'lani.

2. Les trois frères Youssef, Moussa et Mikhaël s'étaient réfugiés à Bcharré après l'exécution de leur frère Younès ; Mikhaël était le médecin du village.

3. Younès qui avait le titre d'émir, fut exécuté par les Ottomans.

4. Rizq, le fils aîné de l'ancêtre Gibran Abou Rizq al-Bchi'lani, et son frère 'Abdallah s'étaient réfugiés à Saïda (Sidon) et à Salima dans le Matn, après l'exécution de leur frère Younès.

5. Anbour est son surnom, nous ignorons son vrai prénom.

6. Lahoud était peintre-sculpteur.

7. Tannous combattit auprès de Youssef Bayk Karam, héros national, contre les Ottomans.

8. Mgr Boulos, fils de Nqoula, était un vicaire patriarcal maronite.

9. Père Gibra'il fils d'Anbour était le chef des prêtres à Bcharré et sa région.

10. En Islam, le surnom d'Abraham est *al-Khalil* qui signifie en arabe le « Bien-Aimé » d'Allah.

11. 'Id, l'oncle paternel de notre auteur, était connu comme l'ivrogne du village.

12. Layla, la tante paternelle de notre auteur, s'était mariée avec al-Bitar Kayrouz, ancêtre de l'actuel conservateur du musée Gibran à Bcharré : Wahib Kayrouz.

13. Nakhlé émigra au Brésil et entretint une riche correspondance avec notre auteur.

14. Milhim hébergea Kamila et ses enfants à leur arrivée à Boston en 1895. Milhim est le grand-père maternel de Khalil, voir note 19.

15. Moussa, fils de Gibra'il, était le musicien du village.

16. Nqoula, fils d'Ishaq, émigré à Boston, désigna Gibran comme témoin à son mariage.

17. Boulos, fils de Layla, et Gibran passèrent ensemble leur enfance à Bcharré.

18. Dal'ouna s'était mariée avec Barakat Rahmé, un parent de la mère de Gibran, Kamila née Rahmé.

19. Khalil, fils de Nqoula, est le filleul de Gibran. Sa mère est Rose, fille de Milhim, voir note 14. Il est sculpteur, vivant à Boston, et porte le même nom que notre auteur, connu aux Etats-Unis, orthographié Kahlil Gibran.

Arbre généalogique maternel de Gibran*

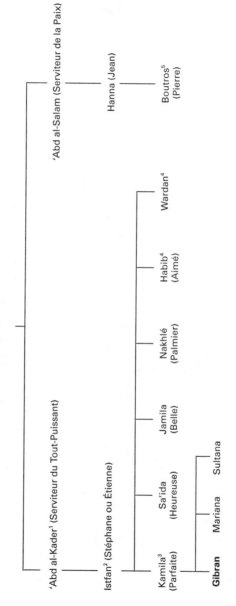

* Nous avons établi cet arbre conformément aux informations recueillies par Kahlil et Jean Gibran *(His Life)* ainsi que par Boulos Tauq *(La Personnalité de Gibran).*

1. D'origine musulmane, il se convertit au christianisme en prenant pour épouse une fille de la famille Rahmé (« Miséricorde ») cf. *His Life,* p. 11.

2. Grand-père maternel de Gibran. Prêtre maronite excommunié.

3. Premier mariage avec le cousin germain de son père, Hanna fils de 'Abd al-Salam, qui mourut au Brésil. Deuxième mariage non consommé avec Youssef fils d'Elias Gea'gea'. Troisième mariage avec Khalil Gibran, le père de notre auteur.

4. Habib et Wardan furent connus comme les chanteurs du village ; le prénom du quatrième frère de Kamila nous est inconnu.

5 Boutros est le demi-frère de notre auteur par le premier mariage de sa mère

NOTES *

1. La nativité

1. Khalil Gibran, *Le Prophète*, p. 27.
2. *Id., ibid.*, p. 7.
3. Mikhaël Nou'aymé note plutôt décembre. Mais nous nous sommes référés au journal intime de Mary Haskell ainsi qu'à une lettre de Gibran à May Ziyadé qui nous confirment la date du 6 janvier 1883. (Journal MH, 6 janvier 1912 et 26-28 décembre 1922 : *BP*, p. 57 et 397 ; Lettre KG à MZ, 11 janvier 1921 : *al-Chou'la*, p. 107)
4. Mikhaël Nou'aymé, *Gibran*, p. 23-26.

2. Le drame du père

1. Journal MH, 26 nov. 1923 : *BP*, p. 414.
2. Boulos Tauq, *La Personnalité de Gibran*, p. 71.
3. Barbara Young, *This Man*, p. 143.
4. Jamil Jabre, *Gibran fi Hayatih al-Assifa*, p. 10.
5. Journal MH, 7 décembre 1910 : *BP*, p. 26.
6. Barbara Young, *This Man*, 1re éd., p. 21 ; Mikhaël Nou'aymé, *Gibran*, p. 24
7. *His Life*, p. 10-11.
8. Mikhaël Nou'aymé, *Gibran*, p. 27.

---

* Les abréviations des noms propres sont page 565, au début de la bibliographie.

9. *His Life*, p. 10.

10. Journal MH, 24 mars 1911 : *BP*, p. 32.

11. *His Life*, p. 11.

12. Revue *al-Majalis*, 3 fév. 1956, p. 9.

13. Journal MH, 24 mars 1911 : *BP*, p. 32.

14. Boulos Tauq, *La Personnalité de Gibran*, p. 72-73.

15. Mikhaël Nou'aymé, *Gibran*, p. 24 et 35.

16. Wahib Kayrouz, journal *al-Anwar*, 13 avril 1980, p. 6.

17. Boulos Tauq, *La Personnalité de Gibran*, p. 73.

18. Boulos Kayrouz, journal *al-Anwar*, 17 avril 1980.

19. Mikhaël Nou'aymé, *Gibran*, p. 32-33.

20. Père Istfan al-Bchi'lani, revue *al-Manara*, oct. 1931, p. 758-763.

21. Boulos Kayrouz, journal *al-Anwar*, 17 avril 1980.

22. Khalil Chalfoun, *La Figure de Jésus*, I, p. 75.

23. Jamil Jabre, *Gibran : Hayatouh, Adabouh*, p. 25 et 48.

24. Boulos Tauq, *La Personnalité de Gibran*, p. 77.

25. *His Life*, p. 22.

26. Khalil Chalfoun, *La Figure de Jésus*, I, p. 76.

27. Khalil Gibran, *Le Prophète*, p. 57.

28. Journal MH, 7 décembre 1910 : *BP*, p. 26-27.

29. Propos d'Asma al-Dahir Ghazi Braks, *Gibran*, p. 62.

30. Père Francis Rahmé, *Tarikh Bcharré*, II, p. 797.

3. Les mariages de la mère

1. Khalil Gibran, *Le Sable et l'Ecume*, p. 132 ; Khalil Gibran, *Sand and Foam*, p. 74.

2. *His Life*, p. 11.

3. Propos de Mariana Gibran : Habib Mas'oud, *Gibran*, p. 22.

4. Journal MH, 7 décembre 1910 : *BP*, p. 26.

5. Lettre KG à MZ, 28 janvier 1920 : *al-Chou'la*, p. 81.

6. Khalil Gibran, *Les Processions : OCA*, p. 363 ; Khalil Gibran, *L'Œil du Prophète*, p. 167-168.

7. Manuscrit musée Gibran : Khalil Chalfoun, *La Figure de Jésus*, I, p. 76-77.

8. Journal MH, 7 décembre 1910 : *BP*, p. 26.

9. Barbara Young, *This Man*, p. 143.

10. Journal MH, 7 décembre 1910 : *BP*, p. 26.

11. Boulos Tauq, *La Personnalité de Gibran*, p. 85.

12. Journal MH, 20 avril 1920 : *BP*, p. 330.

13. Journal MH, 7 décembre 1910 : *BP*, p. 26.

14. Jamil Jabre, *Gibran fi Hayatih al-'asifa*, p. 11 ; *His Life*, p. 11.

15. *His Life*, p. 12.

16. Barbara Young, *This Man*, p. 144 et p. 9.

17. Journal MH, 20 avril 1920 : *BP*, p. 330.

18. Propos de Asma al-Dahir : Ghazi Braks, *Gibran*, p. 414, note 5.

19. Père Francis Rahmé, *Tarikh Bcharré*, II, p. 1166.

20. *His Life*, p. 11.

21. Mikhaël Nou'aymé, *Gibran*, p. 26.

22. Père Francis Rahmé, *Tarikh Bcharré*, II, p. 1166 ; Wahib Kayrouz, journal *al-Anwar*, 27 août 1979.

23. Boulos Tauq, *La Personnalité de Gibran*, p. 89-93.

24. *His Life*, p. 11.

25. Barbara Young, *This Man*, p. 144.

26. Wahib Kayrouz, journal *al-Anwar*, 14 avril 1980.

27. Père Francis Rahmé, *Tarikh Bcharré*, II, p. 1166.

28. Boulos Tauq, *La Personnalité de Gibran*, p. 95.

29. Journal MH, 7 décembre 1910 : *BP*, p. 26.

30. Journal MH, 24 mars 1911 : *BP*, p. 32.

31. Ghazi Braks, *Gibran*, p. 133.

4. Les jardins de l'enfance – Bcharré : 1883-1895

1. Père Francis Rahmé, *Tarikh Bcharré*, II, p. 1166.

2. Khalil Gibran, *Les Ailes brisées : OCA*, p. 172 ; Khalil Gibran, *L'Œil du Prophète*, p. 57-58.

3. Barbara Young, *This Man*, p. 32.

4. Journal MH, 14 janvier 1922 : *BP*, p. 368 et *His Life*, p. 14.

5. Barbara Young, *This Man*, p. 3.

6. Khalil Gibran, *Jésus Fils de l'Homme*, préf. Mansour Challita, p. 30.

7. Barbara Young, *This Man*, p. 145 et p. 7.

8. *Id., ibid.*, p. 7.

9. Khalil Gibran, *Le Sable et l'Ecume*, p. 61 ; Kahlil Gibran, *Sand and Foam*, p. 20.

10. Barbara Young, *This Man*, p. 7.

11. Père Francis Rahmé, *Tarikh Bcharré*, II, p. 1166-1167.

12. Barbara Young, *This Man*, p. 7.

13. Lettre KG à MZ, 28 janvier 1920 : *al-Chou'la*, p. 81.

14. Barbara Young, *This Man*, p. 145.

15. *Id., ibid.*, p. 8.

16. *Id., ibid.*, p. 9.

17. *Id., ibid.*, p. 7-8.

18. Mikaël Nou'aymé, *Gibran*, 32.

19. Père Francis Rahmé, *Tarikh Bcharré*, II, p. 1167-1168.

20. Barbara Young, *This Man*, p. 8.

21. *Id., ibid.*

22. Journal MH, 29 août 1913 : *BP*, p. 138-139 et *His Life*, p. 16-17.

23. Journal MH, 1er juin 1924 : *His Life*, p. 17.

24. Journal MH, 14 janvier 1922 : *BP*, p. 368.

25. Khalil Gibran, *Le Prophète*, p. 7.

26. Journal MH, 14 janvier 1922 : *BP*, p. 368-369.

27. Journal MH, 27 août 1915 : *His Life*, p. 16.

28. Journal MH, 26 juillet 1916 : *His Life*, p. 17.

29. Mikhaël Nou'aymé, *Gibran*, p. 34-35.

30. Boulos Tauq, *La Personnalité de Gibran*, p. 101.

31. Propos de Boulos Kayrouz : Antoine Karam, *La Vie et l'œuvre de Gibran*, p. 21.

32. Propos d'Asma al-Dahir : Ghazi Braks, *Gibran*, p. 60.

33. Mikhaël Nou'aymé, *Gibran*, p. 32 ; Propos d'Asma al-Dahir : Ghazi Braks, *Gibran*, p. 75.

34. Journal MH, 30 juin 1915 : *BP*, p. 247 et *His Life*, p. 17-18 ; Boulos Kayrouz, journal *al-Anwar*, 14 avril 1980 ; Journal MH, 20 avril 1920 : *BP*, p. 330.

35. Jamil Jabre, *Gibran : Hayatouh, Adabouh*, p. 18.

36. La Bible, Coll. Bouquins, p. 654-655.

37. Cf. Khalil Gibran, *Le Prophète*, commentaire, p. 173-183.

38. Habib Mas'oud, *Gibran*, p. 13.

39. Père Francis Rahmé, *Tarikh Bcharré*, I, 421.

40. Ghazi Braks, *Gibran*, p. 61.

41. Journal MH (date du jour inconnue) novembre 1915 : *His Life*, p. 15.

42. *His Life*, p. 16.

43. Lettre KG à la famille al-Dahir, 22 juillet 1912 : Boulos Tauq, *La Personnalité de Gibran*, p. 848.

44. Journal *Mir'at al-Gharb*, 9 juillet 1912 : *Aqida*, p. 234.

45. Boulos Tauq, *La Personnalité de Gibran*, p. 102.

46. Jamil Jabre, *Gibran : Hayatouh, Adabouh*, p. 18.

47. Barbara Young, *This Man*, p. 9.

48. *His Life*, p. 14.

49. Anis Chahine, *L'Amour et la Nature*, p. 170.

50. Père Francis Rahmé, *Tarikh Bcharré*, II, p. 1166.

51. Mikhaël Nou'aymé, *Gibran*, p. 31.

52. Ghazi Braks, *Gibran*, p. 75 : Mikhaël Nou'aymé, *Gibran*, p. 32.

53. Ghazi Braks, *Gibran*, p. 356.

54. Barbara Young *This Man*, p. 167.

55. M. et J. Feghali, *Contes, légendes et coutumes*, III, p. 175-176.

56. Khalil Chalfoun, *La Figure de Jésus*, I, p. 57-58.

57. Mikhaël Nou'aymé, *Gibran*, p. 30-31.

58. Barbara Young, *This Man*, p. 147.

59. Ghazi Braks, *Gibran*, p. 357-358.

60. Barbara Young, *This Man*, p. 96.

61. Kahlil Gibran, *Lazarus and his Beloved* ; Revue *Question de*, « Khalil Gibran, Poète de la Sagesse », n° 83, p. 81-97.

62. Journal MH, 8 juin 1924 : *BP*, p. 425-426.

63. Khalil Chalfoun, *La Figure de Jésus*, I, p. 64-65.

64. Manuscrit au musée Gibran n° 23, p. 18 : Khalil Chalfoun, *La Figure de Jésus*, I, p. 65-66.

65. Vicomtesse d'Aviau de Piolent, *Quinze Jours chez les maronites*, p. 189-190.

66. Journal MH, 10 janvier 1914 : *BP*, p. 170.

67. Antoine Karam, *La Vie et l'œuvre de Gibran*, p. 111.

5. L'exil de la famille

1. Khalil Gibran, *Kalimat Gibran*, p. 112.

2. Journal MH, 7 décembre 1910 : *BP*, p. 26.

3. Khalil Gibran, *Les Ailes brisées* : OCA, p. 211-212.

4. Titre d'un dessin, voir Khalil Gibran, *Merveilles et Curiosités* : OCA, p. 525.

5. Evangile selon saint Luc, 19 ; 26.

6. Boulos Tauq, *La Personnalité de Gibran*, p. 81.

7. Antoine Karam, *La Vie et l'œuvre de Gibran*, p. 18.

8. Dubar et Nasr, *Les Classes sociales au Liban*, p. 32.

9. Salim Abou, *L'Identité culturelle*, p. 206.

10. Khalil Gibran, *Merveilles et Curiosités* : OCA, p. 523 ; Khalil Gibran, *L'Œil du Prophète*, p. 38.

11. Mikhaël Nou'aymé, *Gibran*, p. 35-36.

12. Cf. photo : *His Life*, p. 24.

13. Journal MH, 14 janvier 1922 : *BP*, p. 368.

14. Khalil Gibran, *Le Sable et l'Ecume*, p. 46 ; Kahlil Gibran, *Sand and Foam*, p. 9

6. Les premiers pas au paradis perdu – Boston : 1895-1898

1. *Le Prophète*, p. 32.

2. Journal MH, 16 juin 1923 et 20 avril 1920 : *BP*, p. 409 et p. 330.

3. Amin Khalid, *Mouhawalat fi dars Gibran*, p. 4.

4. *His Life*, p. 23.

5. Barbara Young, *This Man*, 1re édition, p. 20.

6. Boulos Tauq, *La Personnalité de Gibran*, p. 149.

7. *His Life*, p. 22 et 25.

8. Mikhaël Nou'aymé, *Gibran*, p. 37.

9. *His Life*, p. 25.

10. Mikhaël Nou'aymé, *Gibran*, p. 37-38.

11. Joseph al-Yammouni, *Gibran*, p. 22-23.

12. *His Life*, p. 51 et p. 25.

13. Mikhaël Nou'aymé, *Gibran*, p. 49.

14. Kahlil Gibran, *The Processions*, intro. Georges Khairallah, p. 12.

15. Journal MH, 24 mars 1911 : *BP*, p. 32.

16. *His Life*, p. 28-29.

17. *Ibid.*, p. 26-27.

18. Boulos Tauq, *La Personnalité de Gibran*, p. 150.

19. *His Life*, p. 29.

20. Kahlil Gibran, *The Processions*, intro. Georges Khairallah, p. 13 ; Mikhaël Nou'aymé, *Gibran*, p. 40.

21. *His Life*, p. 29 note 9.

22. *Ibid.*, p. 29.

23. Kahlil Gibran, *The Processions*, intro. Georges Khairallah, p. 13.

24. Mikhaël Nou'aymé, *Gibran*, p. 39.

25. *His Life*, p. 30.

26. Journal MH, 23 juillet 1916 : *His Life*, p. 30

27. Journal MH, 19 septembre 1915 : *His Life*, p. 31.

28. *His Life*, p. 30.

29. Kahlil Gibran, *The Processions*, intro. Georges Khairallah, p. 13.

30. *His Life*, p. 30.

31. Journal de MH, 11 avril 1915 : *His Life*, p. 30-31.

32. Kahlil Gibran, *The Processions*, intro. Georges Khairallah, p. 12-13

33. Mikhaël Nou'aymé, *Gibran*, p. 40-41.

34. Propos de Nassib 'Arida : Antoine Karam, *La Vie et l'œuvre de Gibran*, p. 29.

35. *His Life*, p. 34.

36. *Ibid.*, p. 35-36.

37. *Ibid.*, p. 36.

38. *Ibid.*, p. 37.

39. Lettre Jessie Fremont Beale à FHD : *His Life*, p. 37-38.

40. *His Life*, p. 39.

41. *Ibid.*, p. 42 et 40.

42. Revue *The Mohogany Tree*, 28 mai 1892, p. 345 (cf. *His Life*, p. 44).

43. *His Life*, p. 45.

44. *Ibid.*, p. 48 et 40.

45. *Ibid.*, p. 41 et 39.

46. *Ibid.*, p. 40.

47. *Ibid.*, p. 51.

48. *Ibid.*, p. 53-55.

49. Boulos Tauq, *La Personnalité de Gibran*, p. 153.

50. *His Life*, p. 54-55.

51. Journal MH, 27 août 1915, 21 avril 1916 : *His Life*, p. 54.

52. Boulos Tauq, *La Personnalité de Gibran*, p. 236.

53. Journal MH, 25 décembre 1912 : *BP*, p. 115.

54. Kahlil Gibran, *The Processions*, intro. Georges Khairallah, p. 13.

55. Iliya Abou Madi, revue *al-Samir*, mai 1931, p. 52.

56. *His Life*, p. 40 et 57.

57. Journal MH, 7 septembre 1912 : *His Life*, p. 57.

58. Voir photo : *His Life*, p. 59.

59. Journal JP, 8 décembre 1898 : *His Life*, p. 57.

60. *His Life*, p. 56-57.

61. *Ibid.*, p. 60.

62. *Ibid.*, p. 61-62.

63. Voir illustration : *His Life*, p. 64.

64. *His Life*, p. 427 et 62.

65. *Ibid.*, p. 62 et 65.

66. *Ibid.*, p. 62.

67. *Ibid.*, p. 54.

68. *Ibid.*, p. 63. Voir photo : *His Life*, p. 87.

69. Journal MH, 27 août 1915 : *His Life*, p. 63.

70. *His Life*, p. 63 et 69.

71. Lettre JP à Frederick Sherman, 1898 : *Diary and Letters of Josephine Preston Peabody*, p. 5 (cf. *His Life*, p. 69-70).

72. *His Life*, p. 70 et 72.

73. Journal JP, mai 1894 : *Diary and Letters of Josephine Preston Peabody*, p. 35 (cf. *His Life*, p. 70).

74. *His Life*, p. 72-74.

75. *Ibid.*, p. 76.

76. Jamil Jabre, *Gibran : Hayatouh, Adabouh*, p. 18-19 ; Ghazi Braks, *Gibran*, p. 67 ; Antoine Khouayri, *Gibran*, p. 12.

77. *His Life*, p. 63.

78. Journal MH, 27 août 1915 : *His Life*, p. 64.

79. Kahlil Gibran, *The Processions*, intro. Georges Khairallah, p. 16-18.

80. Journal JP, 8 décembre 1898 : *His Life*, p. 64-65.

81. Revue *The Critic*, 2 avril 1898, p. 232 (cf. *His Life*, p. 65).

82. Journal MH, 18 avril 1922 et 21 avril 1922 : *His Life*, p. 54 et *BP*, p. 378.

83. Khalil Gibran, *Le Sable et l'Ecume*, p. 102 ; Kahlil Gibran, *Sand and Foam*, p. 49.

84. Propos de Mariana Gibran et Zakiyé Gibran Rahmé : *His Life*, p. 66.

85. Boulos Tauq, *La Personnalité de Gibran*, p. 83.

86. Kahlil Gibran, *The Processions*, intro. Georges Khairallah, p. 13.

87. Jamil Jabre, *Gibran : Hayatouh, Adabouh*, p. 20 ; Mikhaël Nou'aymé, *Gibran*, p. 40 et 43 sans préciser le nom du peintre

88. Mikhaël Nou'aymé, *Gibran*, p. 44-54 ; Journal MH, avril 1912 : *BP*. 72 ; *His Life*, p. 235.

89. Mikhaël Nou'aymé, *Gibran*, p. 46 et 54 ; Barbara Young, *This Man*, p. 53-54.

90. Iliya Abou Madi, revue *al-Samir*, mai 1931, p. 52 ; Barbara Young, *This Man*, p. 53-54.

91. Lettre KG à MH : Journal JP, 24 mars 1899 : *His Life*, p. 80-81.

92. *His Life*, p. 66-67.

93. Lettre Louise Guiney à FHD, 4 août 1898, Library of Congress (cf. *His Life*, p. 67).

94. Lettre Florence Peirce à FHD, lundi soir (probablement 8) août 1898 : *His Life*, p. 67.

95. Lettre Louise Guiney à FHD, 4 septembre 1898 : Library of Congress (cf. *His Life*, p. 67).

96. Lettre Florence Peirce à FHD, 10 septembre 1898 : *His Life*, p. 67.

97. Journal JP, 15 septembre 1898 : *His Life*, p. 67.

98. Khalil Gibran, *Kalimat Gibran*, p. 51.

99. Voir portrait de Josephine par Gibran : *His Life*, p. 119.

100. Lettre JP à FHD, 15 septembre 1898 : *His Life*, p. 68.

101. *His Life*, p. 76. Voir dessin *His Life*, p. 75.

102. Journal MH, 6 avril 1913 ; *BP*, p. 125.

7. Le retour de l'enfant prodigue – Beyrouth-Bcharré : 1898-1902

1. *Merveilles et Curiosités*, p. 502 : *L'Œil du Prophète*, p. 181.

2. Barbara Young, *This Man*, p. 54.

3. *Id. Ibid.*, p. 54.

4. Journal MH, 1911 : *Adwa'*, p. 58.

5. Thomas Bulfnich, *The Age of the Fable or Beauties of Mythology, Stories of Gods and Heroes*, Tilton, Boston, 1871, 488 pages : Antoine Karam, *La Vie et l'œuvre de Gibran*, p. 33.

6. Selon Antoine Karam, *La Vie et l'œuvre de Gibran*, p. 34, la date serait le 3 août, or à cette date-là, comme nous l'avons mentionné ci-dessus, il était encore en vacances chez Louise Guiney ; il se pourrait que le zéro du 30 se soit estompé avec le temps, sachant qu'il est un simple point en chiffres hindous adoptés par l'écriture arabe au Levant.

7. Antoine Karam, *La Vie et l'œuvre de Gibran*, p. 34.

8. *Id., ibid.*, p. 33.

9. *Id., ibid.*, p. 33-34.

10. Archibald Lampman, *Lyrics of Earth*, Copeland & Day, Boston, 1896, 56 pages : Antoine Karam, *La Vie et l'œuvre de Gibran*, p. 34.

11. Antoine Karam, *La Vie et l'œuvre de Gibran*, p. 34.

12. Antoine Khouayri, *Gibran*, p. 11.

13. Chinton Scollard, *A Boy's Book of Rhyme*, Copeland & Day,

Boston, 1896, 53 pages : Antoine Karam, *La Vie et l'œuvre de Gibran*, p. 34.

14. Clara Erskin Clement, *A Handbook of Legendary and Mythological Art*, Houghton Niffin, Boston & New York, 1897, 575 pages : Antoine Karam, *La Vie et l'œuvre de Gibran*, p. 35.

15. Joseph E. Worcester, *Comprehensive Dictionnary of the English Language*, LLD, Boston, 1860, 612 pages : Antoine Karam, *La Vie et l'œuvre de Gibran*, p. 35.

16. William Smith, *A Classical Dictionary of Biography, Mythology and Geography*, Spottismoode, Londres, 1877 : Khalil Chalfoun, *La Figure de Jésus*, III, p. 28 et Antoine Karam, *La Vie et l'œuvre de Gibran*, p. 35.

17. Antoine Karam, *La Vie et l'œuvre de Gibran*, p. 35.

18. *Id., ibid.*, p. 35-36.

19. *Id., ibid.*, p. 33.

20. *Id., ibid.*, p. 33.

21. Boulos Tauq, *La Personnalité de Gibran*, p. 157.

22. Khalil Hawi, *Gibran*, version arabe, p. 95.

23. Boulos Tauq, *La Personnalité de Gibran*, p. 161.

24. Khalil Chalfoun, *La Figure de Jésus*, I, p. 86 et III, p. 31.

25. Boulos Tauq, *La Personnalité de Gibran*, p. 157.

26. Père Louis Cheikho, *Tarikh al-'Adâb al-'Arabiya*, III, p. 30.

27. Mgr Youssef al-Dibs, *Tarikh Souriya*, VIII, p. 776-777.

28. Khalil Chalfoun, *La Figure de Jésus*, III, p. 29.

29. *Id., ibid.* p. 28-29.

30. Khalil Hawi, *Gibran*, version arabe, p. 93.

31. Propos d'un ancien du collège Adib Lahoud : Antoine Karam, *La Vie et l'œuvre de Gibran*, p. 31-32.

32. Antoine Karam, *La Vie et l'œuvre de Gibran*, p. 32.

33. Boulos Tauq, *La Personnalité de Gibran*, p. 161.

34. Revue *al-Hikma*, V. n° 4, p. 53 : Boulos Tauq, *La Personnalité de Gibran*, p. 157.

35. Lettre Père Youssef al-Haddad à son cousin l'écrivain Maroun 'Abboud : Maroun 'Abboud, *Joudoud wa Qoudama'*, p. 119-120.

36. *His Life*, p. 76.

37. Journal MH, 25 décembre 1912 : *BP*, p. 116.

38. Maroun 'Abboud, *Joudoud wa Qoudama'*, p. 121.

39. *His Life*, p. 77.

40. Habib Mas'oud, *Gibran*, p. 619.

41. Maroun Abboud, *Joudoud wa Qoudama'*, p. 121.

42. *Id., ibid.*, p. 121.

43. Barbara Young, *This Man*, p. 117.

44. Journal MH, 23 juillet 1916 : *His Life*, p. 82.

45. Boulos Tauq, *La Personnalité de Gibran*, p. 159.

46. Propos de Youssef al-Houayik : Khalil Hawi, *Gibran*, version arabe, p. 93.

47. Khalil Hawi, *Gibran*, version arabe, p. 93-94.

48. Revue *al-Makchouf*, IV, n° 172, p. 3.

49. *His Life*, p. 83.

50. Revue *al-Hikma*, V, n° 4, p. 54.

51. Propos de Youssef al-Houayik : Jamil Jabre, *Gibran fî Hayatih al-'asifa*, p. 23-24.

52. Habib Mas'oud, *Gibran*, p. 417.

53. Riyad Hunayn, *al-Wagh al-akhar li Gibran*, p. 78 : Boulos Tauq, *La Personnalité de Gibran*, p. 160.

54. Boulos Tauq, *La Personnalité de Gibran*, p. 160.

55. Habib Mas'oud, *Gibran*, p. 417.

56. *His Life*, p. 77.

57. *Ibid.*, p. 77.

58. *Ibid.*, p. 79.

59. Journal JP, 1er décembre 1898 : *His Life*, p. 77.

60. Journal JP, 8 déc. 1898 : *His Life*, p. 77.

61. Journal JP, 8 déc. 1898 : *His Life*, p. 78.

62. *His Life*, p. 77.

63. Lettre JP à KG, 12 déc. 1898 : *His Life*, p. 79.

64. *His Life*, p. 79.

65. *Ibid.*, p. 95-96.

66. *Ibid.*, p. 79.

67. Journal JP, 24 mars 1899 : *His Life*, p. 80-81 et *Rasa'il Gibran al-Ta'iha*, p. 27.

68. Lettre JP à FHD, 25 mars 1899 : *His Life*, p. 81-82.

69. *His Life*, p. 82.

70. Ce livre est conservé à Bcharré chez les Kayrouz avec l'attestation du premier prix en langue française collée à l'intérieur : Khalil Chalfoun, *La Figure de Jésus*, III, p. 28.

71. Khalil Hawi, *Gibran*, version arabe, p. 94.

72. Jamil Jabre, *Gibran fî Hayatih al-'asifa*, p. 33 et 153.

73. Barbara Young *This Man*, p. 55.

74. Journal MH, 5 juin 1912 : *His Life*, p. 82.

75. Barbara Young *This Man*, p. 184.

76. Khalil Hawi, *Gibran*, version arabe, p. 95 ; *His Life*, p. 82.

77. Propos Youssef al-Houayik : Jamil Jabre, *Gibran fî Hayatih al-'asifa*, p. 24 ; Mikhaël Nou'aymé, 1re éd., p. 24.

78. Journal, MH, 5 juin 1912 : *His Life*, p. 82.

79. Journal MH, 23 juillet 1916 : *His Life*, p. 82.

80. Maroun 'Abboud, *Joudoud wa Qoudama'*, p. 121.

81. Khalil Hawi, *Gibran*, version arabe, p. 95.

82. Habib Mas'oud, *Gibran*, p. 416.

83. Ghazi Braks, *Gibran*, p. 91.

84. Barbara Young, *This Man*, p. 184.

85. Habib Mas'oud, *Gibran*, p. 416.

86. Charles Corm, *La Montagne inspirée*, p. 117.

87. Charles Corm, revue *al-Risala*, I, n° 7, p. 5.

88. Propos de Youssef al-Houayik : Antoine Karam, *La Vie et l'œuvre de Gibran*, p. 39.

89. Youssef al-Houayik, revue *al-Hikma*, V, n° 4, p. 54.

90. *Id., ibid.*

91. *His Life*, p. 83.

92. Journal MH, 24 mars 1911 : *BP*, p. 32-33.

93. Journal MH, 24 mars 1911 : *BP*, p. 32-33.

94. Propos de Nqoula Gibran : *His Life*, p. 85 ; Antoine Khouayri, *Gibran*, p. 30.

95. *His Life*, p. 84-85.

96. *Ibid.*, p. 85.

97. Propos du cousin maternel Boulos al-Bitar Kayrouz : Antoine Karam, *La Vie et l'œuvre de Gibran*, p. 41.

98. Journal *al-Anwar*, 14 avril 1980 ; Ghazi Braks, *Gibran*, p. 69.

99. Conservés au musée Gibran : Khalil Chalfoun, *La Figure de Jésus*, I, p. 86-87 ; Fouad Ifram al-Boustani, *Ma'a Gibran*, p. 57.

100. *His Life*, p. 85.

101. *Ibid.*

102. Propos de Sa'ida, la sœur de Hala al-Dahir : Jamil Jabre, *Gibran : Hayatouh, Adabouh*, p. 27.

103. Khalil Hawi, *Gibran*, version arabe, p. 95.

104. *His Life*, p. 85.

105. Boulos Tauq, *La Personnalité de Gibran*, p. 164.

106. *Id., ibid.*, p. 286.

107. *His Life*, p. 86.

108. Propos de Filoumina, l'épouse de Boulos al-Bitar Kayrouz : Antoine Karam, *Gibran*, p. 42.

109. Hunayn, revue *al-Majalis*, 3 février 1956, p. 8-9 ; Jamil Jabre, *Gibran : Hayatouh, Adabouh*, p. 30-31.

110. Boulos Tauq, *La Personnalité de Gibran*, p. 286-287.

111. Jirjis al-Diya, revue *al-Majalis*, 3 février 1956, p. 9.

112. *Les Ailes brisées : OCA*, p. 174.

113. *Ibid.*, p. 221-225.

114. Boulos Tauq, *La Personnalité de Gibran*, p. 161.

115. Portrait réalisé en 1908 : Journal MH, 9-10 mai 1908 : *His Life*, p. 170.

116. Annie Salem Otto, *The Letters of Kahlil Gibran and Mary Haskell*, Houston-Texas, Southern Printing Company, 1967, p. 7 ; Journal MH, 9-10 mai 1908 : *His Life*, p. 170.

117. Boulos Tauq, *La Personnalité de Gibran*, p. 289.

118. *Id., ibid.*, p. 290.

119. *His Life*, p. 86.

120. William M. Murray, « FH Day's exhibitions of prints », Revue *Camera*, juillet 1898, p. 22 : *His Life*, p. 86.

121. *His Life*, p. 86. Voir dessin *His Life*, p. 85.

122. Boulos Tauq, *La Personnalité de Gibran*, p. 155 bis.

123. *His Life*, p. 86.

124. Journal, MH, 19 avril 1911 : *His Life*, p. 83.

125. Lettre Louise Guiney à FHD, 3 octobre 1898 : Library of Congress : *His Life*, p. 87.

126. *His Life*, p. 87.

127. Frederick Holland Day, *Portraiture and the Camera*, American Annual of Phtography and Photographic Times Almanac, 1899 : *His Life*, p. 88.

128. *His Life*, p. 88. Voir photo *His Life*, p. 88.

129. *Ibid*, p. 89.

130. Programme de la Royal Photographic Society, 8 novembre 1900 : *His Life*, p. 89.

131. *His Life*, p. 89.

132. Robert Demachy, « The American New School of Photography in Paris », Revue *Camera*, juillet 1901, p. 41 : *His Life*, p. 89.

133. Lettre FD à Louise Guiney, 23 avril 1901 : *His Life*, p. 89.

134. Lettre KG à son père, 5 avril 1901 : *Rasa'il*, p. 8.

135. Dans *Rasa'il* p. 7-8 la date de cette lettre qui est fixée en 1904 est erronée : en cette année-là Gibran était déjà à Boston et sa sœur était déjà morte. C'est pour cette raison que nous proposons de la dater en 1901.

136. Iliya Abou Madi, revue *al-Samir*, 1er mai 1931, p. 52-53.

137. Journal MH, 1er septembre 1918 : *BP*, p. 315.

138. Journal MH, 7 décembre 1910 : *His Life*, p. 385.

139. Lettre KG à MZ, 2 janvier 1914 : *al-Chou'la*, p. 32.

140. Lettre KG à MZ, 9 novembre 1919 : *al-Chou'la*, p. 67.

141. Boulos Tauq, *La Personnalité de Gibran*, p. 164.
142. Lettre KG à son père, 5 avril 1901 : *Rasa'il*, p. 7.
143. Revue *al-Hikma*, V, n° 8, p. 29-30.

8. La descente aux enfers – Boston : avril 1902-juin 1903

1. Khalil Gibran, *Le Sable et l'Ecume*, p. 106 ; Kahlil Gibran, *Sand and Foam*, p. 53.
2. Mikhaël Nou'aymé, *Gibran*, p. 56-61.
3. Journal MH, 25 août 1915 : *BP*, p. 256.
4. Propos de Mariana : Journal MH, 10 mars 1914 : *BP*, p. 180-182.
5. *His Life*, p. 93.
6. Journal MH, 10 mars 1914 : *BP*, p. 180-181.
7. Voir photo *His Life*, p. 94.
8. *His Life*, p. 94.
9. Khalil Chalfoun, *La Figure de Jésus*, I, p. 95.
10. Journal MH, 3 septembre 1920 : *BP*, p. 342.
11. Barbara Young, *This Man*, p. 56.
12. Journal JP, 6 novembre 1902 : *His Life*, p. 95.
13. *His Life*, p. 95.
14. Lettre JP à Mary Mason, 30 septembre 1899 : *His Life*, p. 97.
15. *His Life*, p. 96-97.
16. Le Dr Charles Fleicher était en 1902 le rabbin du temple d'Israël à Boston. A la mort de Gibran, il présida un service mémorial en l'honneur de Gibran : *His Life*, p. 98, note 9.
17. Journal JP, 17 novembre 1902 : *His Life*, p. 98-99.
18. Journal JP, 21 novembre 1902 : *His Life*, p. 100.
19. *His Life*, p. 100.
20. Journal JP, 21 novembre 1902 : *His Life*, p. 100.
21. Journal JP, 25-27 novembre 1902 : *His Life*, p. 100.
22. Journal JP, 6 décembre 1902 : *His Life*, p. 101.
23. *His Life*, p. 101.
24. *Ibid.*, p. 104 et 112.
25. Voir photo *His Life*, p. 105.
26. *His Life*, p. 104.
27. Khalil Gibran, *Le Prophète*, p. 39.
28. Ev. Jean, XII, 24.
29. Mikhael Nou'aymé, *Gibran*, p. 65-67.

30. Journal MH, 10 mars 1914 : *BP*, 182.

31. Journal JP, 1er janvier 1903 : *His Life*, p. 102-103 ; voir photo : *His Life*, p. 102.

32. *His Life*, p. 103.

33. Journal JP, 6 janvier 1903 : *His Life*, p. 103.

34. Lettre FHD à KG, 6 janvier 1903 : *His Life*, p. 103-104.

35. Propos de Mariana : Journal MH, 10 mars 1914 : *BP*, p. 182-183 et *His Life*, p. 104 et 106.

36. Journal JP, 26 janvier 1903 : *His Life*, p. 106.

37. Lettre JP à Mary Mason, 25 janvier 1903 : *His Life*, p. 107.

38. *His Life*, p. 106-107.

39. Propos de Mariana : Journal MH, 10 mars 1914 : *BP*, p. 183.

40. *Le Prophète*, p. 75.

41. *His Life*, p. 108.

42. Journal JP, 21 février 1903 : *His Life*, p. 108.

43. *His Life*, p. 108.

44. Journal JP, 7 mars 1903 : *His Life*, p. 109.

45. Lettre JP à Mary Mason, 9 mars 1903 : *His Life*, p. 109.

46. Propos de Mariana : Journal MH, 10 mars 1914 : *BP*, p. 183-184.

47. Lettre KG à FHD, 12 mars 1903 : *His Life*, p. 111-112.

48. Journal JP, 13 mars 1903 : *His Life*, p. 112.

49. Journal JP, 16 mars 1903 : *His Life*, p. 112.

50. Journal JP, 24 mars 1903 : *His Life*, p. 112.

51. Lettre KG à FHD, 13 avril 1903 : *His Life*, p. 112-113.

52. *His Life*, p. 113.

53. Journal JP, 21 avril 1903 : *His Life*, p. 113.

54. Journal JP, 9 mai 1903 : *His Life*, p. 115.

55. *His Life*, p. 115.

56. Revue *The Iris*, Wellesley College, Tau Zeta Epsilon Society, 1903, p. 4-5 : *His Life*, p. 115.

57. Journal JP, 30 mai 1903 : *His Life*, p. 115.

58. Journal JP, 15 juin 1903 : *His Life*, p. 115-116.

59. Journal JP, 24 juin 1903 : *His Life*, p. 116

60. *His Life*, p. 116.

61. Lettre KG à MZ, 20 janvier 1920 : *al-Chou'la*, p. 81-83 ; Journal MH, 20 avril 1920 : *BP*. p. 330.

62. Journal MH, 21 août-1er septembre 1918 : *BP*, p. 314.

63. Propos de Mariana : Journal MH, 10 mars 1914 : *BP*, p. 184-185 et *His Life*, p. 116.

64. Journal MH, 21 août-1er septembre 1918 : *BP*, p. 314-315.

65. Lettre KG à MZ, 28 janvier 1920 : *al-Chou'la*, p. 83.

66. Kahlil Gibran, *Twenty Drawings*, p. ii.

67. *Le Sable et l'Ecume*, p. 69 ; *Sand an Foam*, p. 25 ; Barbara Young, *This Man*, p. 9.

68. Lettre KG à FHD, 29 juin 1903 : *His Life*, p. 116.

69. Lettre de KG à FHD, sans date : *His Life* p. 116.

70. Lettre KG à Nakhlé Gibran, 7 mai 1910 : *Rasa'il ta'iha*, p. 53.

71. Boulos Tauq, *La Personnalité de Gibran*, p. 174.

72. Journal *al-Anwar*, 16 avril 1980.

73. Boulos Tauq, *La Personnalité de Gibran*, p. 174-175.

74. Manuscrit musée Gibran : Khalil Chalfoun, *La Figure de Jésus*, I, p. 87.

75. Barbara Young, *This Man*, p. 9.

9. Les anges de Boston – Boston : juillet 1903-juin 1908

1. *Les Ailes brisées* : OCA, p. 216-217.

2. *His Life*, p. 117.

3. Journal JP, 9 août 1903 : *His Life*, p. 118.

4. *His Life*, p. 118.

5. Lettre KG à FHD, 20 août 1903 : *His Life*, p. 118-119.

6. Journal MH, 22 avril 1911 et 11 avril 1915 : *BP*, p. 39 et 241.

7. Journal MH, 22 avril 1911 : *BP*, p. 39-40.

8. *His Life*, p. 125-126.

9. Journal JP, 13 septembre 1903 : *His Life*, p. 119.

10. Journal JP, 23 mars 1903 : *His Life*, p. 120.

11. Journal JP, 13 septembre 1903 : *His Life*, p. 120.

12. Lettre JP à Mary Mason, 6 septembre 1903 : *His Life*, p. 119.

13. *His Life*, p. 121.

14. Journal JP, 2 octobre 1903 : *His Life*, p. 121.

15. Journal JP, 10, 12 et 13 octobre 1903 : *His Life*, p. 122.

16. *His Life*, p. 124 ; Journal MH, 22 avril 1911 : *BP*, p. 40.

17. Manuscrit et portrait : *His Life*, p. 124.

18. Manuscrit : *His Life*, p. 124-125.

19. *Larme et Sourire* : OCA, p. 268-269.

20. *His Life*, p. 125-127.

21. *Ibid.*, p. 127.

22. Journal JP, 8 janvier 1904 : *His Life*, p. 127.

23. *His Life*, p. 128.
24. Khalil Chalfoun, *La Figure de Jésus*, III, note n° 151, p. 33.
25. *His Life*, p. 128.
26. *Ibid.*, p. 128-129.
27. Revue *Evening Transcript*, Boston, 3 mai 1903, p. 10.
28. Journal MH, 7 décembre 1910 : *BP*, p. 27.
29. Journal MH, 12 mars 1922 : *BP*, p. 371.
30. Mikhaël Nou'aymé, *Gibran*, p. 73-78.
31. Journal MH, 12 mars 1922 : *BP*, p. 371.
32. *His Life*, p. 133.
33. *Ibid.*, p. 135-136.
34. BP, intro, p. 15 ; *His Life*, p. 136-137.
35. Journal MH, 7 décembre 1910 : *BP*, p. 27.
36. Journal MH, 14 mai 1904 : *His Life*, p. 138.
37. Journal MH, 7 décembre 1910 : *BP*, p. 27.
38. *His Life*, p. 138-139.
39. Journal MH, 20 mai 1904 : *His Life*, p. 138.
40. Journal MH, 17 juin 1904 : *His Life*, p. 139.
41. *His Life*, p. 139-140.
42. *Ibid.* p. 140 ; *BP*, intro, p. 14.
43. Mikhaël Nou'aymé, *Gibran*, p. 69 et 72.
44. *His Life*, p. 140.
45. *Rasa'il ta'iha*, note, p. 31.
46. Revue *al-Haris*, n° 8, 1931, Beyrouth, p. 689-704.
47. *His Life*, p. 141.
48. *Larme et Sourire :* OCA, p. 259.
49. *His Life*, p. 141.
50. Lettre KG à FHD, 29 octobre 1904 · *His Life*, p. 142.
51. *His Life*, p. 143.
52. Journal *Herald*, 12 novembre 1904, Boston, p. 1.
53. Journal *Boston Sunday Globe*, 13 novembre 1904, p. 5.
54. Journal JP, 26 novembre 1904 : *His Life*, p. 144.
55. Barbara Young, *This Man*, p. 68.
56. *BP*, intro, p. 7.
57. Lettre KG à MH, sans date : *His Life*, p. 145.
58. *His Life*, p. 145.
59. *Ibid.*
60. *Larme et Sourire* : OCA, p. 261-262.
61. *His Life*, p. 146.
62. Journal *al-Mouhajir*, 1er avril 1905, NYC ; *Larme et Sourire* : OCA, p. 244-246.
63. Journal JP, 18 mars 1905 : *His Life*, p. 146.

64. *Larme et Sourire : OCA*, p. 292.

65. *Ibid*, p. 275.

66. *Ibid*. p. 275-276.

67. Journal MH, 3 septembre 1920 : *BP*, p. 342.

68. *His Life*, p. 146-147.

69. Un exemplaire se trouve au Harvard College Library : *His Life*, p. 148.

70. Journal JP, 1er juillet 1905 : *His Life*, p. 148-149.

71. *La Musique : OCA*, p. 33.

72. Journal MH, 20 août, 17 septembre et 31 octobre 1905 : *His Life*, p. 149.

73. Journal MH, 10 novembre 1905 : *His Life*, p. 149.

74. KG à JP, 25 décembre 1905 : *His Life*, p. 150.

75. *His Life*, p. 150.

76. Journal JP, 11 janvier 1906 : *His Life*, p. 150.

77. Journal MH, 11 février 1906 et Journal JP, 13 février 1906 : *His Life*, p. 150.

78. Lettre KG à JP, 25 février 1906 : *His Life*, p. 150.

79. *His Life*, p. 150-151.

80. Journal JP, 2 mai 1906 : *His Life*, p. 151.

81. *His Life*, p. 151.

82. *Larme et Sourire : OCA*, p. 294-295.

83. *His Life*, p. 153-154.

84. Lettre KG à Nqoula Gibran, 28 décembre 1905 : *His Life*, p. 154.

85. Mikhaël Nou'aymé, p. 85 ; *His Life*, p. 155.

86. *Larme et Sourire : OCA*, p. 257-258.

87. *His Life*, p. 155. *Larme et Sourire : OCA*, p. 264-266.

88. *Les Nymphes des Vallées : OCA*, p. 73.

89. *Ibid.*, p. 78-80.

90. Antoine Karam, *La Vie et l'œuvre de Gibran*, p. 52 ; *His Life*, p. 157.

91. *Le Sable et l'Ecume*, p. 136-137 ; *Sand and Foam*, p. 77.

92. Antoine Karam, *La Vie et l'œuvre de Gibran*, p. 52-53.

93. *Larme et Sourire : OCA*, p. 286-287.

94. Antoine Karam, *La Vie et l'œuvre de Gibran*, p. 53-54.

95. *His Life*, p. 157.

96. *Ibid.*, p. 423-425.

97. *Ibid.*, p. 157-158.

98. Lettre MH à Sarah Armstrong, 23 août 1906 : *His Life*, p. 158.

99. *His Life*, p. 158-159.

100. *Ibid.*, p. 159-160.

101. *Ibid.*, p. 160-161.

102. Journal MH, 6 janvier 1907 : *His Life*, p. 160.

103. Journal MH, 7 décembre 1907 : *His Life*, p. 161.

104. Voir autoportrait in *His Life*, p. 162.

105. Lettre KG à MH, 26 janvier 1908 : *His Life*, p. 161.

106. *His Life*, p. 161.

107. Mikhaël Nou'aymé, *Gibran*, p. 79.

108. Journal MH, 27 janvier 1908 : *His Life*, p. 161.

109. Mikhaël Nou'aymé, *Gibran*, p. 80-81.

110. *His Life*, p. 162.

111. Lettre MH à KG, 2 février 1908 : *His Life*, p. 163.

112. Voir portrait *His Life*, p. 163.

113. Journal MH, 6 février 1908 : *His Life*, p. 163.

114. *His Life*, p. 164 ; *BP*, intro, p. 16.

115. Lettre KG à Jamil al-Ma'louf, 1908 : *Rasa'il ta'iha*, p. 44-45.

116. Mikhaël Nou'aymé, *Gibran*, p. 90-93.

117. Lettre KG à Jamil al-Ma'louf, 1908 : *Rasa'il ta'iha*, p. 45.

118. Lettre KG à Amin al-Ghrayib, 12 février 1908 : *Rasa'il*, p. 8-9.

119. Lettre KG à Jamil al-Ma'louf, 1908 : *Rasa'il ta'iha*, p. 42-43.

120. Lettre KG à MH, 17-20 février 1908 : *His Life*, p. 164.

121. *His Life*, p. 164.

122. KG à MH, 28 janvier 1908 : *His Life*, p. 165.

123. Lettre CT à MH, 22 janvier 1908 : *His Life*, p. 165.

124. Lettre KG à Jamil al-Ma'louf, 1908 : *Rasa'il ta'iha*, p. 43.

125. Lettre KG à Nakhlé Gibran, 15 mars 1908 : *Rasa'il*, p. 12 ; Lettre KG à Amin al-Ghrayib, 28 mars 1908 : *Rasa'il*, p. 14.

126. Lettre KG à Nakhlé Gibran, 15 mars 1908 : *Rasa'il*, p. 10-12.

127. Journal MH, 26 mars 1908 : *His Life*, p. 166.

128. Journal MH, 26 mars 1908 : *His Life*, p. 166.

129. Journal MH, 21 mars 1908 : *His Life*, p. 166.

130. Journal MH, 22 mars 1908 : *His Life*, p. 166.

131. Lettre KG à MH, 25 mars 1908 : *His Life*, p. 166.

132. Journal MH, 27 mars 1908 : *His Life*, p. 167.

133. Journal MH, 28 mars 1908 : *His Life*, p. 167.

134. KG à Amin al-Ghrayıb, 28 mars 1908 : *Rasa'il*, p. 15-17.

135. Lettre KG à probablement Jamil al-Ma'louf, 1908 : *Rasa'il ta'iha*, p. 86-87.

136. Lettre KG à MH, 2 avril 1908 : *His Life*, p. 167.
137. *His Life*, p. 167.
138. Mikhaël Nou'aymé, *Gibran*, p. 85.
139. *Larme et Sourire* : OCA, p. 296-297.
140. Journal MH, 17 avril 1908 : *His Life*, p. 167-168.
141. Journal MH, le 26 avril 1908 : *His Life*, p. 168.
142. Lettre KG à MH, date inconnue : *His Life*, p. 168.
143. Lettre KG à MH, 28 janvier 1908 : *His Life*, p. 168.
144. *His Life*, p. 168.
145. Journal MH 5-10 mai 1908 : *His Life*, p. 168-169.
146. *His Life*, p. 168.
147. Journal MH, 7-10 mai 1908 : *His Life*, p. 169.
148. Journal MH, 9-10 mai 1908 : *His Life*, p. 170-171.
149. Journal MH, 19 mai 1908 : *His Life*, p. 171.
150. Journal MH, 14 mai 1908 : *His Life*, p. 171.
151. *Larme et Sourire* : OCA, p. 335-337.
152. Journal MH, 9 juin 1908 : *His Life*, p. 171.
153. Lettre KG à FHD, juin 1908 : *His Life*, p. 172.

10. La première marche de l'échelle – Paris : juillet 1908-octobre 1910

1. Barbara Young, *This Man*, p. 68.
2. Lettre KG à MH, 9 juillet 1908 : *His Life*, p. 173.
3. Lettre KG à MH, 13 juillet 1908 : *His Life*, p. 173.
4. Lettre KG et Emilie Michel à MH, 16 juillet 1908 : *His Life*, p. 173-174.
5. Cf. Abdallah Naaman, revue *Arabies*, octobre 1993, p. 48-51.
6. Barbara Young, *This Man*, p. 68.
7. *His Life*, p. 178.
8. Journal MH, 2 septembre 1914 : *His Life*, p. 189.
9. Lettre KG à MH, 29 juillet 1908 : *His Life*, p. 174.
10. *His Life*, p. 175.
11. Lettre KG à MH, 2 octobre 1908 : *BP*, p. 19.
12. Lettre KG à MH, 8 novembre 1908 : *His Live*, p. 179-180.
13. Propos de Youssef al-Houayik : Antoine Karam, *La Vie et l'œuvre de Gibran*, p. 64.
14. Lettre KG à MH, 2 octobre 1908 : *BP*, p. 19.
15. Lettre KG à MH, 2 octobre 1908 : *BP*, p. 19-20.
16. *Le Prophète*, p. 35-36.

17. *His Life*, p. 180.
18. Lettre KG à MH, 8 novembre 1908 : *BP*, p. 20-21 et *His Life*, p. 179.
19. Lettre KG à MH, 20 décembre 1908 : *His Life*, p. 180.
20. Lettre KG à MH, 25 décembre 1908 : *BP*, p. 21.
21. *Al-Hikma* VI, n° 8, p. 30 : Antoine Karam, *La Vie et l'œuvre de Gibran*, p. 60.
22. Youssef al-Houayik, *Mes Souvenirs*, préface, p. 8.
23. Journal MH, 1911 : *Adwa'*, p. 188-189.
24. Journal MH, 1912 : *Adwa'*, p. 190.
25. Youssef al-Houayik, *Mes Souvenirs*, p. 30.
26. Lettre KG à MH, 31 juillet 1909 : *His Life*, p. 185-186.
27. Lettre KG à MH, 31 juillet 1909 : *Adwa'*, p. 216.
28. Cf. Youssef al-Houayik, *Mes Souvenirs*.
29. Lettre KG à MH, 2 janvier 1909 : *His Life*, p. 181.
30. Lettre KG à MH, 7 février 1909 : *His Life*, p. 181.
31. Lettre KG à MH, 17 avril 1909 : *His Life*, p. 181.
32. Lettre KG à MH, 1909 : *Adwa'*, p. 35.
33. *Larme et Sourire : OCA*, p. 317-322.
34. Lettre KG à MH, 6 janvier 1909 : *His Life*, p. 181-182.
35. Lettre KG à MH, 14 mars 1909 : *His Life*, p. 182.
36. Lettre MH à KG, 3 avril 1909 : *His Life*, p. 182.
37. Lettre KG à MH, 29 avril 1909 : Annie Salem Otto, *The Letters*, p. 271 et *His Life*, p. 384-385.
38. Youssef al-Houayik, *Mes Souvenirs*, p. 13-18.
39. *Id., ibid.*, p. 46-48.
40. *Id., ibid.*, p. 20-21.
41. *Id., ibid.*, p. 23-30.
42. *Id., ibid.*, p. 100.
43. Lettre KG à MH, 7 février 1909 : *His Life*, p. 183.
44. Lettre KG à MH, 17 avril 1909 : *His Life*, p. 183.
45. *His Life*, p. 183.
46. *Wellesley College News*, 26 mai 1909, p. 4.
47. Youssef al-Houayik, *Mes Souvenirs*, p. 77-78.
48. *Id., ibid.*, p. 95-96.
49. *Id., ibid.*, p. 62-63.
50. *Id., ibid.*, p. 97.
51. *Id., ibid.*, p. 101-102.
52. *Id., ibid.*, p. 107-118.
53. *The Wanderer*, p. 32-33 ; *L'Œil du Prophète*, p. 132.
54. Youssef al-Houayik, *Mes Souvenirs*, p. 199-205.
55. *Id., Ibid.*, p. 119-126.

56. *BP*, intro, p. 16.

57. Lettre CT à MH, 2 juin 1909 : *His Life*, p. 185.

58. Lettre KG à MH 23 juin 1909 : *His Life*, p. 185.

59. Lettre KG à MH, 23 juin 1909 : *BP*, p. 22.

60. Lettre KG à MH 23 juin 1909 : *BP*, p. 22.

61. Lettre KG à MH, 23 juin 1909 : *BP*, p. 23.

62. Lettre KG à MH, 4 juillet 1909 : *His Life*, p. 178.

63. Lettre KG à MH, 31 juillet 1909 : *His Life*, p. 185.

64. Youssef al-Houayik, *Mes Souvenirs*, p. 62.

65. Jamil Jabre, *Gibran fi Hayatih al-'asifa*, p. 105.

66. Lettre KG à MH, 31 juillet 1909 : *Adwa'*, p. 216.

67. *Barbara Young, This Man*, p. 56.

68. Manuscrit musée Gibran : Boulos Tauq, *La Personnalité de Gibran*, III, p. 834-836.

69. Barbara Young, *This Man*, p. 56.

70. Journal MH, 3 septembre 1920 : *BP*, p. 342.

71. Youssef al-Houayik, *Mes Souvenirs*, p. 140.

72. *Id., ibid.*, p. 75.

73. Lettre KG à Amin al-Ghrayib, 28 juillet 1909 : *Rasa'il ta'iha*, p. 35.

74. Lettre KG à Amin al-Ghrayib, 30 juillet 1909 : *Rasa'il ta'iha*, p. 36.

75. Youssef al-Houayik, *Mes Souvenirs*, p. 39-41.

76. *Id., ibid.*, p. 37-38.

77. *Id., ibid.*, p. 41-44.

78. *Al-Hikma* VI, n° 8, p. 31 : Antoine Karam, *La Vie et l'œuvre de Gibran*, p. 62.

79. Lettre KG à MH, 23 juin 1909 : *BP*, p. 23.

80. Youssef al-Houayik, *Mes Souvenirs*, p. 143-148.

81. Lettre KG à MH, 20 octobre 1909 : *His Life*, p. 187.

82. Youssef al Houayik, *Mes Souvenirs*, p. 33.

83. Lettre KG à MH, 10 novembre 1909 : *His Life*, p. 187-188.

84. Lettre KG à MH 19 décembre 1909 : *His Life*, p. 188.

85. Lettre KG à MH, 19 décembre 1909 : *His Life*, p. 188.

86. Journal MH, 22 juin 1913 : *Adwa'*, p. 120.

87. Lettre KG à MH, 10 mai 1910 : *His Life*, p. 188-189.

88. Antoine Karam, *La Vie et l'œuvre de Gibran*, p. 69.

89. Journal MH, 26 décembre 1917 : *His Life*, p. 306 et *Adwa'*, p. 57 et 149.

90. *Larme et Sourire : OCA*, p. 346-347.

91. Barbara Young, *This Man*, p. 19.

92. Letfre KG à MH, 1910 : *Adwa'*, p. 232.

93. Journal MH, 3 septembre 1913 : *BP*, p. 151-152 et *His Life*, p. 189-190.

94. *Les Esprits rebelles*, p. 152-154.

95. Lettre KG à Nakhlé Gibran, 7 mars 1910 : *Rasa'il ta'iha*, p. 51.

96. Youssef al-Houayik, *Mes Souvenirs*, p. 208.

97. *Id., ibid.*, p. 208-209.

98. Lettre KG à Nakhlé Gibran, 7 mai 1910 : *Rasa'il ta'iha*, p. 52.

99. Lettre KG à MH, 10 mai 1910 : *His Life*, p. 190-191.

100. Lettre KG à MH, 10 mai 1910 : *Adwa'*, p. 31.

101. Journal MH, 6 février 1912 : *BP*, p. 63.

102. Lettre KG à MH, 10 mai 1910 : *His Life*, p. 189.

103. Lettre KG à MH, 10 mai 1910 : *His Life*, p. 190-191.

104. Revue *Les Mille Nouvelles Nouvelles*, X, novembre 1910, Paris, p. 141-150.

105. Lettre KG à Nakhlé Gibran, 7 mai 1910 : *Rasa'il ta'iha*, p. 52-53.

106. *His Life*, p. 191.

107. Revue *Les Mille Nouvelles Nouvelles*, X, novembre 1910, Paris, p. 142.

108. Youssef al-Houayik, *Mes Souvenirs*, p. 79-85.

109. Lettre KG à MH, 1910 : *Adwa'*, p. 183.

110. Lettre KG à Nakhlé Gibran, 14 décembre 1909 : *Rasa'il ta'iha*, p. 50.

111. *His Life*, p. 192.

112. Youssef al-Houayik, *Mes Souvenirs*, p. 184.

113. *Sawt al-Mar'â* XII, n° 9 p. 15 : Antoine Karam, *La Vie et l'œuvre de Gibran*, p. 65.

114. Youssef al-Houayik, *Mes Souvenirs*, p. 185.

115. *Al-Hikma*, n° 8, p. 31 : Antoine Karam, *La Vie et l'œuvre de Gibran*, p. 65.

116. Youssef al-Houayik, *Mes Souvenirs*, p. 54.

117. Lettre de Lettre KG à MH, 1910 : Adwa', p. 208.

118. Lettre de Lettre KG à MH, 1910 : Adwa', p. 209.

119. *His Life*, p. 193.

120. Lettre KG et Amin al-Rihani à Youssef al-Houayik, 3 juillet 1910 : *Rasa'il ta'iha*, p. 63.

121. Youssef al-Houayik, *Mes Souvenirs*, p. 194.

122. Lettre KG à MH, 30 août 1910 : *His Life*, p. 193.

123. Youssef al-Houayik, *Mes Souvenirs*, p. 207-208.

124. Lettre KG à Amin al-Rihani, 23 août 1910 : *Rasa'il ta'iha*, p. 69.

125. Lettre KG à MH, 30 août 1910 : *His Life*, p. 193.

126. Lettre KG à Nakhlé Gibran, 27 septembre 1910 : *Rasa'il*, p. 18-19 et *Rasa'il ta'iha*, p. 54-55.

127. *Le Prophète*, p. 40.

128. *His Life*, p. 193.

129. Youssef al-Houayik, *Mes Souvenirs*, p. 210-211.

130. Lettre KG à Amin al-Rihani, 17 octobre 1910 : *Rasa'il ta'iha*, p. 70.

131. Lettre KG à Amin al-Rihani, 17 octobre 1910 : *Rasa'il ta'iha*, p. 70.

132. This Man, p. 57 ; *His Life*, p. 188 et 196.

133. *His Life*, p. 196-197 ; *Adwa'*, p. 207.

134. Alice Raphaël Eckstein, *Twenty Drawings of Kahlil Gibran*, Knopf, New York, 1919, intro ; *This Man*, p. 22.

135. *Al-Hikma* VI, n° 8, p. 31 : Antoine Karam, *La Vie et l'œuvre de Gibran*, p. 62.

136. *Larme et Sourire* : OCA, p. 344.

137. *Larme et Sourire* : OCA, p. 347.

138. Antoine Karam, *La Vie et l'œuvre de Gibran*, p. 72-73.

139. Lettre KG à MH, 5 juin 1910 : *His Life*, p. 194.

140. Lettre KG à MH, 19 décembre 1909 : *His Life*, p. 194.

11. La demande en mariage – Boston : novembre 1910-octobre 1911

1. *Le Prophète*, p. 23-24.

2. *BP*, note, p. 16.

3. Journal MH, 1er et 6 novembre 1910 : *His Life*, p. 195.

4. *His Life*, p. 195-196.

5. Journal MH, 7 novembre 1910 : *His Life*, p. 196.

6. Journal MH, 24 mars 1911 : *BP*, p. 33.

7. *His Life*, p. 197-198.

8. Lettre KG à Youssef al-Houayik, 19 janvier 1911 : Youssef al-Houayik, *Mes Souvenirs*, p. 211

9. Lettre KG à Jamil al-Ma'louf, 23 avril 1912 : *Rasa'il ta'iha*. p. 46.

10. Youssef al-Houayik, *Mes Souvenirs*, p. 50-51.

11. *Le Prophète*, p. 14.

12. Journal MH, 7 décembre 1910 : *His Life*, p. 385 et 198.

13. Journal MH, 7 décembre 1910 : *His Life*, p. 198-199.

14. Mikhael Nou'aymé, *Gibran*, p. 122

15. Journal MH, 22-24 juin 1912 : *His Life*, p. 239.

16. Mikhaël Nou'aymé, *Gibran*, p. 122-123.

17. Journal MH, 10 décembre 1910 : *BP*, p. 28 et *His Life*, p. 199 ; Antoine Francis, *Gibran al-'achiq*, p. 183.

18. Journal MH, 10 avril 1915 : *BP*, p. 236.

19. Journal MH, 12 mars 1922 : *BP*, p. 371-372.

20. Journal MH, 10 décembre 1910 : *BP*, p. 29 et *His Life*, p. 200.

21. Journal MH, 21, 26 et 30 décembre 1910 : *BP*, p. 29 et *His Life*, p. 200.

22. Journal *Mir'at al-Gharb*, 6 janvier 1911 : *Aqida*, p. 47.

23. *Les Tempêtes :* OCA, p. 393-394.

24. *His Life*, p. 200-201.

25. Journal MH, 24 janvier 1911 : *His Life*, p. 201.

26. Journal MH, 28 janvier et 3 février 1911 : *His Life*, p. 202.

27. Journal MH, 12 mars 1922 : *BP*, p. 372.

28. Journal MH, 20 juin 1915 : *His Life*, p. 202.

29. Journal MH, 17 et 19 février 1911 : *His Life*, p. 202-204.

30. Journal MH, 17 et 22 mars 1911 : *His Life*, p. 202.

31. Journal MH, 19 février 1911 : *His Life*, p. 204.

32. Journal MH, 1911 : *Adwa'*, p. 47-48 ; Annie Salem Otto, *The Letters*, p. 2.

33. Journal MH, 21 et 22 février 1911 : *His Life*, p. 204.

34. *Le Prophète*, p. 70 et commentaires, p. 161-162.

35. *Aqida*, p. 23-24.

36. *Ibid*, p. 25.

37. *Ibid*, p. 21.

38. Jamil Jabre, *Gibran fi Hayatih al-'asifa*, p. 101.

39. *His Life*, p. 219.

40. Journal *Mir'at al-Gharb*, 3 mars 1911 : Boulos Tauq, *La Personnalité de Gibran*, III, p. 841-843 et *Aqida*, p. 27-28.

41. Habib Mas'oud, *Gibran*, p. 240.

42. *Adwa'*, p. 114.

43. Journal MH, 22 mars 1911 : *His Life*, p. 204-205.

44. Journal MH, 17 mars 1911 : *His Life*, p. 205.

45. Journal MH, 22 mars 1911 : *His Life*, p. 205.

46. Journal MH, 12 mars 1922 : *His Life*, p. 205.

47. *His Life*, p. 205.

48. *Les Tempêtes :* OCA, p. 377-379.

49. Journal *Mir'at al-Gharb*, 14 avril 1911 : *Aqida*, p. 48.

50. Lettre KG à Youssef al-Houayik, 19 janvier 1911 : Youssef al-Houayik, *Mes Souvenirs*, p. 211-212.

51. *His Life*, p. 206.

52. Journal MH, 14 avril 1911 : *BP*, p. 34.

53. Journal MH, 14 avril 1911 : *His Life*, p. 205-206.

54. Journal MH, 15 avril 1911 : *BP*, p. 35-36.

55. Journal MH, 15 avril 1911 : *His Life*, p. 207.

56. Journal MH, 11 avril 1915 : *BP*, p. 239.

57. *His Life*, p. 207.

58. *Ibid.*, p. 208.

59. Journal MH, 29 avril 1911 : *BP*, p. 41.

60. Lettre KG à MH, 1er mai 1911 : *BP*, p. 42.

61. *BP*, intro, p. 10.

62. Lettre KG à MH, 1er mai 1911 : *BP*, p. 42.

63. Lettre KG à MH, 10 mai 1911 : *BP*, p. 45-46.

64. Mikhaël Nou'aymé, *Gibran*, p. 173.

65. Lettre KG à MH, 3 mai 1911 : *BP*, p. 43.

66. Lettre KG à MH, 12 mai 1911 : *BP*, p. 46 et *His Life*, p. 209.

67. Lettre KG à MH, 12 décembre 1912 : *BP*, p. 112.

68. *His Life*, p. 209.

69. Lettre KG à MH, 5 mai 1911 : *BP*, p. 44.

70. Albert al-Rihani, *al-Rihani wa mu'asirouh, rasa'il al-oudaba 'ilayh*, Dar al-Rihani, Beyrouth, 1956, p. 129.

71. Lettre KG à MH, 6 mai 1911 : *Adwa'*, p. 183.

72. Lettre KG à MH, 16 mai 1911 : *BP*, p. 47.

73. *BP*, note, p. 40.

74. Boulos Tauq, *La Personnalité de Gibran*, p. 422.

75. Lettre KG à MH, 16 mai 1911 : *His Life*, p. 209.

76. Lettre KG à MH, 30 mai 1911 : *BP*, p. 48 et *His Life*, p. 209.

77. *His Life*, p. 211.

78. Journal MH, 28 mai 1911 : *His Life*, p. 210.

79. Journal MH, 1er juin 1911 : *His Life*, p. 211.

80. Journal MH, 3 juin 1911 : *His Life*, p. 211.

81. *His Life*, p. 211-212.

82. Journal MH, 6 juin 1911 : *His Life*, p. 213.

83. *Le Prophète*, p. 43.

84. Journal MH, 7 juin 1911 : Antoine Francis, *Gibran al-'achiq*, p. 210.

85. Journal MH, 7 juin 1911 : *His Life*, p. 213-214.

86. Journal MH, 10 juin 1911 : *His Life*, p. 214.

87. Lettre KG à MH, 28 juin 1911 : *His Life*, p. 215.

88. *His Life*, p. 215.

89. *Les Tempêtes* : *OCA*, p. 372-374.

90. Journal *Mir'at al-Gharb*, 13 septembre 1911 : *Aqida*, p. 49.

91. *Les Tempêtes* : *OCA*, p. 390-392.

92. Journal *Mir'at al-Gharb*, 28 juin 1911 : *Aqida*, p. 48-49.

93. Lettre KG à MH, 14 septembre 1911 : *BP*, p. 49.

94. Journal MH, 16 septembre 1911 : *His Life*, p. 217.

95. Lettre KG à MH, 19 septembre 1911 : *BP*, p. 50.

96. *His Life*, p. 218 ; *BP*, notes, p. 50.

97. Lettre KG à MH, 22 septembre 1911 : *BP*, p. 51.

98. Journal MH, 26 septembre 1911 : *His Life*, p. 218.

99. Journal MH, fin septembre 1911 : *Adwa'*, p. 169.

100. Journal MH, 1er octobre 1911 : *His Life*, p. 219.

101. Journal MH, 9, 10 et 2 octobre 1911 : *His Life*, p. 221-222.

12. La conquête de New York – New York : novembre 1911-décembre 1913

1. *Le Sable et l'Ecume*, p. 46 : *Sand and Foam*, p. 8.

2. Lettre CT à MH, 3 novembre 1911 : *His Life*, p. 225.

3. Lettre KG à MH, 31 octobre 1911 : *BP*, p. 53.

4. Lettre KG à MH, 10 novembre 1911 : *BP*, p. 53-54.

5. Journal MH, 6 et 17 novembre 1911 : *His Life*, p. 226.

6. Journal MH, 31 novembre 1911 : *His Life*, p. 227-228.

7. Boulos Tauq, *La Personnalité de Gibran*, p. 292.

8. Journal MH, 31 novembre 1911 : *His Life*, p. 228.

9. Journal MH, 1er et 2 décembre 1911 : *His Life*, p. 228.

10. Lettre CT à MH, 13 décembre 1911 : *His Life*, p. 228-229.

11. Journal MH, 21 et 22 décembre 1911 : *His Life*, p. 229 ; *BP*, p. 56.

12. Journal MH, 2 janvier 1911 : *His Life*, p. 230.

13. Lettre KG à MH, 6 janvier 1911 : *BP*, p. 57.

14. Lettre MH à KG, 5 janvier 1912 : *BP*, p. 58 ; *Adwa'*, p. 64.

15. Journal MH, 17, 31 janvier et 1er février 1912 : *His Life*, p. 231.

16. *His Life*, p. 231 et 446.

17. Khalil Gibran, *Les Ailes brisées* : *OCA*, p. 168.

18. Journal MH, 28 janvier 1912 : *BP*, p. 60-61.

19. Lettre KG à MH, 1er février 1912 : *BP*, p. 61.

20. Journal MH, 1911 : *Adwa'*, p. 58.

21. Lettre KG à MH, 7 février 1912 : *BP*, p. 64.

22. *Le Prophète*, p. 44.

23. Lettre KG à MH, 16, 29 et 17 février 1912 : *BP*, p. 67-68, 70 et 68.

24. Lettre CT à MH, 2 février 1912 : *His Life*, p. 232.

25. Journal MH, 19 février 1912 : *His Life*, p. 232.

26. *His Life*, p. 210 et 232-233.

27. Journal MH, 20 février 1912 : *His Life*, p. 232-233 ; Antoine Francis, *Gibran al-'achiq*, p. 215.

28. Journal MH, 25 février 1912 : *His Life*, p. 233 ; Antoine Francis, *Gibran al-'achiq*, p. 215-216.

29. Lettre MH à KG, 8 mars 1912 : *His Life*, p. 234.

30. Lettre KG à MH, 10 mars 1912 : *BP*, p. 71.

31. Journal MH, date du jour inconnue, avril 1912 : *BP*, p. 71-74 et 76 et *His Life*, p. 236.

32. Journal MH, date du jour inconnue, avril 1912 : *BP*, p. 75-76.

33. Journal MH, 12 mars 1922 : *BP*, p. 373.

34. Journal MH, 12 mars 1922 : *BP*, p. 373.

35. Journal *Mir'at al-Gharb*, 3 avril 1912 : *Aqida*, p. 49.

36. *Les Tempêtes : OCA*, p. 396-398.

37. Manuscrit musée Gibran : Boulos Tauq, *La Personnalité de Gibran*, p. 827.

38. Lettre KG à MH, 19 avril 1912 : *BP*, p. 78.

39. *Al-Sa'ih*, 30 mai 1912 : *Aqida*, p. 31.

40. Lettre KG à MH, 16 mai 1912 : *BP*, p. 81-82.

41. Lettre KG à MH, 22 octobre 1912 : *BP*, p. 104.

42. Lettre KG à MH, 6 mai 1912 : *BP*, p. 79.

43. *Les Ailes brisées : OCA*, p. 209.

44. Lettre KG à MH, 29 février 1912 : *BP*, p. 70.

45. Journal MH, 12 juin 1912 : *BP*, p. 92.

46. Lettre KG à MH, 26 mai 1912 : *BP*, p. 82.

47. Journal MH, 29 mai 1912 : *His Life*, p. 238.

48. Journal MH, 7 juin 1912 : *BP*, p. 84-85.

49. Journal MH, 10 juin 1912 : *BP*, p. 87 ; la version anglaise fut traduite par Alexander Tille en 1908 ; ce livre est conservé au musée Gibran : Boulos Tauq, *La Personnalité de Gibran*, p. 353.

50. Frédéric Nietzsche, *Ainsi parlait Zarathoustra*, p. 320.

51. Journal MH, 10 juin 1912 : *BP*, p. 87.

52. *Le Prophète*, p. 35.

53. Journal MH, 8 juin 1912 : *BP*, p. 87.

54. Journal MH, 10 juin 1912 : *His Life*, p. 262 et *BP*, p. 88.

55. Journal MH, 7 septembre et 7 juin 1912 : *BP*, p. 97-98 et p. 86.

56. Journal MH, 12 juin 1912 : *BP*, p. 90 ; *His Life*, p. 311-312.

57. Journal MH, 27-28 juin : *His Life*, p. 238.

58. Revue *al-Hawadith*, 24 décembre 1978 ; *His Life*, p. 423-426.

59. *His Life*, p. 424-425.

60. *Le Sable et l'Ecume*, p. 68 ; *Sand and Foam*, p. 25.

61. *His Life*, p. 239 et 237.

62. Journal MH, 7 septembre 1912 : *His Life*, p. 239.

63. Journal MH, 7 septembre 1912 : *BP*, p. 98.

64. *His Life*, p. 241.

65. Journal MH, 12 mars 1922 : *BP*, p. 373.

66. Journal MH, 7 septembre 1912 : *His Life*, p. 243.

67. Lettre KG à MH, 16 septembre, 29 septembre et 9 octobre 1912 : *BP*, p. 99, 103 et 101 ; Journal MH, 9 novembre 1912 : *BP*, p. 105.

68. *Les Tempêtes : OCA*, p. 419-421.

69. Journal *Mir'at al-Gharb*, 27 septembre 1912 : *Aqida*, p. 233.

70. Lettre KG à MH, 29 septembre 1912 : *BP*, p. 102-103.

71. Lettre KG à MH, 22 octobre 1912 : *BP*, p. 103 et *Adwa'*, p. 176.

72. Journal MH, 1er décembre 1912 : *BP*, p. 112.

73. Journal MH, 1er décembre 1912 : *His Life*, p. 244.

74. Lettre KG à MH, 5 novembre 1912 : *BP*, p. 104-105.

75. Journal MH, 9 novembre 1912 : *BP*, p. 105-107 et *His Life*, p. 246.

76. Journal MH, 1er décembre 1912 : *BP*, p. 111.

77. Journal MH, 25 décembre 1912 : *BP*, p. 115.

78. Lettre KG à Salim Sarkis, 6 octobre 1912 : *Rasa'il*, p. 20-21 ; *His Life*, p. 368.

79. *Al-Chou'la*, intro, p. 7-28.

80. *His Life*, p. 246-247 et 250.

81. Lettre KG à MH, 16 février 1913 : *His Life*, p. 247.

82. *His Life*, p. 247.

83. Journal MH, 7 septembre 1912 : *BP*, p. 97.

84. Journal *Mir'at al-Gharb*, 3 février 1913 : *Aqida*, p. 53-54.

85. *Aqida*, p. 45.

86. Lettre KG à MH, 14 février 1913 : *BP*, p. 118.

87. Journal MH, 26 juin 1913 : *His Life*, p. 249.

88. Lettre MH à KG, 15 février 1913 : *BP*, p. 119-120 ; *His Life*, p. 248.

89. Lettre KG à Amin al-Ghrayib, 18 février 1913 : *Rasa'il*, p. 21-22.

90. René Guénon, *Le Théosophisme : histoire d'une pseudo-religion*, p. 36-37.

91. Journal MH, 6 avril 1913 : *BP*, p. 123-124 , *Adwa'*, p. 179.

92. Journal MH, 6 avril 1913 : *BP*, p. 123-125.

93. Journal MH, 30 avril 1913 : *BP*, p. 128.

94. *His Life*, p. 250.

95. Antoine Karam, *La Vie et l'œuvre de Gibran*, p. 78.

96. Journal MH, 30 avril 1913 : *BP*, p. 129 ; Lettre KG à MH, 21 septembre 1913 : *BP*, p. 154.

97. Mikhaël Nou'aymé, *Gibran*, p. 152.

98. Lettre KG à MH, 30 avril 1913 : *BP*, p. 128.

99. Barbara Young, *This Man*, p. 68.

100. Journal MH, 26 juin 1913 : *BP*, p. 134.

101. Lettre KG à MH, 17 mai 1913 : *BP*, p. 130.

102. Lettre KG à MH, 27 mai 1913 : *BP*, p. 130-131 et *Adwa'*, p. 212.

103. Journal MH, 26 juin 1913 : *BP*, p. 133-134.

104. *His Life*, p. 250.

105. Journal MH, 22 juin 1913 : *BP*, p. 132-133.

106. Journal MH, 22 juin 1913 : *Adwa'*, p. 119 et *BP*, p. 132.

107. Lettre KG à MH, 10 juin 1913 : *BP*, p. 131.

108. *His Life*, p. 289.

109. Lettre KG à MH, 10 juillet 1913 : *Adwa'*, p. 132-133.

110. *Le Prophète*, p. 70.

111. Journal MH, 30 août 1913 : *BP*, p. 140.

112. Lettre KG à MH, 30 avril 1913 : *Adwa'*, p. 117-118.

113. Journal MH, 29 août 1913 : *BP*, p. 136.

114. *Les Tempêtes* : *OCA*, p. 449-459.

115. Journal MH, 29 août 1913 : *BP*, p. 137.

116. *BP*, note, p. 125.

117. Journal MH, 30 août 1913 : *BP*, p. 141.

118. Journal MH, 31 août 1913 : *BP*, p. 141 et *His Life*, p. 254 et Antoine Francis, *Gibran al-'achiq*, p. 235-237.

119. Journal 23 juin 1913 : *His Life*, p. 252.

120. *BP*, notes, p. 112.

121. Journal MH, 2 septembre 1913 : *BP*, p. 146 ; *His Life*, p. 255.

122. Journal MH, 1er septembre 1913 : *BP*, p. 145.

123. Journal MH, 2 septembre 1913 : *BP*, p. 147.

124. Journal MH, 3 septembre 1913 : *BP*, p. 151.

125. Journal MH, 19 décembre 1914 : *BP*, p. 215-216.

126. Journal MH, 1er septembre 1913 et 28 juillet 1917 : *BP*, p 145 et 288.

127. Lettre KG à MH, 12 et 21 septembre, 8 octobre 1913 : *BP*, p. 153-155.

128. Lettre KG à MH, 26 octobre 1913 : *BP*, p. 157.

129. *His Life*, p. 264.

130. Lettre KG à MH, 26 octobre 1913 : *BP*, p. 156-157.

131. Lettre MH à KG, 16 novembre 1913 : *BP*, p. 159-160.

132. Lettre KG à MH, 30 novembre 1913 : *BP*, p. 165.

133. Lettre MH à KG, 27 novembre 1913 : *BP*, p. 161-162 ; *His Life*, p. 244-245.

134. Lettre KG à MH, 7 décembre 1913 : *BP*, p. 166 et *His Life*, p. 245.

135. Lettre KG à MH, 4 novembre 1913 : *His Life*, p. 263.

136. *Al-Sa'ih*, 15 décembre 1913 : *Aqida*, p. 40-41 ; Habib Mas'oud, *Gibran*, p. 37-38.

137. Lettre KG à MH, 8 mars 1914 : *His Life*, p. 290.

138. Lettre KG à MH, 19 décembre 1913 : *BP*, p. 166 et *His Life*, p. 246.

13. *Le Fou – New York : 1914-1918*

1. *Le Sable et l'Ecume*, p. 87 ; *Sand and Foam*, p. 39.

2. Boulos Tauq, *La Personnalité de Gibran*, p. 272.

3. Lettre KG à MZ, 2 janvier 1914 : *al-Chou'la*, p. 30-32.

4. Journal MH, 10 janvier 1914 : *BP*, p. 169-171.

5. Lettre KG à MH, 19 et 21 janvier 1914 : *His Life,* p. 264.

6. Lettre MH à KG, 4 février 1914 : *BP*, p. 177.

7. *His Life,* p. 264-265.

8. Journal JP, 27 février 1914 : *His Life,* p. 266.

9. Lettre KG à MH, 8 mars 1914 : *BP*, p. 179.

10. Journal *al-Sa'ih*, 9 mars 1914 : *His Life,* p. 290 et 447 ; *Aqida,* p. 251.

11. *Les Tempêtes : OCA,* p. 487-488.

12. Journal MH, 26 avril 1914 : *His Life,* p. 383-384.

13. *His Life,* p. 393.

14. Journal MH, 14 novembre 1915 : *His Life,* p. 384.

15. Revue *Question de*, « Khalil Gibran : Poète de la Sagesse », p. 83-97 ; *L'Œil du Prophète*, p. 218-221.

16. *Le Sable et l'Ecume,* p. 73 ; *Sand and Foam,* p. 28.

17. Journal MH, 20 juin 1914 : *BP,* p. 192-193 et *His Life,* p. 267.

18. Journal MH, 20 juin 1914 : *BP,* p. 193.

19. Lettre MH à KG, 2 octobre 1914 : *His Life,* p. 291.

20. Lettre KG à MH, 14 octobre 1914 : *BP,* p. 209-210.

21. Dialogue entre KG et Nassib 'Arida : *Rasa'il,* p. 36-37 ; Mikhaël Nou'aymé, *Gibran,* p. 144.

22. *Larme et Sourire : OCA,* p. 243 et 349 ; *L'Œil du Prophète,* p. 15.

23. Khalil Hawi, *Khalil Gibran : His Background, Character and Works,* p. 179.

24. *His Life,* p. 267.

25. Lettre KG à MH, 7 août 1914 ; *BP,* p. 205 et *Adwa',* p. 225.

26. Journal MH, 1914 : *Adwa',* p. 225-226 : Journal MH, 30 août 1914 : *His Life,* p. 270.

27. Lettre KG à MH, 20 août 1914 : *BP,* p. 207.

28. Journal MH, 30 août 1914 : *BP,* p. 208-209, *Le Fou,* p. 49-51.

29. Journal MH, 30 août 1914 : *His Life,* p. 270. *Le Fou,* p. 53-56.

30. *Merveilles et Curiosités : OCA,* p. 537-538.

31. Journal MH, 4 septembre 1914 : *His Life,* p. 312.

32. *His Life,* p. 279 et 268.

33. *Ibid.,* p. 271.

34. Lettre KG à MH, 13 décembre 1914 : *His Life,* p. 271.

35. *His Life,* p. 273.

36. *Ibid.,* p. 277-278 et 448.

37. Journal MH, 19 décembre 1914 : *His Life,* p. 273.

38. Journal MH, 19 et 20 décembre 1914 : *BP,* p. 215-216 et 220-221.

39. Journal MH, 28-29 décembre : *His Life,* p. 276.

40. Journal MH, 31 décembre 1914 : *BP,* p. 225-226.

41. *His Life,* p. 246 et 278.

42. Journal MH, 26 avril 1914 : *BP,* p. 190 ; Lettre KG à MH, 9 février 1915 : *BP,* p. 232.

43. Barbara Young, *This Man,* p. 57.

44. Lettre KG à MH, 11 janvier 1915 : *BP,* p. 228.

45. *His Life,* p. 279-280.

46. Lettre KG à MH, 9 février 1915 : *BP,* p. 232.

47. Lettre KG à MH, 9 février 1915 : *BP,* p. 232.

48. Journal *al-Sa'ih,* 15 février 1915 : *Aqida,* p. 329-331.

49. Lettre KG à MH, 14 mars 1915 : *BP*, p. 234 et *His Life,* p. 283.

50. *Adwa'*, p. 179.

51. Journal MH, 10 avril 1915 : *BP*, p. 235-236.

52. Journal MH, 11 avril 1915 et 20 avril 1920 : *BP*, p. 242-243 et 330-331.

53. Boulos Tauq, *La Personnalité de Gibran,* p. 246 et 213.

54. *His Life,* p. 283.

55. Journal MH, 11 juin 1915 : *His Life,* p. 260.

56. Journal MH, 3 et 11 juin 1915 : *His Life,* p. 284.

57. *Le Fou,* p. 69-71.

58. *Ibid.,* p. 18-19.

59. Journal MH, 30 juin 1915 : *BP*, p. 246.

60. Lettre KG à MH, 6 août 1915 : *BP*, p. 253.

61. *His Life,* p. 310.

62. Journal MH, 20 avril 1920 : *BP*, p. 331.

63. Livre écrit par Daniel Halevy et conservé au musée Gibran : Boulos Tauq, *La Personnalité de Gibran,* p. 353.

64. Lettre KG à MH, 9 décembre 1915 : *BP*, p. 261.

65. Lettre KG à MH, 6 janvier 1916 : *BP*, p. 263.

66. Lettre KG à MH, 30 janvier 1916 : *BP*, p. 265.

67. Lettre KG à MH, 10 février 1916 : *BP*, p. 266-267.

68. Journal *al-Sa'ih*, février 1916 : *Aqida*, p. 107-108.

69. Journal *al-Founoun*, juillet 1916 : *Aqida*, p. 108.

70. Journal MH, 21 avril 1916 : *His Life*, p. 313.

71. *Le Prophète*, commentaire, p. 193-197.

72. Journal MH, 21 avril 1916 : *BP*, p. 269.

73. Journal *al-Sa'ih*, 25 mai 1916 : *Aqida*, p. 191.

74. Jean-Pierre Alem, *Le Liban*, p. 63.

75. Lettre KG à MH, 26 mai 1916 : Annie Salem Otto, *The Letters*, p. 479.

76. *Aqida*, p. 73.

77. Lettre KG à MH, 11 juin 1916 : *BP*, p. 273-274.

78. *His Life*, p. 292.

79. Lettre KG à MH, 14 juin 1916 : *BP*, p. 275.

80. Lettre KG à MH, 22 août 1916 : *BP*, p. 277.

81. Lettre KG à MH, 5 novembre 1916 : *BP*, p. 279.

82. Journal *al-Founoun*, octobre 1916 : *Aqida*, p. 280.

83. *Les Tempêtes : OCA*, p. 428-430.

84. *His Life*, p. 296-298.

85. Revue *The Seven Arts*, novembre et décembre 1916 : *His Life*, p. 447.

86. *His Life*, p. 294.

87. Journal MH, 5 octobre 1916 : *His Life*, p. 295.

88. Journal MH, 5 octobre 1916 : *His Life*, p. 295.

89. Mikhaël Nou'aymé, *Sab'oun*, I, p. 74, 117, 163-164, 244, 272, 283 ; II, p. 22, 63-64.

90. Mikhaël Nou'aymé, *Gibran*, p. 151-152.

91. *Id., ibid.*, p. 149-151.

92. *Id., ibid.*, p. 153-154.

93. *His Life*, p. 298.

94. Lettre KG à MH, 6 mai 1912 : *BP*, p. 79.

95. Lettre KG à MH, 9 décembre 1916 : *BP*, p. 282.

96. Lettre KG à MH, 3 janvier 1917 : *BP*, p. 283.

97. Journal MH, 19 décembre 1914 : *BP*, p. 215.

98. *Adwa'*, p. 22.

99. Lettre KG à MH, 19 décembre 1916 : *BP*, p. 282.

100. Lettre KG à MH, 3 janvier 1917 : *BP*, p. 283.

101. Lettre KG à MH, 12 janvier 1917 : *BP*, p. 284.

102. Lettre MH à KG, 15 janvier 1917 : *BP*, p. 284.

103. Lettre KG à MH, 31 janvier 1917 : *BP*, p. 286.

104. *His Life*, p. 448 et 299.

105. *Ibid.*, p. 448 et 301.

106. *Ibid.*, p. 301.

107. *Ibid.*, p. 303 et 448.

108. Lettre KG à MH, 20 avril 1917 : *His Life*, p. 304.

109. *Aqida*, p. 81-82.

110. Lettre Amin al-Rihani à KG : Antoine Karam, *La Vie et l'œuvre de Gibran*, p. 82.

111. *Aqida*, p. 86.

112. Journal *al-Sa'ih*, 14 juin 1917 : *Aqida*, p. 84.

113. Lettre KG à Nakhlé Gibran, 26 septembre 1917 : Habib Mas'oud, *Gibran*, p. 510.

114. *Adwa'*, p. 144.

115. Journal MH, 26 décembre 1917 : *His Life*, p. 306.

116. *His Life*, p. 304.

117. Journal MH, 27 juillet 1917 : *His Life*, p. 304-305.

118. Khalil Chalfoun, *La Figure de Jésus*, I, p. 193.

119. Journal MH, 30 juillet 1917 : *His Life*, p. 313.

120. Lettre KG à MH, 25 novembre 1917 : *BP*, 292-293 et Annie Salem Otto, *The Letters*, p. 546-547.

121. Manuscrit musée Gibran : Boulos Tauq, *La Personnalité de Gibran*, p. 797.

122. Journal MH, 3 septembre 1920 : *BP*, p. 342.

123. Journal MH, 6 janvier 1918 : *BP*, p. 294-295.

124. *His Life*, p. 309

125. Journal MH, 11 mai 1918 : *BP*, p. 305.

126. Journal MH, 11 mai 1918 : *BP*, p. 305 ; Lettre KG à MH, 29 mai 1918 : *BP*, p. 306-307.

127. *His Life*, p. 314.

128. Journal MH, 22 mars 1918 : *His Life*, p. 310 et 319.

129. Journal MH, 24 mars 1918 : *His Life*, p. 310.

130. *Le Prophète*, p. 23-24.

131. *His Life*, p. 317.

132. *Ibid*, p. 310 et 314 ; Journal MH, 6 mai 1918 : *BP*, p. 301-302.

133. Journal MH, 6 mai 1918 : *BP*, p. 302-303 et *His Life*, p. 315.

134. Journal MH, 6 mai 1918 : *BP*, p. 303.

135. *His Life*, p. 318-319.

136. Lettre KG à MH, 21 juin 1918 : *BP*, p. 310 et *His Life*, p. 319.

137. *BP*, note, p. 311.

138. Journal MH, 31 août 1918 : *His Life*, p. 322 et 320.

139. *Le Fou*, p. 46-48 ; *L'Œil du Prophète*, p. 93-94.

140. Lettre KG à MH, 26 août 1918 : *BP*, p. 313.

141. Journal MH, 1er septembre 1918 : *BP*, p. 315.

142. Lettre KG à MZ, 11 juin 1919 : *al-Chou'la*, p. 57 et 222.

143. Lettre KG à MH, 22 octobre 1918 : *His Life*, p. 323.

144. Lettre KG à MZ, 7 février 1919 : *al-Chou'la*, p. 41 ; Journal *Evening Post*, 1er février 1919, p. 6 : *His Life*, p. 326.

145. *Le Fou*, p. 15-16 ; *L'Œil du Prophète*, p. 79.

146. Journal *al-Sa'ih*, 14 novembre 1918 : *Aqida*, p. 90 et 281.

147. Télégramme daté du 23 décembre 1918 : Archives des Affaires étrangères du Quai d'Orsay, Levant-E., Syrie-Liban-Cilicie, Dossier général, n° 6, p. 105.

148. Lettre KG à MH, 7 et 17 novembre 1918 : *BP*, p. 318.

14. Le Précurseur – New York : 1919-1922

1. *Le Précurseur*, p. 1.

2. Journal MH, 10 janvier 1919 : *His Life*, p. 330.

3. Lettre KG à MZ, 11 juin et 9 novembre 1919 : *al-Chou'la*, p. 48 et 65.

4. Lettre KG à MZ, 7 février 1919 : *al-Chou'la*, p. 42-43.

5. Lettre KG à Gertrude Barrie, 1919 : *His Life*, p. 425.

6. Journal *Evening Post*, 29 mars 1919, rubrique littéraire, p. 1-10.

7. Barbara Young. *This Man*, p. 76-81 : *Aqida*, p. 332-336.

8. Journal MH, 14 avril 1919 : *His Life*, p. 333.

9. Lettre KG à MZ, 10 mai 1919 : *al-Chou'la*, p. 45 : *His Life*, p. 333.

10. Khalil Gibran, *Les Processions : OCA*, p. 360, vers 130.

11. Lettre KG à MZ, 10 mai 1919 : *al-Chou'la*, p. 45.

12. *Al-Chou'la*, note, p. 45.

13. Coran : sourate 89, verset 7.

14. Lettre KG à MZ, 11 juin 1919 : *al-Chou'la*, p. 47-50 et 52-55.

15. Lettre KG à Emile Zaydan, 12 juillet 1919 : *Rasa'il ta'iha*, p. 92.

16. Lettre KG à Emile Zaydan, 1919 : *Rasa'il*, p. 23-24.

17. Lettre KG à Emile Zaydan, 12 juillet 1919 : *Rasa'il ta'iha*, p. 92.

18. Lettre KG à MZ, 25 juillet 1919 : *al-Chou'la*, p. 59-61.

19. Journal MH, 4 août 1919 : *His Life*, p. 333.

20. Revue *Fatat Boston*, octobre-novembre 1919 : *His Life*, p. 333 et 447.

21. Journal *The Syrian World*, juillet 1926, New York : *Aqida*, p. 434.

22. Journal MH, 8 novembre 1919 : *His Life*, p. 334 et *BP*, p. 322.

23. Lettre KG à MZ, 9 novembre 1919 : *al-Chou'la*, p. 70, 66-67 et 70-71.

24. *Al-Chou'la*, p. 76 et 231.

25. Lettre KG à MZ, novembre 1919 : *al-Chou'la*, p. 75-76.

26. *Al-Chou'la*, p. 64 ; Lettre KG à MZ, 28 janvier 1920 : *al-Chou'la*, p. 83.

27. *His Life*, p. 333.

28. Kahlil Gibran, *Vingt Dessins*, préface, p. 10.

29. Lettre KG à MZ, 28 janvier 1920 : *al-Chou'la*, p. 77 et 80.

30. Lettre KG à MZ, 3 novembre 1920 : *al-Chou'la*, p. 93-94.

31. Lettre KG à MZ, 28 janvier 1920 : *al-Chou'la*, p. 83 et 86-87.

32. Journal MH, 20 avril 1920 : *His Life*, p. 331.

33. *Le Précurseur*, p. 21 ; *L'Œil du Prophète*, p. 157.

34. *His Life*, p. 336.

35. Journal MH, 20 avril 1920 : *BP*, p. 329.

36. Lettre KG à MH, 10 avril 1920 : *His Life*, p. 335.

37. Journal MH, 17 avril 1920 : *His Life*, p. 335-336.

38. Mikhaël Nou'aymé, *Gibran*, p. 230.

39. Journal MH, 18 avril 1920 : *His Life*, p. 337 et *BP*, p. 326-327.

40. Journal MH, 18 décembre 1920 : *BP*, p. 352.

41. Journal MH, 20 avril 1920 : *His Life*, p. 337 et *BP*, p. 331.

42. Journal MH, 17 et 18 avril 1920 : *BP*, p. 326-327.

43. *Le Précurseur*, p. 53-61.

44. Journal MH, 30 mai 1922 : *BP*, p. 387.

45. Journal MH, 17 avril 1920 : *His Life*, p. 337.

46. Journal MH, 20 avril 1920 : *BP*, p. 331.

47. Barbara Young, *This Man*, p. 34.

48. Mikhaël Nou'aymé, *Gibran*, p. 176-177 et 174.

49. *Id., ibid.*, p. 177-178.

50. Revue *al-Hilal*, 1920 : *Aqida*, p. 343 : *Merveilles et Curiosités : OCA*, p. 554-562.

51. Journal MH, 20 août 1920 : *BP*, p. 338 ; *His Life*, p. 340.

52. Journal MH, 20 et 25 août 1920 : *His Life*, p. 340-341.

53. Journal MH, 7 septembre 1920 : *BP*, p. 345.

54. Journal MH, 4 septembre 1914 : *His Life*, p. 312.

55. Journal MH, 31 août 1920 : *BP*, p. 340.

56. Journal MH, 10 septembre 1920 : *BP*, p. 346.

57. Journal MH, 7 septembre 1920 : *BP*, p. 345.

58. Journal MH, 14 septembre 1920 : *BP*, p. 347.

59. Journal MH, 7 septembre 1920 : *BP*, p. 344.

60. *Le Prophète*, p. 14.

61. Journal MH, 7 septembre 1920 : *BP*, p. 344.

62. Luc, 9, 35.

63. Matthieu, 17, 5 et Marc, 9, 7.

64. Journal MH, 14 septembre 1920 : *BP*, p. 349.

65. *Adwa'*, p. 170.

66. Lettre MH à KG, 10 octobre 1920 et Lettre KG à MH, 11 octobre 1920 : *BP*, 350-352.

67. *Le Prophète*, p. 59.

68. Mikhaël Nou'aymé, *Gibran*, p. 180-184.

69. Journal MH, 18 décembre 1920 : *BP*, p. 353.

70. Lettre KG à MZ, 3 novembre 1920 : *al-Chou'la*, p. 100 ; *His Life*, p. 343.

71. Lettre KG à MZ, 3 novembre 1920 : *al-Chou'la*, p. 91-96.

72. Lettre KG à MZ, 3 novembre 1920 : *al-Chou'la*, p. 98-100.

73. Manuscrit musée Gibran : Wahib Kayrouz, *Alam Gibran al-fikri*, II, p. 295.

74. Journal *Mir'at al-Gharb*, 9 mars 1916 : *Aqida*, p. 189.

75. Journal *al-Sa'ih*, 8 novembre 1920 : *Aqida*, p. 188 ; 1ʳᵉ publication revue *al-Hilal*.

76. Journal MH ; 18 décembre 1920 : *BP*, p. 353.

77. *Merveilles et Curiosités : OCA*, p. 520-524.

78. *Ibid.*, p. 525.

79. Lettre KG à MH, 12 décembre 1920 : *His Life*, p. 343.

80. Journal MH, 18 décembre 1920 : *His Life*, p. 345.

81. *His Life*, p. 343.

82. Journal MH, 18 décembre 1920 : *BP*, p. 352-353.

83. Journal MH, 6 janvier 1921 : *BP*, p. 355.

84. Lettre KG à MZ, 11 janvier 1921 : *al-Chou'la*, p. 107-109.

85. Journal MH, 5 février 1921 : *BP*, p. 357-358.

86. Journal MH, 8 février 1921 : *BP*, p. 359.

87. Journal MH, 1921 : *Adwa'*, p. 194-195.

88. *Merveilles et Curiosités : OCA*, p. 566-569.

89. Journal *al-Hilal*, 1ᵉʳ avril 1921 : *His Life*, p. 346 et 447.

90. Lettre KG à MZ, 6 avril 1921 : *al-Chou'la*, p. 112-113.

91. Journal MH, date du jour non mentionnée, avril 1921 : *His Life*, p. 349.

92. Lettre KG à MZ, 21 mai 1921 : *al-Chou'la*, p. 116-117 et 120-121.

93. Lettre KG à MZ, 30 mai 1921 : *al-Chou'la*, p. 123-124.

94. Journal MH, 12 juillet 1921 : *His Life*, p. 368.

95. Lettre KG à MZ, juin 1921 : *Rasa'il ta'iha*, p. 105.

96. *His Life*, p. 349.

97. Mikhaël Nou'aymé, *Gibran*, p. 190-194 et 196-199.

98. Journal MH, 12 et 22 juillet 1921 : *His Life*, p. 350.

99. *Merveilles et Curiosités : OCA*, p. 503-512.

100. *His Life*, p. 349.

101. Lettre KG à MN, 1921 : *Rasa'il*, p. 37 et 39.

102. Journal MH, 30 août 1921 : *BP*, p. 362.

103. Journal MH, 9 septembre 1921 : *His Life*, p. 352.

104. Journal MH, 9 septembre 1921 : *BP*, p. 363.

105. Journal MH, 9 septembre 1921 : *His Life*, p. 353.

106. *Le Prophète*, commentaire, p. 193-197.

107. *Ibid.*, p. 203-204.

108. Journal MH, 12 juillet 1921 : *His Life*, p. 368.

109. *His Life*, p. 353.

110. Journal MH, 5 janvier 1922 : *BP*, p. 365 et *His Life*, p. 353.

111. *Merveilles et Curiosités : OCA*, p. 516-519.

112. Journal *al-Sa'ih*, 12 janvier 1922 : Antoine Karam, *La Vie et l'œuvre de Gibran*, p. 194.

113. Journal MH, 5 janvier 1922 : *BP*, p. 365 ; *His Life*, p. 353-354 et 448.

114. Journal MH, 9 janvier 1922 : *His Life*, p. 354.

115. Journal MH, 19 janvier 1922 : *BP*, p. 368-369.

116. Journal MH, 12 mars 1922 : *His Life*, p. 358.

117. Journal MH, 12 mars 1922 : *BP*, p. 373-374 et *His Life*, p. 357.

118. Journal MH, 12 mars 1922 : *BP*, p. 374.

119. Lettre KG à Emile Zaydan, 1922 : *Rasa'il*, p. 39.

120. Journal MH, 14 avril 1922 : *His Life*, p. 358.

121. Journal MH, 19 mai 1922 : *His Life*, p. 359-360.

122. Journal MH, 21 avril et 5 mai 1922 : *His Life*, p. 359.

123. *Le Prophète*, p. 10.

124. Journal MH, 19 mai 1922 : *BP*, p. 384.

125. Journal MH, 28 avril 1922 : *BP*, p. 380.

126. Journal MH, 9 mai 1922 : *BP*, p. 382.

127. Lettre KG à MZ, 9 mai 1922 : *al-Chou'la*, p. 127.

128. Journal MH, 16 juin 1922 : *BP*, p. 388 ; *His Life*, p. 361.

129. *His Life*, p. 361-362.

130. Journal MH, 11 septembre 1922 : *BP*, p. 391 et *His Life*, p. 362.

131. Journal MH, 7 octobre 1922 : *His Life*, p. 362.

132. *Le Prophète*, p. 28-29.

133. *His Life*, p. 425.

134. Barbara Young, *This Man*, p. 129.

135. Mikhaël Nou'aymé, *Gibran*, p. 207.

136. *Id., ibid.*, p. 211.

137. Ristelhwer Consul de France au Liban. *Les Coutumes françaises au Liban*, p. 58-61.

138. Mikhaël Nou'aymé, *Gibran*, p. 211.

139. Boulos Tauq, *La Personnalité de Gibran*, p. 196.

140. Maroun 'Abboud, *Joudoud wa Qoudam'*, 2ème éd., p. 100.

141. *His Life*, p. 373.

142. Journal MH, 26-28 décembre 1922 : *BP*, p. 397.

15. Le Prophète – New York : 1923-1925

1. Barbara Young, *This Man*, p. 4 : Le *Prophète*, p. 113.
2. Journal MH, 2 janvier 1923 : *His Life*, p. 363-364.
3. Barbara Young. *This Man*, p. 33.
4. Manuscrit musée Gibran : Boulos Tauq, *La Personnalité de Gibran*, p. 829.
5. Revue *al-Hilal*, février 1923 : *Aqida*, p. 345-350.
6. *Le Jardin du Prophète*, p. 14-15 ; *Kalimat Gibran*, p. 25-26.
7. Journal MH, 31 décembre 1922 : *His Life*, p. 369.
8. Lettre KG à MH, 19 mars, 30 avril et 3 mai 1923 : *BP*, p. 401 et 403.
9. Lettre KG à MH, 19 mars 1923 : *BP*, p. 401.
10. Journal MH, 16 juin 1923 : *BP*, 408-409.
11. Journal MH, 26 mai 1923 : *BP*, p. 403.
12. Journal MH, 27 mai 1923 : *BP*, p. 405-406.
13. Journal MH, 26 mai 1923 : *BP*, p. 404.
14. Journal MH, 29 mai 1923 : *BP*, p. 406.
15. Journal MH, 16 juin 1923 : *His Life*, p. 364 et 446.
16. Revue *al-Machriq*, XXI, n° 7, 1923, p. 487-493 :
17. Ghazi Braks, *Gibran*, p. 233.
18. Journal MH, 16 juin 1923 : *His Life*, p. 364.
19. Journal MH, 23 juin 1923 : *BP*, p. 410.
20. Journal MH, 23 juin 1923 : *His Life*, p. 364.
21. Journal MH, 23 juin 1923 : *BP*, p. 408.
22. Journal MH, 23 juin 1923 : *BP*, p. 411.
23. Lettre KG à MN, 11 août 1923 : *Rasa'il*, p. 45.
24. *Le Prophète*, p. 7.
25. *Le Sable et l'Ecume*, p. 40 ; *Sand and Foam*, p. 4.
26. Antoine Karam, *La Vie et l'œuvre de Gibran*, p. 92.
27. Mikhaël Nou'aymé, *Gibran*, p. 224.
28. *Id., ibid.*, p. 249 ; Barbara Young, *This Man*, p. 183.
29. *Le Prophète*, p. 85.
30. Barbara Young, *This Man*, p. 60-61.
31. Mikhaël Nou'aymé, *Gibran*, p. 249.
32. *Larme et Sourire : OCA*, p. 349.
33. *His Life*, p. 422.
34. Henri Zoghaib, revue *Arabies*, octobre 1993, p. 54 ; journal *al-Nahar*, 9 mai 1991, p. 10.
35. Lettre KG à MH, 2 octobre 1923 : *BP*, p. 412-413.

36. Lettre KG à MZ, 5 octobre 1923 : *al-Chou'la*, p. 129-131.

37. *His Life*, p. 371.

38. Journal MH, 26 novembre 1923 : *BP*, p. 414.

39. Journal MH, 26 novembre 1923 : *BP*, p. 413 et *His Life*, p. 371.

40. Barbara Young, *This Man*, p. 33 ; Mikhaël Nou'aymé, *Gibran*, p. 224.

41. Journal MH, 26 novembre 1923 : *BP*, p. 414.

42. Barbara Young, *This Man*, p. 119.

43. Lettre KG à MZ, 1er-3 décembre 1923 : *al-Chou'la*, p. 146, 150, 153-154.

44. *Le Sable et l'Ecume*, p. 40 ; *Sand and Foam*, p. 5.

45. Lettre KG à MH, 22 avril 1924 : *BP*, p. 418.

46. Lettre KG à MZ, 17 janvier 1924 : *al-Chou'la*, p. 159-160.

47. Lettre MZ à KG, 15 janvier 1924 : *al-Chou'la*, p. 22.

48. Lettre KG à MZ, 26 février 1924 : *al-Chou'la*, p. 170-171.

49. Lettre KG à MZ, 2 novembre 1924 : *al-Chou'la*, p. 173.

50. Barbara Young, *This Man*, p. 13-14 ; Mikhaël Nou'aymé, *Gibran*, p. 228-229 ; *His Life*, p. 375.

51. *Le Sable et l'Ecume*, p. 85 ; *Sand and Foam*, p. 37.

52. Journal MH, 21 mai 1924 : *BP*, p. 419.

53. Journal MH, 26 mai 1924 : *BP*, p. 421.

54. *Adwa'*, p. 13-14 ; *BP*, p. 7.

55. Journal MH, 18 juin 1924 : *BP*, p. 427.

56. *His Life*, p. 378 et 448.

57. Revue *al-Risala*, 15 juillet 1955.

58. Habib Mas'oud, *Gibran*, p. 586.

59. Lettre KG à MH, 4 septembre 1924 . *His Life*, p. 379-380.

60. Habib Mas'oud, *Gibran*, p. 20.

61. Revue *al-Hilal*, n° 33, 1924-1925 : *Aqida*, p. 318-320.

62. Lettre KG à MZ, 2 novembre 1924 : *al-Chou'la*, p. 173.

63. Lettre KG à MZ, 9 décembre 1924 : *al-Chou'la*, p. 175 et 177.

64. Lettre KG à MZ, 12 janvier 1925 : *al-Chou'la*, p. 180.

65. Lettre KG à MZ, 6 février 1925 : *al-Chou'la*, p. 183.

66. Lettre KG à MZ, 23 mars 1925 : *al-Chou'la*, p. 187-188.

67. *Al-Chou'la*, intro., p. 7-28.

68. Lettre MZ à KG, 11 mars 1925 : Antoine Karam, *La Vie et l'œuvre de Gibran*, p. 86.

69. Barbara Young, *This Man*, p. 125.

70. Lettre KG à MZ, 1925 : *Rasa'il*, p. 47.

71. *His Life*, p. 379.

72. Antoine Karam, *La Vie et l'œuvre de Gibran*, p. 286.

73. *His Life*, p. 379 ; Antoine Karam, *La Vie et l'œuvre de Gibran*, p. 283.

74. Barbara Young, *This Man*, p. ix ; *His Life*, p. 381-382.

75. Barbara Young, *This Man*, p. 82-92.

76. Revue *The New Orient*, juillet-septembre 1925.

77. Barbara Young, *This Man*, p. 82-85 ; manuscrit arabe intitulé *La Lumière m'a aveuglé* au musée Gibran : Boulos Tauq ; *La Personnalité de Gibran*, p. 805.

78. *His Life*, p. 98, note 9 et p. 160.

79. *Ibid.*, p. 382-383.

80. Boulos Tauq, *La Personnalité de Gibran*, p. 257 ; René Guénon, *Le Théosophisme*, p. 337-341.

16. *Jésus Fils de l'Homme – New York : 1926-1931*

1. *Jésus Fils de l'Homme*, p. 128 et 228 ; *Jesus the Son of Man*, p. 109 et 208.

2. *Le Sable et l'Ecume*, préface, p. 12.

3. Journal MH, 17 avril 1920 : *BP*, p. 325.

4. Barbara Young, *This Man*, p. 86-87.

5. Journal MH, 31 août 1920 : *BP*, p. 340-341.

6. *His Life*, p. 384 ; *BP*, p. 431.

7. *His Life*, p. 384.

8. Antoine Karam, *La Vie et l'œuvre de Gibran*, p. 173 et 274.

9. *Le Sable et l'Ecume*, version arabe, format poche, Beyrouth, p. 8.

10. *Jésus Fils de l'Homme*, p. 19-21.

11. Barbara Young, *This Man*, p. 99-102.

12. Khalil Chalfoun, *La Figure de Jésus*, I, p. 119 ; *His Life* p. 386.

13. Barbara Young, *This Man*, p. 35-36.

14. *Id., ibid.*, p. 103-107.

15. *Id., ibid.*, p. 11-12.

16. *Id., ibid.*, p. 139 et 29.

17. *Id., ibid.*, p. 29.

18. *Id., ibid.*, p. 13.

19. *Le Sable et l'Ecume*, p. 84 ; *Sand and Foam*, p. 37.

20. Barbara Young, *This Man*, p. 6-7.

21. *Id., ibid.*, p. 24 et 26-28.

22. *Id., ibid.,* p. 126-127.

23. *Merveilles et Curiosités : OCA,* p. 536.

24. Antoine Karam, *La Vie et l'œuvre de Gibran,* p. 276.

25. Barbara Young, *This Man,* p. 32-33.

26. *His Life,* p. 433.

27. Antoine Karam, *La Vie et l'œuvre de Gibran,* p. 274 ; *His Life,* p. 446.

28. *His Life,* p. 387.

29. Barbara Young, *This Man,* p. 120.

30. *Id., ibid.,* p. 122.

31. *Id., ibid.,* p. 59.

32. *Id., ibid.,* p. 133-134.

33. *Id., ibid.,* p. 118 bis et 29.

34. Barbara Young, *This Man,* p. 169 ; Lettre KG à MH, 1913 : *Adwa',* p. 195-196.

35. *His Life,* p. 389.

36. *Jésus Fils de l'Homme,* version française, présentation, p. 11-15.

37. Barbara Young, *This Man,* p. 36-37.

38. *Id., ibid.,* p. 37.

39. Kahlil Gibran, *Prose Poems,* préfacé par Barbara Young, p. vii.

40. Barbara Young, *This Man,* p. 109-110.

41. *Id., ibid.,* p. 110 ; *His Life,* p. 390.

42. *His Life,* p. 390 et 446.

43. Lettre KG à MH, 7 novembre 1928 : *BP,* p. 435.

44. *Le Sable et l'Ecume,* p. 43 ; *Sand and Foam,* p. 6.

45. *Les Ailes brisées : OCA,* p. 190.

46. *His Life,* p. 388.

47. *Kalimat Gibran,* p. 130.

48. *Le Jardin du Prophète,* version anglaise, p. 34-35.

49. *His Life,* p. 391-394.

50. Mikhaël Nou'aymé, *Gibran,* p. 250-251.

51. Lettre KG à MN, 26 mars 1929 : Mikhaël Nou'aymé, *Gibran,* p. 303.

52. *His Life,* p. 394.

53. Lettre KG à MH, 8 novembre 1929 : *His Life,* p. 395.

54. Barbara Young, *This Man,* p. 28 et 128.

55. *Id., ibid.,* p. 129-130.

56. *Id., ibid.,* p. 95.

57. *Id., ibid.,* p. 38.

58. *Id., ibid.,* p. 38.

564 *Khalil Gibran*

59. *Id., ibid.,* p. 39.

60. *Id., ibid.,* p. 94 et 17.

61. Habib Mas'oud, *Gibran,* p. 365 et 530 ; Mikhaël Nou'aymé, *Gibran,* p. 249 et 276-277.

62. *His Life,* p. 395.

63. *Ibid.,* p 396 ; Mikhaël Nou'aymé, *Gibran*, p. 249.

64. Lettre KG à MZ : *Rasa'il,* p. 55.

65. Lettre KG à MZ, 1930 : Habib Mas'oud, *Gibran,* p. 604 et *Rasa'il,* p. 50-51.

66. Lettre KG à MH, 16 mars 1931 : *BP*, p. 439.

67. Lettre MH à KG, 7 juillet 1915 : *BP*, p. 250 ; Barbara Young, *This Man,* p. 113.

68. Barbara Young, *This Man,* p. 112-113 ; *La Terre des Dieux,* p. 40.

69. Selon Mariana Gibran : Habib Mas'oud, *Gibran,* p. 22.

70. Lettre KG à MH, 16 mars 1931 : *BP*, p. 439.

71. Barbara Young, *This Man,* p. 146-147.

72. *L'Errant,* p. 50 bis.

73. Barbara Young, *This Man,* p. 147.

74. Antoine Karam, *La Vie et l'œuvre de Gibran,* p. 100-101 ; Mikhaël Nou'aymé, *Gibran,* p. 260-261.

75. *His Life,* p. 398 ; Mikhaël Nou'aymé, *Gibran,* p. 16.

76. *His Life,* p. 398

77. *Le Précurseur,* p. 49-50.

17. Le retour du vaisseau

1. *Le Prophète,* p. 9 et 127.

2. Antoine Karam, *La Vie et l'Œuvre de Gibran,* p. 112 ; Barbara Young, *This Man,* p. 154.

3. Habib Mas'oud, *Gibran,* p. 370-371 et 389-390.

4. Journal MH, 14 mai 1908 : *His Life,* p. 171.

5. *Larme et Sourire : OCA,* p. 335-337.

6. Lettre KG à MZ : *Rasa'il,* p. 54.

7. *Le Prophète,* p. 114 et 128.

BIBLIOGRAPHIE

Abréviations de noms de personnages

CT : Charlotte Teller
FHD : Fred Holland Day
JP : Josephine Peabody
KG : Khalil Gibran
MH : Mary Haskell
MN : Mikhaël Nou'aymé
MZ : May Ziyadé
YH : Youssef al-Houayik

Abréviations de titres d'ouvrages

Adwa' : Sayigh Tawfiq, *Adwa' jadida 'ala Gibran* (cf. biblio. sur Gibran).

Aqida : Dayé Jean, *Aqidat Gibran* (cf. biblio. sur Gibran).

BP : *Beloved Prophet* (cf. biblio. correspondance).

Al-Chou'la : *Al-Chou'la al-zarqa'* (cf. biblio. correspondance).

His Life : Gibran Jean et Kahlil, *Kahlil Gibran : his Life and World* (cf. biblio. sur Gibran).

OCA : Gibran, *Œuvre complète arabe* (cf. biblio. œuvre de Gibran).

Rasa'il : *Rasa'il Gibran* (cf. biblio. correspondance).

Rasa'il ta'iha : *Rasa'il Gibran al-ta'iha* (cf. biblio. correspondance).

Mes Souvenirs : Al-Houayik Youssef, *Dhikrayati ma'a Gibran* (cf. biblio. sur Gibran).

L'œuvre de Gibran en langue anglaise

1918 : Kahlil Gibran, *The Madman,* « *Le Fou* », éd. Alfred Knopf, New York.

1919 Kahlil Gibran, *Twenty Drawings,* « *Vingt Dessins* », préfacé par Alice Raphaël Eckstein, éd. Alfred Knopf, New York.

1920 : Kahlil Gibran, *The Forerunner,* « *Le Précurseur* », éd. Alfred Knopf, New York (nous avons utilisé l'édition Heinemann, Londres, 1974).

1923 : Kahlil Gibran, *The Prophet,* « *Le Prophète* », éd. Alfred Knopf, New York.

1926 : Kahlil Gibran, *Sand and Foam,* « *Le Sable et l'Ecume* », éd. Alfred Knopf, New York.

1928 : Kahlil Gibran, *Jesus the Son of Man,* « *Jésus Fils de l'Homme* », éd. Alfred Knopf, New York.

1931 : Kahlil Gibran, *The Earth Gods,* « *La Terre des Dieux* », éd. Alfred Knopf, New York.

1932 : Kahlil Gibran, *The Wanderer,* « *L'Errant* », éd. Alfred Knopf, New York.

Ouvrages posthumes

1933 : Kahlil Gibran, *The Garden of the Prophet,* « *Le Jardin du Prophète* », rassemblé par Barbara Young, éd. Alfred Knopf, New York.

1973 : Kahlil Gibran, *Lazarus and his Beloved,* « *Lazare et sa bien-aimée* », préfacé par Jean et Kahlil Gibran, éd. New York Graphic Society, Greenwich Connecticut.

L'œuvre de Gibran en langue arabe

1905 : Gibran Khalil Gibran, *Al-Mousiqa,* « *La Musique* », éd. al-Mouhajir, New York.

1906 : Gibran Khalil Gibran, *'Ara'is al-Mourouj,* « *Les Nymphes des vallées* », éd. al-Mouhajir, New York.

1908 : Gibran Khalil Gibran, *Al-'Arwah al-moutamarrida, « Les Esprits rebelles »,* éd. al-Mouhajir, New York.

1912 : Gibran Khalil Gibran, *Al-'Ajniha al-moutakassira, « Les Ailes brisées »,* éd. Mir'at al-Gharb, New York.

1914 : Gibran Khalil Gibran, *Dam'a wa Ibtisama, « Larme et Sourire »,* éd. Atlantic, New York.

1919 : Gibran Khalil Gibran, *Al-Mawakib, « Les Processions »,* éd. Mir'at al-Gharb, New York.

1920 : Gibran Khalil Gibran, *Al-'Awasif, « Les Tempêtes »,* éd. al-Hilal, Le Caire.

1923 : Gibran Khalil Gibran, *Al-Bada'i 'wa-l-Tara'if, « Merveilles et Curiosités »,* éd. Youssef al-Boustani al-Matba'a al-'asriya, Le Caire.

Pour tous ces ouvrages nous avons utilisé : Gibran Khalil Gibran, *Œuvre complète arabe,* Dar al-Houda al-wataniya, Beyrouth.

1927 : Gibran Khalil Gibran, *Kalimat Gibran,* anthologie réalisée par l'archimandrite Antonios Bachir, éd. Youssef al-Boustani al-Matba'a al-'asriya, Le Caire (nous avons utilisé l'édition al-Dar al-moutahida, Beyrouth, 1983).

Ouvrages de Gibran traduits en français

Khalil Gibran, *Merveilles et processions*, Albin Michel, 1996.

Khalil Gibran, *Le Prophète,* traduit et commenté par Jean-Pierre Dahdah, éd. du Rocher, Monaco, 1993.

Khalil Gibran, *L'Œil du Prophète : anthologie,* réalisée par Jean-Pierre Dahdah, Albin Michel, 1991.

Khalil Gibran, *Jésus Fils de l'Homme,* traduit par Jean-Pierre Dahdah et Maryke Schurman, Albin Michel, 1990.

Khalil Gibran, *Le Sable et l'Ecume,* traduit par Jean-Pierre Dahdah et Maryke Schurman, Albin Michel, 1990.

Bibliographie des articles de Gibran

Journal *al-Mouhajir,* 1er avril 1905, New York.

Journal *Mir'at al-Gharb,* 6 janvier 1911, New York.

Journal *Mir'at al-Gharb,* 3 mars 1911.

Journal *Mir'at al-Gharb,* 14 avril 1911.

Journal *Mir'at al-Gharb,* 28 juin 1911.

Journal *Mir'at al-Gharb,* 13 septembre 1911.
Journal *Mir'at al-Gharb,* 3 avril 1912.
Journal *al-Sa'ih,* 30 mai 1912, New York.
Journal *Mir'at al-Gharb,* 9 juillet 1912.
Journal *Mir'at al-Gharb,* 27 septembre 1912.
Journal *Mir'at al-Gharb,* 3 février 1913.
Journal *al-Sa'ih,* 15 décembre 1913.
Journal *al-Sa'ih,* 9 mars 1914.
Journal *al-Sa'ih,* 15 février 1915.
Journal *Mir'at al-Gharb,* 9 mars 1916.
Journal *al-Sa'ih,* 25 mai 1916.
Journal *al-Founoun,* octobre 1916, New York.
Revue *The Seven Arts,* novembre 1916, New York.
Revue *The Seven Arts,* décembre 1916.
Journal *al-Sa'ih,* 14 juin 1917.
Journal *al-Sa'ih,* 14 novembre 1918.
Revue *Fatat Boston,* octobre-novembre 1919, Boston.
Revue *al-Hilal,* 1920, Le Caire.
Journal *al-Sa'ih,* 8 novembre 1920.
Revue *al-Hilal,* 1er avril 1921.
Journal *al-Sa'ih,* 12 janvier 1922.
Revue *al-Hilal,* février 1923.
Revue *al-Hilal,* n° 33, 1924-1925.
Revue *The New Orient,* juillet-septembre 1925, New York.
Journal *The Syrian World,* juillet 1926, New York.

Correspondances et journaux intimes

*Beloved Prophet : the love letters of Kahlil Gibran and Mary Has-
    kell and her private journal,* recueillis et présentés par Virginia
    Hilu, éd. Quartet, Londres, 1973.
The Letters of Kahlil Gibran and Mary Haskell, recueillies et pré-
    sentées par Annie Salem Otto, Houston-Texas, Southern Printing
    Company, 1967.
Rasa'il Gibran, recueillies et présentées par Jamil Jabre, Beyrouth.
Rasa'il Gibran al-ta'iha, recueillies et présentées par Riyad Hnayn,
    Mou'assasat Naufal, Beyrouth, 1983.
Al-Chou'la al-zarqa' : lettres de Khalil Gibran à May Ziyadé,
    recueillies et présentées par Salma al-Haffar al-Kouzbari et Sou-
    hail Bouchrou'i, ministère de la Culture, Damas, 1979.

La Voix ailée, (traduction en français d'*Al-Chou'la al-zarqa'),* Sindbad, 1982.

Diary and Letters of Josephine Preston Peabody, éd. Christina Hopkleinson Baker, Boston, 1924.

Ouvrages d'études sur Gibran

'Abboud Maroun, *Joudoud wa qoudama',* Dar al-Thaqafa, 1re éd. 1954 et 2e éd. 1963, Beyrouth.

Braks Ghazi, *Gibran Khalil Gibran,* Dar al-Kitab al-loubnani, Beyrouth, 1981.

Bushrui Suheil & Jenkins Joe, *Kahlil Gibran : Man and Poet,* Oneworld, Oxford, 1998.

Chahine Anis, *L'Amour et la nature dans l'œuvre de Khalil Gibran,* Middle East Press, Beyrouth, 1979.

Chalfoun Khalil, *La Figure de Jésus-Christ dans la vie et l'œuvre de Gibran,* thèse de 3e cycle, Institut catholique, Paris, 1986.

Cheikho père Louis, *Tarikh al-'âdâb al-'arabiya,* Imprimerie catholique, Beyrouth, 1926.

Chikhani Rafic, *Religion et société dans l'œuvre de Gibran,* thèse de doctorat d'Etat, Univ. sc. humaines, Strasbourg, 1983.

Dayé Jean, *Aqidat Gibran,* Sourakia House, Londres, 1988.

Francis Antoine, *Gibran al-'achiq,* Dar al-Sayad, Beyrouth, 1987.

Gibran Jean et Kahlil, *Kahlil Gibran : his Life and World,* Interlink Books, New York, 1981.

Gibran Khalil, *Jésus, le Fils de l'Homme,* introduction biographique et traduction par Mansour Challita, éd. Khayats, Beyrouth, 1968.

Gibran Kahlil, *The Procession,* introduction biographique et traduction par Georges Khairallah, The Wisdom Library, New York, 1958.

Gibran Kahlil, *Prose Poems,* anthologie réalisée par Andrew Ghareeb et préfacée par Barbara Young, Knopf, New York, 1987.

Hawi Khalil, *Khalil Gibran : his Background, Character and Works,* Americain University of Beirut, 1963.

Hawi Khalil, *Gibran Khalil Gibran,* Dar al-'Ilm li-l-malayin, Beyrouth, 1982.

Al-Houayik Youssef, *Dhikrayati ma'a Gibran,* rédigé et présenté par Edwique Chayboub, Mou'assasat Naufal, Beyrouth, 1979.

Hounayn Riyad, *Al-Wajh al-'âkhar li Gibran,* Dar al-Nahar, Beyrouth, 1981.

Jabre Jamil, *Gibran : hayatouh, 'adabouh, falsafatouh wa rasmouh,* Dar al-Rihani, Beyrouth, 1958.

Jabre Jamil, *Gibran fi hayatih al-'assifa,* Mou'assasat Naufal, Beyrouth, 1981.

Karam Antoine Ghattas, *La Vie et l'œuvre de Gibran,* Dar al-Nahar, Beyrouth, 1981.

Kayrouz Wahib, *'Alam Gibran al-fikri,* éd. Bcharray, Beyrouth, 1984.

Khalid Amin, *Mouhawalât fi dars Gibran,* Imprimerie catholique, Beyrouth, 1933.

Khouayri Antoine, *Gibran Khalil Gibran : al-nabigha al-loubnani,* éd. Malaf Markaz al-'Ilm wa-l-Tawthiq, Beyrouth, 1981.

Mas'oud Habib, *Gibran hayan wa maytan,* Dar al-Rihani, Beyrouth, 1966.

Najjar Alexandre, *Khalil Gibran,* Pygmalion, 2002.

Nou'aymé Mikhaël, *Gibran Khalil Gibran,* Mou'assasat Naufal, Beyrouth, 1985.

Nou'aymé Mikhaël, *Sab'oun,* Mou'assasat Naufal, Beyrouth, 1977-1978.

Rahmé père Francis, *Tarikh Bcharré 'aw madinat al-mouqaddamin,* Sao Paolo, 1956.

Al-Rihani Albert, *Al-Rihani wa mu'asirouh, rasa'il al-'oudaba' ilayh,* Dar al-Rihani, Beyrouth, 1956.

Sayigh Tawfiq, *Adwa'jadida 'ala Gibran,* al-Dar al-charqiya, Beyrouth, 1966.

Tauq Boulos, *La Personnalité de Gibran dans ses dimensions constitutives et existentielles,* thèse de doctorat d'Etat, Univ. sc. humaines, Strasbourg, 1984.

Young Barbara, *This Man from Lebanon : a Study of Kahlil Gibran,* Alfred Knopf, 1re édition 1931 et éd. 1956, New York.

Al-Yammouni Joseph, *Gibran Khalil Gibran : l'homme et sa pensée philosophique,* éditions de l'Aire, Lausanne, 1982.

Bibliographie générale

Abou Salim, *L'Identité culturelle,* Anthropos, Paris, 1981.

Alem Jean-Pierre, *Le Liban,* coll. Que sais-je, PUF, 1968.

La Bible, coll. Bouquins, Robert Laffont, 1990.

Corm Charles, *La Montagne inspirée,* éd. de la Revue Phénicienne, Beyrouth, 1934.

Al-Dibs Mgr Youssef, *Tarikh Souriya,* Beyrouth, 1905.

Dubar et Nasr, *Les Classes sociales au Liban,* PNSP, Paris, 1976.

Feghali M. et J., *Contes, légendes et coutumes populaires du Liban,* éd. Peeters, Louvain, 1977.

Guénon René, *Le Théosophisme : histoire d'une pseudo-religion,* éd. Traditionnelles, Paris, 1978.

Nietzsche Frédéric, *Ainsi parlait Zarathoustra,* éd. Le Livre de Poche, 1972.

Ristelhwer, *Les Coutumes françaises au Liban,* traduit en arabe par Boulos 'Abboud, Beyrouth, 1918.

Périodiques

Journal *al-Anwar,* 27 août 1979, Beyrouth.

Journal *al-Anwar,* 13 avril 1980.

Journal *al-Anwar,* 14 avril 1980.

Journal *al-Anwar,* 16 avril 1980.

Journal *al-Anwar,* 17 avril 1980.

Journal *Boston Sunday Globe,* 13 novembre 1904.

Journal *Evening Post,* 1er février 1919, New York.

Journal *Evening Post,* 29 mars 1919.

Journal *Herald,* 12 novembre 1904, Boston.

Journal *al-Nahar,* 9 mai 1991, Beyrouth.

Revue *Arabies,* octobre 1993, Paris.

Revue *Camera,* juillet 1898, Boston.

Revue *Camera,* juillet 1901.

Revue *The Critic,* 2 avril 1898, New York.

Revue *Evening Transcript,* 3 mai 1903, Boston.

Revue *al-Haris,* n° 8, 1931, Beyrouth.

Revue *al-Hawadith,* 24 décembre 1978.

Revue *al-Hikma,* IV, n° 8, Beyrouth.

Revue *al-Hikma,* V, n° 4.

Revue *al-Hikma* V, n° 8.

Revue *al-Hikma* VI, n° 8.

Revue *The Iris,* Wellesley College, Tau Zeta Epsilon Society, 1903.

Revue *al-Machriq,* XXI, n° 7, 1923, Beyrouth.

Revue *al-Majalis,* 3 février 1956, Beyrouth.

Revue *al-Makchouf,* IV, n° 172, Beyrouth.

Revue *al-Manara,* octobre 1931, Beyrouth.

Revue *Les Mille Nouvelles Nouvelles,* X, novembre 1910, Paris.

Revue *The Mohogany Tree,* 28 mai 1892, Boston.

Revue *Question de,* « Khalil Gibran : Poète de la Sagesse », n° 83, 1990, Albin Michel.

Revue *al-Risala,* 15 juillet 1955, Beyrouth.

Revue *al-Samir,* 1er mai 1931, Beyrouth.

Revue *Wellesley College News,* 26 mai 1909.

American Annual of Photography and Photographic Times Almanac, 1899.

Archives des Affaires étrangères du Quai d'Orsay, Levant-E, Syrie-Liban-Cilicie, Dossier général, n° 6.

TABLE

OUVRAGES DE ET SUR KHALIL GIBRAN
PAR JEAN-PIERRE DAHDAH

Le Jardin du Prophète
Dervy, 2004

Merveilles et Processions
Albin Michel, 1996

Visions du Prophète
éditions du Rocher, 1995

Le Prophète
éditions du Rocher, 1993, rééd. J'ai lu, 1995

L'Œil du Prophète : anthologie
éditions Albin Michel, 1991

Jésus Fils de l'Homme
Albin Michel, 1990

Le Sable et l'Ecume
Albin Michel, 1990

Khalil Gibran, Poète de la Sagesse
revue « Question de », n° 83, dirigé par Jean-Pierre Dahdah
Albin Michel, 1990

NOV

Composition Nord Compo
Impression BCI en avril 2004
Editions Albin Michel
22, rue Huyghens, 75014 Paris
www.albin-michel.fr
N° d'édition : 22416. – N° d'impression : 041841/1.
Dépôt légal : mai 2004.
ISBN 2-226-15188-5
ISSN 1147-3762
Imprimé en France.